C0-AXT-931

Crimen y castigo

Fedor M. Dostoievski

Crimen y castigo

Prólogo

Gerardo Martínez Cristerna

EDITORIAL PORRÚA
AV. REPÚBLICA ARGENTINA 15
MÉXICO, 2007

Esta edición y sus características son propiedad de
EDITORIAL PORRÚA, SA de CV 2
Av. República Argentina 15 altos, col. Centro,
06020, México, DF
www.porrua.com

Queda hecho el depósito que marca la ley

ISBN 970-07-7002-8

Obra de portada: técnica carboncillo sobre papel
intitulado: *Transmutación*
medida: 20 x 12 cm
autora: Pilar Bañuelos

Impreso en México / *Printed in Mexico*

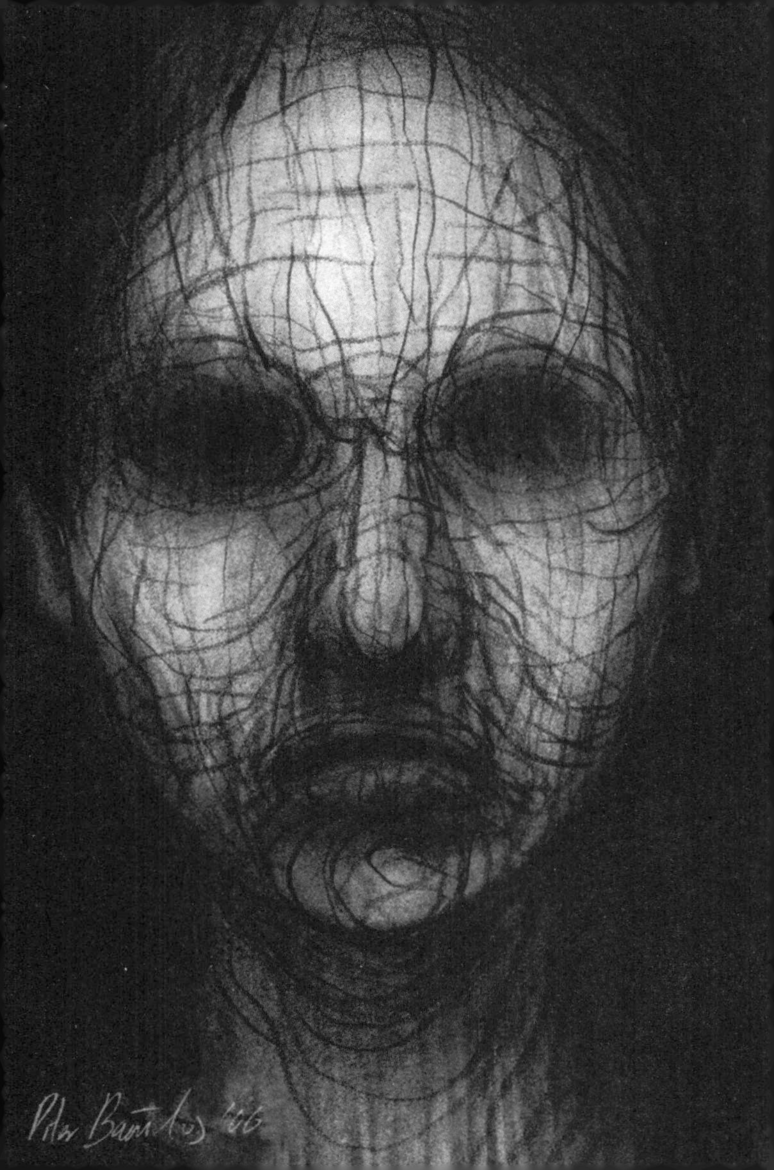

Noticias sobre *Crimen y castigo*

Prólogo

El cuidado que Dostoievski dedicaba a la definición del perfil psicológico de cada uno de los personajes en sus novelas es admirablemente actual. Se le ha acusado, en cambio, de resolver de manera muy somera y sutil los engarzamientos de sus narraciones, razón por la que sus historias podrían contener errores de continuidad o de lógica. Pero ese señalamiento incurre en un error.*

Crimen y castigo, la obra que aquí nos ocupa, fue concebida inicialmente como una noveleta, pero el desarrollo de la historia y la complejidad de las esporádicas relaciones en que se ve involu-

* Al respecto véase SARRAUTE, Natalie, *La era del recelo. Ensayos sobre la novela*, España, Ediciones Guadarrama, 1967. Además, consúltese a FRANK, Joseph, *Dostoievski*, V Tomos, México, FCE, 1997. Nos centraremos con mayor énfasis en el segundo debido a la actualidad de su investigación, pero sobre todo, por los aportes que pueda traer consigo esa prodigiosa investigación.

crado Raskolnikov (el personaje principal) exigieron gradualmente al autor una descripción más precisa y extensa de las situaciones, lo que también lo obligó a modificar el proyecto de escribir la historia en primera persona. En consecuencia, se decidió a cambiar esta técnica narrativa y optar por un relato en tercera persona. Sin embargo, tal recurso no sólo tuvo su origen en la transformación y desarrollo de la novela, Dostoievski se encontró con otro tipo de dificultades durante el proceso de gestación y creación de la obra. Las modificaciones se le impusieron también a partir de lo que literariamente quería alcanzar con su protagonista: una forma capaz de fusionar la conciencia del narrador con el punto de vista del personaje principal, de manera que el lector pudiera experimentar los problemas a que se enfrentaba Raskolnikov en sucintos pero penetrantes pasajes psicológicos, evitando así que sus conflictos interiores se presentaran desde el principio como los de un ser definido por completo y siempre racional.

Esto habría vuelto imposible presentar las oscilaciones emocionales que Raskolnikov experimenta durante el relato: sus limitaciones espirituales y materiales, y las de los demás, su discurrir ideológico y el escenario moral con el que debe luchar (la boda interesada de su hermana, la figura de su madre, etc.). Era necesario, pues, que no apareciera ante nosotros un personaje siempre seguro de sus deseos y consciente de todos sus pasos; un tipo calculador que construido en la primera persona del singular habría impedido la empresa del autor: plantear las dudas y zozobras que conforman la naturaleza misma del protagonista. Tal es el mundo que le interesaba explorar a Dostoievski, aquel donde se sufre, se llora, se ríe y se cometen crímenes. En esta concepción apreciamos la forma en que el autor da cuerpo a sus personajes.

Una de las constantes ideologías de *Crimen y castigo* consiste en exponer la oposición entre las reflexiones epistemológicas o analíticas y las expresiones volitivas o carnales del personaje, lo que nos pone al abrigo de una conexión mecánica entre el adentro psicológico y el afuera situacional del relato y donde el resultado es más bien el conflicto permanente entre los estados psicológicos, siempre subjetivos, y su conexión con la realidad, siempre objetiva. Los problemas que se vislumbran desde esta constante constituyen el testimonio de una Rusia dominada ideológicamente por una lógica utilitarista (que refleja claramente la influencia de Jeremy Bentham y de J. Stuart Mill). Esta "razón utilitaria" había llegado hasta el punto de justificar cualquiera de nuestras acciones, aun las criminales o contrarias a la ética, y se hallaba al servicio del poder, porque "dar razones" de nuestras faltas, las justifica y las disuelve. Dostoievski emprende entonces una campaña ideológica contra el egoísmo racional relacionado con el utilitarismo que —al parecer— se institucionalizaba cada vez más entre la juventud rusa de mediados del siglo XIX.

El ambiente sociocultural en el que se concibió *Crimen y castigo* refleja un momento de crisis. Y en el proceso de construcción y constitución de la novela se percibe la dura crítica que Dostoievski dirige contra los intelectuales de la época, empeñados en construir un frívolo cambio de mentalidad. El zarismo y la revolución proveen de abundante material a nuestro autor para diseñar la superficie del relato, de modo que si prestamos atención a lo que podríamos llamar factores secundarios, encontraremos los rasgos más acentuados del contexto.

Ciertas investigaciones han buscado relacionar, además, experiencias biográficas de Dostoievski con su creación literaria, pero si bien pueden reconocerse estas conexiones en la descripción de diversos personajes y episodios, no es posible reducir sus narraciones a meras experiencias concretas, ni menos aún hacer a un lado su originalidad y creatividad. Lo que podemos llamar experiencia "real", en la obra de Dostoievski es una herramienta fundamental para pensar el presente de una Rusia a punto de rendirse ante el nihilismo y la subyugación al poder. Hay una conexión radical entre *Crimen y castigo* y el ambiente ideológico de la época. Los preceptos morales resentían los primeros embates psicológicos, y la "moda" del asesinato que pudo constatar nuestro autor superaba al antiquísimo mandato que lo prohibía. Así, el cuestionamiento constante de Raskolnikov respecto al asesinato de la vieja usurera comienza a entreverse desde la primera visita descrita en la novela, y a partir de ese momento nos envuelve una serie de imágenes de conciencia que conducen al personaje a preguntarse cómo es posible tener estos pensamientos en su fuero interno, cómo resistirse a lo que parece inevitable. Dos días y medio después vendrá el golpe que da nombre a esta novela.

De una influencia trascedental en la novela moderna, la narrativa de Dostoievski describe a sus personajes psicológicamente: tienen sentimientos concretos en situaciones específicas, y este rasgo nos introduce sin posibilidad de marcha atrás en sus historias. La inventiva del autor y la importancia de su aportación a la literatura mundial es un hecho que todo lector puede comprobar a través de los tiempos al continuar leyendo sus páginas.

Gerardo Martínez Cristerna
México, DF

Primera parte

1

En los primeros días de julio, en esa época tan calurosa del año, salió un joven una noche de su cuartucho, situado en la calle S., descendió la escalera y, lentamente, con aire irresoluto, encaminose hacia el puente K...

Pudo ganar la calle sin ser visto por su patrona.

Su buhardilla, situada debajo del techo de aquella casa de cinco pisos, parecía más bien un retrete que una habitación. La patrona, que también hacíale la comida, ocupaba en el piso inmediato un departamento independiente. Por esta circunstancia, para salir a la calle veíase obligado a pasar delante de la cocina, cuya puerta, que daba a la escalera, permanecía casi siempre abierta de par en par.

Cada vez que tenía que hacerlo, el joven experimentaba una sensación de embarazo y malestar, de la que se avergonzaba, y que le hacía fruncir el ceño. Estando atrasado en el pago, procuraba no enfrentarse con ella.

Esto no quiere decir que estuviese acobardado o abatido, no; pero, desde hacía algún tiempo, era tal su estado de irritación nerviosa que rayaba en la hipocondría. Vivía a tal punto concentrado en sí mismo y en un aislamiento tan completo que temía todos los encuentros, y no sólo el de la portera. Agobiado por el peso de su miseria y su desamparo, terminó, sin embargo, por no pesarle. Abandonó las ocupaciones que en otro tiempo le procuraron el pan cotidiano, y no se preocupaba por conseguir otras. En realidad, no era por temor que huía de su patrona, cualesquiera que fuesen los propósitos que pudiera abrigar contra él. Pero detenerse en el rellano, prestar oído a la eterna cantilena acerca de temas que no le interesaban en absoluto, oír luego con insistencia amonestaciones sobre la obligación de pagar el alquiler, y sus recriminaciones, sus quejas, y, lo que es peor, verse obligado a recurrir a subterfugios, inventar excusas, mentir... No, más valía deslizarse silenciosamente como un gato por la escalera y desaparecer sin ser visto por nadie.

Esta vez él mismo se asombró, cuando estuvo en la calle, del temor de encontrar a su acreedora.

"¿Debo asustarme de semejantes pequeñeces cuando proyecto un golpe tan atrevido? —se decía, sonriendo de un modo extraño—. Sí... Es cierto... Todo está en las manos del hombre, y todo lo deja escapar, por cobardía... Es un axioma... Me agradaría saber qué es lo que más temen los hombres... Dar un paso hacia adelante, pronunciar una palabra de su propia cosecha: he aquí lo que temen más que nada. Pero hablo demasiado... Y es muy posible que sea este hábito mío de monologar el que me priva de hacer nada... Pero de igual modo puede ser a la inversa: hablo mucho porque no hago nada. En efecto, llevo ya mucho tiempo, meses quizás, monologando, acurrucado en un rincón días enteros, con el espíritu perturbado por ideas raras. Vamos a ver: ¿por qué voy ahora allá? ¿Soy capaz de dar el golpe? ¿En realidad es esto una cosa seria? No, no lo es. Me estoy engañando con una ilusión, y esto me causa placer. Es una distracción, sí, es más bien una distracción..."

Hacía en la calle un calor sofocante; la atmósfera era casi irrespirable. El rumor de la multitud, la vista de la cal, los andamios, los ladrillos, y ese olor particular tan conocido por los habitantes de San Petersburgo que no pueden alquilar una casa de campo en el verano..., todo contribuía a aumentar la nerviosidad del joven. El insoportable olor de las tabernas y figones, numerosos en esa parte de la ciudad, y los borrachos que a cada paso se encontraba, aun siendo un día laborable, acabaron de dar al cuadro un repugnante colorido.

Hubo un momento en que los finos rasgos del joven reflejaron amargo disgusto.

Su figura era, en efecto, atractiva: de bellos ojos de un azul oscuro, cabello castaño, talla superior a la mediana, esbelto y bien proporcionado. De pronto pareció quedar sumido en una profunda abstracción, o más bien en una especie de letargo. Continuó avanzando sin reparar en lo que le rodeaba, sin el menor deseo de ver nada.

De vez en cuando, y sin darse cuenta, se le escapaban algunas palabras, según su costumbre, como acababa de reconocerlo. En aquel momento advirtió que sus ideas se embrollaban y confundían, apoderándose de él una gran debilidad: hacía dos días que casi no comía. Eran tan miserables sus ropas que otro cualquiera, a pesar de la costumbre, habría tenido reparos en salir de día con aquellos andrajos. A decir verdad, ese barrio no era como para que causara asombro una indumentaria como aquélla. La proximidad del Mercado del Heno, con profusión de establecimientos de un ramo especial, y sobre todo la población, formada por artesanos y jornaleros, amontonada en esas calles y callejuelas del centro de San Petersburgo, daban al ambiente una vista múltiple que no había motivo para sorprenderse por la presencia de una silueta más o menos rara. Pero era tal el desdén que desbordaba del alma del joven que, a despecho de una delicadeza que lindaba a veces con la candidez, era en la calle donde menos que en cualquier otra parte sentía vergüenza de exhibir sus harapos. Otra cosa hubiera sido encontrarse con alguna persona conocida o con alguno de sus antiguos camaradas, a los que en general no gustaba frecuentar. Sin embargo, un ebrio al que conducían en un carro tirado por un caballo le interpeló al pasar: "¡Eh, tú, sombrerero alemán!"

El joven se detuvo bruscamente, y con un gesto nervioso llevó la mano a su sombrero. Era un sombrero de copa, adquirido en la casa Zimmermann, pero raído por el uso, chamuscado, lleno de agujeros y manchas, con el ala roída, que caía hacia un costado en forma lamentable. Sin embargo, la sensación que experimentó no fue de disgusto, sino de espanto.

"¡Ya me parecía! —murmuró en su turbación—. ¡Me lo imaginaba! Esto es lo peor. Una tontería de esta naturaleza, el más insignificante descuido, bastan para comprometer todo el asunto. Sí, este sombrero llama mucho la atención... Solamente una gorra puede ir bien con mis harapos..., un guiñapo cualquiera en lugar de esta prenda ridícula que tanto se nota. Nadie lleva una parecida: se distingue desde una legua y queda grabada en la memoria... Sí, se acordarán, y constituirá una pieza clave... En estos casos lo que más hay que cuidar es que nadie se fije en uno. Poca cosa, en suma, bien poca cosa. Pero boberías de esta clase son las que terminan siempre por echarlo todo a perder."

No iba lejos; sabía con exactitud el número de pasos que tenía que dar desde el portal de su casa: setecientos treinta. Los había contado cuando su proyecto no era más que un vago sueño. En esa época no creía en la realización de semejante cosa; se limitaba a gozar con fruición de aquella idea audaz, seductora y temible a la vez; pero, habiendo pasado un mes desde entonces, empezaba a ver las cosas bajo otro aspecto. Aun cuando en sus soliloquios reprochábase su falta de energía y su irresolución, se había acostumbrado, a fuerza de pensar en ello, a considerar el "innoble sueño" como una cosa natural, sin dejar, no obstante, de dudar de sí mismo. En aquel momento iba a efectuar el "ensayo" de la empresa, aumentando a cada paso su agitación.

Con el corazón desfallecido, agitado por un temblor nervioso, se aproximó a un enorme edificio, uno de cuyos lados daba sobre el canal, y el otro a la calle X. El caserón, dividido en pequeños departamentos, tenía por inquilinos todo tipo de artesanos, cerrajeros, sastres, cocineras. Habitaban allí alemanes de diversas categorías, mujeres públicas, pequeños funcionarios, y notábase un continuo movimiento de personas que entraban y salían por uno y otro portal, atravesando los dos patios del inmueble. Tres o cuatro sirvientes se ocupaban de su cuidado y limpieza. Con viva satisfacción, el joven no tropezó con persona alguna. Después de atravesar el umbral, penetró de pronto, sin ser notado, y tomó por la escalera de la derecha.

Reinaba la oscuridad en esa escalera angosta y tétrica no desconocida para él, y cuya disposición estaba muy lejos de contrariarle; pues así no eran de temer las miradas indiscretas. "¿Si tengo miedo ahora, qué será cuando venga decidido?", díjose a su pesar, llegando al cuarto piso. Allí le cerraron el paso antiguos soldados convertidos en mozos de cuerda; efectuaban la mudanza de uno de los departamentos, ocupado, él lo sabía, por un funcionario alemán y su familia.

"Si este alemán se va, el único departamento ocupado en este rellano será el de la vieja. Es bueno saberlo... por si llega el caso", se dijo, llamando a la puerta de la vieja. La campanilla sonó de un modo apagado, como si en lugar de cobre hubiese sido de hojalata. Así son las campanillas de casi toda esa clase de inmuebles.

Aquel sonido particular, que había olvidado, pareció traerle a la memoria algún recuerdo desagradable, pues sus nervios se alteraron y un estremecimiento recorrió su cuerpo. Al cabo de un instante la puerta entreabriose apenas, y, por la pequeña abertura, la locataria examinó al intruso con evidente desconfianza; brillaban sus ojillos en la oscuridad. Pero al ver más gente en el descansillo, tranquilizose, abriendo la puerta de par en par. El joven franqueó el umbral, penetró en un sombrío vestíbulo, dividido en dos por un tabique, tras el cual se hallaba la cocina. Plantada delante del joven y sin decir palabra, la vieja interrogole con la vista. Era una mujer de unos sesenta años, pequeña y seca, de ojillos inquisitivos, nariz puntiaguda y expresión feroz. Llevaba la cabeza descubierta, y sus cabellos grisáceos relucían untados de aceite. Una tira de franela rodeaba su cuello, largo y delgado como pata de gallina, y, a pesar del calor, colgaba de sus hombros una piel descolorida y apolillada. Tosía a menudo con una tosecilla seca. Algo extraño debió de percibir en la mirada del joven, porque de pronto asomó de nuevo en los ojos de la vieja la expresión de desconfianza.

—Raskolnikov, estudiante. Hace cosa de un mes estuve aquí —se apresuró a murmurar el joven, inclinándose a medias al recordar que debía mostrarse amable.

—Sí, lo recuerdo perfectamente. Usted vino a verme hace un mes —respondió la vieja, recalcando cada palabra, sin dejar de observarlo con recelo.

—Justo, y ahora vengo otra vez por el mismo asunto —continuó Raskolnikov, un poco turbado y sorprendido por la desconfianza que demostraba la anciana.

"Quizás esta mujer —pensó con una sensación de desagrado— sea siempre así, y no lo haya advertido la vez pasada."

La mujer guardó silencio como si reflexionase, y luego, indicando la puerta de la habitación, se hizo a un lado y dijo:

—Pase usted, amigo.

La habitación en que fue introducido el joven tenía las paredes tapizadas con papel amarillo; en las ventanas, con cortinas de muselina, había macetas con geranios; a esa hora el sol poniente bañaba todo de viva claridad.

"Sin embargo, el sol brillará también entonces", se dijo involuntariamente Raskolnikov, y con una rápida mirada abarcó el conjunto de la pieza para grabarla lo más exactamente posible en su memoria. Nada había allí de particular. El anticuado mobiliario de madera amarilla componíase de un diván con amplio respaldo vuelto, una mesa ovalada frente a frente del diván, un lavabo y un espejo colgado entre ambas ventanas, algunas sillas y dos o tres cuadros sin valor y de marcos descoloridos, que representaban jóvenes alemanas acariciando unos pájaros. Eso era todo. En un rincón ardía una lamparilla de aceite frente a una imagen. Pisos y muebles relucían por su gran limpieza.

"Esto es obra de Isabel", pensó el joven.

Hubiera sido imposible hallar un grano de polvo en todo el departamento.

"Esta limpieza sólo se ve en las casas de estas viudas perversas", continuó monologando Raskolnikov, mirando con disimulo una cortina de cretona que ocultaba otra puerta, correspondiente a una segunda salita, en la cual estaban la cama y la cómoda de la vieja, y donde él jamás puso los pies. El departamento quedaba reducido a esas dos únicas habitaciones.

—¿Qué quiere usted? —preguntó secamente la vieja, que, habiendo seguido al visitante, plantose delante de él para examinarle de cerca.

—He venido a empeñar una cosa. Véala usted —y sacó de su bolsillo un antiguo reloj de plata, con un globo grabado en la tapa. La cadena era de acero.

—Pero el otro empeño ya venció. El plazo eran tres días.

—Le pagaré los intereses de otro mes; tenga un poco de paciencia.

—Tendré paciencia si quiero, joven. Desde ahora puedo hacer lo que se me antoje con ello.

—¿Me dará usted mucho por este reloj, Aliona Ivanovna?

—¡Je! ¿Qué? Siempre trae cosas que no valen un clavo. La última vez le di dos rublos por un anillo que se puede comprar nuevo en la joyería por rublo y medio.

—Deme usted cuatro rublos por este reloj. Le aseguro que lo recuperaré. Perteneció a mi padre, y dentro de poco debo recibir dinero...

—Un rublo y medio si le conviene, pagando los intereses por adelantado.

—¡Rublo y medio! —exclamó el joven.

—Acepta usted, ¿sí o no?

Y, dicho esto, la mujer alargó el reloj. El joven lo tomó e iba a retirarse, irritado, pero casi instantáneamente cambió de parecer, al recordar que no disponía de la menor cantidad de dinero y que aquella visita era por otro asunto.

—¡Démelo! —dijo con brusquedad.

La vieja introdujo su mano huesuda en el bolsillo para buscar las llaves y pasó a la otra habitación, detrás de la cortina. Cuando se vio solo, Raskolnikov aguzó el oído para tratar de adivinar lo que ocurría en el cuarto contiguo, con el espíritu embargado por cálculos y combinaciones. Sintió abrirse la cómoda. "Debe ser el cajón superior —se dijo—. La vieja guarda las llaves en el bolsillo de la derecha, sujetas a un llavero. Hay una llave tres veces más grande que las otras, con el paletón dentado, que seguramente no es de la cómoda. En consecuencia, debe haber una caja fuerte o un cofre. ¡Es curioso!... Las cajas fuertes tienen siempre llaves de esa clase. ¡Pero, por otra parte, qué innoble es todo esto!"

Volvió a entrar la vieja.

—Aquí tiene, amigo. A diez kopeks por rublo y por mes, me corresponden quince kopeks sobre un rublo y medio, ya que cobro el interés por anticipado. Además, por los dos rublos que le presté anteriormente, debo agregar veinte kopeks, lo que eleva la suma a treinta y cinco. Tengo, pues, que darle a usted un rublo y quince kopeks. Aquí están.

—¡Cómo! ¿De modo que no me da usted ahora más que un rublo y quince kopeks?

—Es lo que le corresponde.

El joven no insistió y, después de tomar el dinero, quedose mirando a la vieja con indecisión. Parecía abrigar el propósito de hacer o decir algo más, pero sin saber a punto fijo cuál era su intención.

—Quizás en estos días le traiga alguna otra cosa, Aliona Ivanovna... Un objeto de plata..., una cigarrera muy bonita..., en cuanto me la devuelva un amigo a quien se la he prestado...

Dijo estas palabras con manifiesto embarazo.

—Bien; entonces hablaremos de eso.

—Adiós... ¿Usted siempre está sola, sin la compañía de su hermana? —preguntó el joven aparentando la mayor indiferencia, mientras se dirigía a la antesala para salir.

—¿Qué le importa a usted mi hermana?

—¡Oh, nada en absoluto, no vaya a figurarse!... ¡Adiós, Aliona Ivanovna!

Raskolnikov abandonó el recinto invadido por creciente turbación; al bajar la escalera se detuvo muchas veces como rendido por la emoción. Una vez en la calle, exclamó en voz alta:

¡Oh, Dios mío! ¡Qué abominable es todo esto! ¿Es posible..., es posible que yo...? ¡No, es una necedad, un absurdo! —añadió resueltamente—. ¿Es cierto, entonces, que esa idea tan espantosa ha podido cruzar por mi mente? ¡Qué maldad es capaz de encerrar mi corazón! ¡Esto es innoble, odioso, repugnante! ¡Y pensar que durante un mes entero...!

No hallaba palabras ni exclamaciones que reflejaran exactamente el sentimiento que le agitaba. La inmensa sensación de disgusto que había comenzado a torturar y turbar su alma mientras dirigíase a la casa de la vieja alcanzaba tal intensidad, tal magnitud, que no sabía cómo sustraerse a ese suplicio... Caminaba por la acera como un borracho, tropezando con la gente casi sin advertirlo. Sólo en la siguiente calle recuperó un tanto el dominio de sí mismo. Mirando a su alrededor, vio que se encontraba frente a una taberna; una escalera, situada al nivel de la acera, daba entrada a la cueva. En ese momento salían dos borrachos sosteniéndose el uno en el otro, al mismo tiempo que se colmaban de injurias.

Sin reflexionar mucho, Raskolnikov descendió los escalones. Jamás había penetrado en una taberna; pero la cabeza le daba vueltas y sentíase atormentado por ardiente sed. Tenía muchos deseos de beber cerveza fresca, tanto más cuanto que atribuía su repentina debilidad al hambre. Se sentó en un rincón sombrío y sucio ante una grasienta mesa y pidió cerveza. Bebió el primer vaso con avidez.

De inmediato sintió un gran alivio, y sus ideas se aclararon.

"Todo esto son tonterías —díjose ya confortado—, no tengo por qué preocuparme. El malestar que me aqueja es puramente físico; un vaso de cerveza, un trozo de bizcocho, y dentro de un instante habré recuperado la fuerza de mi inteligencia, la lucidez de mis ideas, la firmeza de mis resoluciones... ¡Ah, qué insignificante es todo ello!..."

A pesar de haber llegado a aquella tan pobre conclusión, estaba satisfecho, como si se hubiese librado de alguna pesadilla, y dirigía miradas amistosas a los presentes; no obstante, le pareció notar que aquella buena disposición tenía algo de enfermiza.

A esa hora quedaba muy poca gente en la taberna; aparte de los dos borrachos que encontrara en la escalera, salió detrás de ellos un grupo de cinco individuos acompañados por una mujerzuela, a los sones de un acordeón. Una vez que los alborotadores estuvieron en la calle, se restableció la calma. Había en la sala un individuo algo ebrio, con una botella de cerveza delante de sí; un comerciante, al parecer. Su vecino, un hombre alto y grueso, de poblada barba gris, vestido con una larga levita y en completo estado de embriaguez, dormitaba sobre un banco. De tiempo en tiempo parecía despertar bruscamente, haciendo sonar los dedos y separando ambos brazos, sin abandonar por ello el banco, mientras imprimía a su cuerpo movimientos desacompasados. Después canturreaba con voz aguardentosa, tratando de recordar unos versos que decían:

Durante un año entero acaricié a mi mujer...
Du-ran-te un año en-te-ro a-ca-ri-cié a mi mu-jer...

O bien, después de haberse despertado de nuevo:

Pasando por la Podiatcheskaía
encontré a mi buena amiga...

Pero él era el único que *saboreaba* su felicidad. A todas estas explosiones, su silencioso camarada oponía una actitud hostil y desconfiada.

Había también otro individuo, con aire de funcionario subalterno retirado, sentado ante otra mesa, que bebía de vez en cuando a pequeños sorbos, dirigiendo miradas a su alrededor; también él parecía presa de cierta agitación.

2

Raskolnikov no se hallaba habituado a las reuniones, y, conforme ya hemos dicho, evitaba toda relación con sus semejantes, especialmente desde hacía algún tiempo. Pero de pronto sintiose atraído hacia los hombres. Hubiérase dicho que se operaba en él una especie de revolución y que, arrepentido de aquel comportamiento, volvía a la sociabilidad. Entregado durante un mes completo a la preparación del morboso plan que llenaba por completo su mente, sentíase cansado aquel día de su aislamiento, siendo su deseo encontrarse unos minutos, aunque más no fuese, en un ambiente humano cualquiera. Así pues, a pesar de la suciedad de aquella taberna, se había sentado ante una de las mesas con verdadero placer.

El dueño estaba en otra habitación, pero iba y venía con frecuencia a la sala. Para llegar a ella tenía que descender varios escalones. Primero se distinguían sus botas, prolijamente lustradas, con amplias vueltas de color rojo. Sin corbata, llevaba debajo de la levita, abrochada en la cintura, un chaleco de raso negro horriblemente grasiento, al igual que su rostro, reluciente como una cerradura recién aceitada.

Detrás del mostrador atendía un muchacho de unos catorce años. Otro aún más joven servía a los parroquianos. En un extremo del mostrador había un montón de rodajas de pepino, bizcochos ennegrecidos y trozos de pescado frito despedían un olor acre y desagradable. El calor era en extremo sofocante, y la atmósfera estaba tan impregnada de emanaciones alcohólicas que bastaba respirarla cinco minutos para embriagarse.

A veces nos encontramos con individuos completamente desconocidos que sin saber por qué nos interesan enseguida, a simple vista, antes de cambiar una sola palabra con ellos. Ésa fue la impresión que causó a Raskolnikov el individuo solitario que tenía aspecto de funcionario. Más tarde, el joven recordó muy bien esa primera impresión, atribuyéndola a una especie de presentimiento. No apartaba sus ojos del funcionario, probablemente también debido a que este último lo miraba con insistencia y parecía deseoso de entablar conversación con él.

En cuanto a las demás personas que se encontraban en el establecimiento, incluso el patrón, el funcionario los miraba como a viejos conocidos, con aburrimiento y no sin cierta superioridad despectiva, como si los considerara muy inferiores a él, tanto por su condición social como por su grado de educación, y los creyera indignos de dirigirles la palabra.

Era un hombre de algo más de cincuenta años, de talla mediana y complexión robusta, con unos mechones de cabellos grises, debajo de los cuales veíase relucir la piel del cráneo. Su rostro abotagado, característico del alcohólico, era de un amarillo casi verdoso, y bajo sus párpados hinchados brillaban unos ojillos enrojecidos, llenos de vivacidad. Algo había en él que llamaba en especial la atención: su mirada relampagueaba con una especie de entusiasmo, y su conversación no carecía en verdad de buen sentido y discernimiento, pero por momentos cruzaban sus ojos ráfagas que bien podían considerarse de locura. Vestía una vieja levita negra, desgarrada, con un solo botón. El individuo la había abrochado, sin duda, en el deseo de respetar las conveniencias. Del chaleco de nanquín salía una corbata de plastrón, arrugada y cubierta de manchas, que formaba una curva pronunciada. No usaba barba ni bigote, como todos los funcionarios, pero sin duda alguna hacía tiempo que no se afeitaba. Sus gestos y modales estaban impregnados de solemnidad burocrática. Sin embargo, parecía inquieto, se mesaba los cabellos y, de vez en cuando, se tomaba la cabeza con las manos, con desesperación, apoyando los codos rotosos en la mesa pringosa e inundada de cerveza. Por fin, después de mirar con fijeza a Raskolnikov, le dijo con voz clara y firme:

—¿Sería demasiado atrevimiento, caballero, dirigirme a usted para hacerle una pregunta? Aunque su aspecto carece de prestigio, mi experiencia me hace distinguir en usted a un hombre de buena educación y que no tiene el hábito de beber. En lo que a mí se refiere, he respetado siempre la educación, cuando ésta va pareja con los sentimientos del corazón. Poseo, además, el título de consejero. Marmeladov —tal es mi nombre—, consejero titular. ¿Osaría preguntarle si es usted funcionario?

—No, soy estudiante... —respondió el joven, un tanto sorprendido por el tono singularmente pomposo de aquel discurso, por el hecho de que un extraño, repentinamente, a quemarropa, le dirigiese la palabra. A pesar de su reciente deseo de encontrar una compañía, cualquiera que fuese, a la primera palabra que le dirigió el desconocido sintió otra vez esa desagradable impresión de repugnancia que experimentaba siempre que un extraño le hablaba o hacía alusiones a su persona.

—Estudiante, en suma, o ex estudiante —exclamó el funcionario—. ¡Ya me lo había imaginado! La experiencia, estimado señor, una larga e incesante experiencia... —y como un elogio a su agudeza, se llevó un dedo a la frente—. Usted ha sido estudiante, o ha seguido una parte de los cursos. Permítame entonces...

Se levantó tambaleándose, tomó la copa y el platillo colocado debajo de ella, y fue a sentarse al lado del joven. A pesar de estar embriagado, hablaba clara y rápidamente, aunque en ocasiones el hilo de su discurso se enredaba un tanto. Se precipitó sobre Raskolnikov con tal decisión que hubiera podido creerse que también él hacía un mes que no conversaba con persona alguna.

—Estimado señor —comenzó en tono casi solemne—, la pobreza no es un vicio. Sé también que la embriaguez en ningún caso es una virtud. Pero la miseria, señor, la miseria es un delito. En la pobreza se conserva todavía la nobleza de los sentimientos; en la miseria, nadie ha logrado hacer tal cosa. Para expulsar al individuo hundido en la miseria no se toma un palo, sino una escoba, para humillarlo más aún. Tienen razón, pues en la miseria se está siempre dispuesto a humillarse. ¡Ésa es la causa del deseo de beber! Hace un mes el señor Lebeziatnikov golpeó a mi mujer, y mi mujer es algo muy distinto a mí. ¿Comprende? Permítame que le haga una pregunta, a título de simple curiosidad. ¿Ha pasado usted alguna vez una noche en los barcos de heno sobre el Neva?

—No lo he hecho —respondió Raskolnikov—. ¿Por qué me hace esta pregunta?

—Bien. Pues yo hace ya cinco noches que duermo allí.

Llenó su vaso, lo vació, y quedó sumido en profunda meditación.

En efecto, en sus ropas y hasta en sus cabellos veíanse adheridas algunas briznas de paja. Todo inducía a creer que hacía cinco días que no se desvestía ni lavaba. Sus manos gruesas, rojas y de uñas negras, estaban extremadamente sucias. Sus palabras habían atraído una atención general, aunque un tanto burlona. Los muchachos reían con socarronería detrás del mostrador. El dueño había bajado, atraído por la curiosidad de escuchar a aquel *original* personaje. Sentado a prudente distancia, bostezaba perezoso, dándose aire de persona importante. Sin duda, Marmeladov era conocido allí desde hacía tiempo. Y con seguridad su afición por los discursos altisonantes le había granjeado notoriedad en las conversaciones con los más diversos desconocidos que acudían a la taberna. Este hábito en ciertos beodos se convierte en una necesidad, sobre todo en aquellos que reciben de los suyos un trato duro, y pretenden por este medio justificarse ante los ojos de sus compañeros de crápula, y, si es posible, obtener indulgencia.

—¡Qué tipo! —exclamó el patrón en voz alta—. ¿Por qué no trabajas? ¿Por qué no vas a tu oficina, si eres funcionario?

—¿Por qué no trabajo, señor? —replicó Marmeladov, dirigiéndose sólo a Raskolnikov, como si fuera éste el que formulara la pregunta—. ¿Por qué no trabajo? ¿Acaso no me sangra el corazón al considerar mi inútil abyección? Cuando el señor Lebeziatnikov, hace un mes golpeó a mi mujer con sus propias manos, y yo permanecí aplastado, borracho perdido, ¿acaso no sufría? Permítame, joven: ¿no le ha ocurrido alguna vez... ¡hum!... solicitar sin la menor esperanza que le prestaran algún dinero?

—Me ha pasado.... es decir, ¿qué entiende usted por eso de "sin la menor esperanza"?

—Quiero decir sin abrigar la más leve esperanza y con la convicción más absoluta de que el hombre a quien se dirige, un ciudadano de los más útiles y mejor intencionados, por nada del mundo le prestaría dinero. En efecto, ¿por qué habría de prestárselo, permítame que se lo pregunte, si sabe positivamente que no le sería devuelto? ¿Podría prestarse por piedad? El señor Lebeziatnikov, que está al corriente de las nuevas ideas, aseguraba el otro día que en nuestra época la misma ciencia prohíbe la piedad, y que ya ocurre así en Inglaterra, donde la economía política causa estragos. ¿Por qué razón, le pregunto, consentiría en hacerle un préstamo? Y bien, sabiendo de antemano que no le prestará, usted va hacia...

—¿Para qué ir, entonces? —interrumpió Raskolnikov.

—Porque no queda otro recurso, y uno no sabe qué hacer. Cuando se cierran todos los caminos, el hombre, de buena o mala voluntad, se ve obligado a seguir hasta el final. Cuando mi única hija fue por primera vez a pedir la cartilla que la autoriza a ejercer un oficio infamante, yo tuve que intervenir en la gestión. Porque mi hija está registrada y vive de ese oficio —agregó mirando al joven con aire inquieto—. Pero eso no significa nada —se apresuró a aclarar con aparente calma, mientras detrás del mostrador los muchachos hacían visibles esfuerzos para no reír a carcajadas y el propio dueño sonreía—. ¡Eso no significa nada! Poco me importan las ironías y las burlas. Estas cosas las sabe todo el mundo y, en definitiva, todos los secretos acaban por salir a la luz. En este asunto me comporto no con desprecio, sino con humildad. ¡Dejelos! ¡Dejelos! *¡Ecce homo!* Permítame, joven: ¿puede usted...? Pero no, conviene que me exprese con mayor energía y propiedad: ¿se atrevería usted, al verme en este momento, a asegurar de modo categórico que no soy un cerdo?

El joven permaneció en silencio.

—Bien —prosiguió imperturbable el orador, esperando con un gesto de dignidad que concluyera la risa provocada por sus últimas palabras entre los circunstantes—. Bien; admitamos que soy un cerdo, pero *ella* es una dama. Yo soy la imagen de la bestia, pero Catalina Ivanovna, mi esposa, es una persona bien educada, hija de un oficial superior. Admitamos que yo sea un granuja, pero ella tiene un gran corazón, y le han inculcado nobles sentimientos. Y, sin embargo... ¡Oh, si tuviera piedad de mí! ¡Señor! ¡Señor! Es indispensable que todo hombre halle al menos en alguna parte un asilo de piedad. Ahora bien Catalina Ivanovna, pese a su magnanimidad, es injusta. Admitiría hasta que me pegase si, cuando me sacude el polvo, yo comprendiera que en el fondo lo hace por piedad, pues lo repito sin falsa vergüenza, me sacude el polvo —insistió con renovada dignidad al oír las sonoras carcajadas de los testigos de la escena—. ¡Ah, Dios mío, aunque sólo fuese una vez!... Pero no... Todo es inútil; ¿a qué hablar de ello? Ni una sola vez ha tenido piedad de mí..., pero eso en mí es un rasgo de naturaleza: soy una verdadera bestia.

—¡Y por qué! —intervino el dueño con otro bostezo.

Marmeladov asestó un puñetazo sobre la mesa.

—¡Ésa es mi naturaleza! ¿Sabe usted, señor, sabe usted que me he bebido hasta sus medias! No digo ya sus zapatos, pues esto, en cierto modo, puede tener su lógica; pero sus medias, sus medias, ¡también me las he bebido! Me he bebido asimismo su piel de pelo de cabra, a pesar de que se la habían regalado antes de nuestro matrimonio y le pertenecía a ella y no a mí. Vivimos en un cuartucho sumamente frío; este invierno la pobre comenzó a toser, y ahora escupe sangre. Tenemos tres hijos pequeños, y Catalina Ivanovna trabaja desde la mañana a la noche. Lava, friega el piso, limpia a las criaturas; pues desde su más tierna edad estuvo habituada a la limpieza, y lo peor es que presiento que es delicada del pecho, con cierta predisposición a la tisis. ¿Cómo podría hacer yo para no sentirlo? Y cuanto más bebo, más lo siento. Bebo porque encuentro en la bebida una mayor capacidad de sufrimiento y de piedad... Bebo para sufrir más intensamente...

Inclinó la cabeza con desesperación, y luego, irguiéndose de nuevo, prosiguió:

—Joven, creo leer en su rostro una especie de dolor. Lo noté apenas lo vi entrar, y es por ello que de inmediato me dirigí a usted. Si le hago conocer la historia de mi vida, no es para envilecerme ante los ojos de estos ganapanes, que por otra parte están demasiado al corriente de ella, sino porque trato de hallar una persona bien educada que me oiga con simpatía. Mi esposa fue educada en una excelente institución aristocrática de provincia, y en la fiesta de fin de curso bailó ante el gobernador y todos los demás personajes oficiales, lo que le valió una medalla de oro y un diploma de honor. La medalla... Y bien, la medalla también la hemos vendido... hace tiempo... ¡hum!... El diploma de honor lo conserva siempre guardado en un cofre, y no hace mucho que lo mostró a la dueña de la casa. Aunque sus relaciones con ella no son nada cordiales, le era necesario darse tono ante alguien y recordar los bellos días de antaño. No se lo reprocho de ninguna manera, pues esos recuerdos constituyen todo cuanto posee en la actualidad, ya que lo demás se ha desvanecido como el humo. Sí, sí, es una dama irascible, orgullosa e intratable. Puede lavar el piso con sus propias manos y contentarse con pan negro, pero en el capítulo del respeto es intransigente. Por esa razón no pudo tolerar la grosería del señor Lebeziatnikov, y cuando éste la golpeó, guardó cama, menos por los golpes recibidos que a causa de su dignidad ofendida. Era viuda cuando me casé con ella y madre de tres niños de corta edad. Se había casado en primeras nupcias, por amor, con un oficial de infantería con el que huyó de la casa de sus padres. Lo amaba con locura, pero él diose al juego, anduvo mal con la justicia y finalmente murió. Había terminado por pegarle; y aunque ella no le dejaba pasar nada, como me consta por documentos irrefutables, todavía hoy lo recuerda con lágrimas y anda haciendo comparaciones para reprocharme mi proceder. A pesar de todo, eso me satisface, porque le permite retornar con la imaginación a los tiempos felices... Después del fallecimiento de su esposo quedó abandonada con sus hijos en un distrito lejano y salvaje, donde nos conocimos. Veíase sumida en una miseria tan espantosa que yo no sería capaz de describirla, aunque hasta el presente no lo haya pasado mejor. Todos sus allegados le volvieron la espalda. Y ella era orgullosa, demasiado orgullosa. Yo, también viudo y con una hija de catorce años, le ofrecí mi apoyo con el propósito de poner fin a tanto sufrimiento. Puede usted suponer el grado de desventura a que había llegado al pensar que ella, instruida, bien educada y de excelente familia, acabó por aceptarme como esposo. ¡Y bien, aceptó! ¡Con amargas lágrimas, sollozando y retorciéndose las manos, me aceptó! La pobre no sabía qué hacer. ¿Comprende usted, señor, comprende usted lo que esto significa, no saber ya qué hacer, qué camino tomar? No, usted no lo comprende todavía. Durante un año entero cumplí mi deber honestamente, santamente, sin tocar esto —señaló la botella—, porque tengo buenos sentimientos. Todo fue en vano; no logré conmoverla. Y como después perdí mi empleo, no por culpa mía, sino debido a ciertas reformas administrativas, entonces, ¡oh!, entonces me di a la bebida. Hace un año y medio que después de peregrinaciones y vicisitudes inenarrables hemos venido a dar a esta soberbia capital, llena de innumerables monumentos. Aquí hallé otro empleo, y también lo perdí. ¿Comprende usted? Esta vez por culpa mía, porque mi verdadera naturaleza había vuelto por sus fueros. Ahora vivimos en un cuchitril, en la casa de Amelia Fiodorovna Lippewechsel, e ignoro cómo y de qué vivimos y cómo pagamos los alquileres. Hay allí gran cantidad de locatarios, además de nosotros. Es un lugar apocalíptico. Durante este tiempo la hija que tenía de mi primer matrimonio fue creciendo; prefiero callar todo lo que la pobrecilla ha tenido que soportar de su madrastra. A pesar de sus nobles sentimientos, Catalina Ivanovna no deja de ser una dama violenta, irascible y terca..., ¡no le digo más! ¡Vamos! ¿Para qué traer estas cosas a colación? Como usted puede imaginarse, Sonia no recibió educación alguna. Hace cuatro años traté de enseñarle historia universal y geografía, pero como yo mismo nunca fui muy fuerte en esas materias y carecía de buenos textos para suplir esa deficiencia, ya que los pocos libros que he podido poseer..., ¡hum!..., son cosas que ya no existen..., nuestros estudios quedaron allí. Llegamos hasta Ciro, rey de Persia... Más tarde leyó algunas novelas románticas, y no hace mucho el señor Lebeziatnikov le prestó un libro, la *Fisiología* de Lewes. ¿Conoce usted esa obra? Lo leyó con avidez, y hasta llegó a leernos algunos fragmentos en voz alta; ése es todo su bagaje intelectual. Ahora, señor, me dirijo a usted, y a título puramente personal voy a formularle esta pregunta: ¿cree usted que una joven pobre pero honesta puede ganar mucho con una ocupación decorosa? No ganará quince kopeks por día, señor, si es honrada y no posee alguna especialidad, y eso a condición de que no abandone su trabajo ni por un minuto. ¿Ha oído usted hablar del consejero de Estado Klopstock, Iván Ivanovich? No solamente no pagó a Sonia media docena de camisas de hilo de Holanda que le encargó, sino que la echó a la calle injuriándola y a puntapiés y colmándola de los peores calificativos, pretextando que el cuello de una camisa no estaba a la medida y que lo había cortado mal. Mientras tanto, los pequeños pasan hambre... Catalina Ivanovna recorre la habitación como una fiera enjaulada retorciéndose las manos, y en sus mejillas aparecen dos rosetones rojos, como siempre ocurre con los enfermos del pecho. "¡Haragana! —increpaba siempre a mi hija—, no sabes más que comer, beber y quedarte sentada". ¿Qué podía comer y beber la pobre, digo yo, cuando los chicos hacía tres días que no tenían un mendrugo para llevar a la boca? Yo estaba acostado, completamente borracho, ¿para qué ocultarlo? Mi Sonia es paciente y humilde y habla con una vocecilla dulce. Su carita delgaducha está siempre pálida... Todavía me parece oírla cuando decía: "¡Dios mío! ¿Cómo es posible que me obligues a ejercer esa triste profesión, Catalina Ivanovna?", porque Daria Frantzovna, que es una mujer de poco honestas actividades, muy conocida por la policía, le había hecho llegar ciertas proposiciones por intermedio de la dueña de casa. Catalina Ivanovna le respondió en tono burlón: "¡Vaya un tesoro el que guardas! ¡Como si valiera tanto la pena conservarlo!" ¡Pero no la acuse, caballero, no la acuse! Había perdido la cabeza en ese momento, y cuando dijo eso, sus sentimientos estaban exasperados, sentíase enferma y los pequeñuelos lloraban de hambre; lo dijo más bien para desahogarse con un insulto que por el verdadero sentido de las palabras. Tal es el carácter de Catalina Ivanovna: cuando sus hijos lloran, aunque sea de hambre, les pega. Eran poco más de las cinco de la tarde. Vi que Sonia se levantaba y, después de colocarse un sombrerito y echarse una mantilla sobre los hombros, salía de la habitación. Volvió después de las ocho, fue directamente hacia Catalina Ivanovna y, sin pronunciar palabra, dejó treinta rublos sobre la mesa, frente a ella. De inmediato, sin mirar a nadie, tomó un gran pañuelo verde, se envolvió la cabeza y el rostro y se echó sobre la cama, de cara a la pared, con el pobre cuerpecillo agitado por estremecimientos convulsivos. Yo seguía en el mismo estado, tumbado como antes, y entonces vi, joven, vi que Catalina Ivanovna, también en silencio, aproximábase al lecho de mi pequeña Sonia, y después de arrodillarse a sus pies, cubríalos de besos, sin querer levantarse. Luego las dos se durmieron abrazadas, las dos, las dos, una en brazos de la otra..., sí..., mientras yo permanecía inerte como un leño, totalmente ebrio.

Marmeladov se detuvo como si le faltara la voz. Luego llenó torpemente un vaso, lo bebió, y de su garganta brotó un sonido inarticulado.

—Más tarde —prosiguió diciendo después de una pausa—, a consecuencia de una malhadada circunstancia y de las denuncias de ciertas personas malévolas, en especial de Daria Frantzovna, que contribuyó a ello con el pretexto de que no le guardábamos las consideraciones que merecía, mi hija, Sonia Semionovna, fue obligada a inscribirse en el registro, y a causa de eso no pudo seguir en casa. En efecto, nuestra patrona, Amelia Fiodorovna, no quiso tolerarla, a pesar de que ella misma se había servido de Daria Frantzovna, y entonces intervino el señor Lebeziatnikov... ¡Hum!... Fue a causa de esta historia que se produjo la reyerta con Catalina Ivanovna. En un comienzo era él quien solicitaba los favores de Sonia, pero de pronto salió con infundadas pretensiones: "¿Cómo puedo vivir yo, que soy un hombre instruido, en una casa que alberga a perdidas de esa clase?" Pero Catalina Ivanovna no se dejó atropellar, y así ocurrió lo que ocurrió. Ahora mi pequeña Sonia viene a visitarnos casi siempre al anochecer. Ayuda a Catalina Ivanovna en los quehaceres de la casa y le proporciona lo necesario. Vive en casa de un sastre llamado Kapernaumov, que le alquila un cuartito. Ese Kapernaumov, que cojea y es tartamudo, tiene una familia numerosa, y todos sus hijos tartamudean como él. Su mujer también tartamudea... Todos viven en la misma pieza, pero Sonia tiene su cuartito separado por un tabique... ¡Hum! ¡Sí!, gente muy pobre y todos tartamudos..., sí... Una mañana me levanté temprano, me puse los harapos que me servían de traje y, después de levantar los brazos al cielo, me dirigí a la residencia de Su Excelencia Iván Afanasievich. ¿Conoce usted a Su Excelencia Iván Afanasievich? ¿No? Pues entonces no conoce usted a un hombre de Dios. Es lo mismo que la cera virgen frente al Señor, y la cera se derrite. Después de acceder a escuchar mi relato, vi que sus ojos se llenaban de lágrimas. "Bien, Marmeladov —me dijo—, ya una vez has defraudado mi confianza. Te vuelvo a tomar por mi cuenta y riesgo —ésas fueron sus palabras—; recuerda bien lo que te digo. Puedes retirarte." Me apresuré a besar el suelo que había hollado con sus plantas, bien entendido que con el pensamiento, pues él no habría permitido que lo hiciera en realidad: ese noble señor es partidario de las nuevas doctrinas oficiales en materia de educación. Regresé a mi domicilio y cuando anuncié que iba a reanudar mis servicios y a percibir un sueldo, ¡Dios mío!, ¡qué transportes de alegría, qué entusiasmo!

Marmeladov se detuvo de nuevo, dominado por una gran excitación. En ese momento, un grupo de individuos, ya medio embriagados, irrumpió en la taberna, y se oyeron los sones desafinados de un organillo alquilado para el caso, mientras la voz aflautada de un niño de siete años entonaba "La pequeña aldea". La sala se llenó de rumores. El dueño y los mozos se apresuraban a atender a los nuevos clientes.

Marmeladov, sin prestar la menor atención a los recién llegados, continuó con su relato. Al parecer, estaba ya vencido por el alcohol, pero a medida que la embriaguez era más completa, su facundia iba en aumento. Al recordar que había logrado recuperar su empleo, pareció más alegre y su rostro se iluminó un tanto. Raskolnikov lo escuchaba con atención.

—Hace de esto cinco semanas, señor, sí... Cuando ambas, Catalina Ivanovna y mi pequeña Sonia, se enteraron de la noticia, fue como si me hubiesen llevado al paraíso. Antes, me quedaba tirado ahí como un perro, mi buen hombre, no oía más que injurias. Ahora, caminan sobre la punta de los pies y recomiendan a los niños que no hagan ruido: "Semione Zakharich ha vuelto fatigado del trabajo y ahora reposa, ¡chist!". Antes de salir para la oficina me traen el café y me entibian la crema. Y han acabado por encontrar la mejor crema, ¿se da cuenta? Jamás pude comprender dónde pudieron hallar once rublos y medio para vestirme decentemente: botas, corbata de plastrón, uniforme, todo por once rublos y medio, que ellas consiguieron en un santiamén. La primera vez que regresé de la oficina al mediodía, comprobé que Catalina Ivanovna había preparado dos platos para el almuerzo: una sopa y carne de vaca salada con rabanitos, cosa insólita hasta entonces. Anteriormente no tenía ropa que ponerse, pero aquella vez se había acicalado como si tuviera que ir de visita, transformando lo viejo en nuevo, y no de cualquier manera, pues ella tiene el talento de hacer todo con nada: bien peinada, con un cuellito blanco y sus puños blancos, parecía otra; estaba más joven y más bella. Mi pequeña Sonia se contentaba con traernos dinero. "Por el momento —decía— no puedo venir a visitarlos a menudo, porque no es conveniente. Vendré cuando anochezca para que nadie me vea." ¿Me escucha usted? ¿Me escucha usted? Esa noche me acosté poco después de cenar, y, ¿lo creerá usted?, Catalina Ivanovna, que no hacía ocho días que había peleado del peor modo con Amelia Fiodorovna, la invitó a tomar el café con ella. Pasaron dos horas juntas, y yo las oía murmurar: "Sí, Semione Zakharich ha vuelto a su empleo y gana sueldo. Él mismo se presentó en casa de Su Excelencia, quien, después de hacer esperar a los otros, tomó a Semione Zakharich de la mano para conducirlo a su despacho. ¿Me oye? ¿Me oye?" Mi mujer agregó: "En efecto, Semione Zakharich —dijo Su Excelencia—, recuerdo los servicios que nos has prestado, y aunque debo reprocharte tu inclinación a la bebida, ya que me prometes corregirte, y, por otra parte, nos eres muy necesario (¿lo oye?, ¿lo oye?), espero que ahora cumplirás tu palabra". Debo reconocer que todo esto lo inventaba ella por cuenta propia, y no crea que lo hizo únicamente con el pueril propósito de darse tono. No, la pobre dejábase arrastrar por la imaginación, consolándose con sus propias palabras, pongo a Dios por testigo. Y no se lo critico, no, lejos de ello. Cuando hace seis días le llevé mi primer sueldo —veintitrés rublos con cuarenta kopeks, sin que faltara un céntimo—, me llamó "querido". Y estábamos solos, ¿comprende? A pesar de que yo no había sido un buen marido, me llamó "querido" y me acarició la mejilla.

Marmeladov se detuvo, como si tratara de sonreír, pero su barbilla comenzó a temblar levemente.

Todo aquello: la taberna, el ambiente de depravación, la idea de las cinco noches pasadas en las barcas cargadas de heno, la vista de la botella, así como el morboso amor de aquel hombre por su familia, causaba estupefacción a su confidente. Raskolnikov era todo oídos, pero sentía una sensación de malestar y se reprochaba haber entrado en el bodegón.

—Estimado señor —exclamó Marmeladov irguiendo la cabeza—, ¡ah, señor!, tal vez todo esto no haga más que provocar risa y yo no consiga más que importunarlo con la absurda narración de mis miserias conyugales, pero en lo que a mí respecta, no veo motivo para reír. Yo soy capaz de sentir todo esto. Yo mismo, mientras duró el día y aquella velada paradisíaca de mi vida, me abandoné a los más felices ensueños. Decíame que iba a reconstruir mi hogar, que vestiría a mis hijos, procuraría la tranquilidad de mi esposa, arrancaría a mi hija del deshonor, la haría volver al seno de la familia. Y muchas otras cosas más. Todo me estaba permitido, señor. Y bien, preste atención —Marmeladov, presa de convulsivo temblor, levantó la cabeza y miró fijamente a su interlocutor—. ¡Y bien! A la mañana siguiente, después de todos estos bellos sueños, es decir, hace exactamente cinco días, con criminal audacia, como un desvalijador nocturno, robé a mi esposa Catalina Ivanovna la llave de su cofre, me apoderé del dinero que le había entregado, ¡y aquí me tienen, mírenme bien todos! Desde hace cinco días falto a mi casa y seguramente me están buscando; perdí el empleo y, siempre para beber, empeñé mi uniforme en una taberna próxima al puente de Egipto: éstos son los harapos que me dieron en cambio para que me vistiera... ¡Todo ha terminado!

Marmeladov se golpeó la frente con el puño, apretó los dientes, cerró los ojos y apoyó fuertemente el codo sobre la mesa. Pero cinco minutos después la expresión de su rostro era ya otra, y con una especie de cinismo más aparente que real, miró a Raskolnikov y dijo sonriendo:

—¡Hoy fui a casa de Sonia y le pedí dinero para curarme la borrachera! ¡Ja, ja, ja!

—¿Y te lo dio? —gritó uno de los miembros del grupo que acababa de entrar, y lanzó luego una estruendosa carcajada.

—Esta botella ha sido adquirida con su dinero —dijo Marmeladov dirigiéndose exclusivamente a Raskolnikov—. Sonia fue a buscar treinta kopeks, todo lo que poseía, pude verlo con mis propios ojos. No dijo una palabra: se limitó a mirarme, no como se mira aquí abajo, sino allí arriba... donde los hombres causan únicamente piedad, ¡donde se llora por ellos, pero no se les condena! Y es todavía más triste cuando no se nos dirige reproche alguno. Sí, treinta kopeks. Y, sin embargo, ella los necesitaba, ahora que debe observar la más estricta limpieza. Esa limpieza cuesta dinero, ¿no es cierto? ¿Me comprende? Debe comprar artículos de tocador y usar enaguas almidonadas y zapatitos elegantes que le permitan lucir el pie cuando tiene que pasar algún charco en la calle. ¿Lo comprende usted, señor? ¿Comprende usted lo que significa mantener la pulcritud? Y bien, yo, su propio padre, la he despojado de esos treinta kopeks para emborracharme. ¡Y me emborracho! ¡Ya estoy borracho! ¿Quién tendrá piedad de un hombre como yo, dígame? ¿Siente usted piedad por mí, sí o no? ¿Piedad por mí, ahora? Dígame, ¿siente o no siente piedad? ¡Je, je, je!

Pretendió servirse una nueva copa, pero la botella estaba vacía.

—¿Y por qué habría de tener piedad de ti? —preguntó despectivamente el tabernero, que había vuelto junto a ellos.

Estalló una tempestad de carcajadas, acompañada de blasfemias. Los que no habían podido oír el relato vociferaban injurias como los demás, de sólo ver la figura del ex funcionario.

—¡Piedad! ¿Por qué piedad? —rugió repentinamente Marmeladov, poniéndose de pie con los brazos en alto, presa de verdadera exaltación, como si no hubiese esperado más que esas palabras—. ¿Por qué tener piedad, dices? ¡Es cierto! Yo no puedo inspirar piedad. Tienen que crucificarme; crucificarme y no compadecerme. Pero crucifíquenme después de haberme juzgado, y al crucificarme, tengan un poco de conmiseración de mí. Entonces me prestaré voluntariamente al suplicio, porque no estoy sediento de alegría, sino de tristeza y de lágrimas. ¿Crees por ventura, tabernero, que tu media botella me ha procurado algún alivio? He buscado tristeza en el fondo de ella, lágrimas y pesar; y al llevar a mis labios la copa he logrado mi propósito. Pero Él tendrá piedad de nosotros, Él, que tuvo piedad para todos, Él, que todo supo comprenderlo. Él es el Único. Él es el Juez. Ese día hará su aparición y dirá: "¿Dónde está esa pobre niña que se sacrificó por una madrastra tísica, que se sacrificó por unos niños de corta edad que no eran suyos? ¿Dónde está esa niña que tuvo piedad de su padre, un abominable borracho, en lugar de alejarse de él con horror?" Y le dirá: "Ven conmigo, ya te perdoné una primera vez; también esta vez tus pecados te serán redimidos porque has amado mucho...", y perdonará a mi Sonia, la perdonará, estoy seguro de ello. Cuando estuve en casa de Sonia, mi corazón lo sintió. Y juzgará a todos y los perdonará, buenos y malvados, necios y sabios... Y cuando haya terminado con todos, nos convocará a nosotros también: "Vamos, aproximaos también vosotros; venid, los ebrios; venid, los impúdicos". Y todos avanzaremos sin vergüenza alguna... Y nos dirá: "Sois unos cerdos; vuestra imagen es la de la bestia y lleváis su sello; pero aproximaos lo mismo". Y los sabios, entonces, los razonables, exclamarán: "¡Señor! ¡Cómo! ¿Recibís a éstos también?" Y Él les responderá: "Si los recibo, sabios, si los recibo, razonables, es porque ninguno de ellos se ha considerado jamás digno del más allá..." Y nos abrirá los brazos, y nosotros nos arrojaremos en ellos..., y lloraremos..., y comprenderemos todo... Y Catalina Ivanovna comprenderá también... ¡Señor, haz que llegue tu reino!

Completamente extenuado se dejó caer sobre un banco, agotado, sin mirar a nadie, como si olvidara todo cuanto le rodeaba, sumido en una verdadera alucinación. Sus palabras habían impresionado; durante un momento reinó el silencio, pero muy pronto recomenzó la lluvia de denuestos.

—¡Eso es hablar, animal!

—¡Está enteramente chiflado!

—¡Déjanos en paz, chupatintas! —y así por el estilo.

—Salgamos, señor —dijo de improviso Marmeladov, dirigiéndose a Raskolnikov—, acompáñeme usted, vivo en el edificio Kozel, en el fondo del patio. Ya es hora. Vamos a casa de Catalina Ivanovna.

Hacía rato que Raskolnikov deseaba dejar la taberna e hízose el propósito de ofrecerse para acompañar a Marmeladov. Éste sentía las piernas mucho menos sólidas que la lengua y se apoyó pesadamente en el joven. La distancia que tenían que recorrer era de unos doscientos pasos. A medida que el ebrio se iba acercando a su domicilio, aumentaban el temor y la inquietud que lo invadían.

—No es que tenga miedo de Catalina Ivanovna en este momento —farfulló con evidente emoción—, ni tampoco de que me tironee del pelo. Lo acepto y poco me importan mis greñas. Le diré: hasta sería mejor que me arrastrase por los cabellos. No, no tengo miedo de eso; temo sus ojos, sí, sus ojos. También me aterran las manchas rojizas de sus mejillas... y me da miedo su respiración... ¿Ha visto cómo respiran los que están atacados de esa enfermedad cuando sufren una contrariedad? Siento pavor al pensar en el llanto de los niños... Porque si Sonia no les ha llevado algo para comer, no sé qué habrá sido de ellos..., ¡no sé nada! En cuanto a los golpes, no me asustan. Sepa, señor, que esos golpes no solamente no me hacen daño, sino que a veces me producen placer. Y creo que no podría pasarme sin ellos. Será mejor. Que me dé una paliza, que se desahogue, ¡valdrá más así!... Aquí está el edificio..., el edificio Kozel. El propietario es un cerrajero, un alemán de fortuna... ¡Acompáñeme!

Después de atravesar el patio, comenzaron a subir la escalera hasta el cuarto piso. A medida que iban ascendiendo, aquélla tornábase más oscura. Eran cerca de las once, y aunque en esa época del año no se percibe en realidad la noche en San Petersburgo, la parte superior de la escalera estaba sumida en lóbrega oscuridad. La pequeña puerta negra de humo que daba al rellano, en el último piso, estaba abierta. Un farolillo de aceite alumbraba una habitación pobrísima, de unos diez pasos de largo. Desde el rellano se distinguía todo de una simple ojeada. Reinaba en ella el más completo desorden y todo estaba tirado de cualquier manera, viéndose sobre todo ropa blanca de criaturas. Una sábana llena de agujeros estaba tendida en el rincón más distante de la puerta, y probablemente detrás de ella había una cama. Como único mobiliario se veían dos sillas desvencijadas, un diván recubierto con una tela descolorida y rotosa, y frente al mismo, una mesa de cocina de madera de abeto sin barnizar ni pintar, y que carecía de mantel o carpeta. En un extremo de la mesa, una vela a punto de consumirse ardía en un candelero de hierro. La habitación de Marmeladov era en realidad un corredor, y la puerta que daba acceso a las otras piezas (por no decir pocilgas) en que se dividía el departamento de Amelia Lippewechsel, estaba entornada. Se oían claramente gritos, ruidos de platos y tazas, fuertes carcajadas. Al parecer, los inquilinos jugaban a las cartas y bebían té. Por instantes se podían atrapar al vuelo palabras cuyo sentido nada tenía de mesurado.

Raskolnikov reconoció de inmediato a Catalina Ivanovna. Era una mujer extremadamente delgada, bastante alta y de porte digno. Conservaba magníficos cabellos castaños, pero sus mejillas parecían dos manchas, a tal punto estaban rojas. Se paseaba nerviosamente por la habitación, con las manos cruzadas sobre el pecho, los labios contraídos y respirando con sonido silbante y ritmo desigual. Sus ojos brillaban de fiebre, pero su mirada era dura y fija; a la vacilante luz del cabo de vela, aquel rostro afiebrado de tísica producía penosa impresión. Aparentaba unos treinta años de edad, y Raskolnikov comprobó que, en efecto, no formaba buena pareja con Marmeladov... La mujer no había advertido la presencia de los recién llegados. Parecía sumida en una especie de sonambulismo que no le permitía ver ni oír nada. La atmósfera era sofocante en la habitación, y, sin embargo, no había abierto la ventana; de la escalera subía un vaho de extremada fetidez, y la puerta que daba al rellano permanecía abierta. De las piezas interiores llegaba una nube de humo de tabaco que le producía continuos ataques de tos, sin que ella pensara siquiera en cerrar la otra puerta. La hija menor, una criatura de seis años, dormía sentada en el suelo, con la cabeza reclinada sobre el diván. El hijo, un año mayor, lloraba temblando en un rincón; probablemente acababan de pegarle. La mayorcita, una chiquilla de nueve años, alta y delgada como un mondadientes, llevaba por todo vestido una mala camisa desgarrada y una capa de paño que cubría sus hombros desnudos, que sin duda había sido arreglada para ella dos años antes, pues no alcanzaba ni a sus rodillas. De pie en el rincón, tenía contra sí al hermanito, cuyo cuello enlazaba con un bracito largo y descarnado. Parecía prodigarle en voz baja palabras de consuelo para evitar que rompiera a llorar nuevamente, al mismo tiempo que, llena de terror, seguía a su madre con grandes ojos oscuros, que parecían todavía más grandes en aquel rostro demacrado y pálido.

Marmeladov, en lugar de entrar en la habitación, se arrodilló en el umbral después de hacer pasar adelante a Raskolnikov. La mujer, al advertir a un desconocido, se detuvo un instante frente a él, apartada de sus reflexiones y como si tratara de explicarse qué era lo que iba a hacer allí. Sin duda creyó que se dirigía a alguna de las habitaciones interiores, pues, como se ha dicho, el cuarto de los Marmelodov constituía un pasillo. Luego, sin prestar ninguna atención al desconocido, fue a abrir la puerta posterior, pero de pronto vio a su marido de rodillas en el umbral y lanzó un grito penetrante.

—¡Ah! —rugió ciega de furor—. ¡Por fin has vuelto! ¡Bandido! ¡Monstruo! ¿Dónde está el dinero? ¿Qué tienes en los bolsillos? ¡A ver, muéstrame! ¡Pero ése no es tu traje! ¿Dónde está tu traje? ¿Dónde está el dinero? ¡Habla!

Con estas palabras, se arrojó sobre él para registrarlo. Dócilmente, Marmeladov separó los brazos de los costados para facilitar la inspección de sus bolsillos. No había en ellos un solo kopek.

—¿Qué has hecho del dinero? —gritó la mujer—. ¡Oh Señor! ¿Es posible que se lo haya bebido todo? Quedaban doce rublos en el cofre...

De pronto, cegada por la cólera, lo asió de los cabellos y lo introdujo con violencia en la habitación. Marmeladov le hizo más fácil la tarea arrastrándose dócilmente sobre las rodillas.

—¡Esto me hace bien! ¡Le aseguro que no me hace daño, señor! —gritó mientras la mujer le sacudía violentamente la cabeza, tanto que una de las veces su frente chocó contra el piso. La criatura que dormía despertose y comenzó a llorar. El niño que estaba en el rincón no pudo resistir semejante espectáculo y, profiriendo agudos gritos, se abrazó a la hermana, invadido de convulsivo espanto. La hija mayor temblaba como una hoja.

—¡Se lo ha bebido todo, todo! —gritaba con desesperación la pobre mujer—. ¡Y este traje no es el suyo! ¡Estamos condenados a morir de hambre!

Mientras se retorcía las manos, señaló con un gesto a sus hijos:

—¡Oh, qué existencia infernal! Y usted, ¿no tiene vergüenza? —rugió lanzándose sobre Raskolnikov—. ¡Viene con él de la taberna, se ha estado embriagando con él! ¡Fuera, fuera de aquí!

El joven se apresuró a salir sin pronunciar palabra. Entre tanto, la puerta posterior se había abierto de par en par, y un grupo de curiosos presenciaba la triste escena, estirando el cuello para no perder el menor detalle, con expresiones cínicas y burlonas, unos con pipas y otros con cigarrillos en la boca. Se veían siluetas en pijama entreabierta, y con ropas de verano tan livianas que llegaban a la indecencia; otros tenían todavía en la mano las cartas de la partida interrumpida.

Lo que más los divertía era ver a Marmeladov arrastrado por los cabellos y oírle gritar que aquello hacíale bien. Llegaron hasta introducirse en el cuarto; finalmente se oyó un chillido de rabia: era Amelia Lippewechsel, que entraba en escena para tratar de restablecer el orden a su manera, colmando de injurias a la pobre mujer y aterrorizándola por centésima vez con la orden de abandono de la pieza sin remisión al día siguiente. Antes de salir, Raskolnikov tuvo tiempo de meter la mano en el bolsillo y, extrayendo restos del rublo cambiado en la taberna, los depositó furtivamente sobre el reborde de la ventana. Luego, al hallarse ya en la escalera, mudó de opinión y estuvo a punto de volver sobre sus pasos.

"¡Qué tontería acabo de cometer! —pensó—. ¡Ellos tienen a su Sonia, y yo no tengo un kopek!"

Pero después de reflexionar que le sería imposible recuperarlo y que, por otra parte, no lo hubiera recogido aun de serle posible, hizo un gesto de indiferencia y emprendió el regreso a su alojamiento.

"Sonia tiene necesidad de comprar artículos de tocador —siguió pensando mientras caminaba por la calle, con aire sardónico—. Esa limpieza cuesta cara... ¡Hum! Y Sonia podría tener hoy algún tropiezo, pues el oficio no carece de riesgos, y la conquista del vellocino de oro presenta dificultades... Sin mi dinero, tal vez mañana todos habrían tenido que apretarse el cinturón... ¡Bah, Sonia! ¡Qué triste oficio le han obligado a seguir! ¡Y de qué manera la aprovechan! Porque, al fin de cuentas, ellos se benefician. Derramaron algunas lágrimas, pero pronto se habituaron a aquello. El hombre es tan cobarde que acaba por habituarse a cualquier cosa."

Nuevamente comenzó a reflexionar:

"¿Y si yo hubiera dicho una tontería? —exclamó de improviso a pesar suyo—. ¿Si en realidad el hombre no fuese cobarde, el hombre tomado en conjunto, dicho de otro modo, el género humano? Esto significaría que todo lo demás no son más que prejuicios, terrores puramente imaginarios, y que no existen limitaciones. ¡Así es como debe ser!..."

3

A la mañana siguiente despertose bastante tarde después de un sueño agitado y poblado de pesadillas que no le devolvió las fuerzas. Se sentía de pésimo humor, y su cuartucho pareciole más repelente que nunca. Era una especie de jaula de seis pies de largo que ofrecía un aspecto misérrimo, empapelado de un amarillo descolorido, cubierto de polvo y colgando en muchas partes. Era tan baja que un hombre de estatura un poco elevada corría peligro de golpearse la cabeza en el techo. Los muebles estaban en armonía con el cuarto: tres sillas viejas, una mesa con libros y cuadernos cubiertos por una espesa capa de polvo, prueba evidente de que desde hacía tiempo nadie los hojeaba, y por último un vasto diván que ocupaba la mitad del espacio, forrado de tela de buena calidad, pero hecha pedazos, que servía de lecho a Raskolnikov. Allí dormía, casi siempre sin despojarse de sus ropas, abrigándose con su vieja capa de estudiante y usando a manera de almohada un pequeño cojín bajo el cual ponía, para levantarlo, toda su ropa, limpia o sucia. Junto al diván había una mesita.

Hubiera sido difícil dejarse arrastrar a peor extremo y verse reducido a indigencia más absoluta; sin embargo, era tal el estado de ánimo de Raskolnikov que la contemplación de su mísero albergue proporcionábale cierto placer. Terminó por vivir en completo aislamiento, como la tortuga que se refugia en su caparazón, y hasta la fugaz visión del rostro de la sirvienta, que se asomaba a veces por la mañana para ver lo que ocurría en el cuarto, despertaba en él una especie de odio febril, como ocurre con ciertos monomaniacos que se concentran en una idea determinada.

Desde hacía quince días la encargada no le enviaba la comida, y a pesar de su forzado ayuno no se le ocurrió pedirle una explicación a ella.

Anastasia, cocinera y única sirvienta de la

casa, no se preocupaba en lo más mínimo del estado de ánimo del inquilino de la buhardilla, pues le permitía desentenderse de arreglarle el cuarto, aunque sólo fuese una vez cada ocho días cuando se le ocurría empuñar la escoba.

Ella lo despertó.

—¡Vamos, levántate! ¿Cómo haces para dormir de esa manera? Son más de las nueve —gritole—. Te traigo un poco de té, ¿quieres? Vas a terminar por morirte de hambre.

Raskolnikov abrió los ojos de nuevo, estremeciose, y, reconociendo a Anastasia, le preguntó:

—¿Me lo envía la patrona?

Con aspecto de sufrimiento se incorporó poco a poco.

—¿La patrona? ¡Ca! No esperes nada de ella.

Colocó delante de él su propia tetera, que contenía un resto de té y dos sucios terrones de azúcar.

—Mira, Anastasia, hazme el favor —dijo buscando unas monedas en su bolsillo, pues como de costumbre se había acostado vestido—, ve a buscarme un panecillo blanco. Tráeme también de la fiambrería un poco de embutido barato.

—Enseguida te traeré el pan, pero en lugar de salchichón, ¿no prefieres un poco de sopa de coles? La hicimos ayer; es excelente. Te guardé un poco para ti anoche, pero regresaste tan tarde... Está muy buena.

Una vez que hubo traído la sopa y que el joven comenzó a comer, Anastasia sentose junto a él en el diván y se puso a charlar. Era una aldeana afecta a los chismes, que no perdía ocasión de dar libre curso a sus aficiones.

—Praskovia Pavlovna quiere denunciarte a la policía —dijo.

El rostro de Raskolnikov se ensombreció.

—¿A la policía? ¿Qué pretende?

—No le pagas el alquiler y te niegas a irte de aquí. Eso es lo que quiere.

—¡Qué diablos! ¡Era lo único que faltaba! —gruñó el joven entre dientes—. De cualquier manera es un grave contratiempo..., precisamente ahora... ¡Qué idiota! —añadió en voz alta—. Hoy mismo iré a verla..., le hablaré.

—Como idiota, reconozco que ella lo es tanto como yo; pero tú, que eres tan inteligente, ¿por qué te quedas aquí acoquinado sin sacar las narices del cuarto? Antes ibas, según decías, a dar lecciones a unos niños. ¿Por qué no haces nada ahora?

—Algo hago... —respondió con sequedad Raskolnikov, casi a pesar suyo.

—¿Qué haces?

—Un trabajo...

—¿Qué trabajo?

—Pienso —repuso el joven con mucha seriedad, después de una pausa.

Anastasia se echó a reír. Era de carácter alegre y reía por las causas más insignificantes con una risa franca y espontánea que sacudía todo su cuerpo hasta dejarla sin fuerzas.

—¿Has pensado, por lo menos..., en mucho dinero? —pudo articular por fin.

—No se puede ir a dar lecciones con los zapatos rotos, pero de cualquier manera me importa un bledo.

—No me parece que eso esté bien.

—¡Pagan tan poco las lecciones! ¿Qué puede hacerse con algunos kopeks? —prosiguió Raskolnikov en tono desganado, como si respondiese a sus propios pensamientos.

—Preferirías, sin duda, recibir una fortuna de golpe...

—¡Sí, una fortuna! —respondió él con voz segura, después de un corto silencio.

—¡Eh! ¡Despacio, que me espantas! Me parece que vas demasiado de prisa. ¿Voy a buscar el panecillo, sí o no?

—Como quieras.

—Mira, me había olvidado. Durante tu ausencia ha llegado una carta para ti.

—¿Una carta para mí? ¿De quién?

—No sé de quién pueda ser. Le di al cartero tres kopeks de mi bolsillo, y supongo que, por lo menos, me los devolverás.

—¡Ve a buscarla pronto, por amor de Dios! ¡Tráela! —gritó Raskolnikov con viva emoción—. ¡Señor!

Un minuto después la carta estaba en sus manos. Como habíalo imaginado, era de su madre, que residía en la provincia de R... Al recibirla, palideció. Desde hacía tiempo no llegaban cartas para él, pero en ese instante otra cosa le atenaceaba el corazón.

—¡Vete, Anastasia, por el amor de Dios! ¡Aquí tienes tus tres kopeks, pero vete pronto!

Sus manos temblorosas agitaban la carta. No quería abrirla delante de la sirvienta; sentía un imperioso deseo de quedar *solo* con aquella carta.

Apenas Anastasia hubo salido, llevó la carta a sus labios con rápido ademán y la besó. Después se puso a contemplar atentamente el sobre. Reconoció de inmediato los caracteres menudos y algo inclinados de su madre, que muchos años antes le enseñara a leer y escribir. Vacilaba y hasta parecía temer alguna cosa. Por fin decidiose a abrirla. Era una larga epístola escrita con letra apretada en el anverso y reverso de dos grandes hojas de papel.

"Mi querido Rodia —escribía su madre—: hace ya dos meses que no me comunico contigo por carta, lo que me ha hecho sufrir mucho. La otra noche no pude dormir de tanto pensar en ello. Pero estoy segura de que no me reprocharás demasiado mi involuntario silencio. Tú sabes cómo te amo. Eres todo lo que nos queda a Dunia y a mí; lo eres todo para nosotras, toda nuestra esperanza, nuestra fe en el porvenir. ¡Qué tristeza me ha causado saber que hace varios meses has abandonado la universidad por falta de medios de existencia, y que ya no tengas más lecciones, así como tus otros recursos! ¿Cómo ayudarte con mi pensión de ciento veinte rublos por año? Los quince rublos que te envié hace cuatro meses los pedí prestados, como bien lo sabes, a un comerciante de nuestro pueblo, Atanacio Ivanovich Vakruchin. Es un buen hombre y fue amigo de tu padre. Pero, como lo autoricé a cobrar la pensión por mí, he tenido que esperar que la deuda estuviese saldada, de modo que durante este tiempo nada he podido remitirte. Ahora, Dios mediante, creo que podré mandarte algo, y me apresuro a decirte que, en general, todos podemos felicitarnos de tener un poco más de suerte.

"¿Podrías haber adivinado, querido Rodia, que desde hace más de un mes y medio tu hermana está conmigo, y ya no nos separaremos nunca? Dios sea loado, han concluido sus tormentos. Te referiré todo por orden, para que sepas cómo han ocurrido las cosas y lo que te hemos ocultado hasta el presente. Cuando me escribiste hace dos meses que habías oído decir a alguien que Dunia era objeto de malos tratos por sus patrones, los Svidrigailov, y me pediste explicaciones más claras, ¿qué hubiera podido decirte, hijo mío? Si te hubiese escrito toda la verdad, es probable que, abandonándolo todo, hubieras venido aunque fuese a pie a nuestra casa. Conozco tu carácter y tus sentimientos, y sé que no permitirías que ultrajasen a tu hermana. Yo misma estaba sumida en la desesperación, pero, ¿qué podía hacer? Además, entonces ignoraba toda la verdad. Lo más penoso es que Dunia, que el año pasado entró en casa de ellos como institutriz, recibió cien rublos adelantados, a descontar de su sueldo mensual, y, por consiguiente, no podía abandonar el empleo antes de pagar esa deuda.

"Pidió esa cantidad (ahora puedo decírtelo, querido Rodia), sobre todo para enviarte los sesenta rublos que recibiste de nosotras el año pasado. Las dos te engañamos escribiéndote que el dinero procedía de antiguas economías de Dunia, pero no era así, y ahora te digo toda la verdad, porque Dios ha permitido que la situación cambiara para bien; es necesario que sepas cuánto te ama Dunia y qué incomparable corazón posee. Al principio el señor Svidrigailov se comportaba con ella en forma muy grosera, haciéndole sufrir descortesías y burlas en la mesa. No quiero extenderme en penosos detalles para no encolerizarte inútilmente, ya que hoy todo ha terminado. Aunque la mujer de Svidrigailov, Marta Petrovna, y todas las demás personas de la casa la trataban con benevolencia y miramientos, la situación de Dunia era muy penosa, sobre todo cuando el señor Svidrigailov, por un viejo hábito contraído en el regimiento, se encontraba bajo el dominio de Baco.

"¿Qué ocurrió entonces? Figúrate que desde el primer momento ese desequilibrado había concebido una violenta pasión por Dunia, ocultándola bajo esas exteriorizaciones de groserías y desprecio. Tal vez avergonzábase de sí mismo y se sentía atemorizado al verse, a su edad y padre de familia, asediado por deseos tan poco razonables, y por esto profesaba involuntario rencor a Dunia. Quizá se proponía alejar las sospechas de los suyos con sus actitudes groseras y sus burlas. Pero al fin no pudo resistir más y tuvo la desvergüenza de formular innobles proposiciones a tu hermana, prometiéndole toda clase de recompensas, y llegando a ofrecerle abandonar todo para huir con ella a otra de sus propiedades o al extranjero. ¡Imagínate por qué trances ha pasado la pobre! Estábale vedado pensar siquiera en abandonar de inmediato su colocación, no sólo por la deuda, sino para evitar un disgusto a Marta Petrovna, que hubiera podido entrar en sospechas, sembrando así la discordia en ese hogar. Además, hubiera sido un gran escándalo para Dunia, pero por desgracia eso no se pudo evitar. Por todo lo que acabo de exponer, Dunia se veía imposibilitada de abandonar esa casa horrible antes de seis semanas como mínimo. Conoces a tu hermana y sabes lo prudente y firme de carácter que es. Sobrelleva las cosas con resignación y posee suficiente entereza de ánimo para no dejarse abatir por las circunstancias más críticas. Mantuvo en silencio todo esto para no alarmarme, aunque sosteníamos una correspondencia ininterrumpida. El desenlace ocurrió en forma inesperada: Marta Petrovna sorprendió a su esposo cuando renovaba sus ofrecimientos a Dunia en el jardín, y entendiendo mal las cosas, acusó a tu hermana de ser la causante de todo. Se produjo una escena terrible, y Marta Petrovna, sin querer oír a Dunia, después de cubrirla de insultos y hasta de ponerle la mano encima, ordenó que la trajeran a casa en la carreta de un campesino, dentro de la cual arrojaron toda su ropa y objetos de uso personal. Llovía a cántaros, y Dunia, apesadumbrada y con la muerte en el alma, tuvo que recorrer diecisiete verstas en esa carreta descubierta, acompañada únicamente por el campesino. Juzga ahora si me era posible responder a tu carta recibida hace dos meses. Sentíame desesperada y no me atrevía a comunicarte la verdad para no causarte pena, indignación y angustia. ¿Qué hubieras podido hacer? ¿Agravar tal vez tu situación? Por otra parte, Dunia me lo prohibió, y yo no me sentía capaz de llenar una carta con simplezas con el corazón sangrante y devorada por el pesar.

"Durante un mes interminable la calumnia se cebó en nosotros y llegamos al extremo de no poder poner los pies en la iglesia a causa de las miradas despreciativas y las murmuraciones de la gente a nuestro paso. Hasta hubo quien atreviose a hacer comentarios ante nosotras en voz alta. Todos nuestros conocidos nos volvían la espalda, todos dejaron de saludarnos y supe de buena fuente que algunos dependientes de comercio y empleados de la administración proponíanse vejarnos de manera innoble, embadurnando con alquitrán la puerta de nuestra casa, de suerte que los propietarios comenzaron a insinuarnos la conveniencia de que cambiáramos de casa. La causante de todo fue Marta Petrovna, que fue por todas partes calumniando y acusando a Dunia. Conoce a casi todos los vecinos de nuestro pueblo, y durante ese mes venía a cada momento. Como es un tanto charlatana y le gusta hablar de las cosas de su hogar, sobre todo para quejarse de su esposo con cualquier pretexto, lo que no es muy agradable, pronto dio a conocer la enojosa historia, no solamente en nuestro pueblo, sino en todo el distrito. Yo caí enferma, pero Dunia se mostró más resistente. ¡Si hubieras visto cómo soportó todo, cómo me consolaba alentándome! ¡Es un ángel! Pero Dios misericordioso puso fin a nuestros sufrimientos. El señor Svidrigailov se arrepintió y, apiadándose sin duda de Dunia, dio a Mata Petrovna pruebas amplias y manifiestas de la perfecta inocencia de tu hermana, en especial una carta que habíase visto obligada a escribirle mucho antes de la escena del jardín para negarle las citas que él le suplicaba le acordara, carta que había conservado en su poder después de la partida de Dunia. Tu hermana reprochábale en tono vivo la indignidad de su conducta para con Marta Petrovna, recordándole que era casado y padre de familia, y hacíale notar su villanía al perseguir a una joven desdichada y privada de toda defensa.

"Querido Rodia: esa carta era tan noble y tan conmovedora que lloré al leerla, y aun hoy no puedo releerla sin que las lágrimas acudan a mis ojos. Además, en apoyo de esta justificación de

Dunia, se registró el testimonio de los servidores, que habían visto y sabían más de lo que el propio señor Svidrigailov hubiera podido imaginar, como ocurre siempre en estos casos.

"Marta Petrovna quedó estupefacta y anonadada ante este nuevo golpe, según ella misma lo ha confesado, pero no conservó la menor duda acerca de la inocencia de Dunia, y al día siguiente, un domingo, fue temprano a la iglesia para rogar a la Virgen Santísima que le diera fuerzas para soportar la prueba y cumplir con su deber. Apenas salió de la iglesia vino directamente a nuestra casa sin detenerse en ninguna parte, y con amargo llanto nos refirió lo acontecido. En un acceso de sincero arrepentimiento besó a Dunia, y le pidió perdón. Después empleó la mañana entera en visitar a sus conocidos y con ellos hizo el elogio más caluroso de Dunia. Derramó torrentes de lágrimas, y exaltó la pureza de sentimientos y de conducta de tu hermana. No contenta con esto, mostraba a todo el mundo y leía en voz alta la carta autógrafa de Dunia al señor Svidrigailov, y hasta llegó a permitir que algunos la copiaran (lo que por mi parte considero fuera de lugar).

"De esta manera necesitó varios días para terminar de recorrer el pueblo y visitar a todos sus conocidos, lo que hizo que algunos se ofendieran por no haber sido visitados antes. En todas partes aguardábase la visita de Marta Petrovna; se sabía de antemano que tal día iría a leer la carta a tal parte, y las personas que habían oído ya la lectura en su casa o en la de otro vecino iban a los domicilios de sus amistades para escucharla de nuevo. En mi opinión, ha exagerado un poco, pero Marta Petrovna es así. Ha rehabilitado por completo la honra de Dunia, y la imborrable vergüenza del asunto ha recaído en el principal culpable, su esposo, aunque ahora me siento inclinada a compadecerlo, tanta es la dureza que demuestran para ese pobre insensato. De inmediato llegaron a Dunia ofrecimientos para dar lecciones en diversas casas, pero los rechazó. Todo el mundo quiso de pronto demostrarle particular estima, lo cual no ha contribuido poco a facilitar el acontecimiento inesperado merced al cual puede decirse que cambiará nuestro destino. Has de saber, querido Rodia, que se ha presentado un pretendiente para Dunia y que ella lo ha aceptado. Aunque la resolución haya sido tomada sin consultarte, creo que no te enfadarás con nosotras cuando sepas que no nos quedaba otro recurso. Por otra parte, estando tú ausente, no habrías podido juzgar con exactitud. La cosa pasó de este modo: Pedro Petrovich Lujin, el pretendiente, consejero de Tribunal, es un pariente lejano de Marta Petrovna. Comenzó por manifestar a ésta que deseaba conocernos; lo recibimos en casa con las debidas consideraciones, tomó café, y al día siguiente nos envió una carta en la que de una manera muy cortés exponía su petición, solicitando una rápida y categórica respuesta. Es un hombre muy ocupado y pronto debe partir para San Petersburgo. Todos sus instantes le son preciosos.

"En el primer momento quedamos estupefactas, lo que es muy explicable: ¡era tan brusco y estábamos tan lejos de esperarlo! Durante todo el día examinamos y consideramos la cuestión. Es un hombre que está en buena posición: tiene dos empleos a la vez y ha logrado reunir una pequeña fortuna. Cierto es que ha cumplido cuarenta y cinco años, pero su aspecto es agradable y todavía puede gustar a las mujeres; además, es un hombre reposado y correcto, al que sólo podríase creer un poco áspero y desdeñoso. Pero tal vez eso sea una falsa impresión, un efecto debido a las circunstancias del primer encuentro. Quiero pedirte, mi querido Rodia, que cuando lo veas en San Petersburgo, lo que no tardará en ocurrir, no lo juzgues con demasiado ardor y precipitación, como acostumbras, si ves algo en él que te choca al primer golpe de vista. Te lo digo por si acaso, aunque estoy persuadida de que te producirá una impresión agradable. Debemos tener en cuenta que para llegar a conocer a un hombre, sea el que sea, es menester comportarse hacia él con discreción y prudencia, si no se quiere incurrir en error y formar juicios temerarios o prejuicios que luego resulta muy difícil corregir y hacer desaparecer. Por lo menos, numerosos indicios llevan a creer que Pedro Petrovich es un hombre de los más honorables. Desde su primera visita nos declaró que era un hombre positivo, pero que en muchos puntos compartía 'las convicciones de las generaciones modernas' y que era enemigo de todos los prejuicios. Dijo muchas otras cosas, pues al parecer es un poco vanidoso y le agrada hacerse escuchar, lo que después de todo sería excesivo considerar como un vicio. Yo no comprendí gran cosa, pero Dunia me explicó que, aunque la instrucción que ha recibido es mediocre, no carece de inteligencia y parece bueno. Conoces el carácter de tu hermana. Es una joven de gran espíritu, razonable, perseverante, magnánima y posee un corazón ardiente, como he podido comprobar por mí misma. Bien entendido, ni de parte de Dunia ni de la de su prometido existe un amor profundo, pero Dunia es inteligente y al mismo tiempo noble como un ángel; considera que su deber es hacer la felicidad de su marido, quien como compensación debería tener la misma idea con respecto a ella. En lo que a esto último se refiere no tenemos motivo alguno de inquietud, a pesar de la prisa con que se ha terminado el asunto. Pedro Petrovich es un hombre lo suficientemente capaz y avisado para comprender que su felicidad conyugal estará tanto más asegurada cuanto que Dunia sea feliz. En cuanto a ciertas diferencias de carácter, modos de ser y desacuerdos de ideas (imposibles de evitar aun en las uniones más felices), Dunia me ha dicho que queda de su cuenta remediarlas. Me asegura que no tengo por qué preocuparme, y que pasará por alto lo que sea necesario con tal que en sus relaciones reine la honestidad y la justicia. Las apariencias engañan casi siempre. Al principio ese señor me parecía un poco atrevido, pero esto puede provenir de un exceso de franqueza, y casi de seguro es así. Otro ejemplo: en su segunda visita, cuando ya había obtenido el consentimiento, declaró en el curso de la conversación que aun antes de conocer a Dunia había resuelto tomar por esposa a una mujer honesta pero sin dote y que hubiese conocido la miseria. Según lo que nos explicó, el marido no debe tener obligación alguna hacia la mujer, y es preferible que ésta lo considere como su benefactor. Se expresó en una forma un poco más suave y más amable, pero yo he olvidado los términos exactos que empleó y solamente recuerdo la idea. Además, no lo dijo con premeditación, sino que se le escapó en la vivacidad del coloquio; tanto es así que de inmediato trató de reparar su yerro o por lo menos de atenuarlo. De cualquier manera sus palabras no dejaron de chocarme y más tarde se lo hice notar a Dunia. Ella me respondió con cierto malhumor que 'del dicho al hecho hay mucho trecho', lo que no deja de ser cierto.

"Antes de decidirse, Dunia pasó la noche entera sin dormir, y suponiéndome entregada al sueño se levantó y estuvo hasta la madrugada paseando por la habitación; luego arrodillose ante una imagen, orando con fervor durante largo rato. A la mañana siguiente me manifestó que estaba resuelta a casarse.

”Ya te he dicho que Pedro Petrovich iba a partir para San Petersburgo. Lo reclaman allí asuntos urgentes, y quiere abrir un bufete de abogado. Desde hace tiempo ejerce esta profesión, y en estos días ha ganado un pleito de importancia. Le es absolutamente indispensable trasladarse a San Petersburgo para defender ante el Senado una causa importante. Eso podrá serte muy útil, querido Rodia, y Dunia y yo creemos que a partir de hoy podrías emprender tu carrera y considerar definitivamente asegurado tu porvenir. ¡Ah, y si eso se realizara! Sería un hecho que tendríamos que considerar como una bendición de Dios, ni más ni menos. Dunia piensa sólo en eso. Ya hemos sondeado discretamente a Pedro Petrovich, quien se expresó con reserva y declaró que en realidad, como no podía prescindir de un secretario, preferiría pagar mejor honorarios a un miembro de la familia que a un extraño, con tal de que fuera capaz de desempeñar ese trabajo (¡como si tú no fueras capaz!), pero formuló la observación de que tus estudios universitarios no te dejarán mucho tiempo para trabajar en su oficina. El asunto quedó así por el momento, pero Dunia, que no tiene otras preocupaciones, volverá a la carga. Desde hace algunos días ha combinado con una especie de apresuramiento febril todo un proyecto sobre tu porvenir; piensa que podrás llegar a ser encargado y hasta socio de Pedro Petrovich, ya que puedes aspirar a ello por tu calidad de estudiante en la Facultad de Derecho. En cuanto a mí, comparto ese parecer y participo de todas esas opiniones y esperanzas, considerando que nada tienen de descabellado. A pesar de la actual reserva de Pedro Petrovich, muy comprensible desde el momento que no te conoce, Dunia está firmemente persuadida de que logrará sus fines gracias a la buena influencia que puede ejercer sobre su futuro esposo. Como es natural, evitamos hablar entre nosotras de nuestros sueños delante de Pedro Petrovich, en especial del deseo que abrigamos de que te conviertas en su socio. Es un hombre positivo y tal vez lo tomará a mal por considerarlo una quimera. De igual modo ni Dunia ni yo le hemos hablado de nuestra esperanza de que nos ayude a procurarte el dinero necesario mientras permanezcas en la universidad; si no lo hemos hecho, es antes que nada porque esto se realizará por sí mismo en el futuro, y él te lo propondrá sin discursos inútiles (¡bueno sería que le negara esto a Dunia!), tanto más cuanto que tú puedes ser su brazo derecho, y que no se trata de un socorro ni de una limosna, sino de un salario que tú ganarás con tu esfuerzo. He aquí lo que Dunia se propone hacer por ti, y que cuenta con mi entera aprobación. En segundo lugar, no hemos hablado de ello porque yo quería colocarte en pie de igualdad con él para vuestra próxima entrevista. Cuando Dunia le hablaba de ti en tono entusiasta, respondió que para juzgar a un hombre conviene sobre todo verlo de cerca, y que reservaba su opinión para el día en que te conociera.

"Voy a decirte una cosa, mi querido Rodia. Por ciertas consideraciones que en modo alguno se refieren a Pedro Petrovich, sino que son puramente personales, caprichos de vieja si se quiere, creo que lo mejor que puedo hacer es continuar viviendo en casa después de su matrimonio, en lugar de irme a vivir con ellos. Estoy plenamente convencida de que él albergará bastante gratitud y delicadeza para rogarme que no me separe de mi hija, y que si todavía no me ha dicho nada es porque eso se sobrentiende, pero yo rehusaré. Más de una vez he podido comprobar que los yernos no tienen gran simpatía por sus suegras, y aparte de que no quisiera causarles la menor molestia, deseo conservar mi plena y absoluta independencia. Siempre tendré un pedazo de pan seguro con hijos como tú y Dunia. Si es posible, residiré cerca de vosotros dos. Pues bien, mi querido Rodia, he reservado para el final de esta carta la noticia más agradable. Mi muy querido hijo, tal vez muy pronto estaremos todos reunidos y nos podremos abrazar después de una separación de cerca de tres años. Ya está decidido que Dunia y yo vayamos a San Petersburgo. ¿Cuándo? No lo sé, pero en todo caso muy pronto, tal vez dentro de ocho días. Todo depende de las disposiciones de Pedro Petrovich, que nos lo hará saber apenas esté instalado en San Petersburgo. Por ciertas razones desea apresurar la ceremonia del enlace y celebrarla en este mes si es posible, y si no, dentro de breve plazo, después de la Asunción. ¡Ah! ¡Con qué alegría te estrecharé contra mi corazón! Dunia está contentísima ante la idea de volver a verte y dice en broma que aunque más no fuera por eso se casaría con Pedro Petrovich. ¡Es un ángel! Esta vez no ha querido agregar nada a mi carta, pero me ruega te diga que las cosas que tendría que contarte son tantas que no puede resolverse a tomar la pluma, ya que en algunas líneas no es posible decirlo todo. Te manda un fuerte abrazo y muchos besos. Dentro de poco estaremos reunidos, pero en estos días trataré de mandarte todo el dinero que pueda. Desde que la gente sabe que Dunia se casará con Pedro Petrovich, mi crédito ha aumentado considerablemente. Sé que Atanasio Ivanovich consentirá ahora en adelantarme hasta setenta y cinco rublos sobre mi pensión, de modo que quizá pueda enviarte veinticinco o hasta treinta rublos. Te mandaría más si no temiera un poco los gastos de viaje, aunque Pedro Petrovich nos haya propuesto tomar a su cargo una parte de ellos, es decir, que pedirá a uno de sus conocidos que haga transportar nuestros equipajes, pero en el mejor de los casos tendremos que pagar los boletos de tren hasta San Petersburgo, y al llegar necesitaremos algún dinero, por lo menos en los primeros días. Dunia y yo hemos hecho minuciosos cálculos; el viaje no nos resultará caro. De nuestra casa al ferrocarril no hay más que noventa verstas, y ya hemos arreglado con un campesino que nos conduzca hasta la estación; de allí viajaremos muy bien en tercera clase. Así es que probablemente no serán veinticuatro sino treinta rublos los que podré mandarte. Tengo la mano cansada; he llenado dos grandes hojas de papel y casi no queda espacio. Nuestra historia ha terminado y sólo Dios sabe lo que hemos tenido que pasar. Ahora, mi muy amado Rodia, te beso hasta nuestra próxima llegada y te doy mi bendición de madre. Ama a tu hermana Dunia, hijo mío, ámala tanto como ella te ama, o sea mucho más que a sí misma. Es un ángel, te digo, y tú, mi Rodia, lo eres todo para nosotras, nuestra esperanza y nuestro consuelo en el porvenir. Si eres feliz, nosotras seremos felices también. ¿Ruegas siempre a Dios como antes, mi Rodia, y crees en la Santa Providencia? Temo que la impiedad, tan fuerte hoy en el mundo, se haya infiltrado en tu alma. Si así fuera, yo rogaré por ti. ¡Recuerda, hijo bien amado, cómo de pequeño, cuando vivía tu padre, balbuceabas tus oraciones sentado en mis rodillas, y qué felices éramos entonces! Adiós o, mejor dicho, hasta la vista. Te estrecho entre mis brazos y te envío mil besos. Tuya hasta la muerte.—Pulkeria Raskolnikova."

Desde las primeras líneas y durante todo el tiempo que empleó en leer la carta, no cesaron de resbalar gruesos lagrimones por las mejillas de Raskolnikov. Pero cuando hubo terminado estaba palidísimo, y una amarga sonrisa crispaba sus labios. Dejó caer la cabeza sobre el sucio envoltorio que le servía de almohada y comenzó a cavilar. El corazón le latía con violencia y se sentía invadido por la fiebre; experimentaba una sensación de malestar en aquel cuchitril amarillento, parecido a un armario o a un cofre. Mirada y pensamiento requerían espacio. Tomó el sombrero y salió, esta vez sin miedo de encontrarse con alguien en la escalera. Comenzó a caminar en dirección a la isla de San Basilio, siguiendo la avenida V..., como si algún asunto urgente lo reclamara allá abajo; según su costumbre, marchaba sin advertir lo que ocurría a su alrededor, balbuceaba palabras incoherentes y aun hablaba en voz alta, lo que llamaba la atención y causaba extrañeza a los transeúntes. Más de uno creyó que estaba borracho.

4

La carta de su madre lo torturaba. Pero en cuanto a lo esencial, al punto preciso, no subsistía en él la menor duda. Todo habíalo resuelto en su mente y en forma definitiva:

"Mientras yo viva no se realizará ese matrimonio; que se vaya al diablo el señor Lujin. Eso salta a la vista —murmuraba entre dientes, sonriendo, como celebrando de antemano el triunfo de su proyecto—. ¡No, mamá; no, Dunia! ¡No me engañaréis!... ¡Y hasta se excusa de no haber pedido mi consejo, decidiendo el asunto sin mi intervención! ¡No faltaba más que esto! Se imaginan que ahora no hay manera de romper el compromiso; ¡ya veremos! Es un hombre tan activo Pedro Petrovich, un hombre tan atareado, que no puede casarse sin prisa, por no decir a todo vapor. No, Dunia, no; veo claro y sé *todo* lo que vas a decirme, sé cuáles eran tus pensamientos la noche aquella en que ibas y venías por tu habitación, y lo que pediste en tus plegarias a la Virgen de Kazán, cuya imagen vela en la habitación de nuestra madrecita. ¡Es tan penosa la ascensión al Gólgota! Así todo queda resuelto en forma definitiva. Abdocia Romanovna, hermana mía, consientes en casarte con un hombre de negocios, positivo y que posee un capital, ocupa dos empleos, comparte las convicciones de las generaciones modernas y 'parece' bueno (así lo escribe mamá y la misma Dunia lo hace notar). ¡Ése *parece* es todo un poema. ¡Y Dunia, ella, se casaría por ese *parece*! ¡Admirable! ¡Admirable! Siento curiosidad por saber cuál ha sido la idea de mamá al referirse en su carta a las 'generaciones modernas'. ¿Habrá sido para describir el carácter del individuo o sus palabras tendrán un alcance mayor, para influir en mí en favor de ese señor Lujin, pongo por caso? También sería curioso poner en claro esta circunstancia: ¿hasta qué punto habrán sido francas una con respecto a la otra aquel día y aquella noche, y todo el tiempo que transcurrió después? Todas las *palabras* que se han dicho, ¿habrán sido verdaderamente pronunciadas, o bien cada una ha comprendido lo que pasaba en el corazón y en el espíritu de la otra, de suerte que las palabras han sido superfluas? Es posible que así haya ocurrido en buena parte; se adivina a través de esta carta. El hombre ha parecido *un poco* frío a mamá, y la pobre, en su candidez, ha exteriorizado su impresión a Dunia. Ésta, como es natural, se ha molestado, contestando de *mal humor*. ¡Lo creo! ¿Quién no se enfadaría cuando la cosa marcha por sí sola y las preguntas están de más, cuando todo está decidido y huelgan los comentarios? ¿Y por qué me escribe 'ama a Dunia, hijo mío, pues ella te ama más que a sí misma'? ¿No serán los remordimientos de conciencia que la atormentan en secreto por haber consentido en sacrificar a su hija por su hijo? 'Tú eres nuestra felicidad en el porvenir, lo eres todo para nosotras'. ¡Oh mamá!..."

Sentíase invadido por violenta cólera y si se hubiera encontrado con aquel señor Lujin, tal vez lo habría matado.

"Es cierto —continuó, siguiendo el torbellino de ideas que atravesaba su cerebro—, es cierto que hay que proceder con lentitud y circunspección para conocer a alguien, pero ese señor Lujin es la claridad en persona. Antes que nada, es un hombre de negocios y *parece* bueno. Se ha hecho cargo del transporte de los equipajes. ¿Cómo no ser bueno después de eso? En cuanto a ellas dos, su novia y la madre, tratarán con un campesino y harán el trayecto en una carreta cubierta por un toldo de lona (sé lo que es por haber hecho el viaje). ¡Qué importa, no son más que noventa verstas!... Después, viajarán tranquilas y dichosas en un vagón de tercera durante un recorrido de mil verstas. Y así en lo sucesivo. Arregla tus necesidades según los medios de que dispones. Pero usted, señor Lujin, ¿qué dice a todo esto? Se trata de su novia. Y usted no ignora que para efectuar el viaje, la madre debe pedir un adelanto sobre su pensión. Como es natural, eso está perfectamente de acuerdo con su espíritu comercial; usted considera que en este asunto hay dos partes contratantes, y que cada una de ellas debe participar en la misma proporción; se trata de dividir los desembolsos. Uno traerá el pan, el otro el queso, y en cuanto al vino, lo consideraremos un lujo fuera de nuestro alcance. Parece que esta vez el hombre de negocios ha salido ganando: el envío de los equipajes costará menos que los gastos de viaje, y hasta es posible que lo obtenga gratis. ¿No ven esto mi madre y mi hermana, o es que no quieren verlo? Pero están muy contentas. ¿Y cómo no creer que estas primicias son sólo las flores y que los verdaderos frutos vendrán más tarde? Lo más grave en todo esto no es la avaricia, la ruindad, sino en especial el *tono*. Un tono como éste anuncia todo un programa para una vez efectuado el matrimonio... Y mi madre, ¿cómo me promete enviarme dinero? ¿Con qué llegará a San Petersburgo? ¿Con tres rublos en el bolsillo? ¿De qué recursos dispone para vivir luego? Según ciertos indicios, ha adivinado que le será *imposible* vivir junto a Dunia después del casamiento, ni aun durante los primeros tiempos. El excelente hombre habrá dejado escapar sin duda algunas palabras y se habrá hecho entender, aunque mamá trate de colocar una venda en mis ojos declarando que se negará a vivir con ellos. ¿Qué se propone la pobre? ¿Con qué cuenta? ¿Con los ciento veinte rublos de pensión, de los que habrá que deducir el préstamo acordado por Atanasio Ivanovich? Pasa los inviernos tejiendo pañoletas y mitones, cansando sus pobres ojos. Pero yo sé que su trabajo no agrega más de veinte rublos por año a los ciento veinte de su pensión. Por lo tanto, a pesar de todo, se ilusiona con los sentimientos generosos del señor Lujin. 'Él mismo propondrá, me rogará que acepte sus ofrecimientos'. ¡Vanas ilusiones! Ocurre siempre lo mismo a esas bellas almas románticas: hasta el postrer instante se complacen en adornar al grajo con las plumas del pavo real; ven sólo el lado bueno, no el malo, y aunque adivinen cuál es el reverso de la medalla, por nada del mundo dicen la palabra justa en ese caso. La simple idea de hacerlo las trastorna y se tapan la cara con las manos para no ver la verdad, hasta que la imagen que han creado viene con sus propias manos a darles un papirotazo en la nariz. Me gustaría saber si ese señor Lujin está condecorado; apostaría a que lleva en el ojal la cinta de Santa Ana y a que se coloca la cruz cuando va a cenar a la casa de algún personaje de campanillas o de un comerciante acaudalado. ¡No hay peligro de que se le olvide la cruz el día del casamiento! ¡Que el diablo cargue con él! Pase por mi madre, ya que ése es su modo de ser. ¿Pero Dunia? Hermana querida, te conozco bien. Tenía veinte años cuando nos vimos por última vez, y ya había adivinado tu carácter. Madrecita me dice en su carta que Dunia es 'muy abnegada'. Ya lo sabía. Lo sé desde hace dos años y medio, y desde hace dos años y medio no pienso más que en esa capacidad de sufrimiento que posee Dunia. Puesto que ha podido soportar a un Svidrigailov con todas sus complicaciones, debe creerse que esa capacidad es muy amplia. Ella y mamá han imaginado que se puede soportar a un señor Lujin que habla sobre la excelencia de las mujeres arrancadas del seno de la pobreza y que están en deuda de gratitud con respecto a sus esposos. Bien; admitamos que eso 'se le escapó', aunque el individuo es más bien calculador (de modo que lo más probable es que no se le haya escapado, sino que lo ha dicho con el propósito de hacerse comprender); pero, ¿y Dunia? Ve claro en el espíritu de ese individuo, y sin embargo se resigna a vivir a su lado. Dunia se resignaría a comer pan duro y a beber solamente agua antes de vender su alma. No enajenaría su libertad por un poco de bienestar, no consentiría en perderla por todo el Schleswig-Holstein, y, en consecuencia, menos todavía por un Lujin. No, la Dunia que yo conocí no era ésta, y estoy seguro de que aun hoy mismo no ha cambiado. ¡Es triste tener que vivir en casa de los Svidrigailov! Es duro rodar de provincia en provincia toda una vida como gobernanta, por doscientos rublos anuales, pero yo sé que mi hermanita se haría tratar como un negro por un plantador, o como un letón por los alemanes del Báltico, antes de envilecer su alma y sus sentimientos contrayendo enlace con un hombre al que no estima y con el cual nada tiene en común. Y aunque el señor Lujin fuese de oro puro o tallado en un bloque de diamante, jamás consentiría en convertirse en su concubina legítima. ¿Por qué, entonces, se decide en este momento? ¿Qué significa esto? ¿Dónde está el enigma? La cosa es clara: por ella misma, por su bienestar, ni siquiera para salvarse de la muerte, no se vendería, pero lo hace por otro. ¡Pero se vende por un ser amado, adorado! ¡He aquí la clave del enigma! ¡Se venderá por su hermano, por su madre! ¡Lo enajenará todo! Cierto es que, en algunas oportunidades, hacemos caso omiso de nuestros sentimientos, pondríamos en venta nuestra libertad, nuestro reposo, nuestra conciencia misma, todo. Perezcamos, con tal que los seres que nos son queridos sean felices. Lo que es más, forjamos nuestra propia casuística, pedimos prestada su moral a los jesuitas y por un tiempo permanecemos tranquilos y persuadidos de que así debe ser, y de que, como el fin es bueno, los medios están justificados. Así somos, y la cosa está clara como el día. Se ve bien que Rodion Romanovich Raskolnikov y nadie más que él ha sido el causante involuntario de todo y que figura en el primer plano. ¿Cómo y por qué? Es necesario asegurar su felicidad y su independencia, mantenerlo en la universidad, procurarle un puesto de habilitado en una oficina. Después se hará rico, después... ¿por qué no?, gustará los placeres del renombre, la gloria, tal vez, cuando su existencia ya decline... ¿Y la madre? No se trata en este caso más que de su Rodia, el hijo mimado, el primogénito. ¿Cómo no sacrificarle una hija a ese primogénito, aunque sea como Dunia? ¡Oh corazones queridos e injustos! ¡Hasta el destino de Sonia les parecería llevadero! ¡Sonia, Sonia Marmeladov, la eterna Sonia que existirá mientras el mundo sea mundo! ¿Habéis calculado bien la extensión de vuestro sacrificio? ¿Lo habéis hecho? ¿Habéis medido vuestras fuerzas, consultado vuestro interés? ¿Es razonable esto? ¿Sabes, Dunia, que la suerte de Sonia no es mucho peor que la que significaría para ti convivir con ese señor Lujin? 'No se trata de amor', escribe mamá. Bien, puesto que no puede existir amor, ni estima, y que desde ya sólo existe por lo contrario repulsión, desprecio, sentimiento de disgusto, ¿no equivale esto al destino de la joven arrojada a la prostitución y obligada a observar *los preceptos de la hi-*

giene? ¿Veis alguna diferencia? ¿No comprendéis que la limpieza proporcionada por un Lujin equivale exactamente a la de Sonia? Tal vez sea peor, más vil, más innoble, porque tú, Dunia, tienes en vista un aumento de comodidad, mientras que para Sonia la cuestión es no morirse de hambre. ¡Esa limpieza cuesta cara, Dunia, muy cara! Más tarde, si el peso es superior a tus fuerzas, ¿no te arrepentirás? ¡Cuántos pesares entonces, qué de penas, qué de maldiciones, de lágrimas ocultas, porque tú no eres una Marta Petrovna! Y mamá, ¿qué será de ella? Ahora se siente inquieta, atormentada. ¿Qué será más tarde, cuando vea claro? Pero, ¿y yo? ¿Qué habéis pensado, pues, de mí? ¡No quiero tu sacrificio, Dunia! ¡Tampoco el tuyo, madrecita! ¡Eso no será mientras yo aliente! ¡No lo toleraré!"

Recuperándose de pronto, se detuvo.

"¡No quiero que sea! ¿Pero qué hacer para impedir que esto ocurra? ¿Lo prohibirás? ¿Con qué derecho? ¿Qué puedes prometer a cambio de ese derecho que pretendes ejercer? ¿Consagrarles tu destino entero, tu porvenir, *cuando hayas terminado tus estudios y encontrado un empleo*? Esa canción es vieja. Además, se refiere al futuro. ¿Y para el presente? En este caso es imprescindible pensar en el presente. Te conformas con vivir a sus expensas; ese dinero, ellas se lo procuran pidiéndolo prestado sobre ciento veinte rublos de pensión anual, y sobre el crédito que les procura su relación con los Svidrigailov. Contra esos Svidrigailov, esos Atanasio Ivanovich Vakruchin, ¿cómo las defenderás tú, futuro millonario? ¿Te crees un dios del Olimpo para disponer así de su suerte? Dentro de diez años tu madre habrá tenido tiempo para gastar del todo sus pobres ojos tejiendo pañoletas y quizá derramando ardientes lágrimas; las privaciones la habrán consumido... ¿Y tu hermana? Vamos, imagínate lo que será de tu hermana dentro de diez años, a lo que puede llegar..."

Se torturaba con este doloroso interrogatorio, experimentando con ello una especie de voluptuosidad. Esas preguntas no eran nuevas para él; nada tenían de inesperado. Hacía tiempo que esas reflexiones veníanse acumulando hasta el punto de revestir la forma de una pregunta terrible, fantástica y salvaje que le quemaba el cerebro y el espíritu, exigiendo una respuesta que él no era capaz de encontrar. En aquel instante la carta de su madre heríale como un rayo. No era aquél el momento de lamentarse, de sufrir pasivamente, después de haberse demostrado que sus problemas no tenían solución; era preciso intentar alguna cosa, pero enseguida, a la brevedad posible, a cualquier precio; urgía adoptar una resolución.

"¡O renunciar a la vida —exclamó con violencia—, aceptando el destino tal cual es, de una vez por todas, y ahogar dentro de mí, abdicar del derecho de hacer, de vivir, de amar! ¿Comprende usted, señor, lo que significa no saber a dónde ir?" —dijo de pronto, recordando la pregunta formulada la víspera por Marmeladov.

Un estremecimiento recorrió su cuerpo al presentarse a su imaginación una idea que ya había tenido el día anterior. No se estremecía por el hecho de que esa idea volviera a cruzar su mente. Ya lo sabía, la *presintió* y la esperaba. Pero esa idea no era con exactitud igual a la de la víspera; la diferencia consistía en que un mes antes, el día anterior, era una especie de sueño, y ahora... surgía de modo distinto, bajo una forma nueva, amenazadora, absolutamente desconocida para él, y tenía conciencia de esa metamorfosis... La sangre se le agolpaba en la cabeza y una nube le cubría la vista. Miró en derredor, buscando algún lugar donde sentarse. Se encontraba en el paseo K... A cien pasos de distancia un banco ofrecíase a su vista y se apresuró a dirigirse hacia allí. Al hacerlo, notó que era precedido a una veintena de pasos por una mujer que caminaba en la misma dirección. En el primer momento apenas fijose en ella, como en todo cuanto le rodeaba. A menudo habíale sucedido regresar a su domicilio sin recordar en lo más mínimo el camino que recorriera; casi siempre era ése su estado al marchar por las calles. Pero aquella mujer, sin saber por qué, le llamó la atención; primero a pesar suyo y casi de mala gana, y luego cada vez con más fuerza. De pronto le asaltó el deseo de saber qué era lo que tenía de extraño esa mujer. Debía ser joven. Iba con la cabeza descubierta, no llevaba guantes ni sombrilla, y al andar movía los brazos descompasadamente. Su ligero vestido de seda parecía puesto de modo extravagante, apenas abotonado, y presentaba una desgarradura detrás, debajo del talle; un jirón de la tela colgaba bailoteando. Puesto de cualquier manera, un pequeño chal rodeaba su cuello. Para colmo, la joven, con paso inseguro, tropezaba a cada momento, yendo de un lado a otro.

La desconocida acabó por despertar viva curiosidad en Raskolnikov, que llegaba junto a ella en el momento en que aproximábase al banco y dejábase caer en él, reclinando la cabeza en el respaldo y cerrando los ojos, sin duda rendida de fatiga. Un examen superficial le hizo comprender que estaba ebria. El espectáculo era tan monstruosamente extraño que se preguntó si no era un producto de su fantasía. Vio ante sí una joven, casi una niña, de dieciséis años a lo sumo, tal vez quince, menuda, con el rostro encuadrado por rubia cabellera, bella, pero con la tez algo enrojecida y ligeramente inflamada. Parecía no darse cuenta de nada; había cruzado las piernas, exhibiéndolas más de lo permitido por las buenas costumbres y, según todos los indicios, apenas tenía noción de que se encontraba en la calle.

Raskolnikov no se sentó. No quería irse, permanecía delante de ella sin saber qué decisión adoptar. Ese paseo no es muy concurrido, y a esa hora, aproximadamente la una de la tarde no pasaba nadie. Sin embargo a quince pasos de distancia un caballero habíase detenido en una de las alamedas que bordeaban el paseo y, al parecer, pretendía acercarse a la joven con intenciones *non sanctas*. También a él era posible que le llamara la atención. Era indudable que la presencia de Raskolnikov lo molestaba; mirábalo con fastidio y enojo, aunque trataba de pasar inadvertido, y esperaba con impaciencia el momento en que aquel harapiento se retirara para dejarle el campo libre. Era un hombre de unos treinta años, alto y robusto, de cara sonrosada, adornada con un bigotillo rubio; vestía con rebuscada elegancia.

Una violenta cólera apoderose de Raskolnikov; sintió deseos de insultar a aquel grueso caballero, y abandonando por un instante a la joven, se encaró con él.

—¡Oiga, *Svidrigailov*! ¿Qué busca por aquí? —gritó mientras cerraba convulsivamente los puños, mostrando los dientes en una mueca que quería ser una sonrisa y con los labios cubiertos de espuma.

—¿Qué significa esto? —preguntó en tono severo el interpelado, frunciendo el ceño y adoptando un aire de altanero asombro.

—¡Significa que ahora mismo se va a retirar de aquí!

—¿Cómo te atreves, canalla?

Y blandió su bastón; Raskolnikov lanzose sobre el individuo, sin detenerse a considerar que tal adversario muy bien podía equivaler a dos hombres como él. En ese instante alguien le sujetó vigorosamente por detrás. Era un agente de policía que intervenía en el asunto.

—¿Qué significa esto, señores? No se golpeen en la vía pública. ¿Qué les sucede? ¿Quién es usted? —preguntó con severidad a Raskolnikov al ver los harapos que lo cubrían.

Raskolnikov observó con detenimiento al gendarme. Parecía inteligente y sus patillas grises daban a su rostro una expresión simpática.

—Usted es lo que yo necesitaba —dijo tomando al guardia por el brazo—; soy un ex estudiante y me llamo Raskolnikov, si usted tiene interés en saberlo —agregó volviéndose hacia el caballero—. Venga conmigo, agente, quiero que vea esto...

Llevó al guardia junto al banco y le dijo:

—Mire esta muchacha; está completamente ebria; hace unos minutos caminaba por el paseo. Quién sabe quién es y de dónde ha salido, pero no parece una profesional. Lo más probable es que la hayan embriagado para atraerla a una emboscada..., por primera vez..., ¿comprende? Después, la habrán arrojado a la calle... Vea sus ropas desgarradas y puestas de cualquier modo...: es evidente que no se ha vestido por sí misma, que la han vestido, y que fueron manos inexpertas, manos masculinas, sin duda, las que la vistieron. Está claro. Ahora, contemple a ese arrogante caballero con el que estuve a punto de cambiar unos golpes; no lo conozco, es la primera vez que lo veo. También él la vio cuando venía hacia aquí; vio que estaba borracha, que no tenía conciencia de sus actos, y en estos momentos siente grandes deseos de aproximarse a ella, de tomarla en este estado, para llevársela seguramente a alguna parte. Es así como le digo, le afirmo que no me equivoco. He observado cómo la acechaba y la seguía; le impedí hacerlo, y ahora espera que yo me vaya. Vea usted, se ha alejado un poco y está liando un cigarrillo para disimular. ¿Cómo arrancar de sus garras a esta pobre joven? ¿Cómo conducirla a su casa?

El agente, que de inmediato diose cuenta de la situación, reflexionó un instante. Las intenciones del caballero eran visibles; quedaba la cuestión de la muchacha. Se inclinó para examinarla de cerca y una expresión de sincera piedad asomó a su rostro.

—¡Ah, qué desgracia! —dijo moviendo la cabeza—. ¡Si no es más que una niña todavía! Seguramente han abusado de ella... ¡Oiga, jovencita! —la interpeló en tono más alto—, ¿dónde vive usted?

La joven abrió los ojos, dirigió una mirada vaga e inexpresiva a los importunos y finalmente hizo un gesto con la mano como para apartarlos lejos de ella.

—Escuche —dijo Raskolnikov al agente, al mismo tiempo que extraía veinte kopeks del bolsillo—, tome un coche y llévesela. Si por lo menos supiésemos su dirección...

—¡Señorita, señorita! —insistió el agente después de tomar las monedas—. Voy a llamar un coche para acompañarla a su casa. ¿A dónde debo llevarla? ¿Cuál es su domicilio?

—¡Déjeme en paz! ¡Qué cargante tipo! —balbuceó la joven haciendo el mismo gesto que antes.

—¡Ah, eso no está bien, señorita! ¡Es una vergüenza!

Movió nuevamente la cabeza con un gesto a la vez de pudor ofendido, de piedad y de indignación.

—¡Ésta es la dificultad! —dijo dirigiéndose a Raskolnikov, y de nuevo lo examinó de pies a cabeza—. ¿La encontró lejos de aquí?

—Ya le he dicho que caminaba delante de mí por el paseo y que apenas llegada a este banco se desplomó.

—¡Ah, es verdad, señor! Es vergonzoso lo que ocurre hoy en el mundo. Una muchacha tan joven que ya se emborracha. La habrán seducido, qué duda cabe. Mire, tiene el vestido roto... En los tiempos que corren, cada día es mayor el libertinaje. Tal vez pertenece a una familia decente caída en la miseria. Eso es muy frecuente... Al verla se la tomaría por una señorita, y distinguida...

Inclinose de nuevo sobre ella. Tal vez él también tenía hijas que podían pasar "por señoritas, y distinguidas", de modales impregnados de afectación que confiere una educación equivocada, sometidas a los prejuicios de la moda...

—Lo principal —se apresuró a agregar Raskolnikov— es no permitir que caiga en las manos de ese villano, que podría mancillarla más todavía... Eso es lo que se propone, no es difícil advertirlo. ¡Y no se va ese desalmado!

Hablaba en voz alta, señalando con el índice al indigno personaje, en el que sus palabras estuvieron a punto de provocar una nueva reacción. Pero lo pensó mejor y contentose con dirigir a Raskolnikov una mirada despreciativa. Luego se alejó lentamente una docena de pasos, deteniéndose de nuevo.

—No abandonarla es fácil —respondió el agente con aire pensativo—. Si por lo menos supiéramos dónde vive... ¡Señorita! ¡Señorita! —exclamó una vez más.

La joven abrió los ojos, los miró atentamente como si poco a poco recobrara el conocimiento, se levantó y comenzó a andar, recorriendo en sentido inverso el camino por el que había llegado hasta allí.

—¡Sinvergüenzas! ¿Por qué no me dejarán en paz? —murmuró mientras repetía el gesto de rechazar a alguien. Caminaba ligero, pero con paso vacilante. El elegante caballero la siguió por el borde de la acera, sin dejar de observarla.

—¡No tenga miedo, no la abandonaré! —declaró resueltamente el guardia echando a andar detrás de ella—. ¡Ah! ¡Qué corrupción hay ahora! —repetía entre suspiros.

En el mismo instante Raskolnikov sintió

como si le hubieran clavado un aguijón, y en menos de un segundo dio en él un brusco cambio.

—¡Oiga usted! —gritó al agente—. ¡Déjesela! ¿Por qué se mete en este asunto? ¡Déjelo en paz! ¡Que se divierta! —y señaló al Don Juan—. ¿Qué le importa a usted?

El agente abrió los ojos como platos. Raskolnikov soltó una carcajada.

—¡Bah, bah! —gruñó el representante del orden, y esbozando un gesto de impaciencia, siguió detrás de la joven y del presunto galán. Probablemente tomaba a Raskolnikov por loco o por algo peor todavía.

—Se ha llevado mis veinte kopeks —murmuró con creciente ira Raskolnikov—. Ahora se hará dar dinero por el otro, abandonará a la muchacha y ése será el final de la historia... ¿Por qué se me habrá ocurrido meterme en este lío? ¿Quién me manda erigirme en protector de desvalidos? ¿Tenía algún derecho a intervenir? Que se devoren unos a otros, ¿qué me importa? ¿Cómo me he permitido regalar esos veinte kopeks? ¿Acaso eran míos?

A pesar de esas extrañas reflexiones, sentía el corazón oprimido. Se sentó en el banco abandonado y sus pensamientos comenzaron a extraviarse. Le era difícil, por otra parte, pensar en cualquier cosa. Hubiera querido no tener conciencia de nada, olvidarlo todo y despertar en otro mundo o en otra vida.

"Pobre muchacha —se dijo mirando el lugar

desocupado del banco—. Cuando vuelva a su estado normal, llorará... Luego lo sabrá la madre... Primero le pegará de manera atroz y humillante, tal vez la ponga en la puerta de calle. Admitiendo que no la arroje de su casa, una Daria Frantzovna olfateará lo ocurrido, y la muchacha empezará a rodar de aquí para allá... Luego, el hospital... Siempre ocurre lo mismo con las jóvenes que tienen madres muy honestas y se ven obligadas a hacer sus travesuras a escondidas. Después, el hospital de nuevo... Al cabo de dos o tres años estará perdida por completo, y a los dieciocho o diecinueve años de edad, el fin... ¡Cuántos casos idénticos! Pero, ¡diantre!, ¿qué importa? Parece que es, según se dice, una proporción que debe suministrarse cada año... al diablo, sin duda..., para refrescar a los otros y no ofuscarlos. Una proporción. En verdad existen lindas palabras como ésta, tranquilizadoras con su corte científico. Desde el momento que se habla de proporción, no hay por qué preocuparse. ¡Ah!, si fuera otra palabra, entonces sería un poco menos tranquilizadora... ¿Y si Dunia, de una u otra forma, tuviera que ser incluida en esa proporción, en la de este año o en la del próximo? Pero, ¿a dónde iba yo? —pensó de pronto—. Es extraño. Salí de casa por algún motivo. Después de leer la carta tuve el propósito de ir a la isla de San Basilio, a la casa de Razumikhin... Pero, ¿para qué? ¿Y cómo se me ha ocurrido la idea de ir allí? Es singular..."

Se extrañaba de su intención. Razumikhin era uno de sus ex condiscípulos de la universidad. En la época en que seguía los cursos, Raskolnikov no intimó con ninguno de sus camaradas, no iba a verlos y tampoco le gustaba recibir sus visitas. No es de extrañar que al poco tiempo todo el mundo le volviera la espalda. Jamás intervino en las reuniones, controversias, diversiones o lo que fuera. Severo para consigo mismo, estudiaba con ahínco, y por ello habíase conquistado la inquina de sus compañeros. Era muy pobre y su orgullo lo alejaba de los demás, haciéndolo poco comunicativo; algunos de sus condiscípulos lo acusaron de ser mirados por él con desdén, como si fueran niños y los aventajara en inteligencia, en saber y en capacidad, considerándoles seres inferiores a él. Sin embargo, cualquiera que fuese la razón, había trabado amistad con Razumikhin, o, para decirlo mejor, mostrábase con él más franco y comunicativo que con los otros. A decir verdad, hubiera sido difícil comportarse de otro modo. Razumikhin era un joven que rebosaba alegría, expansivo y bueno hasta la candidez, noble y digno. Todos sus compañeros lo apreciaban, y aun cuando a veces pareciera un tanto simple, estaba lejos de ser tonto. Llamaba la atención por su elevada talla, su excesiva delgadez, sus cabellos renegridos y su rostro mal rasurado. Era bullanguero en ocasiones, y su vigor llegó a ser proverbial. Una noche que había salido a divertirse con un grupo de estudiantes, derribó de un solo golpe a un agente de policía de más de seis pies de alto. Podía ingerir extraordinaria cantidad de bebida, pero cuando se lo proponía era abstemio en absoluto. En algunas oportunidades llegaba a hacer cosas que no eran correctas, pero también sabía evitarlas. No se dejaba abatir por las contrariedades y la mala suerte parecía no hacer mella en él. Hubiera podido vivir en los tejados, resistir todos los padecimientos del hambre y todos los horrores del frío. Extremadamente pobre, proveía a su existencia procurándose algunos recursos mediante toda clase de pequeños trabajos. Conocía todos los expedientes a que se puede recurrir para ganarse la vida, bien entendido, mediante el trabajo. Una vez pasó todo un invierno sin fuego para calentarse, asegurando que eso le era agradable, porque dormía mejor cuando tenía frío.

En aquel entonces también viose obligado a abandonar la universidad, creía que por poco tiempo y trataba con todas sus fuerzas de poner remedio a las circunstancias, para poder continuar sus estudios.

Hacía más de cuatro meses que Raskolnikov no iba a su casa, y Razumikhin ignoraba la dirección de su compañero. Dos meses antes encontráronse por casualidad en la calle, pero Raskolnikov volvió la cabeza, pasando a la otra acera para no detenerse a conversar con él. Razumikhin lo vio, pero, ante esa actitud, pasó de largo para no incomodar a su *amigo*.

5

“En efecto —pensaba Raskolnikov—, no hace mucho me propuse ir a ver a Razumikhin para pedirle que me procurara algo, trabajo o lecciones... Pero, ¿de qué me serviría eso en los momentos actuales? Supongamos que me consiga lecciones, que comparta conmigo su último kopek, si es que lo tiene, para adquirir zapatos y ropa que me permitan trabajar. ¿Y luego? ¿Qué haré con unas monedas más? ¿Es eso lo que necesito? En verdad, esta visita a Razumikhin es estúpida...”

La cuestión de saber para qué se trasladaba en esos momentos a la casa de su amigo preocupábalo más de lo que quería confesarse; trataba ansiosamente de encontrar algún sentido de mal augurio en aquella gestión, que, sin embargo, parecía de las más vulgares.

“¿Es posible que haya creído poder arreglarlo todo con la ayuda de Razumikhin y colocado todas mis esperanzas en él?” —preguntábase con sorpresa.

Reflexionaba, pasándose la mano por la frente, y cosa extraña, después de prolongadas vacilaciones, de pronto, casi espontáneamente, una idea singular acudió a su espíritu...

“Iré a lo de Razumikhin —se dijo con más tranquilidad, como si terminara de adoptar una resolución definitiva—, iré a su casa, desde luego, pero no ahora...; iré al día siguiente de *aquello*..., cuando *eso* esté finalizado y todo recomience sobre nuevas bases..."

Casi de inmediato experimentó una violenta reacción.

"¿Después de *eso*? —gritó levantándose de un salto—. ¿Es posible que *eso* esté bien? ¿Es posible que sea así?"

Partió de allí casi a la carrera; sentía deseos de volver atrás, de regresar a su domicilio, pero la simple idea de hacerlo causole profunda repugnancia; allá arriba, en su inhospitalaria madriguera, había madurado el proyecto de *aquello* durante más de un mes. Prefirió seguir errando a la ventura.

Su temblor nervioso habíase convertido en una especie de agitación febril y le castañeteaban los dientes; a pesar del calor de horno que hacía, sintió frío. Hizo un esfuerzo supremo y como si cediera a una necesidad interior, comenzó a examinar deliberadamente todos los objetos que encontraba, como buscando una distracción, cualquiera que fuese. Pero lo consiguió sólo a medias; a cada instante caía de nuevo en sus reflexiones. Cuando sacudido por un nuevo estremecimiento levantaba la cabeza para mirar en derredor, olvidaba enseguida lo que estaba pensando y aun el lugar donde se hallaba.

Atravesó así toda la isla de San Basilio, llegó al Pequeño Neva, franqueó el puente y dobló después hacia el lado de las islas. El verdor y la frescura aliviaron la fatiga de sus ojos, habituados al polvo de las calles, al reflejo del sol, a la opresión de los enormes y pesados edificios. Allí no se sentía sofocación ni malos olores, ni había tabernas a cada paso. Pero las nuevas sensaciones perdieron pronto su encanto y se le hicieron mórbidamente fastidiosas. A veces deteníase ante una villa literalmente sepultada bajo grandes masas de verdura y follaje, y miraba a través de la verja, contemplando en los balcones y terrazas mujeres elegantemente ataviadas y niños que jugaban en los jardines. Las flores atraían en especial su atención, reteniendo mayor tiempo sus miradas. De vez en cuando cruzábase con lujosos carruajes, jinetes y amazonas; los seguía con mirada curiosa, pero los olvidaba aun antes de que hubieran desaparecido. En un momento dado se detuvo a contar su dinero y vio que contaba con unos treinta kopeks: "Veinte al agente, tres a Anastasia por la carta de mamá... Entonces, ayer di unos cuarenta y cinco o cincuenta kopeks a los Marmeladov", pensó. Sin duda había tenido algún motivo para calcular la suma que le quedaba, pero enseguida olvidó por qué razón había sacado el dinero del bolsillo. La recordó al pasar frente a un restaurante que más bien era un bodegón. Sintió hambre y entró. Bebió una copa de aguardiente y comió un trozo de pastel de carne condimentada con fuertes ingredientes. Hacía tiempo que no probaba bebidas espirituosas, de modo que esa pequeña cantidad de alcohol obró en forma instantánea. Sintió pesadez en la cabeza y flojedad en las piernas. Emprendió el regreso a su casa, pero al llegar frente a la isla de Petrovski se detuvo agotado; abandonó el camino y, penetrando en los bosquecillos, dejose caer sobre la fresca hierba, donde se quedó dormido.

En el estado enfermizo, los sueños se distinguen a menudo por su relieve extraordinario, su intenso colorido, su extremada semejanza con la realidad; pero la escenografía y todo el proceso de la representación son entonces tan verosímiles, los detalles tan finos, tan imprevistos, coadyuvan tan bien a la perfección artística del cuadro, que la misma persona que sueña no podría evocarlos despierto, así fuese un artista como Pushkin o Turguéniev.

Los sueños de ese género, esos sueños dolorosos, dejan siempre un marcado recuerdo y producen un efecto imprevisto sobre el organismo ya sacudido del individuo.

El de Raskolnikov fue un sueño horrible. Transcurrió en su infancia, allá en su pueblo natal. Tenía siete años, y, un día festivo, paseaba con su padre al caer la tarde por las cercanías de la localidad. El tiempo era gris, la atmósfera pesada y los lugares exactamente iguales a como los conservaba grabados en la memoria; se hubiera dicho que el recuerdo los hacía más nítidos en aquel sueño. El pueblecito extendíase a poca distancia, como si se ofreciera en la palma de la mano; alrededor, ni siquiera un sauce blanco;

muy lejos, allá en el horizonte, la mancha oscura de un bosquecillo. A algunos pasos del último jardín del pueblo se encontraba una taberna, una gran taberna que siempre producíale una impresión desagradable y hasta le daba miedo al pasar frente a ella paseando con su padre. Estaba siempre llena de gente que gritaba, reía y blasfemaba, que cantaba canciones obscenas, y con frecuencia producíanse altercados y refriegas. Cerca de allí se tropezaba siempre con borrachos malolientes, de rostros bestiales. Cuando los veía, se apretaba fuertemente contra su padre y todo su cuerpo se estremecía. No lejos de la taberna pasaba el camino, más bien un atajo, cubierto de polvo negruzco, que más allá hacía un recodo y a unos trescientos pasos contorneaba el cementerio. En medio del camposanto se elevaba una iglesia de piedra, con la cúpula verde, donde el niño iba una vez o dos por año para asistir a la misa que se oficiaba por el reposo del alma de su abuela, muerta hacía tiempo y a la que no conociera. En esas ocasiones llevaban siempre un pastel colocado en un plato blanco, en una servilleta: era un pastel de arroz y azúcar, con una cruz de pasas de uva incrustada en la parte superior. Amaba la iglesia con sus viejas imágenes y al anciano sacerdote de gestos temblorosos.

Junto a la tumba de su abuela, sobre la que había una lápida, se encontraba una tumba más pequeña, en la que reposaban los restos de su hermano menor, muerto a la edad de seis meses, al que tampoco había conocido. Le habían dicho que había tenido un hermanito, y cada vez que visitaba el cementerio hacía piadosamente la señal de la cruz sobre la tumba y la besaba.

Ahora bien, soñaba que iba con su padre por el camino que conducía al camposanto y pasaban frente a la taberna; tomado de la mano del padre, miraba con temor hacia el antro. Un detalle singular llamaba su atención: se estaba realizando una verdadera saturnal; había toda una colección de pequeñosburgueses endomingados, mujeres del pueblo con sus maridos y multitud de individuos del bajo fondo. Todos estaban ebrios y cantaban con voces aguardentosas. Frente a la entrada de la taberna había una carreta, uno de esos enormes vehículos a los que de ordinario se enganchan fuertes caballos de tiro para el transporte de mercaderías y toneles de vino. Siempre le gustaba contemplar esos poderosos animales, de largas crines y patas robustas, que marchaban apaciblemente con paso rítmico, arrastrando carretas cuya carga hacíalas asemejarse a montañas, sin demostrar la menor fatiga, como si esos fardos fueran para ellos un alivio en lugar de un enorme peso.

Pero, cosa extraña, a ese vehículo estaba atada una escuálida yegua, uno de esos lamentables rocines que arrastran penosamente cargamentos de madera o de heno por caminos intransitables en los que las ruedas se hunden hasta el eje, y que los campesinos castigan sin piedad a latigazos en el hocico y hasta en los ojos, con tal crueldad que daban ganas de llorar al niño y que hacía que su madre lo alejara de la ventana. De pronto se escuchó un gran alboroto: varios robustos mujiks salieron de la taberna gritando, cantando y tocando la balalaika, borrachos perdidos. Llevaban camisas rojas o azules, y la blusa sobre el hombro.

—Suban, suban todos —gritó uno de ellos, un campesino coloradote y con cuello de toro—. Yo los llevo a todos; suban.

Los demás acogieron sus palabras con risas y exclamaciones.

—¿Con esta yegua tísica quieres llevarnos?

—¡Eh, Mikolka! ¿Estás loco? ¿Cómo se te ocurre atar este bicho tan chico a una carreta tan grande?

—¡A fe mía que esta bestia debe tener veinte años, por lo menos!

—¡Suban todos; yo llevaré a todo el mundo! —gritó de nuevo Mikolka y subió de un salto, apoderose de las riendas y se irguió cuan alto era.

—Matvei se llevó el caballo bayo —agregó—, y esta yegua infame es para mí una verdadera plaga. Creo que lo mejor sería matarla; no vale lo que come. ¡Vamos, suban! ¡Van a ver cómo la hago galopar!

Empuñó el látigo con fuerza, como si saboreara de antemano la voluptuosidad de castigar al pobre animal.

—¡Bueno, subamos! —dijo alguien del grupo—. Ya lo han oído. ¡Dice que esta yegua va a galopar!

—¡Pero si debe hacer más de seis años que no corre!

—Ahora va a correr...

—¡No le tengan lástima, amigos! Que cada uno agarre un palo y se disponga a usarlo...

—¡Vamos a golpear sin asco!

Unos cuantos campesinos subieron riendo como locos y atropellándose. Ya había seis personas sobre el vehículo, y como quedaba lugar hicieron subir a una mujerona gorda, de mofletes colorados, vestida con una camisola de indiana y calzada con gruesas botas, que, comiendo avellanas, reía estúpidamente.

Los demás componentes del grupo reían también, y en verdad no era para menos: ¡una yegua que no era más que piel y huesos iba a llevar al galope todo aquel cargamento!

Dos hombres, provistos de sendos látigos, se dispusieron a secundar a Mikolka. Se oyó el grito característico de los mujiks para hacer emprender la marcha a los caballos. La yegua tiró con todas sus fuerzas, pero lejos de arrancar al galope, apenas logró avanzar al paso. Bajando la cabeza y arqueando el lomo, trató de escapar a la lluvia de latigazos, pero no logró ir más rápido. Redoblaron las risas en la carreta y en el grupo; Mikolka, encolerizado como si verdaderamente hubiera supuesto que la yegua iba a correr al galope, golpeaba con saña.

—¡Déjenme subir, amigos! —gritó un joven cuyo salvajismo despertó ante aquel espectáculo.

—¡Suba, suban todos! —gritó Mikolka—. ¡Los voy a llevar a todos! ¡Voy a buscar algo mejor para convencerla!

Menudeaba los latigazos y, presa de vesánico furor, no sabía con qué golpear a la pobre bestia.

—¡Papá, papá! —gritó el niño a su padre—. ¿Qué hacen? ¡Papá, golpean a ese pobre caballo!

—¡Vámonos, vámonos! —respondió el padre—. Están borrachos y se comportan como verdaderos salvajes. ¡Dejemos a estos imbéciles! ¡Ven, no mires!

Quiso llevárselo, pero el niño se le escapó de la mano y, sin saber lo que hacía, corrió hacia el pobre animal, al que poco faltaba para caer; resollaba, deteníase un momento, haciendo desesperados esfuerzos para marchar…

—¡A darle hasta que muera! —rugió Mikolka—. ¡Eso es lo que merece! ¡Esperen!

—¡Oye, tú! ¿Eres cristiano, pedazo de bruto? —gritó un viejo entre la multitud.

—¿Cómo quieres que un animal tan esmirriado tire de semejante carreta? —añadió otro.

—¡Canalla! —gritó un tercero.

—¿Qué te importa? ¡El animal es mío y hago con él lo que me da la gana! ¡Suban, suban otros, que todavía queda sitio! ¡Vamos a ver si galopa o no!

De pronto una carcajada general cubrió la voz de Mikolka: la yegua, enloquecida por los persistentes latigazos, a pesar de su debilidad, había comenzado a cocear. Hasta el viejo no pudo menos que sonreír ante el espectáculo tristemente ridículo.

Dos muchachones salieron del grupo y, después de proveerse de sendos látigos, corrieron a fustigar a la pobre bestia, uno de cada lado.

—¡Péguenle en la cabeza, en los ojos! ¡Péguenle en los ojos! —rugió Mikolka.

—¡Una canción, compañeros! —gritó alguno de la carreta, y todos los que estaban con él, después de ruidosas aprobaciones, comenzaron a cantar acompañándose con un tamboril y estridentes silbidos que formaban el estribillo. Era una canción grosera y obscena, con reminiscencias de cloaca. Mientras tanto la mujerona gorda seguía comiendo avellanas y riéndose.

El niño corrió hacia el caballo, vio cómo los latigazos caían sobre sus ojos y lloró; se le contrajo el corazón y rodaron por sus mejillas ardientes lágrimas. Uno de los látigos rozole el rostro, pero no lo sintió; retorciéndose las manos, se precipitó hacia el viejo de poblada y canosa barba que moviendo la cabeza condenaba el salvajismo de los desalmados campesinos. Una mujer tomó al niño de la mano y trató de llevárselo, pero éste se soltó, corriendo de nuevo junto al martirizado animal. Casi sin poder tenerse en pie, la yegua trataba todavía de cocear.

—¿Ah, no tienes bastante? —vociferó Mikolka, enloquecido de rabia, al mismo tiempo que, abandonando el látigo, retiraba del fondo de la carreta un largo y pesado garrote y lo empuñaba con las dos manos por uno de los extremos, blandiéndolo con esfuerzo sobre la bestia.

—¡La va a hacer papilla! —gritaron los testigos.

—¡La va a matar!

—¡Es mía! —gritó Mikolka y dejó caer el garrote con toda su fuerza sobre el lomo de la yegua. El golpe resonó sordamente.

—¡Azótenla, azótenla! ¿Por qué se detienen? —gritaron entre el grupo.

Mikolka levantó nuevamente el garrote, y otro golpe se abatió con todo su peso sobre la indefensa bestia, que estuvo a punto de desplomarse sobre las patas traseras, pero no cayó. Con un esfuerzo supremo, como si reuniera sus últimas energías, tiró, tiró en todos sentidos para hacer mover la carreta. Seis látigos cayeron de todos lados sobre su cuerpo, y el garrote se levantó y golpeó por tercera vez, luego por cuarta, vigorosa y metódicamente.

Mikolka bramaba de furor por no poder matarla de un golpe.

—¡Tiene siete vidas! —gritaron algunos.

—No tiene para mucho; sus momentos están contados —observó otro de los regocijados espectadores.

—¡Hace falta un hacha! ¡Con un hacha terminaremos enseguida! —rugió un tercero.

—¡Que la peste se lleve a esta carroña! ¡Dejen sitio! —vociferó Mikolka fuera de sí. Arrojó el garrote y se apoderó de una barra de hierro.

—¡Muere! —gritó, y con todas sus fuerzas asestó un golpe formidable al exhausto animal que vaciló, dobló las patas y trató todavía de tirar, pero otro golpe lo hizo caer como si le hubieran cortado las cuatro patas al mismo tiempo.

—¡Acabemos con ella! —rugió Mikolka.

Sus secuaces, con el rostro encendido y las ropas en desorden, empuñaron lo que les vino a mano: látigos, palos, el garrote, y se precipitaron sobre la yegua moribunda. Mikolka continuaba golpeándola con la barra con renovado vigor. La bestia yacente extendió el cuello, resopló y quedó muerta.

—¡Ya reventó! —gritó uno de los verdugos.

—¿Por qué no quiso galopar?

—¡Era mía! —gritó Mikolka con la barra en la mano y los ojos inyectados de sangre. Al parecer, lamentaba no tener ya en qué golpear.

—¡Bien se ve que no era cristiano! —protestaron varias voces entre la muchedumbre.

El pobre niño estaba enloquecido de dolor. Sollozando con desesperación, se abrió paso entre la gente y, llegando hasta la yegua, rodeó con sus brazos la cabeza inerte y ensangrentada y la besó en los ojos y en el hocico… Luego, presa del furor, se arrojó con los puños cerrados sobre Mikolka. En el mismo instante, su padre, que en vano trataba de darle alcance, lo tomó entre sus brazos y lo llevó fuera de la multitud.

—Vamos, vamos —le dijo—. Regresemos a casa.

—¡Papá! ¿Por qué..., por qué han matado al pobre caballo? —sollozaba el niño. Pero algo le cortaba la respiración y las palabras salían entrecortadas de su pecho oprimido.

—Son borrachos que se divierten... Dejémoslos..., no es asunto nuestro. Vamos —dijo el padre.

El niño se abrazó fuertemente a su padre, pero tenía el pecho oprimido. Trató de recobrar aliento, lanzó un grito agudo...

Raskolnikov despertose bañado en sudor, tembloroso y angustiado, y se incorporó con un movimiento de terror.

"¡Gracias a Dios no era más que un sueño! —dijo sentándose bajo un árbol y respirando a pleno pulmón—. ¿No será esto el comienzo de una fiebre maligna? —pensó—. ¡Un sueño tan espantoso!"

Todo su cuerpo estaba quebrantado y en su alma no existía más que noche y confusión. Apoyó los codos en las rodillas y recargó la cabeza en las manos.

"¡Dios mío! —exclamó—. ¿Será posible, será posible que yo tome un hacha, que le golpee en la cabeza, que le machaque los sesos? Resbalaré en un mar de sangre pegajosa y caliente, forzaré la cerradura para robar y me ocultaré tembloroso, bañado en la sangre de mi víctima... a golpes de hacha... ¡Señor! ¿Será posible?"

Al decir esto temblaba como un azogado.

"¿Pero qué me pasa? —prosiguió tendiéndose de nuevo en el suelo, como agobiado por enorme cansancio—. Ayer, cuando fui a hacer el *ensayo*, me di cuenta, sin embargo, de que no lo soportaría. Comprendí perfectamente que no sería capaz de hacerlo. ¿Por qué me preocupo, entonces? ¿Por qué he dudado hasta ahora? Ayer, al bajar la escalera, decíame que esta ignominia, esta canallada, tan baja, tan baja... No estaba dormido, y el solo pensamiento me sublevó el corazón, helándome de espanto... ¡No, no podría, no podría! Aun admitiendo que todos esos cálculos sean exactos, que todo lo que he planeado este mes sea claro como la luz del día y justo como la aritmética, no me decidiría. ¡Señor! No podré jamás... ¿Cómo es posible que hasta ahora...?

Se puso de pie estupefacto, miró en torno suyo, como asombrado de encontrarse allí, y se dirigió al puente de T... Pálido, los ojos irritados, los brazos y las piernas molidos, le pareció, sin embargo, que su respiración hacíase más fácil. Sintió que se había descargado del terrible fardo que lo aplastaba desde hacía tanto tiempo y que su alma quedaba aliviada y serena.

"¡Señor! —rogó—. ¡Muéstrame el camino y renunciaré a... este sueño maldito!"

Al cruzar el puente contempló silencioso y calmo el Neva y la magnífica puesta del sol. A pesar de su debilidad, no sentía fatiga y estaba con más ánimo. Hubiérase dicho que el absceso de su corazón, madurado durante un mes, acababa de reventar. ¡Libre, sí! Había logrado escapar de ese sortilegio del hechizo, del encantamiento, de la horrible sugestión.

Más tarde, al recordar ese tiempo y todo lo que habíale ocurrido en esos días, minuto por minuto, segundo por segundo, punto por punto, una circunstancia no dejaba de producirle una especie de supersticiosa emoción. Aunque en sí misma nada tuviera de extraordinario, no cesó de considerarla algo así como la transformación de su destino. He aquí en qué consistía: jamás pudo explicarse por qué, derrengado de fatiga, agotado, cuando lo más razonable hubiera sido volver a su casa por el camino más corto y más directo, había regresado por el Mercado del Heno, a donde no tenía razón alguna para dirigirse. La vuelta no era considerable, pero sí inútil por completo. A decir verdad, decenas de veces habíale ocurrido entrar en su casa sin recordar el camino seguido.

"¿Por qué —se preguntaba siempre—, por qué el encuentro tan decisivo, tan importante para mí y al mismo tiempo tan inesperado que tuve en ese sitio donde no tenía motivo alguno para pasar, se produjo a esa hora, en ese momento preciso de mi vida en que en razón de mi estado de ánimo, en razón de las circunstancias, no podía dejar de influir en forma ineludible sobre mi destino?" Y llegaba a considerar el hecho como una verdadera trampa que el azar habíale tendido.

Eran aproximadamente las nueve cuando atravesó el mercado. Todos los puesteros y vendedores ambulantes cerraban sus negocios, juntando y empaquetando sus mercancías para volver a sus casas. En los alrededores de los bodegones, en las callejuelas sórdidas y nauseabundas que rodean el mercado, pululaban desarrapados y mendigos de toda suerte. Raskolnikov sentía predilección por aquellos lugares cuando salía de su casa sin rumbo fijo. Allí sus harapos no llamaban la atención; cada uno podía pasearse vestido como quisiera o pudiera, sin riesgo de escandalizar a nadie.

En la esquina de la callejuela de K..., un comerciante y su esposa vendían hilos, galones, pañuelos de algodón y otros artículos de mercería. También ellos disponíanse a cerrar, y mientras se ocupaban en guardar las mercancías expuestas conversaban con una conocida que se había detenido frente a la puerta. Era Isabel Ivanovna, o simplemente Isabel, como todo el mundo la llamaba, la hermana menor de Aliona Ivanovna, la vieja usurera viuda de un secretario de colegio, en cuyo domicilio estuviera Raskolnikov el día anterior para empeñar el reloj y hacer el *ensayo*... Desde hacía tiempo sabía de esa Isabel, que por su parte también conocíale un poco. Era una mujer retraída y tímida, que pasaba casi por idiota, de unos treinta y cinco años, a la que su hermana trataba como a una esclava. Trabajaba para ella día y noche, temía su presencia y llegó hasta soportar que la golpeara. En aquel momento parecía escuchar con atención al comerciante y su esposa; llevaba un paquete en la mano y su expresión era dudosa. Parecían decirle algo con particular empeño.

Cuando Raskolnikov la vio, una sensación extraña, parecida al más profundo estupor, apoderose de él, aunque el encuentro en sí nada tuviera de asombroso.

—Todo está en que usted se decida, Isabel Ivanovna —dijo en voz alta el comerciante—. Venga mañana a casa a las siete. Ellos la esperarán.

—¿Mañana? —respondió con voz insegura Isabel, pensativa y al parecer sin poder decidirse.

—¡Ah! ¡Qué miedo le tiene a esa vieja Aliona Ivanovna! —terció la mujer del mercero—. ¡Vamos! Cualquiera que la oiga la tomaría por una criatura. Al fin y al cabo ni siquiera es hermana suya, sino hermanastra, y hay que ver cómo la trata.

—Sí, por una vez en la vida no diga nada a Aliona Ivanovna —interrumpió el hombre—. Siga mi consejo: venga a nuestra casa sin pedirle permiso. El negocio es ventajoso, y hasta su hermana se convencerá más adelante.

—¿Entonces debo ir?

—A eso de las siete, mañana; ellos vendrán también, y usted misma podrá decidir.

—Le daremos té —agregó la mujer.

—Está bien: iré —respondió Isabel, siempre pensativa, y después de despedirse se retiró con lentitud.

Raskolnikov, que en ese momento había pasado, ya no oyó más. Había acortado el paso insensiblemente para no perder palabra de la conversación. El estupor que experimentaba al principio trocábase poco a poco en espanto, y un escalofrío glacial le recorría la espalda. Acababa de enterarse por la más imprevista de las casualidades que al día siguiente, a las siete, Isabel, hermanastra y única compañera de la vieja, no estaría en su casa, y que en consecuencia la vieja prestamista *se encontraría sola* a esa hora.

De allí a su domicilio el camino era breve. Entró en su casa como un condenado a muerte. Ya no razonaba; era incapaz de hacerlo; en todo su ser no existía ya libertad de juicio ni voluntad; todo acababa de quedar resuelto en forma definitiva.

Si para poner en ejecución su proyecto hubiese esperado años enteros la ocasión propicia, jamás habría contado, a no dudarlo, con una contingencia tan favorable para la realización del mismo como la que la casualidad le deparaba en esos momentos. En todo caso, le hubiese sido difícil saber la víspera misma a ciencia cierta, con mayor precisión y sin correr el menor riesgo, sin formular preguntas peligrosas, que al día siguiente, a una hora determinada, la persona que él pensaba asesinar encontraríase completamente sola en su departamento.

6

Más tarde Raskolnikov llegó a saber el motivo de la invitación del mercero y su esposa a Isabel a concurrir a su domicilio. El asunto era de lo más simple y nada tenía de particular. Una familia extranjera, caída en la miseria, vendía una cantidad de vestidos y ropa de mujer. Como esas personas no querían llevar las prendas a un ropavejero, procuraron ponerse en contacto con una revendedora. Isabel ocupábase de esas actividades; se encargaba de todo lo necesario, siendo numerosa su clientela por su honradez al dar siempre el precio justo. Hablaba poco y, como se ha dicho, era suave y tímida...

En los últimos tiempos Raskolnikov creía en supersticiones, y por mucho tiempo quedaron en él rastros indelebles de esas creencias. Por otra parte, siempre habíase sentido inclinado a ver en aquel asunto todo un conjunto de acontecimientos extraños y misteriosos, toda una serie de influencias y coincidencias singulares. El invierno anterior, un estudiante amigo suyo, Pokorev, antes de partir para Kharkov, le dio la dirección de la vieja Aliona Ivanovna para el caso de que tuviera necesidad de pedir dinero prestado sobre algún objeto. Fue mucho antes, cuando todavía daba lecciones y lograba procurarse algunos recursos. Hacía un mes y medio que había acudido a su memoria el recuerdo de aquella dirección;

poseía dos objetos empeñables: el viejo reloj de plata heredado de su padre y un anillo de oro con tres piedras rojas que su hermana habíale regalado como recuerdo en el momento en que se despidieron. Resolvió llevar el anillo a la usurera. Llegado al departamento de ésta, al primer golpe de vista, antes de saber nada sobre su persona, sintió hacia ella incontenible aversión. Recibió dos "billetitos", y antes de volver a su domicilio entró en una taberna. Se sentó, pidió té y comenzó a reflexionar. Una extraña idea acababa de formarse en su cerebro, obsesionándolo.

En otra mesa, no lejos de él, estaban sentados un estudiante al que no conocía ni recordaba haber visto y un oficial. Acababan de jugar una partida de billar y en ese instante tomaban té. De pronto Raskolnikov oyó que el estudiante hablaba al oficial de una usurera, viuda de un secretario de colegio, llamada Aliona Ivanovna, y que le daba la dirección de la misma.

Esto ya le pareció algo extraño: justamente acababa de salir de allá y oía hablar de esa persona. Una casualidad, sin duda, pero en momentos en que no lograba liberarse de una impresión que en verdad nada tenía de extraordinario, como hecho a propósito, alguien contribuía a vigorizarla: el estudiante empezó a referir a su camarada una cantidad de detalles acerca de aquella Aliona Ivanovna.

—Es una harpía —dijo—, pero con ella siempre hay forma de procurarse dinero. Rica como un judío, puede prestar cinco mil rublos de un solo golpe y, sin embargo, no desdeña prestar un rublo. Ha servido a muchos amigos nuestros, pero es una verdadera hiena.

Añadió que era malvada, caprichosa, que bastaba un solo día de retraso en el plazo acordado para que se negara a devolver el objeto empeñado. Daba la cuarta parte del valor de las cosas y cobraba el cinco y hasta el diez por ciento mensual de interés. Habló de una hermana de la vieja, llamada Isabel, y a la que, endeble y flaca como era, pegaba a cada instante y tenía subyugada por completo, como a una criatura, a pesar de que Isabel medía seis pies de alto...

—¡Eso es formidable! —exclamó el estudiante echándose a reír.

Isabel pasó a ser el tema de la conversación. El estudiante hablaba de ella con particular agrado, sin cesar de reír, y el oficial, que escuchaba con gran interés, terminó por pedirle que se la enviara para lavarle y plancharle la ropa. Raskolnikov no perdió palabra y se enteró de todo a un tiempo: Isabel era la hermana menor, nacida de diferente madre, y contaba treinta y cinco años. Trabajaba día y noche para la vieja, desempeñando a la vez las funciones de cocinera y sirvienta; además, era costurera y lavaba pisos, y entregaba todas sus ganancias a su hermana. No se atrevía a aceptar pedidos o trabajo alguno sin autorización de la vieja. Ésta había hecho ya su testamento, y la hermana menor no ignoraba que por los términos del mismo no heredaría un solo kopek, fuera de algunos objetos, muebles, etc. Todo el dinero había sido legado por la usurera a un monasterio de la provincia de N... para que se oficiaran misas por el eterno reposo de su alma. Isabel era una mujer alta como una pértiga, de cuerpo desmadejado y estevada, siempre con zapatones de taco torcido y muy limpia. Lo que extrañaba y hacía reír *más* al estudiante era que casi siempre estaba encinta.

—Pero, ¿cómo? ¿No dices que es un monstruo? —observó el oficial.

—Sí, se la creería un soldado disfrazado de mujer, con su tez bronceada, pero no es un monstruo del todo. Tiene cara de buena y es tan tímida... Todo el mundo la aprecia, y, como su carácter es tan dócil, no sabe negarse a nadie.

—¿Te gusta a ti? —preguntó riendo el oficial.

—No te diré que no, precisamente a causa de su rareza. Escucha lo que voy a decirte: en lo que concierne a esa maldita vieja, te juro que sería capaz de matarla para despojarla sin el menor escrúpulo de conciencia.

El oficial rió de nuevo, pero Raskolnikov estremeciose. ¡Qué extraño era todo aquello!

—Permíteme que te haga una pregunta en serio —prosiguió el estudiante, que se acaloraba—. Dije eso por bromear, bien entendido; pero reflexiona: por una parte, una vieja imbécil, estúpida, malvada y enferma, que no es útil a nadie y que, al contrario, perjudica a todos, que no sabe por qué vive y que morirá algún día de muerte natural. ¿Comprendes?

—Sí, comprendo —respondió el oficial, que escuchaba mirando a su camarada sobreexcitado con gran atención.

—Oye ahora: por la otra parte, juventud, frescura, que se pierde inútilmente por falta de apoyo, y esto por millares, en todas partes. Cien, mil buenas obras o iniciativas excelentes que se podrían crear y mejorar con el dinero de la vieja, destinado a un monasterio. Centenares, millares de existencias tal vez colocadas en la buena senda, decenas de familias salvadas de la miseria, de la disolución, de la depravación y la ruina; hospitales, asilos... Y todo con ese dinero. Si la mataran, si tomaran su dinero para dedicarlo al bien general de la humanidad, ¿no crees que un crimen tan mínimo sería borrado por tantas buenas acciones? Por una sola vida, millares de vidas salvadas del estancamiento y la disolución. A cambio de una sola muerte, centenares de existencias... ¿No consideras que esto es casi una cuestión de números? ¿Qué pesa en la balanza común la vida de esa vieja perversa, tuberculosa y estúpida? Menos que la vida de un piojo, de una cucaracha; mucho menos todavía, pues esa vieja es perjudicial a la humanidad. Se cobra con la vida del prójimo; es una bestia feroz. No hace mucho mordió un dedo a Isabel en un ataque de rabia, y faltó poco para que se lo arrancara.

—Sin duda, es indigna de vivir —observó el oficial—, pero ésas son cosas de la naturaleza

—¡Bah! Amigo mío, a la naturaleza se le reforma, se le dirige; de lo contrario, corremos el peligro de ahogarnos en un océano de prejuicios. Sin esto no habría un solo gran hombre. Se habla del "deber", de la "conciencia"; no me alzaré contra estas cosas, pero se trata de interpretar bien esas palabras. Espera, te preguntaré algo más.

—No, me corresponde a mí preguntar ahora.

—Bueno, pregunta.

—Hace rato que hablas, te sientes orador; pero dime, ¿te encargarías de matar a esa vieja *tú mismo*, sí o no?

—¡Es claro que no! Hablo de ella desde el punto de vista de la justicia... No se trata de mí en este momento.

—¡Y bien! Según mi entender, puesto que tú no te resuelves a hacerlo, no puede ser cuestión de justicia en este caso. Vamos a jugar otra partida...

Raskolnikov era presa de extrema agitación. Cierto era que aquella conversación nada tuvo de extraordinario, como las conversaciones y las ideas de los jóvenes que con frecuencia había tenido oportunidad de escuchar, bajo formas distintas y relativas a otros temas. Pero, ¿por qué el azar hacía que esa conversación y esas ideas fueran oídas por él precisamente en el momento en que tenía en el espíritu *los mismos pensamientos*? En el instante en que germinaban en él aquellas ideas relativas a la vieja, ¿por qué le tocaba oír una conversación en la que hablábase de ella? Tal coincidencia le pareció siempre extraña. Aquella insignificante conversación de taberna debía ejercer considerable influencia sobre los sucesos ulteriores; se hubiera dicho que allí encontró la afirmación, un signo, un decreto del destino...

....

De regreso del Mercado del Heno, se arrojó sobre el diván y permaneció inmóvil durante una hora entera. Mientras tanto, había oscurecido; carecía de velas y, por otra parte, ni se le ocurrió encender luz. Jamás pudo recordar si durante ese tiempo pensó en algo. Por último sintió el estremecimiento febril de antes y advirtió no sin satisfacción que se encontraba sobre su diván. Muy pronto un sueño pesado como plomo abatiose sobre él, como si lo hubiera aplastado.

Durmió mucho más que de costumbre, sin soñar. Anastasia, que entró en el cuarto a las diez, despertole no sin trabajo. Le llevaba té y un pedazo de pan. El té, que había sido hervido por segunda vez, procedía también de su propia tetera.

—¡Cómo duerme! —gritó con despecho—. No hace más que dormir.

Raskolnikov se levantó con dificultad. Le dolía la cabeza. Dio una vuelta por la habitación y volvió a tumbarse en el diván.

—¿Otra vez? —exclamó Anastasia—. ¿Estás enfermo, entonces?

El joven no respondió.

—¿Quieres un poco de té?

—Más tarde —pronunció con un esfuerzo, y cerrando los ojos de nuevo volviose de cara a la pared.

Anastasia se inclinó sobre él.

—Tal vez esté enfermo de veras —dijo. Luego dio media vuelta y se retiró.

A eso de las dos, volvió con un plato de sopa. Raskolnikov seguía acostado y no había probado el té. En un acceso de cólera, Anastasia lo sacudió con rudeza.

—¿Qué tienes, para dormir de esta manera? —gritó mirándolo con indignación. El joven sentose en el diván, pero sin responder.

—¿Estás enfermo, sí o no? —le preguntó la sirvienta, que tampoco esta vez obtuvo respuesta—. Sería mejor que fueras a dar una vuelta por la calle —agregó después de un momento de silencio—. El aire libre te haría bien. Por lo menos comerás algo, ¿no?

—Más tarde —respondió Raskolnikov en tono débil—. ¡Vete!

Hizo un gesto con la mano para despedirla.

Anastasia lo contempló por breves instantes con aire de lástima y salió.

Al cabo de algunos minutos el estudiante levantó la vista y, después de mirar el té y la sopa, tomó un pedazo de pan y comenzó a comer. Casi maquinalmente ingirió un poco de sopa, sintiendo que se le calmaba el dolor de cabeza. Terminada la comida, extendiose de nuevo en el diván, pero esta vez no pudo dormir y permaneció inmóvil, acostado boca abajo, con el rostro hundido en la improvisada almohada. Sus pensamientos eran extraños: se figuraba estar en el África, en Egipto, en algún oasis. La caravana reposa, los camellos se han tendido apaciblemente, las palmeras forman un marco a la escena. Todo el mundo está comiendo. Él no hace más que beber agua de un arroyuelo que corre no lejos de allí. Esa agua limpísima que corre entre las piedras multicolores, sobre un lecho de arena de reflejos dorados, lo refrescaba maravillosamente…

De pronto sintió las campanadas de un reloj. Estremeciose, levantó la cabeza, miró por la ventana y, después de haber conjeturado qué hora podría ser, saltó de su lecho en estado de completa lucidez, como si alguien lo hubiera arrancado de allí. Dirigiose en puntas de pie hacia la puerta, que entreabrió con precaución, escuchando atentamente. Su corazón latía con violencia. No se oía el menor rumor; se hubiera dicho que todo dormía en la casa.

Consideraba extraño, casi monstruoso, que hubiera podido dormir de ese modo desde la víspera sin haber hecho o preparado nada. Tal vez acababan de dar las seis. Un apresuramiento extraordinario, febril y un poco desordenado sucedió en él al sueño y al embotamiento. Por lo demás, los preparativos no eran muy complicados. Empleó todos sus esfuerzos para combinar las cosas en la mejor forma posible y no olvidar nada; sin embargo, su corazón latía tan precipitadamente y con tanta violencia que la respiración se le hacía difícil. Tenía que hacer un nudo corredizo y coserlo en la parte interior de su gabán. Sería cosa de pocos minutos. Buscó en el envoltorio que le servía de almohada y retiró una camisa vieja y sucia, de la que cortó una tira de una pulgada de ancho por ocho de largo, que dobló en sentido longitudinal. Luego se sacó el gabán de verano, confeccionado con una tela de algodón espesa y sólida (la única prenda exterior que poseía), y comenzó a coser en su interior, debajo de la axila izquierda, los dos extremos de la tira. Sus manos temblaban durante la operación, pero logró que la costura no se viera por fuera cuando se colocó nuevamente el gabán. Desde hacía tiempo tenía preparada la aguja con hilo en el cajón de su mesita, envuelta en un papel. Aquella tira de género estaba destinada a sostener el hacha; hubiera sido imposible salir a la calle con el hacha en la mano, y para disimularla debajo del gabán era necesario sostenerla con la mano, lo que hubiera bastado para hacerlo notar. De ese modo podía llevar el hacha suspendida de la tira durante todo el trayecto sin llamar la atención. Con la mano en el bolsillo izquierdo del gabán, evitaría que el hacha se moviera demasiado, y, como el gabán era muy amplio, nadie podría adivinar que ocultaba debajo de ella un objeto de aquella especie. Cuando hubo terminado, introdujo la mano en el pequeño espacio libre que quedaba entre el diván y el piso, buscó en el rincón de la izquierda y sacó el *objeto* que iba a empeñar, que había ocultado allí. Se trataba simplemente de un pedazo de madera acepillada del tamaño aproximado de una cigarrera. Durante uno de sus paseos había encontrado por casualidad aquella madera frente a una carpintería. Poco después agregó al pedazo de madera una delgada chapa de hierro, que también había encontrado en la calle. Colocó una sobre otra las dos piezas, de espesor desigual, y las ató sólidamente con un hilo, envolviéndolo todo con cuidado en un papel blanco muy limpio, empleando mucho papel y mucho hilo para que fuera difícil deshacer el paquete. De este modo tendría ocupada a la vieja durante algunos instantes. La chapita de hierro había sido agregada para dar mayor peso al envoltorio, con el propósito de que la mujer no adivinara, al menos de primera intención, que se trataba de un engaño.

El paquetito encontrábase desde hacía cierto tiempo en su habitación, debajo del diván.

Apenas se hubo apoderado del objeto, sintió que alguien gritaba en el patio:

—¡Ya hace mucho que han dado las seis!

—¡Dios mío! ¿Mucho?

Se lanzó hacia la puerta, colocó el oído y descendió los treinta escalones, causando menos ruido que un gato. Quedaba por hacer lo más importante: apoderarse de un hacha que se encontraba en la cocina. Había decidido servirse de ella. Tenía una especie de hoz, pero ese instrumento no le inspiraba confianza y además no sabía manejarlo, así es que decidiose en definitiva por el hacha. Es de notarse al respecto una singularidad en lo que concierne a todas las resoluciones que había adoptado con miras a la ejecución de su plan. Esas resoluciones tenían de singular que a medida que tomaban un carácter definitivo, parecíanle más monstruosas y más absurdas. A pesar de la lucha angustiosa que se libraba en su interior, jamás pudo creer por un solo instante que sus proyectos llegarían a ser puestos en práctica.

Si todas las dificultades hubieran sido vencidas, todas las dudas disipadas, todos los obstáculos allanados, probablemente habría renunciado a su idea por absurda, monstruosa e imposible. Pero quedábale aún multitud de puntos que aclarar y de problemas que resolver.

En cuanto a la manera de procurarse un hacha, el detalle no le preocupaba en forma alguna: nada era más fácil. En efecto, Anastasia, sobre todo por la noche, no estaba casi nunca en la casa: iba a las de los vecinos, a los comercios cercanos, y dejaba siempre la puerta abierta. Las reprimendas de su ama eran por ese motivo. Se trataba para Raskolnikov de entrar en la cocina llegado el momento, tomar el hacha y, una hora después, cuando todo estuviera terminado, volver a colocarla en su lugar. Pero existía un peligro: si Anastasia volvía a la cocina antes de su regreso, naturalmente debería esperar que se ausentara de nuevo. Y si mientras tanto ella necesitaba el hacha y la buscaba, protestaría a gritos, haciendo nacer sospechas, o, por lo menos, el pretexto para formular una sospecha.

Pero ésas eran menudencias en las que su pensamiento negábase a detenerse; por otra parte, no tenía tiempo. Pensaba en lo principal y dejaba los detalles para más tarde, una vez que *estuviese suficientemente convencido*, lo que le parecía simplemente irrealizable. Por lo menos, lo juzgaba así. No podía imaginarse, por ejemplo, que en cierto momento dejaría de reflexionar, se levantaría y deliberadamente iría allá... Aun su reciente ensayo (es decir, su visita con el propósito de explorar los lugares) no lo había hecho más que a título de prueba, lejos de pensar que fuese cierto. Habíase dicho: "A fe mía, iré a ensayar, ya que no se trata sino de un sueño", y de inmediato había sentido indignación y desprecio por sí mismo. Sin embargo, analizó hasta el fin la solución moral que aportaba a la cuestión; su casuística era afilada como una navaja de afeitar, y había cortado todas las objeciones de su conciencia. No obstante, se resistía a declararse vencido, y con empecinamiento irracional buscaba objeciones en el exterior, como si alguien lo impulsara y lo arrastrara de ese lado. La jornada de la víspera, rica en elementos tan imprevistos como decisivos, obró en él en forma casi mecánica; era como si alguien lo hubiese tomado de la mano, obligándole a seguirlo, irrevocable, ciegamente, con fuerza sobrenatural y sin que pudiera formular la menor protesta.

Se hubiera dicho que el faldón de su gabán había sido tomado por un engranaje que comenzaba a atraerlo.

Al principio, una cuestión lo preocupaba por sobre todas las cosas: ¿por qué razón todos los crímenes son descubiertos con tanta facilidad y revelados, y por qué se encuentra tan fácilmente el rastro de casi todos los criminales? Poco a poco llegó a conclusiones tan diversas como curiosas. En su opinión, la causa principal residía menos en la imposibilidad material de ocultar el crimen que en el mismo culpable: todos los criminales, cualesquiera que sean, experimentan en el momento de cometer su delito una especie de desfallecimiento de la voluntad, del juicio, que son reemplazados por un aturdimiento pueril, precisamente en la hora en que la razón y la prudencia les serían más necesarias. Este eclipse del juicio, este desfallecimiento de la voluntad, apoderábanse del hombre, según la opinión de Raskolnikov, en la misma forma que una enfermedad, alcanzando su intensidad máxima poco antes de la ejecución del crimen; continuaba del mismo modo en el momento de efectuarlo, y algún tiempo después según los individuos, y luego pasaba como las demás enfermedades.

La cuestión era saber si la enfermedad engendra el crimen, o si éste, por su propia naturaleza, no se encuentra acompañado siempre de un cierto género de enfermedad, pero no acertaba todavía a resolverla.

Llegado a estas conclusiones, se dijo en definitiva que en lo que le concernía personalmente y en cuanto al asunto que proyectaba, tales perturbaciones morales no podrían producirse, que ni su razón ni su voluntad lo abandonarían durante la ejecución de su empresa, pues lo que meditaba realizar "no era un crimen"... Dejemos de lado el proceso mediante el cual había llegado a esta conclusión, para agregar solamente que las dificultades prácticas, materiales del asunto, desempeñaban en su espíritu un papel por entero secundario.

"Bastará —se decía— que conserve el dominio de mi voluntad y de mi juicio, y llegado el momento, todas las dificultades serán vencidas; entonces podré ocuparme de los pequeños detalles de mi empresa..." Pero el comienzo de la ejecución se demoraba. Cada vez estaba menos convencido de que sus resoluciones tenían carácter definitivo, y, llegada la hora, los acontecimientos tomaron un aspecto diferente por completo, imprevisto, inesperado. Una circunstancia de las más ínfimas lo puso en aprietos antes de que hubiera bajado la escalera. Al llegar al rellano de la cocina, cuya puerta estaba como siempre abierta de par en par, miró con prudencia para asegurarse de que Anastasia o la patrona no se encontraban allí. Al mismo tiempo debía cerciorarse de que la puerta de la habitación de la patrona estuviese bien cerrada, para que no lo viera entrar y apoderarse del hacha. ¡Cuál no sería su estupor cuando vio que Anastasia estaba en la cocina tendiendo ropa en una cuerda!

La sirvienta, al oír pasos, se detuvo por un instante y diose vuelta hacia él, mirándolo hasta que hubo pasado. Raskolnikov desvió la vista, fingiendo que nada había notado. El asunto fracasaba antes de comenzar: no era posible tomar el hacha. Su consternación fue profunda.

"¿Por qué razón —pensaba en el momento de franquear la puerta cochera—, por qué razón imaginé que en este preciso momento ella no tenía que estar ahí? ¿Por qué? ¿Qué me impulsó a creerlo con tal certidumbre?"

En su cólera, sentía deseos de golpearse a sí mismo... Una rabia estúpida y bestial hervía en él.

En la puerta de la cochera se detuvo indeciso. Salir a la calle sin objeto alguno, para cubrir las apariencias, le disgustaba, y subir de nuevo a su cuarto era una perspectiva todavía más desagradable.

"¡Qué ocasión he perdido, y para siempre!", refunfuñó.

De pronto estremeciose: en la garita del conserje, a dos pasos de allí, bajo el banco de la derecha, algo brillaba. Miró en derredor: nadie. Se aproximó a la garita, descendió dos escalones y llamó al guardián con voz apagada. "¡Vamos, no está! No debe estar lejos, porque ha dejado la puerta abierta." Sin pensarlo más, inclinose, tomó el hacha de debajo del banco donde reposaba entre dos trozos de leña; en seguida, sin abandonar la pieza, la pasó por la tira cosida a su gabán, metió las manos en los bolsillos y salió: nadie lo había visto. "Cuando falla la inteligencia, el diablo la reemplaza", pensó con extraña sonrisa. Aquella casualidad diole nuevo valor.

Ya en la calle, comenzó a caminar con lentitud, *simulando indiferencia,* sin apresurarse, por temor de despertar sospechas. No miraba a los transeúntes, tratando de no fijar la vista en nadie para pasar lo más inadvertido posible. En un momento dado pensó en su sombrero: "¡Dios mío! ¡Y decir que anteayer tenía dinero y no lo he reemplazado por una gorra!". Del fondo de su alma brotó una imprecación.

En un reloj colgado de la pared de una tienda vio que eran ya las siete y diez. Tenía que apresurarse, y, sin embargo, era necesario que hiciera un rodeo: lo mejor era entrar por el otro lado, por la puerta trasera...

Al principio, al imaginar todo aquello, creyó que el miedo íbale a dominar, pero entonces no sentía el menor temor. En ese momento sólo tenían cabida en su imaginación pensamientos extraños, aunque por poco tiempo. Al pasar frente al parque Yusupov pensó en la conveniencia de construir fuentes monumentales que refrescaran deliciosamente el aire en todas las plazas públicas. Poco a poco llegó a la convicción de que, ampliando el Jardín de Verano hasta el Campo de Marte y agregándoles a ambos el jardín del Palacio de Miguel, se introduciría una innovación tan agradable como útil en San Petersburgo. Le interesaba asimismo el problema de saber por qué en todas las grandes ciudades, los habitantes, menos por necesidad que por gusto, se complacen en residir en barrios que carecen de jardines y fuentes, donde sólo hay fango y malos olores, y donde la basura invade todos los rincones. Recordó su paseo por el Mercado del Heno, y por un momento pensó en su situación real: "¡Qué tontería! —se dijo—. No, más vale no pensar. De este modo, sin duda, los que marchan hacia el cadalso ponen sus pensamientos en todos los objetos que encuentran en el camino". La idea pasó como un relámpago por su espíritu, pero se apresuró a borrarla... Llegó junto a la casa, estaba frente a la puerta... En alguna parte un reloj dio la media. "¡Cómo! ¿Ya son las siete y media? ¡Es imposible, ese reloj debe estar adelantado!"

La casualidad le ayudó una vez más cuando se disponía a franquear el umbral. Como hecho a propósito, una enorme carreta cargada de heno entraba por la puerta cochera, ocultándole por completo en el momento en que él pasaba, de modo que, apenas el pesado vehículo terminaba de penetrar en el patio, ya se había deslizado hacia la derecha. Del otro lado de la carreta varias voces gritaban y discutían. Algunas de las ventanas que daban al inmenso patio cuadrado estaban abiertas, pero Raskolnikov no levantó la cabeza; no tenía fuerzas para ello. La escalera que conducía al departamento de la vieja estaba próxima a la puerta, a la derecha... Conteniendo el aliento y llevándose una mano al pecho para comprimir los latidos de su corazón, comenzó a subir los peldaños, al mismo tiempo que palpaba el hacha, enderezándola una vez más. A cada paso se detenía a escuchar. La escalera estaba completamente desierta en ese momento; todas las puertas permanecían cerradas y no tropezó con nadie. En el segundo piso había un departamento desalquilado en el que algunos pintores estaban trabajando, pero ni siquiera lo miraron. Se detuvo un instante para reflexionar y continuó la ascensión. "Sin duda, sería mejor que no estuvieran..., pero hay dos pisos sobre ellos..."

Cuarto piso: la puerta, el departamento desocupado... En el tercer piso, el departamento situado debajo del de la vieja estaba desocupado también, según todas las apariencias: la tarjeta con el nombre de los inquilinos clavada sobre la puerta había sido arrancada: debían de haberse mudado.

Raskolnikov se ahogaba. Por un momento consideró la posibilidad de marcharse como había llegado, pero dominó ese impulso y se puso a escuchar: un silencio de muerte reinaba en el departamento de la usurera.

Una vez más aguzó el oído para ver si percibía algún rumor en la escalera... Luego lanzó una última ojeada a su alrededor y tomó sus disposiciones, enderezando de nuevo el mango del hacha. "¿No estaré demasiado pálido? —pensó con agitación—. La vieja es desconfiada... Tal vez sería mejor esperar a que mi corazón se calme..."

Pero su corazón no se calmaba. Por el contrario, latía cada vez con mayor fuerza. Sin poder resistir más, lentamente, alargó la mano hacia el cordón de la campanilla, tirando de él. Al cabo de medio minuto llamó otra vez, un poco más fuerte.

Nadie contestó. ¿Para qué llamar en vano? Insistir hubiera sido quizá contraproducente. La vieja debía estar en su casa; pero, hallándose sola, se mostraba más desconfiada que de costumbre. Conocía en parte los hábitos de Aliona Ivanovna... Colocó el oído contra la puerta. ¿Habían adquirido sus sentidos una agudeza especial, lo que era difícil de admitir, o realmente el rumor era tan perceptible? Fuese lo que fuese, sintió el roce cauteloso de una mano en el picaporte y un leve frotamiento de ropa en la madera de la puerta. Alguien, invisible, estaba allí detrás, escuchando igual que él, tratando de ocultar su presencia en el interior, y, al parecer, con la oreja pegada a la puerta...

Para no dar la impresión de que se ocultaba,

Raskolnikov empezó a moverse y monologar en voz alta, y luego llamó por tercera vez con mesura, tranquilamente, sin dar señales de impaciencia. Más tarde recordó ese instante con precisión absoluta, de tal modo quedó grabado en su memoria. No llegaba a comprender cómo pudo desplegar tanta astucia, tanto más cuanto que su espíritu encontrábase inhibido por momentos y casi perdía la sensación física de su cuerpo... Al cabo de un minuto oyó que descorrían el cerrojo.

7

Como la vez anterior, la puerta se entreabrió lentamente, y de nuevo dos ojillos agudos y desconfiados se posaron en él desde la oscuridad. Raskolnikov perdió la sangre fría y estuvo a punto de echarlo todo a perder. Ante el temor de que la vieja sintiera miedo de encontrarse sola con él, y considerando que su expresión y su atavío no eran los más propios para tranquilizarla, tomó el picaporte y tiró con fuerza para que la mujer no pudiera cerrar. Ésta no trató de hacerlo, pero tampoco soltó el picaporte, de suerte que casi la arrastró con la puerta hacia el rellano. Al ver que permanecía en el umbral para cerrarle el paso, fue hacia ella. Sobrecogida de terror, la vieja dio un salto hacia atrás, quiso decir algo, pero al parecer no pudo, y lo contempló con los ojos muy abiertos.

—Buenas tardes, Aliona Ivanovna —comenzó en el tono más tranquilo que pudo, pero su voz no le obedecía y era entrecortada y temblorosa—. Le traigo el objeto que le dije... Pero pasemos adentro..., hay más luz...

Apartándola con un gesto brusco, penetró en la habitación sin esperar a que lo invitaran. La vieja le siguió y, ya desanudada su lengua, exclamó:

—¡Dios mío! ¿Qué quiere usted? ¿Quién es? ¿Qué desea?

—¡Vamos, Aliona Ivanovna! Soy un conocido... Raskolnikov... Vea, le traigo el objeto de que le hablé días pasados.

Y le tendió el envoltorio.

La vieja iba a examinarlo, pero enseguida volvió a clavar sus ojos en los del intruso, mirándolo con detenimiento, con aire perverso y desconfiado. Pasó un minuto, y Raskolnikov creyó notar en la mirada de la vieja una especie de ironía, como si ya hubiera adivinado todo. Sintió que perdía la cabeza, que casi tenía miedo, y que, si el mutismo de la usurera se prolongaba medio minuto más, iba a emprender la fuga.

—¿Qué tiene, para mirarme así como si no me reconociera? —articuló súbitamente con brusquedad—. Acéptelo si lo quiere, si no iré a otra parte; no tengo tiempo que perder.

Pronunció estas palabras sin meditarlas, como si se le hubiesen escapado casi a pesar suyo.

La vieja cambió de opinión; el tono resuelto del visitante le devolvió la tranquilidad.

—Amigo mío, ¿por qué tanta prisa? ¿Qué es eso? —preguntó mirando el paquete.

—Una cigarrera de plata. Ya le hablé de ella el otro día.

La mujer alargó la mano.

—¡Qué pálido está! Sus manos tiemblan... ¿Está enfermo?

—Tengo fiebre —respondió Raskolnikov con voz agitada—. ¿Cómo no estar pálido cuando no se tiene qué comer? —agregó con dificultad. Las fuerzas le abandonaban de nuevo. La respuesta parecía verosímil: la vieja tomó el paquete.

—¿Qué me dijo que era? —preguntó una vez más, mirando con fijeza a Raskolnikov y sopesando el objeto.

—Una cigarrera de plata... Mírela.

—¡Hum! Se diría que no es de plata. ¡Caramba! ¡Qué manera de envolverla!

Esforzándose en desenvolver el paquete, se aproximó a la ventana, del lado de la luz (todas las ventanas estaban cerradas, a pesar del calor sofocante). Por unos instantes dio la espalda a Raskolnikov. El joven desabrochose el gabán, soltando el hacha del nudo corredizo sin extraerla todavía y reteniéndola con la mano derecha. Una gran debilidad invadía sus brazos, y sentía que por instantes se le paralizaban y se le hacían pesados como plomo. Temió que se le cayera el hacha... De pronto sintió como si la cabeza le diera vueltas.

—¡Vaya una idea la de hacer un paquete de esta manera! —exclamó la vieja iniciando un movimiento hacia Raskolnikov.

No había que perder un instante. Raskolnikov extrajo el hacha de debajo del gabán, la blandió con las dos manos, sin darse cuenta casi de lo que hacía, y como sin esfuerzo, con un gesto maquinal, la dejó caer sobre el cráneo de la vieja. Estaba extenuado, pero apenas hubo dejado caer el hacha recuperó las fuerzas.

Como de costumbre, la usurera no llevaba nada en la cabeza. Sus escasos cabellos blancos, untados de aceite, formaban dos trenzas y estaban recogidos en la nuca en un pequeño rodete sujeto por una peineta.

El golpe alcanzola justamente en la coronilla, a lo que contribuyó la escasa estatura de la víctima. En una de sus manos conservaba el *objeto*.

Raskolnikov volvió a golpear por segunda, por tercera vez, siempre con el revés del hacha en el extremo superior de la cabeza. La sangre manaba de la herida como de un vaso que se derrama, y el cuerpo cayó hacia adelante, desplomándose en el piso. El estudiante se hizo atrás para no impedir la caída e inclinose para mirarle el rostro: estaba muerta. Las pupilas dilatadas parecían querer salir de las órbitas, y las convulsiones de la agonía habían impreso en su rostro una mueca horrible.

Dejó el hacha en el piso, al lado del cadáver; dió comienzo el registro de los bolsillos y trató de no mancharse las manos con la sangre que corría. Comenzó por el bolsillo derecho, de donde la última vez la vieja sacara las llaves. Conservaba plena lucidez de espíritu, sin experimentar aturdimiento ni vértigo; sólo sus manos temblaban todavía. Más tarde recordó haber sido muy cuidadoso y prudente para no mancharse... De inmediato tuvo en su poder las llaves; al igual que en la ocasión anterior, estaban unidas por un llavero. Ya con ellas en la mano, corrió hacia el dormitorio. Era una pieza pequeña en la que se veía una vitrina llena de imágenes. Enfrente, junto al muro, se encontraba un amplio lecho, muy limpio, con una colcha de seda hecha de retazos cosidos. Contra la tercera pared estaba la cómoda.

Cosa extraña: apenas introdujo una de las llaves en la cerradura de este mueble, apenas oyó el chirrido del hierro, un escalofrío recorrió todo su cuerpo sintió renovarse el deseo de abandonarlo todo y huir, pero sólo por un segundo. Era demasiado tarde para retroceder. Burlose de sus temores, pero de pronto otro pensamiento angustioso cruzó por su imaginación. Ocurriósele que la vieja podía estar viva todavía, que podría volver en sí...

Abandonó llaves y cómoda y, volviendo junto

al cadáver, tomó el hacha, levantándola sobre la cabeza inerte, pero no la dejó caer. No cabía duda: estaba muerta. Inclinándose para examinarla bien de cerca, vio que el cráneo estaba hundido.

Tuvo ganas de tocarla, pero se contuvo.

Mientras tanto habíase formado sobre el piso un gran charco de sangre.

De pronto vio que la vieja llevaba un cordón alrededor del cuello, y tiró de él; pero el cordón era sólido y no pudo romperse, quizá también porque estaba empapado en sangre. Trató de sacarlo haciéndolo deslizar a lo largo del pecho, pero alguna cosa lo impedía. Lleno de impaciencia iba a levantar una vez más el hacha para cortarlo sobre el mismo cuerpo, pero no se atrevió, y con dificultad, manchándose de sangre y sin dejar el hacha, logró cortarlo después de dos minutos de esfuerzos, sin herir de nuevo el cuerpo de la víctima. Al retirarlo vio que no se había engañado: ¡una bolsa! Dos cruces pendían del cordón, una de madera de ciprés y la otra de cobre; además, había una pequeña imagen esmaltada. El viejo portamonedas grasiento, de piel de venado con cierre de acero, parecía lleno; Raskolnikov se lo guardó en el bolsillo sin detenerse a examinar el contenido, arrojó las cruces sobre el cadáver y, tomando de nuevo el hacha, volvió corriendo al dormitorio.

Con febril apresuramiento tomó las llaves y las probó una por una, pero sin éxito; ninguna se adaptaba a la cerradura. No hacía más que cometer torpezas, no tanto a causa de que sus manos estuviesen agitadas por nervioso temblor, sino por su empecinamiento estúpido; veía, por ejemplo, que una llave no correspondía, no encajaba en la cerradura, y trataba en vano de hacerla girar.

En cierto momento recordó una suposición que había hecho y comprendió que la llave grande de paletón dentado que bailoteaba junto a las otras no debía ser de la cómoda, sino de un cofre cualquiera en el que quizá se encontraban todos los valores de la vieja. Abandonando la cómoda, miró debajo del lecho, sabiendo que las viejas acostumbran guardar sus cofres en ese sitio.

En efecto, había allí un cofre bastante grande, de tapa arqueada, forrado de cuero rojo y adornado con clavos de acero. La llave dentada encajaba perfectamente en su cerradura. En primer término, sobre un lienzo blanco, había un abrigo de piel de liebre con adornos y guarniciones rojas; debajo, un vestido de seda, luego una pañoleta, y en el fondo parecía no haber más que trapos. Raskolnikov comenzó por enjugarse las manos ensangrentadas en los adornos rojos. "Como son rojos, la sangre no se distinguirá tanto", pensó, pero de pronto se sobresaltó: "¡Señor! ¿Estoy perdiendo el juicio?", se dijo horrorizado.

Apenas había comenzado a revisar los trapos, un reloj de oro apareció ante su vista. Se apresuró a volcar en el suelo el contenido del cofre.

Entre los trapos estaban ocultos objetos de oro, probablemente entregados en prenda a Aliona Ivanovna y que sus poseedores no habían recuperado: brazaletes, aros, alfileres de corbata. Unos estaban en sus estuches, otros cuidadosamente envueltos en papel periódico y atados con hilo. Sin vacilación alguna, el joven llenose los bolsillos del pantalón sin elegir ni abrir paquetes ni estuches, pero no tuvo tiempo de terminar el saqueo...

En el cuarto donde yacía la vieja se oían pasos. Se detuvo, inmovilizado por un espanto mortal. El ruido había cesado: sin duda había sido preso de una alucinación. De pronto percibió distintamente un ligero grito, o, más bien dicho, una especie de gemido sordo y entrecortado.

Siguieron uno o dos minutos de profundo silencio. Raskolnikov permanecía en cuclillas al lado del cofre y esperaba, procurando trabajosamente recuperar el aliento, pero de pronto se levantó de un salto, tomó el hacha y lanzose fuera del dormitorio.

En el centro de la pieza estaba Isabel, con un gran paquete en las manos, contemplando con estupefacción y horror a su hermanastra asesinada; pálida como la cera, parecía carecer de fuerzas hasta para gritar. Al ver al asesino comenzó a temblar como una hoja y un espasmo convulsivo recorrió su cuerpo.

Levantó un brazo como para protegerse, abrió la boca, sin emitir, no obstante, sonido alguno, y, retrocediendo con lentitud, trató de refugiarse en un rincón. Miraba con fijeza a Raskolnikov sin decir palabra, como si le faltara el aliento para gritar.

El asesino se abalanzó sobre ella con el hacha levantada; los labios de la pobre mujer se contrajeron dolorosamente como los de los niños pequeños cuando se asustan a la vista de algo que les causa pavor y están a punto de gritar. Tan simple era la desdichada que ni siquiera levantó un brazo para defenderse el rostro, aunque ese gesto maquinal hubiera sido lógico en el momento en que un hacha estaba a punto de caer sobre su cabeza.

Apenas movió el brazo izquierdo, extendiéndolo hacia Raskolnikov como para apartarlo. El golpe la alcanzó en pleno cráneo, y el filo del hacha hendió la parte superior de la frente, llegando casi al occipucio. La nueva víctima se desplomó como una res en el matadero. Con la mente extraviada, el asesino se apoderó del paquete y luego lo arrojó lejos de sí, corriendo hacia la antecámara.

El terror le dominaba cada vez más, sobre todo después de aquel segundo asesinato que no había premeditado. Quería huir cuanto antes de allí. Si hubiese estado en condiciones de apreciar y comprender mejor su situación, si hubiese podido entrever todas las dificultades, toda la desesperación, la monstruosidad y lo absurdo de la misma, y comprender, además, cuántos obstáculos tenía que franquear todavía, los asesinatos que quizá tendría que cometer, para abandonar aquella casa y regresar a la suya, es muy posible que hubiera renunciado de antemano a cualquier tentativa, para ir a entregarse, no por temor, sino por horror y asco de lo que había hecho. Crecía en él la repugnancia de minuto en minuto. Por nada del mundo hubiérase atrevido a aproximarse al cofre ni a entrar en el dormitorio. Pero poco a poco su espíritu se perdió en una especie de ensueño; por instantes olvidábase de sí mismo, o, mejor dicho, olvidaba lo principal, para ocuparse de detalles accesorios. Vio un balde de agua en la cocina y se le ocurrió lavarse las manos ensangrentadas y al mismo tiempo limpiar el hacha. Hundió el mortífero instrumento en el agua y, tomando un trozo de jabón que se encontraba en un platillo resquebrajado, colocado en el borde de la ventana, comenzó a restregarse vigorosamente las manos pegajosas dentro del agua.

Cuando estuvo bien limpio, retiró el hacha y lavó el hierro; luego, durante tres minutos, frotó la madera, que se había manchado de sangre, empleando para esto el mismo jabón. Finalmente secó todo con un trapo colgado de una cuerda tendida de un extremo a otro de la cocina; hecho esto, aproximose a la ventana y durante largo rato examinó el hacha. No quedaba rastro alguno, pero el mango estaba húmedo todavía.

La introdujo con precaución en la tira cosida a su gabán y después procedió a inspeccionar con sumo cuidado todas sus ropas y su calzado, en la medida en que se lo permitía la escasa luz de la cocina. A primera vista nada aparecía en el exterior; sólo sus zapatos estaban manchados. Humedeció un trapo y los limpió. Se daba cuenta de que no podía ver con claridad y que tal vez había detalles que saltaban a la vista y que en aquel estado no era fácil notar. Se detuvo perplejo un instante en el centro del cuarto. Un pensamiento sombrío le acosaba angustiándole: la idea de que estaba enloquecido y de que en ese momento, falto de dominio para razonar o defenderse, tal vez no hacía lo que hubiera sido necesario hacer en circunstancias como aquéllas.

"¡Dios mío, debo huir, huir!", murmuró, precipitándose hacia la antecámara; pero allí lo esperaba un susto mucho mayor que el primero. Quedó petrificado, sin poder dar crédito a sus ojos: la puerta exterior, que daba del vestíbulo al rellano, la puerta a la que había llamado y por donde penetrara en el departamento, estaba abierta; durante todo ese tiempo había permanecido así, sin llave ni cerrojo. La vieja no la había cerrado, tal vez por prudencia. Pero Raskolnikov vio a Isabel. ¿Cómo no se le ocurrió que para entrar hubo de hacerlo por allí? No era posible llegar a través de las paredes...

Precipitose hacia la puerta y corrió el cerrojo.

"¡No, no es esto lo que debo hacer! ¡Tengo que irme, tengo que partir enseguida!"

Después de descorrer el cerrojo, abrió la puerta, escuchando desde el rellano. Buen rato estuvo así. Abajo, probablemente en la puerta cochera, dos voces broncas discutían injuriándose. "¿Quiénes serán?", pensó. Con impaciencia, quedose esperando. De pronto aquella reyerta terminó... Los individuos debían de haberse separado. Disponíase ya a partir cuando en el piso inferior una puerta se abrió ruidosamente y alguien comenzó a descender la escalera tarareando una canción.

"¿Qué le pasará a toda esta gente para meter tanta bulla?", murmuró irritado. Cerró de nuevo la puerta y quedose esperando. Al fin se hizo el silencio. Raskolnikov salió, y ya iba a poner el pie en el primer escalón cuando pudo escuchar un nuevo rumor de pasos, lejano aún, en el comienzo de la escalera. De golpe presintió que se dirigían allí, al cuarto piso, a la casa de la vieja. ¿Por qué se le ocurrió esa idea? ¿Qué tenía ese rumor de significativo? Los pasos eran pesados, más bien tardos.

Ya llegaban al primer piso, seguían ascendiendo, el ruido era más perceptible. Oía al individuo que resollaba... Ya estaba por llegar al tercer piso.

Raskolnikov sintiose como paralizado, como cuando en un sueño, en una pesadilla, se es perseguido por enemigos que ganan terreno, están por alcanzarnos y nos sentimos como clavados en el sitio, incapaces de mover piernas ni brazos...

El visitante comenzaba a subir el tramo que

llevaba al cuarto piso, cuando Raskolnikov se sobresaltó, e introduciéndose apresuradamente en el departamento, cerró la puerta. Con el mayor cuidado, procurando no hacer el menor ruido, corrió el cerrojo. El instinto guiole en esa oportunidad. Luego se arrimó a la puerta, prestando oído y reteniendo la respiración. El desconocido estaba ya también al lado de aquélla. Sólo había entre ambos hombres el espesor de la madera; el desconocido encontrábase en la misma posición en que había estado Raskolnikov con respecto a la vieja.

El visitante resoplaba de fatiga.

"Debe ser alto y grueso", pensó Raskolnikov con la mano crispada en el mango del hacha. Todo aquello parecía un mal sueño.

El visitante, tirando del cordón, dio un fuerte campanillazo. Apenas sonó el ruido cascado de la campanilla, Raskolnikov creyó oír un leve rumor en la otra habitación. Por algunos segundos escuchó con los nervios estremecidos. El desconocido llamó por segunda vez, y luego, con impaciencia, se puso a sacudir con todas sus fuerzas el picaporte. Raskolnikov miraba con espanto el movimiento del cerrojo, y hasta llegó a temer que cediera, lo que en verdad no era imposible, tan violentas eran las sacudidas.

Se le ocurrió sujetar el cerrojo con la mano, pero no lo puso en práctica, pues el *otro* podría darse cuenta. Perdía la razón, y la cabeza comenzaba a darle vueltas. "Voy a caer", se dijo, pero el desconocido habló, y como por milagro recobró la presencia de ánimo.

—¿Estarán durmiendo o habrán estrangulado a esas carroñas? —rugió con voz cavernosa—. ¡Eh, Aliona Ivanovna, vieja bruja! ¡Isabel Ivanovna, belleza sin igual! ¡Abran la puerta! ¡Malditas sean! ¡Qué sueño más pesado tienen esas bestias!

Presa de profunda exasperación, tiró infinidad de veces lo más fuerte que pudo del cordón de la campanilla. Sin duda, aquel hombre no era un extraño y estaba acostumbrado a hacer en aquella casa lo que le venía en gana.

En ese mismo momento se oyeron pasos livianos y rápidos en la escalera; otra persona llegaba al cuarto piso.

—¿Es posible que no haya nadie? —exclamó el recién llegado con voz sonora y alegre, avanzando hacia el primer visitante, que continuaba tirando del cordón—. Buenas noches, Koch.

"A juzgar por la voz, éste debe ser joven", pensó Raskolnikov.

—¡El demonio sabe que por poco más hago saltar la cerradura! —respondió Koch—. Pero usted, ¿de dónde me conoce?

—¡Vaya con el hombre! Anteayer, en el Gambrinus, le gané a usted tres partidas de billar consecutivas.

—¡Ah!

—¿Así es que no están? Es extraño. Hasta estoy por decir que es estúpido. ¿A dónde habrá podido ir la vieja? Tengo que hablarle.

—Yo también.

—¿Qué hacemos, entonces? Creo que no queda más remedio que volvernos. ¿Pero por qué me ha citado aquí a esta hora, entonces? Lo peor del caso es que vivo bastante lejos... ¿Dónde diantres habrá ido? Es raro... Esa bruja no se mueve de aquí en todo el año, se enmohece en esta casa y, además, tiene las piernas enfermas... ¡Y de repente se va de paseo!

—¿Y si le preguntáramos al portero?

—¿Preguntarle qué?

—¡Hum! ¡Diablos!... Preguntarle... ¡Pero si esta vieja no va nunca a ninguna parte! No nos queda otro remedio que irnos.

—¡Espere! —exclamó el joven—. ¡Mire, fíjese cómo se mueve la puerta cuando tiramos de ella!

—¿Y qué?

—Esto significa que no está cerrada con llave, sino con cerrojo. ¿No oye cómo suena?

—¿Y qué hay con eso?

—¿Es posible que no comprenda? Esto quiere decir que una de ellas, por lo menos, está en el departamento. Si las dos hubieran salido, habrían cerrado la puerta con llave del lado exterior, y no con cerrojo por dentro. ¿No oye el ruido que hace el cerrojo? Para correrlo, es preciso estar dentro de la casa, ¿comprende? Por lo tanto están aquí, pero no abren.

—¡Tiene razón! —exclamó Koch con evidente sorpresa—. ¡Así es que están! —Y comenzó a sacudir la puerta con renovada furia.

—¡Aguarde! —dijo en tono algo más bajo el joven—. No siga haciendo escándalo. Aquí hay algo sospechoso. Hemos llamado, hemos golpeado y sacudido la puerta... Entonces las dos están desvanecidas o...

—¿O qué?

—Vamos a buscar al portero para ver lo que hay que hacer.

—¡Vamos!

Los dos empezaron a descender la escalera.

—¡Espere! Usted quédese aquí; yo iré a buscar al portero.

—¿Para qué quiere que me quede?

—No podemos saber qué pasará...

—Bueno, me quedaré.

—Vea, voy a hacer de juez de instrucción: evidentemente, e-vi-den-te-men-te, aquí hay algo que no marcha bien —exclamó el joven con energía y bajó a paso de carga.

Una vez solo, Koch tiró de nuevo del cordón con suavidad. La campanilla sonó una sola vez; después, como si lo hiciera con reflexión y prudencia, comenzó a mover el picaporte para convencerse de que la puerta estaba cerrada sólo con el cerrojo, y, resoplando como un buey, se agachó para mirar por el agujero de la cerradura; pero, como la llave estaba puesta del lado interior, no pudo ver nada.

Raskolnikov, inmóvil del otro lado de la puerta, apretaba el hacha. Su exaltación rayaba en el delirio, y se aprestaba a matarlos cuando regresaran. Mientras los dos permanecieron junto a la puerta conversando, sintió vehementes deseos de terminar de una vez por todas, interpelándolos del otro lado. Por momentos sentía ganas de injuriarlos, burlarse de ellos mientras esperaba que abriesen. "¡Cuanto más pronto, mejor", pensaba.

Pasó algún tiempo, un minuto, otro, y nadie llegaba. Koch empezaba a impacientarse.

—¡Qué diablos! —exclamó de improviso—. ¡Ya estoy cansado de esperar!

Con estas palabras comenzó a descender las escaleras a su vez, haciendo resonar los escalones con sus pesadas botas.

"Dios mío, ¿qué hacer?"

Raskolnikov descorrió el cerrojo y entreabrió la puerta con precaución. No se oía nada. De pronto, sin detenerse a pensar lo que hacía, cerró la puerta tras sí lo mejor que pudo y comenzó a bajar a su vez.

Había bajado numerosos escalones cuando sintió un gran alboroto en el piso inferior. ¿Dónde meterse? No había lugar alguno para ocultarse. Estaba a punto de volver sobre sus pasos y retornar al departamento.

—¡Eh, bestia maldita! ¡Espera y verás lo que es bueno!

Alguien interrumpió los gritos desde un departamento del piso inferior; comenzó a bajar las escaleras a saltos, vociferando a pleno pulmón:

—¡Mitka! ¡Mitka! ¡Mitka! ¡Que el diablo cargue contigo!

Las vociferaciones concluían en una especie de ronquido; los últimos ecos se hacían oír ya en el patio, y pronto renació la calma. Pero enseguida varios hombres, que cambiaban impresiones en voz alta, subían tumultuosamente la escalera. Podían ser tres o cuatro. Raskolnikov distinguió la voz sonora del joven. "Son ellos", se dijo.

Desesperando de salvarse, fue a su encuentro con toda decisión. "¡Que pase lo que Dios quiera! Si me detienen, todo está perdido; si me dejan pasar, todo está perdido también, porque recordarán haberme visto y podrán identificarme con facilidad."

Iban a encontrarse. No quedaba más que un piso entre ellos, cuando, de súbito, ¡la salvación! A algunos pasos de Raskolnikov estaba el departamento vacío del segundo piso en el que había visto trabajar a unos pintores, con la puerta abierta, y éstos ya no estaban...

Sin duda, eran ellos los que habían salido poco antes a los gritos, abandonando sus útiles de trabajo, botes de pintura, brochas, cepillos... En un abrir y cerrar de ojos Raskolnikov franqueó la puerta y arrimose cuanto pudo a la pared. Era tiempo; los otros llegaban ya al rellano y, sin detenerse, seguían subiendo hasta el cuarto piso, siempre hablando en voz alta. Esperó algunos segundos, salió de puntitas y descendió precipitadamente.

¡Nadie en la escalera! ¡Nadie tampoco en la

puerta cochera! Cruzó el umbral y, considerándose ya a salvo, dobló a la izquierda.

Sabía muy bien, sabía perfectamente que en aquel momento los otros se encontraban ya en el departamento y que experimentaron una gran sorpresa al encontrarlo abierto, cuando pocos minutos antes estaba cerrado; que estarían ya ante los cadáveres y que no pasaría un minuto sin que adivinaran que el asesino debía estar cerca todavía, que había logrado ocultarse de algún modo para huir ante sus mismas narices. Tal vez sospechaban que se había metido en el departamento vacío del segundo piso mientras ellos subían. Sin embargo, no se atrevía a apresurar el paso, aunque faltaba buen trecho hasta la próxima esquina. "¿Si me metiera en una casa cualquiera y aguardara en ella? No, no me conviene. ¿Si arrojara el hacha en alguna parte? ¿Si tomara un coche? No, peor todavía."

Por fin llegó a una callejuela oscura y dobló por ella más muerto que vivo; aquello era la salvación a medias, pues allí sería menos sospechoso. Los transeúntes eran más numerosos, y se perdió como un grano de arena en el desierto. Pero las emociones anteriores lo habían extenuado a tal punto que apenas podía mantenerse en pie. Corrían por su rostro gruesas gotas de sudor y tenía el cuello empapado.

—¡Me parece que ya llevas encima todas las copas que podías beberte! —le gritó un individuo cuando llegaba al canal.

Perdía la cabeza; a medida que pasaban los minutos, empeoraba su estado. Al llegar al muelle recuperó un tanto el dominio de sí mismo. Asustose de ver tan poca gente, lo que podía hacerlo notar más, y estuvo tentado de volver sobre sus pasos hacia la callejuela. Aunque apenas le quedaban fuerzas para mover los pies, hizo un largo rodeo para volver a su casa por el lado opuesto. Cuando franqueó la puerta cochera de su domicilio, sus ideas carecían de lucidez, y se encontraba ya en la escalera cuando se acordó del hacha: era necesario volver a colocarla en su lugar y hacerlo lo más subrepticiamente posible. Sin duda alguna, no se le ocurrió que en lugar de dejarla donde la había encontrado, hubiera sido más práctico desembarazarse de ella, aunque fuese más tarde, arrojándola en cualquier parte. No obstante, todo iba saliendo bien. La puerta de la garita estaba cerrada, pero sin llave; en consecuencia el conserje hallábase en su casa. Raskolnikov había perdido a tal punto la facultad de razonar que abrió la puerta. Si el conserje le hubiese preguntado qué quería, tal vez le habría dado el hacha. Por suerte para él, el hombre no apareció, y tuvo tiempo para dejarla debajo del banco, cubriéndola a medias con un tronco como la había encontrado. Enseguida subió a su cuarto sin hallar a nadie; la puerta del departamento de la patrona estaba cerrada.

Sin sacarse la ropa, se echó sobre el diván y quedó sumido en una especie de inconsciencia.

Si alguien hubiese entrado en ese momento, habríale hecho saltar a gritos, presa del terror. En su cerebro había solamente sombras y jirones de ideas; no llegó a concretar ninguna, no podía retenerlas por más esfuerzos que hacía...

Segunda parte

1

Durante largo tiempo permaneció acostado. A veces parecía despertar y por algunos momentos observaba que la noche estaba muy avanzada, pero sin ocurrírsele la idea de levantarse. Vio luego que empezaba a clarear. Acostado de espaldas sobre el diván, hallábase como atontado y sin poder salir de aquel letargo.

En la calle se oyeron fuertes gritos, como ocurría siempre a las dos: eran borrachos que al abandonar las tabernas, hacíanlo entre gritos y palabrotas. Se levantó de un salto y como si lo hubieran arrancado del diván.

"¡Ya son las dos!", exclamó.

Sentose en el diván, y sólo entonces vino a su memoria todo lo ocurrido.

En el primer momento creyó volverse loco. Sentía mucho frío, originado sin duda por la fiebre que habíale asaltado durante aquel sopor. Era tal el frío, que tiritaba golpeando diente con diente. Haciendo un gran esfuerzo, llegó hasta la puerta y abriola para escuchar: el más profundo silencio reinaba allí y al parecer todos dormían aún. Paseó una mirada sorprendida a su alrededor y sobre sí mismo; no comprendía por qué no había cerrado la puerta con cerrojo al llegar y cómo habíase acostado enteramente vestido y hasta sin sacarse el sombrero.

Éste había rodado por el suelo y se encontraba junto al envoltorio que le servía de almohada, también caído.

—Si alguno hubiese entrado, ¿qué habría pensado de mí? Sin duda, que estaba borracho, pero...

Corrió a la ventana. Había ya bastante claridad, y con la mayor precipitación comenzó a examinarse de pies a cabeza, para ver si tenía alguna mancha delatora.

Para hacer un examen más prolijo despojose de las ropas y, temblando de frío, las revisó con sumo cuidado. No contento con eso, las dio vuelta y miró el forro y las costuras, y por un exceso de precaución repitió tres veces el examen.

Aparentemente no había mancha alguna, excepto algunas gotas de sangre coagulada en los bordes deshilachados del pantalón. Tomó una navaja y cortó las hilachas manchadas. Todo rastro quedaba borrado. De pronto recordó que el portamonedas y los objetos que extrajera del cofre de la vieja seguían en sus bolsillos; no se le había ocurrido sacarlos y esconderlos, ni siquiera cuando efectuaba la inspección de sus ropas. ¿Era posible tamaño descuido? En un abrir y cerrar de ojos los retiró y amontonolos sobre la mesa, dando vuelta los bolsillos para asegurarse de que no dejaba nada en ellos. Después se apresuró a esconderlos en un rincón del cuarto. Precisamente en aquel ángulo el papel estaba despegado en parte, formando una especie de bolsa, y ocurriósele que allí estarían seguros, por lo que en el acto puso todo aquello allí.

"¡Ya está! Ahora, nadie se enterará de nada", dijo con una sensación de alivio, mirando con aire atontado el papel despegado, que formaba un bulto mayor con las cosas escondidas.

De súbito lo asaltaron nuevos temores:

"¡Dios mío! —murmuró con desaliento—. ¿Qué he hecho? ¿Estará eso bien escondido? ¿Será de ese modo como se ocultan estas cosas?"

En realidad, no pensó en robar alhajas, sino dinero en efectivo, y por ello no había preparado de antemano un lugar para ocultarlas.

"Pero ahora ¿debo alegrarme o entristecerme? —pensaba—. ¿Es así como debo proceder? Verdaderamente la razón me abandona."

Dejose caer de nuevo en el diván, agotado por entero y presa de escalofríos. Maquinalmente tomó un viejo gabán de invierno colocado en una silla, hecho jirones, y se cubrió con él; el sueño y el delirio volvieron a sumirle en un letargo y perdió la conciencia de sí mismo.

Al cabo de cinco minutos despertose sobresaltado y una vez más se inclinó con verdadera angustia sobre sus ropas. "¿Cómo he podido dormirme si todavía no he hecho nada? ¡Tengo que descoser la tira del gabán! ¡Me había olvidado y no puedo dejar un detalle tan acusador como éste!"

Arrancó la tira y, después de cortarla en menudos trozos, puso éstos en el envoltorio junto con la ropa sucia. "¡Estos pedacitos de trapo no pueden despertar sospechas en ningún caso, por lo menos así lo creo!"

De pie en medio de la habitación, paseaba su mirada. Otra vez con dolorosa atención por todas partes, para convencerse de que nada había olvidado.

La convicción de que todo, hasta la memoria, hasta la más simple comprensión de las cosas, lo abandonaba, constituía para él un intolerable sufrimiento.

"¿Será posible que ya comience a sufrir el castigo? Sí, en efecto, eso debe ser..."

Las hilachas que había cortado de los bordes del pantalón estaban tiradas en el suelo, ofreciéndose a la vista del primero que llegara.

"¿Pero qué me sucede?", gritó casi con verdadero frenesí.

Acudió a su mente una idea extraña; tal vez sus ropas estaban cubiertas de sangre, tal vez existían manchas que no vio, que no podía ver a causa de la debilidad de sus facultades, de su pensamiento que se oscurecía. Bruscamente recordó que el portamonedas estaba manchado de sangre. "Por consiguiente debe haber también manchas en el bolsillo, porque el portamonedas estaba húmedo todavía cuando lo guardé."

Dio vuelta al bolsillo sin perder un segundo, y, en efecto, halló rastros de sangre en el interior.

“Debo creer que la razón no me ha abandonado del todo y que conservo mi presencia de espíritu y mi memoria, ya que soy capaz de formular estas conjeturas —dijo con aire de triunfo, mientras exhalaba un profundo suspiro de satisfacción—. No ha sido más que un abatimiento causado por la fiebre, un momento de delirio.”

Arrancó con gesto nervioso el forro del bolsillo izquierdo del pantalón.

En ese instante un rayo de sol iluminó su zapato izquierdo; en la punta creyó notar ciertos indicios. “Toda la punta del zapato está impregnada de sangre.” Sin duda, había pisado el charco inadvertidamente... “¿Qué hacer ahora con todo esto? ¿Cómo podré desembarazarme de este zapato, estas hilachas y el forro del bolsillo?”

Había juntado todo en la mano y permanecía perplejo. “¿En la estufa? Eso será lo primero que vendrán a registrar. ¿Quemarlo? ¿Y con qué? No tengo fósforos. ¡No, más vale que los tire; y enseguida, sin perder tiempo!”

Pero, en lugar de hacer lo que se proponía, se echó sobre el diván: de nuevo recorría su cuerpo el estremecimiento glacial, el intolerable escalofrío. Se abrigó con el viejo gabán. Durante largas horas aquella idea fija no se apartó de su mente: tenía que levantarse cuanto antes, sin retardo, para ir a tirar todo aquello en cualquier parte, para que no lo vieran personas extrañas, lo más pronto posible.

Varias veces hizo esfuerzos para abandonar el

diván, tratando de levantarse, pero no pudo. Un violento golpe dado en la puerta lo sacó de su sopor.

—¡Abre de una vez! ¿Estás vivo todavía o ya te has muerto? No haces más que dormir —gritaba Anastasia golpeando con los puños—. Duerme días enteros, como un perro. ¡Vamos, abre! ¡Son más de las diez!

—Tal vez no esté —dijo una voz de hombre.

"Es la voz del conserje —pensó Raskolnikov—. ¿Qué querrá?"

Se sentó temblando en el diván. El corazón le latía con extremada violencia.

—¿Y quién habría corrido el cerrojo, entonces? —replicó la sirvienta—. ¿Se da cuenta? Ahora se encierra. ¡Tendrá miedo que lo roben! ¡Abre, zángano, despierta de una vez!

"¿Qué querrán? ¿Por qué habrá venido el conserje? Tal vez han descubierto todo... ¿Qué hago? ¿Me resisto o abro? ¡Que el diablo se los lleve!"

Se incorporó a medias e, inclinándose, descorrió el cerrojo; su cuarto era tan reducido que le era posible abrir la puerta sin levantarse de la cama.

Como lo había adivinado, se trataba, en efecto, de Anastasia y el conserje.

Anastasia lo miró con extrañeza. Raskolnikov, por su parte, miró de un modo desesperado y casi provocativo al conserje que, sin notarlo al parecer, le tendió en silencio un papel gris, plegado en dos y sellado.

—Se trata de una citación —dijo el hombre.

—¿Una citación? ¿De quién?

—De la policía. Lo citan en la comisaría.

—¿En la comisaría? ¿Por qué?

—¡Qué sé yo! Vaya y lo sabrá.

Lo miró con atención, echó una ojeada al cuartucho y se retiró.

—Pareces enfermo... ¿No tendrás gripe? —observó Anastasia, que no le sacaba los ojos de encima—. Desde ayer tienes fiebre...

Raskolnikov no respondió, limitándose a dar vueltas al papel sin decidirse a abrirlo.

—Vaya, no te levantes —dijo Anastasia, apiadada al ver que ponía los pies en el suelo—. Si estás enfermo, no vayas. Total, no debe haber tanto apuro. ¿Qué tienes en las manos?

Raskolnikov conservaba en la diestra las hilachas cortadas del pantalón, el zapato izquierdo y el forro del bolsillo que había arrancado. Se había dormido sin abandonarlos. Más tarde, pensando en aquello, recordó que se había despertado a medias durante un acceso de fiebre y había apretado todo como para que no se lo arrebataran, durmiéndose de nuevo.

—¡Miren las porquerías que ha juntado, y duerme con ellas como si fueran un tesoro!

Al decir esto, Anastasia retorcíase con su acostumbrada risa nerviosa y espasmódica. En un abrir y cerrar de ojos Raskolnikov ocultó debajo del gabán todo aquello, y miró a Anastasia con fijeza. Aunque no se encontraba en estado de apreciar cabalmente las cosas, sentía que no era posible comportarse de aquella manera con un individuo que está a punto de ser detenido por la policía.

—¿Quieres té? Si quieres, te traigo un poco que ha sobrado...

—No, yo mismo bajaré enseguida —murmuró el joven poniéndose de pie.

Anastasia abandonó la habitación. Apenas hubo salido, Raskolnikov corrió a examinar a la luz la punta de su bota. "Hay algunas manchas, pero no se distinguen; el barro y la caminata las han hecho desaparecer casi por completo. Anastasia no ha podido darse cuenta de nada, a Dios gracias."

Sin poder evitar un estremecimiento, abrió el papel, y después de concentrar su atención comprendió de qué se trataba. Era una citación ordinaria de la comisaría policial del barrio. Se le comunicaba que debía presentarse ese mismo día a las nueve y media.

"¿Qué quiere decir esto? ¡No tengo nada que ver con la policía! —exclamó con cierta ansiedad—. ¿Y por qué justamente hoy? ¡Señor, haz que esto termine lo más pronto posible!"

Iba a hincarse para orar, pero no lo hizo. Una extraña sonrisa se dibujó en sus labios, no a causa de la plegaria, sino de sí mismo. Comenzó a vestirse con rapidez.

"Si me pierdo, tanto peor. Me es igual —murmuró—. Tengo absoluta necesidad de ponerme este zapato; cuando esté más sucio, las manchas de sangre ya no serán visibles."

Apenas se lo hubo calzado, lo sacó con repugnancia y terror, pero reflexionó que no tenía otro par y volvió a calzárselo.

"Todo es condicional, todo es relativo; son puras formalidades", pensó.

Sin embargo, este pensamiento, que duró lo que un relámpago, lo hizo estremecer.

"Ya estoy calzado, ya me he puesto el dichoso zapato —murmuró con una sonrisa forzada, que inmediatamente borrose para ser reemplazada por una expresión de angustia—. Reconozco que todo esto es superior a mis fuerzas..."

Las piernas se negaban a sostenerlo.

"Tengo miedo", murmuró. La cabeza le daba vueltas y le dolía horriblemente, tal vez a causa del excesivo calor.

"Quizás estén jugando conmigo como el gato con el ratón y traten de atraerme por la astucia para hacer que confiese todo —continuó murmurando mientras se dirigía a la escalera—. Lo peor de todo es que casi estoy delirando... Puede ser que se me escape alguna estupidez..."

Ya en la escalera, recordó que dejaba todos los objetos robados debajo del empapelado del rincón, donde habíalos ocultado la víspera. "Tal vez aprovechen mi ausencia para revisar el cuarto", pensó. Pero su desesperación o, mejor dicho, el cinismo que se apoderaba de él a la idea de su pérdida era tal que hizo un gesto de indiferencia y siguió bajando.

"¡Cuanto antes termine, mejor!" En la calle, el calor era insoportable; en los tres últimos días no había caído una gota de agua. De nuevo encontraba el polvo, los ladrillos y la cal, de nuevo el hedor de los bodegones y las tabernas y ebrios a cada paso. El sol brillaba con tanta intensidad que lo enceguecía, y la cabeza no cesaba de darle vueltas, sensación que experimentan siempre las personas afiebradas cuando salen de pronto a un espacio libre. Al llegar a la esquina de la calle que recorriera la víspera dirigió una ansiosa mirada hacia el lado de la *casa*, y de inmediato volvió la vista.

"Si me interrogan, tal vez lo confiese todo", dijo entre dientes al aproximarse a la comisaría, que se encontraba a un cuarto de versta de su domicilio. Hacía poco que la habían trasladado al tercer piso de un edificio nuevo. Raskolnikov había estado ya en una ocasión en el antiguo local con anterioridad, para una gestión relacionada con sus estudios.

Al franquear la puerta cochera vio a mano derecha una escalera por la cual descendía un individuo con un libro en la mano. "Debe ser un portero; por lo tanto, las oficinas están de ese lado." Como no quería preguntar nada a nadie, comenzó a subir. "Entraré, me pondré de rodillas y confesaré todo...", pensaba mientras subía hasta el tercer piso. La escalera era estrecha, empinada, y ya estaba sucia y llena de agua. Las cocinas de todos los departamentos daban a ella, permaneciendo abiertas casi todo el día y despidiendo olores nauseabundos. Subían y bajaban empleados con libros y papeles, y numerosas personas de ambos sexos que iban allí para tratar asuntos de toda índole. La puerta de la oficina estaba abierta de par en par, y veíanse varios individuos que hacían antesala esperando turno.

Allí también el calor era sofocante, y la pintura, todavía fresca, exhalaba un repugnante olor. Después de esperar un rato, Raskolnikov juzgó oportuno pasar a la otra habitación. Todas las piezas eran pequeñas y bajas. Una gran impaciencia le impulsaba a seguir adelante. Nadie reparaba en él. En la segunda habitación trabajaban varios amanuenses, poco mejor vestidos que él, cuyo aspecto tenía algo de extraño.

Dirigiéndose a uno de ellos, exhibió la citación que había recibido.

—¿Es usted estudiante? —inquirió el empleado después de echar un vistazo al papel.

—Sí; mejor dicho, ex estudiante.

El amanuense lo examinó sin demostrar la menor animosidad hacia él. Era un hombre cuya mirada parecía obsesionada por una idea fija, y cuya prolijidad dejaba mucho que desear...

"De éste no podré sacar nada en limpio porque, al parecer, todo le es igual", pensó Raskolnikov.

—Diríjase al secretario —manifestó el empleado indicándole con un ademán la tercera habitación.

Los que estaban allí vestían un poco mejor. Entre el público notábanse dos mujeres. Una, sentada ante una mesa frente a un amanuense, escribía lo que éste le dictaba. Vestía humildes ropas de luto. La otra, gruesa y con el rostro casi escarlata, lleno de manchas, vestía con lujo exagerado y llevaba en el pecho una plaqueta de brillantes de gran tamaño.

Estaba sentada en un rincón y parecía esperar.

Raskolnikov tendió la citación al secretario, quien después de recorrerla con la vista indicole que esperara y continuó ocupándose de la dama enlutada.

El estudiante respiró con más libertad. "Entonces no es por *aquello*." Poco a poco iba recuperando el valor y la calma.

"La menor tontería, la más leve imprudencia, bastarían para traicionarme... ¡Hum! Es una verdadera calamidad que no haya aire aquí; siento que me estoy sofocando... La cabeza me da vueltas cada vez más y mi razón vacila."

Sentía un espantoso malestar en todo su ser, temiendo no poder dominarse.

Trataba de fijar su pensamiento en algo indiferente en absoluto, pero no lo conseguía. El secretario atraía toda su atención y procuraba descifrar su carácter por sus rasgos fisonómicos, encontrando en ello una especie de amargo placer.

Era un joven de unos veintidós años, a pesar de que su rostro curtido y movedizo aparentaba mayor edad. Vestía con elegancia, y sus cabellos estaban separados en el medio por una raya sumamente derecha que le llegaba hasta la nuca; en los dedos de sus manos blancas y cuidadas ostentaba varias sortijas, y una gruesa cadena de oro cruzaba su chaleco. Raskolnikov observó que cambiaba unas palabras en francés con un extranjero que se encontraba allí, y que lo hacía con bastante perfección.

—Tome asiento, Luisa Ivanovna —dijo a la dama gruesa de rostro rubicundo, que seguía de pie sin atreverse a sentarse a pesar de tener una silla a su lado.

—*Ich danke* —respondió la mujer y se sentó procurando no arrugar su amplísima falda de seda azul con aplicaciones de puntilla blanca, que se esparció como un globo desinflado alrededor de la silla, ocupando casi la mitad de la habitación. Una oleada de penetrante perfume llegó a todos los ámbitos. La dama sonreía con aire tímido y desvergonzado a la vez, demostrando cierta inquietud al ver que ocupaba tanto espacio y exhalaba aquel perfume.

La señora enlutada levantose, por fin, una vez terminado su asunto.

En ese momento entró ruidosamente un oficial con aspecto desenvuelto que caminaba moviendo los hombros a cada paso; arrojó sobre una mesa su gorra ornada con una escarapela, arrellanándose en un sofá.

La dama gruesa se levantó de un salto al verlo, saludándolo con una ceremoniosa reverencia, pero el oficial simuló no reparar en ella, por lo que la mujer no se atrevió a tomar asiento de nuevo en su presencia.

Era el ayudante del comisario; usaba gran bigote rojizo que sobresalía horizontalmente de cada lado de la cara; sus rasgos eran finos, pero carecían de expresión y denotaban tan sólo cierta arrogancia. Miró de soslayo a Raskolnikov, con una mezcla de indignación y desprecio; en verdad, estaba demasiado mal vestido, pero, a pesar de ello, su actitud no condecía con tales harapos.

El estudiante tuvo la mala ocurrencia de posar sus ojos con descaro en el oficial y sostener su mirada hasta que éste sintiose molesto.

—¿Qué quieres? —gritó asombrado de que un individuo tan mal vestido no bajara los ojos ante la mirada de los suyos.

—Me han citado aquí..., ésta es la citación... —respondió con tono inseguro Raskolnikov.

—Es por ese asunto de la reclamación de dinero..., es el *estudiante* —se apresuró a intervenir el secretario abandonando por un instante sus papelotes—. ¡Aquí está! —tomó un expediente y se lo alargó a Raskolnikov, indicándole cierto sitio—. ¡Lea!

—¡Dinero! ¿Qué dinero? —balbuceó Raskolnikov.

En consecuencia, no se trataba de *aquello*. Tuvo un estremecimiento de alegría y experimentó un inmenso alivio; el peso que lo agobiaba desapareció como por encanto.

—¿A qué hora lo habíamos citado, caballerito? —interrogó el ayudante del comisario, que se exaltaba cada vez más sin razón plausible—. ¡Le indicamos que viniera a las nueve, y son más de las diez!

—Hace solamente un cuarto de hora que me entregaron este papel —replicó Raskolnikov alzando la voz y adoptando una actitud desdeñosa. También él sentía súbita cólera, inesperada para sí mismo, que le causaba un acre placer.

—Demasiado he hecho con venir; estoy enfermo..., tengo fiebre...

—¡No grite!

—No grito; es mi modo habitual de hablar. El que grita es usted. Soy estudiante y no permito a nadie que me trate de esa manera.

El ayudante del comisario fue presa de un acceso de furor que no le permitió articular palabra por un minuto. De pronto se levantó como impulsado por un resorte.

—¡Cállese usted! ¡No olvide que está en la sala de audiencias! ¡Basta de insolencias, caballero!

—¡También usted se halla en ella —gritó Raskolnikov—, y además de expresarse a gritos, está fumando; en consecuencia, nos falta al respeto a todos nosotros!

Al pronunciar estas palabras Raskolnikov experimentaba indecible placer.

El secretario los miraba sonriendo. El colérico oficial quedó visiblemente confuso.

—¡Eso no es asunto suyo! —respondió por fin levantando la voz de una manera que no parecía natural—. Limítese a formular la declaración que se le exige. Notifíquelo usted, Alejandro Grigorievich. Hay una demanda contra usted por cobro de dinero. ¡No paga lo que debe y todavía pretende hacerse el digno!

Raskolnikov no lo escuchaba ya; habíase apoderado del expediente, tratando de descubrir lo más pronto posible por qué razón lo citaban allí. Leyó una y otra vez, pero sin comprender.

—¿Qué quiere decir todo esto? —interrogó al secretario.

—Es una reclamación por cobro de dinero; tiene que abonar lo que debe, más los gastos y multas; o, en caso contrario, declarar por escrito en qué fecha estará en condiciones de pagar. Al mismo tiempo debe obligarse a no abandonar la capital y a no vender ni ocultar sus bienes hasta que haya liquidado la deuda. En cuanto al acreedor, está autorizado a vender sus bienes muebles e inmuebles y a proceder contra usted conforme a lo que establecen las leyes...

—Pero yo... ¡Yo no debo dinero a nadie!

—Eso no nos incumbe. Hemos recibido una carta de cambio protestada por valor de ciento quince rublos, que entregó usted a la señora Zarnitsin, viuda de un secretario de colegio. De la viuda Zarnitsin dicha carta pasó en pago al consejero de justicia Chebarov, y se le ha citado para que preste declaración.

—¡Pero si se trata de mi patrona!

—¿Qué tiene que ver que sea su patrona?

El secretario miraba sonriendo con superioridad y con una especie de indulgente piedad a aquel novicio al que se iniciaba en el complicado mecanismo de la justicia, y parecía decir: "¿Qué tal, muchacho, cómo te sientes ahora? ¿Somos o no somos importantes?"

Pero, ¿qué importaban a Raskolnikov la letra de cambio y la declaración? ¿Valía la pena preocuparse por aquello, prestarle siquiera la más mínima atención?

Siempre de pie, leía, escuchaba, respondía y hasta interrogaba maquinalmente. La satisfacción del triunfo, la sensación de estar a salvo, eso era lo más interesante para él en aquel momento, sin el menor pensamiento para el futuro y sin atormentarse con las preguntas más elementales.

Fue un minuto de alegría intensa, inmediata, puramente física.

Pero pasado ese minuto ocurrió algo que esfumó aquel principio de gozo, como si hubiera estallado una tormenta en el despacho. El ayudante del comisario, que no había olvidado la afrenta y cuya sangre hervía, vengose con la dama elegante, sin duda para reconquistar su comprometido prestigio.

—¡Ah, estás aquí, mala pécora!... —vociferó el ayudante (la dama de luto ya se había retirado)—. ¿Quieres explicarme qué ha pasado en tu casa anoche? ¿Eh? ¡De nuevo escandalizando el barrio! ¡Siempre borracheras y peleas! Al parecer, te pesa que no te hayamos mandado ya a la cárcel. ¡Te previne diez veces que no toleraría un nuevo escándalo! ¿Qué dices, mala pécora?

Raskolnikov por poco dejó caer el expediente que estaba leyendo y miró asombrado a la mujer que era tratada con tan pocas ceremonias, pero pronto comprendió el asunto que se discutía y comenzó a parecerle divertido.

Escuchaba con agrado y sentía ganas de reír, de reír a carcajadas... Todos sus nervios estaban tirantes.

—¡Ilia Petrovich! —intervino el secretario, pero se detuvo, considerando preferible sin duda esperar un momento, pues sabía por experiencia que no había forma de detener al ayudante cuando la ira se apoderaba de él.

En cuanto a la mujer, comenzó a temblar cuando se desencadenó aquella tormenta de rayos y truenos; pero, cosa extraña, cuanto más violentas eran las injurias proferidas contra ella, tanto más amable era su expresión y más dulce la sonrisa dirigida al ayudante. Movíase en su sitio y no cesaba de hacer reverencias, esperando que le permitieran hablar.

—En mi domicilio no ha habido escándalos ni borracheras, señor capitán —dijo por fin expresándose en ruso, pero con marcado acento alemán—. Tampoco hubo pelea. Ese hombre llegó borracho a mi casa; yo le voy a contar lo que ocurrió, señor capitán; no fue por culpa mía. Mi casa es muy decente, señor capitán, y todo el mundo se conduce en ella de manera honorable; jamás he tolerado escándalos. Ese individuo llegó completamente borracho y pidió tres botellas; luego levantó las piernas al aire y comenzó a golpear las teclas del piano con los pies. ¿Se hace eso en una casa decente? Cuando vi que me estaba estropeando el piano, le dije que su comportamiento no me gustaba. Entonces se apoderó de una botella y quiso pegarnos a todos; llamé al portero, y, mientras tanto, el individuo le puso un ojo morado a Karl; también le pegó a Enriqueta, y a mí me sacudió cinco bofetadas. Frente a esa actitud tan poco delicada en una casa honorable, señor capitán, comencé a gritar. El hombre se asomó a la ventana que da al canal y comenzó a gruñir como un verdadero cerdo. ¿Le parece que está bien gruñir como un cerdo en la ventana de una casa decente como la mía? Karl le tiró del saco para hacerlo salir de allí, y no fue culpa suya si el saco se rompió. El otro se puso hecho una fiera y comenzó a gritar como un energúmeno que teníamos que pagarle quince rublos por el saco roto. Yo le di cinco rublos de mi bolsillo a pesar del escándalo que había hecho en una casa honorable. Sin embargo, me amenazó con hacer publicaciones en los diarios…

—¡Ah! ¿Se trata de un individuo vinculado a la prensa?

—Un sinvergüenza, capitán, que no tuvo escrúpulos en dar semejante espectáculo en una casa honorable...

—¡Vamos! ¡Basta ya! Te he dicho y te repito...

—¡Ilia Petrovich! —dijo de nuevo el secretario con tono significativo.

El ayudante le dirigió una rápida mirada y vio que el secretario le hacía una leve señal con la cabeza.

—Pues bien; en lo que te concierne, respetable Luisa Ivanovna, oye mi última palabra y por última vez: si llega a producirse otro alboroto en tu honorable casa, yo mismo te voy a poner a la sombra, como decimos los cultos. ¿Entiendes? ¿Así es que un individuo que está en relación con escritores y periodistas aceptó cinco rublos en "una casa respetable" por el perjuicio causado a su saco? ¡Vea, qué clase de gente son todos esos literatos! —dijo arrojando una mirada despreciativa sobre Raskolnikov—. Anteayer hubo una historia parecida en una taberna: uno de esos escritorzuelos cenó y luego se negó a pagar el gasto. "Voy a escribir un artículo contra usted", dijo al dueño. Otro que se encontraba en un barco, hace ocho días de esto, llamó de todo a una familia honorable, la mujer y la hija de un consejero de Estado. ¡He aquí lo que son estos escritores, literatos y estudiantes! ¡ Puah! ¡En cuanto a ti, Luisa

Ivanovna, lárgate de aquí cuanto antes! No olvides que no te perderé de vista... ¿Me entiendes?

Luisa Ivanovna comenzó a saludar a diestro y siniestro con la mayor amabilidad, y sin dejar de hacer reverencias retrocedió hasta la puerta. Al llegar allí dio con la espalda contra un apuesto oficial de rostro franco y abierto, adornado con pobladas patillas rubias. Era Nicomedes Fomich en persona, el comisario de policía. La mujer se apresuró a disculparse, haciendo una reverencia hasta el suelo, y abandonó la oficina andando a saltitos.

—¡Siempre los rayos, truenos y relámpagos, la tromba y el huracán! —dijo con voz suave y amistosa Nicomedes Fomich dirigiéndose a su ayudante—. Ilia Petrovich, te han hecho perder los estribos otra vez. Te oí gritar desde la escalera como si quisieras degollar a alguien.

—¿Quién no haría lo mismo en mi lugar? —contestó Ilia Petrovich con negligencia, mientras pasaba de una mesa a otra con sus papeles, moviendo los hombros en forma especial—. Vea, aquí tiene un caso: este señor intelectual, estudiante o, mejor dicho, ex estudiante, no paga sus deudas, firma letras de cambio, se niega a abandonar la habitación, promueve continuas quejas contra él y se indigna porque fumo un cigarrillo en su presencia. Mírelo bien: ¡ahí lo tiene de cuerpo entero!

—La pobreza no es un defecto, amigo mío;

sabemos demasiado bien que eres como la pólvora y que no soportas la menor contrariedad.

Dirigiéndose a Raskolnikov, añadió:

—Probablemente usted se habrá sentido molesto y no habrá podido contenerse, pero le aseguro que se ha equivocado con respecto a él; es el mejor de los hombres, aunque su carácter es demasiado vivo. Se enciende, estalla, y luego todo pasa como por encanto. Queda sólo un corazón de oro. En el regimiento le llamábamos "el teniente Pólvora".

—¡Qué regimiento aquél! —exclamó Ilia Petrovich, halagado en su amor propio, pero un tanto molesto todavía.

Raskolnikov sintió deseos de decir algo agradable.

—Perdóneme usted, capitán —comenzó con la mayor naturalidad dirigiéndose a Nicomedes Fomich—, póngase usted en mi lugar por un momento. Estoy dispuesto a presentarle mis más sinceras excusas si en algo cree que le he faltado. Soy un pobre estudiante enfermo, agobiado por la miseria. He abandonado los estudios por carecer de medios de subsistencia, pero pronto recibiré algún dinero. Mi madre y mi hermana viven en la provincia de K... Cuando me manden dinero, pagaré. Mi patrona es una buena mujer, pero está disgustada porque he perdido las lecciones que tenía y hace seis meses que no puedo cumplir con ella; y ya ni siquiera me da de comer... No comprendo cómo puedo haber llegado a esto.

Ahora me exige que le pague... Juzgue usted por sí mismo.

—Ése no es asunto nuestro —observó de nuevo el secretario.

—Comprendo, comprendo muy bien; pero permítame que le explique —continuó Raskolnikov hablando siempre al comisario y tratando de dirigirse también a Ilia Petrovich, aunque este último aparentaba estar absorto en el examen de los expedientes y fingía una indiferencia altanera—. Vivo en esa casa desde hace tres años, cuando llegué de mi provincia... Y, ¿por qué no confesarlo?, en un principio había dado palabra de casamiento a la hija de la patrona... una promesa verbal... Era una joven muy buena... me gustaba... No sentía una pasión extraordinaria por ella, pero me sentía atraído..., los pocos años... La patrona me daba entonces crédito ilimitado, y yo pasaba buena vida... sin preocupaciones...

—No le pedimos detalles tan íntimos, señor, ni tenemos tiempo para escucharlos —le interrumpió con grosería Ilia Petrovich, que crecía ante la humildad del joven. Pero Raskolnikov hizo un suave ademán y siguió adelante con su relato, aunque sentía que cada vez le era más penoso hablar.

—Permítanme que les cuente todo esto a mi vez, que, aunque inútil, quizá les haga variar de opinión con respecto a mi persona... Hace un año esa joven murió a consecuencia del tifus, pero yo seguí como pensionista, y cuando la patrona fue a vivir al departamento que hoy ocupa... me dijo con la mayor amabilidad que tenía confianza en mí, pero que me rogaba le firmara un pagaré por ciento quince rublos, que era el total de mi deuda. Me aseguró que, si firmaba, continuaría dándome crédito mientras lo necesitara, y que jamás en la vida, éstas fueron sus propias palabras, haría referencia a dicho documento hasta que yo lo levantara por propia iniciativa. Y ahora que he perdido mis lecciones, que no tengo qué comer, inicia un juicio contra mí... ¿Qué opinan de esto, señores?

—Todos esos detalles no nos conciernen en lo más mínimo —dijo con insolencia Ilia Petrovich—. Tiene usted que firmarnos la declaración y el compromiso que le hemos indicado. Que usted haya estado enamorado o que haya dado palabra de casamiento a una joven, con el agregado de todas esas circunstancias trágicas, es asunto que no nos incumbe.

—¡Oh! No es para exaltarse tanto, Ilia Petrovich... —murmuró el comisario, sentándose ante su escritorio y comenzando a escribir. Parecía conmovido.

—Escriba lo que voy a dictarle —dijo el secretario a Raskolnikov.

—¿Que escriba qué? —replicó el joven con tono casi grosero.

—Lo que yo le voy a dictar.

Raskolnikov creyó advertir que el secretario

lo trataba en forma más desdeñosa y despreciativa después de su confesión; pero, cosa extraña, él mismo comenzaba a sentir indiferencia por la opinión que pudiera merecer a los demás, y ese cambio se había operado en forma instantánea. Si se hubiese tomado el trabajo de reflexionar un poco, sin duda habríase extrañado de su manera de hablar de un momento antes, y de haber participado a los funcionarios policiales sus sentimientos. ¿Y de dónde provenían esos sentimientos? Ahora, por el contrario, si la habitación se hubiera llenado con sus amigos más queridos en lugar de aquellos empleados policiales, no habría podido quizá pronunciar una sola palabra amistosa, de tal manera habíase vaciado su corazón. Se manifestaba bruscamente en él la sensación oscura del aislamiento, de la soledad infinita y cruel. No, no era la bajeza de sus efusiones sentimentales ante Ilia Petrovich, no era el vil triunfo del teniente la causa de aquella sensación. ¿Qué le importaba su propia bajeza, los intereses mezquinos, los tenientes, los pagarés, el despacho policial y todo lo demás?

Si en ese momento lo hubieran condenado a ser quemado vivo, no hubiese pestañeado, apenas si habría prestado atención a la sentencia dictada en su contra. Se operaba en él un fenómeno nuevo en absoluto, algo que no conocía hasta entonces, imprevisto y sin precedentes. Aun sin comprenderlo, sentía netamente, con toda la fuerza de sus sensaciones, que no sólo en lo concerniente a las expansiones sentimentales, sino en todas las relaciones, de cualquier naturaleza que fueran, estaríale vedado en lo sucesivo dirigirse a esa gente, a esos empleados policiales, y que cuando en lugar de ellos se tratara de sus parientes más allegados, le causaría aversión, sin encontrar motivo para tratar con ellos en ninguna circunstancia de su vida; jamás había experimentado una sensación tan extraña y tan espantosa. Lo peor era que se trataba de una sensación, más que de una concepción o una idea; sensación inmediata, la más cruel de todas las experimentadas hasta entonces.

El secretario comenzó a dictarle la fórmula de la declaración usual en tales casos: "No puedo pagar en la actualidad, prometo hacerlo en tal fecha, me obligo a no abandonar la ciudad, a no vender ni ceder lo que poseo".

—¿No puede escribir? La pluma se le cae de la mano... —observó el secretario mirando a Raskolnikov con curiosidad—. ¿Está enfermo?

—Sí, la cabeza me da vueltas. Continúe...

—Eso es todo. Ahora firme.

El secretario tomó el papel y pasó a ocuparse de otras personas.

Raskolnikov dejó la pluma, pero en lugar de levantarse y marcharse se acodó en la mesa, oprimiéndose la cabeza entre las manos. Parecía que le hundían un clavo en la parte superior del cráneo. Se le ocurrió una idea extraña: levantarse, aproximarse a Nicomedes Fomich y contarle lo sucedido la víspera, con los más ínfimos detalles, y luego ir con él a su casa y mostrarle los objetos ocultos bajo el empapelado. La tentación fue tan fuerte que se levantó decidido a poner su proyecto en práctica. "¿No sería mejor que reflexionara un minuto? —meditó—. No, más vale proceder sin pensarlo, descargarme de este horrible peso." Pero de pronto quedó como clavado en su sitio: Nicomedes Fomich hablaba acaloradamente con Ilia Petrovich, y sus palabras llegaban con claridad a sus oídos.

—¡Eso no puede ser; los soltarán a los dos! En este asunto hay puras contradicciones; ¿cómo crees que habrían llamado al portero si hubieran sido ellos? ¿Para denunciarse a sí mismos? ¿O bien por astucia? No, eso es inadmisible. Además, el estudiante Pestriakov fue visto por una mujer y por los dos porteros que se encontraban cerca de la puerta cochera cuando entró; estaba con dos o tres amigos, de los que se despidió al llegar allí, y en presencia de esos mismos amigos preguntó por el departamento de la vieja. ¿Es lógico suponer que si hubiera ido para robar preguntara tal cosa? En lo que respecta a Koch, pasó media hora abajo en casa de un joyero antes de subir al cuarto piso; eran exactamente las ocho menos cuarto cuando salió de la tienda para ir al departamento de la usurera...

—Pero, ¿cómo explicas que entre las dos declaraciones exista una contradicción tan evidente? Ellos mismos afirmaron que llamaron a la puerta, que estaba cerrada, y tres minutos después, cuando regresaron con el portero, la puerta estaba abierta.

—Ahí está, precisamente, la cuestión: el asesino, a no dudarlo, se encontraba en el interior y había corrido el cerrojo. Con seguridad que lo habrían atrapado si ese imbécil de Koch no hubiese cometido la insigne torpeza de bajar él también. Durante ese lapso el asesino bajó la escalera y pasó ante sus propias narices de un modo o de otro. Koch se persigna con las dos manos y piensa que, de quedarse allí de guardia, el asesino, saliendo bruscamente, lo habría asesinado a él también de un hachazo. Hasta tiene el propósito de hacer oficiar una misa en acción de gracias. ¡Ja, ja, ja!

—¿Y nadie vio al asesino?

—¿Cómo podían verlo? La casa es una verdadera arca de Noé —terció el secretario, que escuchaba la conversación desde su lugar.

—El asunto es claro, claro como la luz del día —repitió Nicomedes Fomich con absoluta convicción.

—No, el asunto no está claro del todo —protestó Ilia Petrovich.

Raskolnikov tomó su sombrero, dirigiéndose a la puerta, pero no pudo llegar hasta ella...

Cuando recuperó el conocimiento encontrose sentado en una silla; alguien lo sostenía por la derecha, y a su izquierda otra persona le ofrecía un vaso de agua; Nicomedes Fomich, de pie frente a él, lo miraba con fijeza. Raskolnikov se levantó.

—¿Qué le ocurre? ¿Está enfermo? —preguntó con sequedad Nicomedes Fomich.

—Mientras escribía la declaración apenas podía sostener la pluma —observó el secretario, volviendo a sentarse para continuar con su trabajo.

—¿Hace tiempo que está enfermo? —inquirió Ilia Petrovich desde su lugar, sin abandonar el examen de sus papeles. Como es de suponerse, había acudido en auxilio de Raskolnikov cuando éste se desvaneció, pero al verlo de nuevo en sí había vuelto a su escritorio.

—Desde ayer —articuló penosamente Raskolnikov por toda respuesta.

—Pero, ¿ayer salió usted de su casa?

—Sí, salí un rato...

—¿Enfermo?

—Sí, enfermo.

—¿A qué hora?

—A eso de las ocho de la noche.

—¿Y a dónde fue usted?

—A la calle.

—¡Vaya una respuesta concisa y neta!

Pálido como un muerto, Raskolnikov había respondido en tono breve y nervioso, sin bajar sus ojos inflamados ante la mirada de Ilia Petrovich.

—Bien; esto no tiene importancia —añadió el teniente con entonación rara.

Nicomedes Fomich quería agregar algo, pero su mirada se cruzó con la del ayudante, y algo de significativo debió ver en ella, puesto que se contuvo.

Todos quedaron en silencio. Por último habló Ilia Petrovich:

—Bueno, si se siente mejor, no lo retenemos más…

Raskolnikov abandonó la oficina, y al salir pudo notar que se reanudaba animadamente la conversación: entre todas surgía la voz de Nicomedes Fomich, que formulaba preguntas…

Ya en la calle, recuperó por completo el dominio de sí mismo.

"¡Es seguro que allanarán mi domicilio! ¡Lo allanarán enseguida! ¡Me he traicionado! —repetía mientras apresurábase a volver a su casa—. ¡Bandidos! ¡Sospechan de mí!"

El terror y la desesperación anteriores embargaban todo su ser.

2

"¿Y si ya hubieran ordenado el allanamiento? ¿Si encontrara a la policía en mi cuarto?"

Llegado a su habitación, vio con inmenso alivio que todo estaba tal como él lo dejara. Ni siquiera Anastasia había tocado nada.

Su pensamiento fue rápidamente a los objetos

escondidos en el rincón; corrió hasta allí, los retiró con febril precipitación y se llenó los bolsillos con ellos. Eran ocho en total: dos estuchitos que contenían aros o algo parecido, y otros cuatro estuches de cuero, una cadenita envuelta en un simple papel de diario con otro objeto, tal vez una condecoración, y el portamonedas. Repartió todo en los bolsillos del gabán y del pantalón, tratando de que no se notaran, y enseguida salió, dejando la puerta abierta de par en par.

Marchaba con paso rápido y firme, y, a pesar de sentirse quebrantado, tenía plena conciencia de sí mismo. Temía una investigación inmediata, que dentro de media hora, un cuarto de hora tal vez, iniciarían contra él, y, por consiguiente, creía indispensable hacer desaparecer a cualquier precio las piezas de convicción. Había que acabar mientras le quedara un poco de fuerza, un destello de razón. ¿A dónde ir?

Hacía tiempo que la cosa estaba decidida: "Tiraré todo al canal para que se hunda en el agua, y el asunto quedará olvidado para siempre". Así lo había resuelto la noche anterior en su delirio, en los raros momentos de lucidez, cuando sentía deseos de levantarse para ir "lo más pronto posible a deshacerse de todo aquello". Pero este propósito no era tan fácil. Desde hacía un cuarto de hora, tal vez más, erraba a lo largo del canal de Catalina, y varias veces examinó las escaleras que conducían al puerto bajo, a medida que las encontraba al paso, pero no le fue posible poner en ejecución su proyecto. Tan pronto encontraba junto a las escaleras algún barco de pequeño calado, como lavanderas entregadas allí a su tarea, o botes amarrados a la orilla; además, los muelles hormigueaban de gente, y de todas partes podían verlo, observar sus manejos. ¿No era sospechoso que un hombre bajara a propósito, deteniéndose para arrojar algo al agua? ¿Y si los estuches, en lugar de hundirse en el agua, quedaban en la superficie? Era fácil que ocurriera esto último, y todos se darían cuenta. Tenía la impresión de que cuantos cruzábanse con él lo examinaban detenidamente, como si no tuvieran otra ocupación que hacer. "¿Por qué imagino todo esto? —pensaba—. Quizá no sea más que una falsa impresión."

Por fin ocurriósele que lo más conveniente era arrojar las cosas robadas al Neva. Allí habría menos gente, pasaría inadvertido, todo sería más fácil, y la distancia desde su domicilio era bastante mayor.

Esta idea le produjo doloroso asombro: ¿cómo era posible que estuviese vagando desde hacía media hora, presa de creciente ansiedad y malestar, por aquellos lugares peligrosos, sin haber pensado antes en esa solución? Si había perdido tanto tiempo intentando poner en práctica aquel proyecto poco razonable, era porque habíalo concebido durante su letargo, en un momento de delirio. Advirtió que estaba muy distraído y olvidadizo; decididamente, era necesario apresurarse.

Dirigiose hacia el Neva por la avenida V..., pero en el camino se le ocurrió otra idea: ¿Por qué en el Neva? ¿Por qué arrojar esto al agua? ¿No sería mejor ir más lejos, a una de las islas, por ejemplo? Buscar un lugar solitario en un bosque, bajo un árbol, y enterrarlo todo, teniendo buen cuidado de recordar el sitio..."

Aunque notara que no estaba en condiciones de analizar en forma neta y lúcida el pro y el contra de las cosas, consideró que este último proyecto era el más aceptable.

No le fue preciso llegar hasta las islas; al desembocar en la plaza donde terminaba la avenida V..., vio a su izquierda un terreno desocupado, en medio de dos grandes edificios, cerrado por una valla de tablas que dejaba sólo una pequeña entrada junto al portón de la casa de la derecha; en el interior veíanse toda clase de materiales abandonados; más lejos, en el fondo, había un cobertizo de ladrillos medio derruido que probablemente formaba parte de algún taller vecino. Desde la entrada el suelo estaba cubierto de polvo de carbón.

"He aquí un lugar apropiado para dejar esto", murmuró Raskolnikov. Cerciorose de que nadie lo miraba y penetró en el terreno. Cerca de la entrada había un gran caño de desagüe como los que suelen verse en los edificios de las fábricas, talleres o garages, y al lado mismo un cartelón escrito con tiza, con una ortografía lamentable, indicaba que estaba prohibido el estacionamiento en aquel lugar. "Me desembarazaré de todos los objetos de una vez y me iré", pensó.

Después de mirar por última vez a su alrededor, introducía ya la mano en el bolsillo cuando de improviso vio que entre la entrada y el caño de desagüe, en un espacio que medía todo lo más dos pies de largo, había un gran bloque de piedra sin desbastar que podía pesar unas veinte libras, adosada contra el muro. Del otro lado de la valla se sentía caminar a los transeúntes, pero nadie podía verlo, a menos que franquease la entrada, lo que en realidad era fácil, de modo que debía darse prisa.

Inclinándose sobre la piedra, la asió por la parte superior, desplazándola hacia un costado; debajo quedaba un hueco no muy profundo en el que sin vacilar puso cuanto llevaba en los bolsillos, quedando el portamonedas encima de todo, pero el hueco no quedó colmado todavía; enseguida levantó la piedra haciendo un esfuerzo y la dejó caer, para que volviera a su primitiva posición; apenas podía notarse que quedaba un poco ladeada. Para hacer más perfecta la obra, Raskolnikov amontonó un poco de tierra junto a los bordes y la apisonó. Imposible notar nada.

Sólo entonces salió y dirigiose hacia la plaza. Como le ocurriera en la comisaría, una alegría indescriptible, casi imposible de soportar, lo invadió por un instante.

"Las piezas que podrían acusarme han desaparecido. ¿A quién se le ocurriría venir a buscarlas aquí, debajo de esa piedra, que tal vez está desde que se construyó la casa? Y aunque las encontraran por casualidad, ¿quién iba a sospechar de mí? Todo ha terminado. Ya no quedan pruebas." Lanzó una histérica carcajada, aguda y prolongada, y siguió riendo durante todo el tiempo que empleó en atravesar la plaza. Cuando llegó al paseo de K..., donde la antevíspera encontrara a la joven ebria su alegría cesó como por encanto. Acudieron a su espíritu otros pensamientos; le pareció que sentiría invencible repugnancia al pasar junto a aquel banco en que se había sentado para reflexionar cuando la joven hubo partido, y que le sería desagradable encontrarse de nuevo con el agente de pobladas patillas al que le diera los veinte kopeks. "¡Que el diablo se lo lleve!"

Caminaba mirando a uno y otro lado con aire distraído. Todos sus pensamientos giraban alrededor de un punto capital, a cuya consideración se entregaba por primera vez desde hacía dos meses.

"¡Que todo vaya al cuerno! —exclamó de pronto con incontenible furor—. ¡Ya que estamos en esto, quedémonos así y que el demonio se lleve esta nueva vida! ¡Qué estúpido es todo esto, Señor! ¡Ya he mentido y me he arrastrado bastante hoy! ¡Cómo me he rebajado ante ese abominable Ilia Petrovich! Pero, ¿qué importa? ¡Me río de todo, de ellos también y de haberme arrastrado delante de ellos! ¡No es por eso..., no es eso lo que me preocupa!"

De súbito quedó mudo; una nueva pregunta, inesperada y de extrema simplicidad, le hizo perder el hilo de sus ideas y le produjo verdadero terror.

"Si todo lo hice con pleno conocimiento de causa y no estúpidamente, si tenía un fin definitivo y trazado en forma neta, ¿cómo es posible que no haya mirado siquiera dentro del portamonedas para saber qué beneficio me reportaba el asunto, y en virtud de qué me he atraído todos estos tormentos y he cometido deliberadamente un acto tan bajo, tan cobarde, tan innoble? Hace poco quise tirar al agua el portamonedas y las joyas que ni siquiera miré... ¿Qué quiere decir esto? Es que estoy demasiado enfermo —se dijo con firmeza—. Por eso me he desgarrado, torturado, y hasta no sé lo que hago... Ayer, anteayer y durante mucho tiempo me estuve torturando. Cuando me cure dejaré de martirizarme... Pero, ¿qué será de mí si no me curo? ¡Señor! ¡Qué cansado estoy!"

Marchaba sin cesar, con enormes deseos de distraerse en una u otra forma, pero sin saber qué hacer para lograrlo. Poco a poco invadíale una nueva sensación, una especie de infinita repugnancia, casi física, por todo cuanto le rodeaba, por lo que encontraba al paso; era un disgusto obstinado, feroz, enconado. Todos los transeúntes le resultaban odiosos; sus rostros, sus gestos, sus movimientos le causaban ira. Si alguien le hubiese hablado, le habría escupido al rostro por toda respuesta, hasta lo hubiera mordido.

De este modo llegó al muelle del Pequeño Neva, en la isla de San Basilio, cerca del puente. "Aquí vive, en esta casa.. ¿Qué quiere decir esto? ¡He venido a lo de Razumikhin a pesar mío! ¡Otra vez la misma historia del otro día! Es curioso... ¿Habré venido por propia iniciativa o por un designio del azar? Poco importa; hace tres días dije que vendría a verlo después del *golpe,* al día siguiente. ¡Y bien! ¡Ya que estoy aquí, vamos! ¿Acaso no puedo efectuar visitas ahora?"

Subió al quinto piso, donde habitaba Razumikhin. Éste se encontraba en su pequeña habitación y fue a abrir en persona. Los dos amigos no se veían desde hacía cuatro meses. Razumikhin vestía una bata viejísima y calzaba sus pies desnudos con unas pantuflas; sus cabellos estaban alborotados y no se había afeitado ni lavado. Su rostro reflejó gran asombro.

—¡Cómo! ¿Eres tú? —exclamó mirando a su amigo de pies a cabeza y lanzando luego un prolongado silbido—. ¿Es posible que estés tan arruinado? ¡A fe mía que tus andrajos son todavía peores que los míos! ¡Pero siéntate, hombre! Pareces cansado...

Sólo cuando Raskolnikov se dejó caer en el diván, aún más desvencijado que el suyo, Razumikhin se dio cuenta de que su visitante estaba enfermo.

—¿Sabes que tienes aspecto de estar muy enfermo?

Pretendió tomarle el pulso, pero Raskolnikov retiró la mano con un gesto violento.

—No vale la pena... He venido... he... aquí porque..., no tengo más lecciones y quisiera... ¡Bah! ¡De todos modos, no tengo necesidad de dar lecciones!

—¡Vamos, hombre! ¡Tranquilízate! Estás demasiado nervioso...

—No, no estoy nervioso...

Raskolnikov se levantó. Al subir a la habitación de su amigo no pensó que tendría que verse cara a cara con él. En aquel momento acababa de convencerse de que nada lo indisponía más que el encontrarse frente a frente con alguien, fuese quien fuese. Invadíale un sordo rencor. Un poco más y su cólera contra sí mismo habría desbordado al franquear el umbral de Razumikhin.

—Adiós —dijo bruscamente, dirigiéndose hacia la puerta.

—¡Espera! ¿Por qué te vas? ¡Quédate un momento, tonto!

—No, no vale la pena —respondió Raskolnikov soltando su mano.

—Entonces, ¿para qué diablos has venido? ¿Estarás loco de veras? Vamos..., es casi una ofensa lo que me haces. No permitiré que te vayas de esta manera.

—Bueno, oye entonces: vine a tu casa porque no conozco a nadie más que a ti que puede ayudarme... a comenzar... Eres el mejor de todos, es decir, el más inteligente, y creí que podrías juzgar..., pero ahora me convenzo de que no necesito nada, ¿me oyes?, absolutamente nada..., ni los servicios ni las simpatías de nadie... ¡Estoy solo, y eso me basta! ¡Déjame tranquilo!

—¡Pero espera un minuto, pajarraco! ¡Estás completamente loco! Eso es lo que creo y no me harás cambiar de opinión. Escucha un poco: lecciones no puedo ofrecerte porque tampoco las tengo yo, y me importa un rábano, pero he encontrado un librero llamado Kheruvimov, y que vale más que una lección: no lo cambiaría por cinco repasos en casa de gente acomodada. Hace algunas ediciones y publica opúsculos sobre ciencias naturales que se venden como el pan. Los títulos por sí solos constituyen un verdadero programa. Siempre has sostenido que yo soy un bestia; pues te aseguro, querido, que hay gente más bestia que yo. Mi editor ha terminado por seguir la moda del día; desconoce hasta el alfabeto, pero yo lo aliento. Aquí tienes, por ejemplo, estos dos pliegos y medio de texto alemán, atiborrados, según mi honrado entender, de un charlatanismo estúpido: se trata de determinar si la mujer es o no una criatura humana. Como es lógico, se demuestra de manera triunfal que lo es. Kheruvimov prepara esto, que es de gran actualidad dada la cuestión del feminismo; yo lo traduzco. Por su parte, él estirará estos dos pliegos y medio para llevarlos a seis, le buscaremos un título sonoro que ocupe media página, y venderemos el ejemplar a cincuenta kopeks. ¡Será un negocio brillante! Yo percibo por la traducción seis rublos por pliego, de modo que me corresponden quince rublos en total, de los que ya recibí seis adelantados. Cuando hayamos terminado con esto, traduciremos una obra relativa a la ballena y luego, como hemos notado en la segunda parte de las *Confesiones* toda una serie de chismes, algo muy sabroso, también las traduciremos. Alguien ha dicho a Kheruvimov que Rousseau era una especie de Radischev; yo, naturalmente, me guardo muy bien de contradecirlo, ¡qué diablos! Veamos: ¿quieres traducir la segunda hoja de *¿Es la mujer una criatura humana?* Si te conviene, toma plumas, papel, todo por cuenta del librero, y acepta tres rublos. Como he cobrado seis rublos adelantados por todo, te corresponden tres rublos. Cuando hayas terminado el texto, recibirás otros tres. ¡Ah! Te encarezco no vayas a imaginarte que es un servicio que te presto. Por lo contrario, al verte entrar me dije que podrías serme útil. Tengo muy mala ortografía y no conozco muy bien el alemán, así es que la mayor parte de las cosas que escribo son fruto de mi ingenio, pero me consuelo pensando que tal vez así el resultado sea mejor. ¿Qué dices? ¿Aceptas, sí o no?

Raskolnikov tomó en silencio la hoja del artículo alemán y salió sin decir palabra. Razumikhin lo vio partir con el mayor asombro, sin atinar siquiera a despedirse de él.

Pero, en cuanto hubo llegado a la primera esquina, Raskolnikov volvió bruscamente sobre sus pasos, subió de nuevo a la habitación de Razumikhin, depositó sobre la mesa la hoja y los tres rublos y se marchó sin hablar una sola palabra.

—Pero..., ¡este hombre está loco del todo! —vociferó Razumikhin ya encolerizado—. ¿Qué te propones? ¿Estás representando una comedia? ¡Vas a conseguir que yo también pierda la cabeza! ¿Por qué has venido, vamos a ver?

—No tengo necesidad ... de traducciones... —balbuceó Raskolnikov bajando ya la escalera.

—¿Entonces qué demonios necesitas? —gritole Razumikhin desde lo alto.

El otro continuó descendiendo sin despegar los labios.

—¡Oye, maniático! Por lo menos dime dónde vives...

La pregunta no obtuvo contestación.

—¡Bueno, pues entonces vete al diablo!

Pero Raskolnikov estaba ya en la calle. En el puente Nicolás volvió a recuperar una vez más plena conciencia de sus actos a consecuencia de un desagradable incidente. Un cochero que conducía un vehículo particular le aplicó un violento latigazo porque estuvo a punto de dejarse atropellar por los caballos, a pesar de que el auriga había dado repetidos gritos para llamar su atención. Aquel latigazo lo exasperó de tal manera que se plantó de un salto en la mitad del puente, por donde pasaban los vehículos, rechinando los dientes de furor, mientras en torno suyo se oían risas y exclamaciones.

—¡Bien hecho, por tonto!

—¡Debe ser un malandrín!

—¡Se hace el borracho y trata de que lo atropellen para conseguir una indemnización!

Raskolnikov, sin prestar oído a esas frases hirientes, permanecía inmóvil siguiendo con una mirada iracunda y cargada de odio impotente al coche que se alejaba. Frotábase la espalda con la mano cuando sintió que alguien le deslizaba algo en ella: una mujer de cierta edad, perteneciente a la clase media, acompañada por una niñita, probablemente su hija, se le había aproximado:

—Acepta esta limosna en nombre de Nuestro Señor...

Raskolnikov quedó confuso, sin acertar a decir palabra. La mujer y la niña se alejaron. Era indudable que su misérrimo aspecto hacía creer que se trataba de un menesteroso, de uno de esos profesionales de la mendicidad que van por las calles pidiendo limosna; debía aquella moneda de plata de veinte kopeks al latigazo, que había movido a piedad a la buena mujer.

Apretando la moneda en la mano, Raskolnikov dio unos pasos y hallose frente al Neva, en dirección del Palacio. El cielo estaba limpio de nubes, y las aguas eran casi azules, lo que raramente ocurre en ese río. La cúpula de la catedral, que desde ninguna parte se contempla mejor que desde ese punto, sobre el puente, resplandecía de tal modo en aquel aire tan puro que era posible apreciar los menores detalles de su ornamentación. El dolor se apaciguó y Raskolniko volvidó el latigazo que acababa de recibir; un pensamiento, una vaga inquietud, apoderose de él. Contempló largo rato con fijeza esos lugares, que le eran singularmente familiares. Cuando todavía frecuentaba la universidad habíase detenido, al regresar a su casa, centenares de veces en ese mismo sitio para entregarse a la contemplación de aquel maravilloso espectáculo, y cada vez había cedido a una impresión en cierto modo confusa y que no dejaba de causarle gran sorpresa. El espléndido panorama le inspiraba sólo una inexplicable idea de frialdad. Toda aquella pompa parecía privada de alma y estéril por completo.

Siempre había postergado el tratar de explicarse aquella impresión enigmática y lúgubre, quizá por desconfianza con respecto a sí mismo.

En ese momento recordaba de improviso, con precisión aguda, todas las preguntas que habíase formulado antaño, todas las dudas que lo habían asaltado, y tuvo la impresión de que no las recordaba por una simple casualidad. ¿No era ya extraño en sumo grado que se hubiese detenido en aquel lugar, como antaño, como si se figurase verdaderamente que era posible abrigar aún los mismos pensamientos de otrora, interesarse por los mismos asuntos y los mismos espectáculos que antes habían llamado su atención? Por un momento pareciole ridículo, pero sentía que su corazón se desgarraba. Pensó que todo su pasado, todas las ideas, los problemas, los asuntos y los sentimientos de antaño yacían en el fondo de un insondable abismo abierto a sus pies... Todo, como el espectáculo que se presentaba a su vista, y hasta él mismo con lo demás... Experimentaba la sensación de haberse elevado a enorme altura y de que todo desaparecía...

Al hacer un movimiento involuntario sintió la moneda de plata apretada en su puño crispado. Abrió la mano, contemplola y la arrojó al agua con gesto nervioso; de inmediato se encaminó a su casa. Le parecía que acababa de cortar el último lazo que aún lo unía al mundo de los vivos.

Cuando llegó, era casi de noche: hacía seis horas largas que deambulaba.

En qué forma y por qué camino llegó, no habría sabido decirlo. Después de desnudarse temblando como un azogado, tendiose sobre el diván y, envolviéndose con el abrigo, poco tardó en quedar sumido en profundo sueño.

Un fuerte alarido le despertó; la oscuridad era completa. Al alarido siguió un estruendo infernal, rugidos, sollozos, rechinar de dientes, golpes y maldiciones. Jamás hubiera podido imaginar semejante salvajismo y ferocidad tan inaudita. Presa del espanto, incorporose a medias; sintió que su corazón se detenía y que esa tortura aumentaba de segundo en segundo. Los golpes, los sollozos y las invectivas hacíanse cada vez más fuertes. Con gran estupor reconoció de pronto la voz de su patrona; chillaba, gemía e imploraba con voz desgarradora, entrecortada y tan rápida que no le era posible descifrar lo que decía; probablemente suplicaba que cesaran de maltratarla, pues la molían a golpes en la escalera. La voz de quien la golpeaba estaba tan cargada de ira que se transformaba en una especie de sonido ronco; el brutal personaje vociferaba, asimismo, frases ininteligibles.

De súbito Raskolnikov se estremeció al reconocer por fin aquella voz: era la de Ilia Petrovich. "¡Ilia Petrovich está abajo y castiga brutalmente a la patrona! ¡La muele a golpes y puntapiés y le golpea la cabeza contra los escalones! ¡Es fácil adivinarlo por sus gritos y su llanto! ¿Qué ocurrirá? ¿Estará loco todo el mundo?"

Los vecinos de todos los pisos se agolpaban en las escaleras, y se escuchaban exclamaciones y excitados comentarios; otros bajaban o subían, abrían y cerraban las puertas...

"¿Qué significa todo esto? ¿Cómo es posible? ¿Qué habrá pasado entre esa mujer y el ayudante del comisario?" Creía volverse loco, pero los gritos y los lamentos no dejaban lugar a dudas... "Será por lo de ayer... Entonces van a subir luego aquí... ¡Señor!" Pretendió levantarse para atrancar la puerta, pero en vano... Faltábanle las fuerzas por completo. Un frío glacial penetró en todo su ser y creyó llegado su último minuto... Poco a poco aquel infernal griterío fue decreciendo... La patrona gemía y suspiraba. Ilia Petrovich continuaba amenazándola y cubriéndola de invectivas. Por fin dejó de oírse... La patrona se alejó también, sollozando y quejándose... La puerta de su habitación cerrose con estrépito; los vecinos continuaron sus animados comentarios, interpelándose entre sí, a veces a gritos, a veces a media voz, hasta convertirla en un murmullo. Debían de ser muchos, todos los que vivían en el edificio o poco menos...

"¡Dios mío! ¿Será posible? ¿Por qué habrá venido aquí?"

Completamente agotado, dejose caer en el diván, pero sin poder cerrar los ojos; quedó largo rato extendido, presa de horrible sufrimiento y con los sentidos embotados por indecible terror. De pronto una viva luz iluminó la habitación: Anastasia entraba con una vela encendida; le traía un plato de sopa. Le miró con atención y, al verle despierto, colocó la vela en la mesa, comenzando a disponer lo que traía: pan, sal, un plato, una cuchara.

—Desde ayer que no comes... Has estado amodorrado todo el día y tienes una fiebre de caballo...

—Anastasia, ¿por qué le han pegado a la patrona?

—¿Quién le pegó? ¿Cuándo?

—Hace poco, una media hora... Ilia Petrovich, el ayudante del comisario de policía, en la escalera... ¿Por qué razón la ha maltratado de ese modo? Y... ¿por qué vino a esta casa?

Anastasia lo examinó un buen rato, con las cejas fruncidas y en silencio. El joven sintió cierto malestar y hasta un poco de miedo.

—Anastasia..., ¿por qué no hablas? —interrogó por fin con voz trémula y débil.

—Es la sangre... —murmuró la sirvienta como si hablara consigo misma.

—¿La sangre? ¿Qué sangre? —balbuceó Raskolnikov, pálido como un muerto.

—Nadie le pegó a la patrona —replicó Anastasia con tranquilidad.

Él la miró, respirando apenas.

—Yo mismo lo oí... , no dormía..., estaba sentado —articuló con mayor timidez todavía—. Escuché mucho tiempo... El ayudante del comisario estaba en la escalera... Todos los vecinos salieron para ver qué ocurría.

—No ha venido nadie. Es la sangre que habla por ti. Cuando no tiene salida y llena el hígado, hace ver visiones... Vas a comer un poco, ¿no?

Raskolnikov no respondió. Anastasia, siempre junto a él, no hablaba, mirándolo con detenimiento.

—Dame de beber, Anastasia.

La sirvienta bajó para volver a los pocos minutos con una jarrita de arcilla blanca, llena de agua; pero Raskoilnikov no recordó lo que sucedió después. Supo solamente que bebió un sorbo de agua fría y derramó el contenido de la jarra sobre su pecho, perdiendo de inmediato el conocimiento.

3

Sin embargo, no perdió por completo el sentido durante todo el tiempo que duró su enfermedad. Era un estado febril, acompañado de delirio y semiinconsciencia. Más tarde recordó muchas cosas: en ocasiones parecíale que multitud de personas estaban reunidas a su alrededor, queriendo apoderarse de él y llevarlo a alguna parte; discutían con respecto a él y se peleaban. Otras veces se veía solo en su cuarto: todos se habían ido, le tenían miedo y de tanto en tanto entreabrían la puerta para mirarle, hacerle gestos amenazadores y mantener prolongados conciliábulos, burlándose de él y excitando su cólera. Recordaba haber visto a Anastasia en repetidas oportunidades junto a su cabecera y también notó a un hombre que debía serle bien conocido, pero al que no le era posible identificar, lo que le causaba tal mortificación que hasta le arrancaba lágrimas. En ciertos momentos creía hallarse en cama desde hacía un mes; otras veces le parecía que todo había ocurrido en el mismo día. Pero *aquello, aquello* se había borrado por entero de su memoria; por el contrario, recordaba a cada instante que olvidaba algo que no debía ser olvidado. Su alma desgarrábase atormentada; suspiraba, se sentía arrebatado por la ira o presa de indescriptible espanto. Entonces, incorporado en el diván, quería huir, pero siempre alguien lo retenía por la fuerza, volviendo a caer en la inconsciencia. Por último recuperó del todo la noción de las cosas. Fue una mañana, a eso de las diez, hora en que el sol penetraba en el cuarto, proyectando una ancha faja de luz sobre la pared de la derecha e iluminando el rincón cercano a la puerta. Anastasia se encontraba junto al diván en compañía de un hombre al que no conocía y que lo observaba con atención. Era más bien joven, vestido con un caftán, usaba una barbilla en punta y su aspecto era de empleado de comercio. Por la puerta entreabierta, la patrona miraba hacia el interior. Raskolnikov se levantó.

—¿Quién es este señor, Anastasia? —preguntó designando con un ademán al joven.

—¡Vaya! ¡Por fin ha recuperado el conocimiento! —exclamó la sirvienta.

—Ha vuelto en sí —asintió el desconocido.

Al oír estas frases la patrona cerró la puerta, desapareciendo. Era una mujer muy tímida y le causaba pavor las entrevistas y las explicaciones. Tenía unos cuarenta años, era baja y gruesa, con ojos y cejas negras, y como casi todas las personas de mucho peso, era de buen carácter y un tanto perezosa. Además, su pudor rayaba en lo ridículo.

—¿Quién es usted? —insistió Raskolnikov dirigiéndose al desconocido. En ese mismo instante se abrió la puerta y apareció Razumikhin, quien al entrar inclinose un poco en razón de su elevada estatura.

—¡Qué cuarto infame! —gritó desde el umbral—. ¡Siempre me golpeo la cabeza contra el techo! ¡Y a esto le llaman una habitación! ¿Así es que has vuelto en ti, por fin? Pachenka acaba de decírmelo.

—Acaba de volver en sí —dijo Anastasia.

—Acaba de volver en sí —repitió como un eco el desconocido, con leve sonrisa.

—Pero, ¿quién es usted? —preguntó bruscamente Razumikhin dirigiéndose a este último—. Vea, yo me llamo Razumikhin, soy estudiante, de buena familia, y él es mi amigo. Veamos, ¿quién es usted?

—Soy un empleado del comerciante Chelopaiev y he venido por asuntos de negocio.

—Tome asiento en esa silla, entonces.

Razumikhin se sentó en la otra, al lado opuesto de la mesa.

—Querido, has hecho bien en recuperar el conocimiento —manifestó dirigiéndose a Raskolnikov—. Hace ya cuatro días que no comes ni bebes, o poco menos. Te hemos dado unas cucharadas de té; Zossimov estuvo dos veces a verte. ¿Te acuerdas de Zossimov? Te examinó minuciosamente y declaró que no era nada grave, que estabas abatido por el efecto de una gran depresión nerviosa unida a una deficiente alimentación, pero que la enfermedad en sí no reviste importancia y que sanarás pronto. Zossimov es un fenómeno de la medicina. Cuenta ya en su activo con curas asombrosas. Bueno, no quiero abusar de su paciencia —agregó dirigiéndose al empleado—. Le ruego nos haga conocer el objeto de su visita. ¿Sabes, Rodia? Ésta es la segunda vez que viene aquí un empleado de esa casa. ¿Quién fue el otro que vino antes que usted?

—Sin duda se refiere a Alexis Semionovich... Estuvo aquí hace tres días... Es otro empleado de nuestra casa.

—Parece un poco conversador, ¿no es así?

—Cierto es... Se trata de un hombre muy tranquilo y preparado.

—Usted no le va en zaga. Tenga la bondad de continuar.

—Bien; por intermedio de Atanasio Ivanovich Vakruchin, de quien, sin duda, han oído hablar ustedes más de una vez, y de acuerdo con una solicitud de su señora madre, tenemos orden de entregar a usted una suma de dinero —comenzó a decir el empleado dirigiéndose directamente a Raskolnikov—. En caso de que usted haya recibido ya el aviso, tengo el encargo de entregarle la cantidad de treinta y cinco rublos que Semione Semionovich ha recibido de su mamá.

—En efecto..., ya recuerdo... Vakruchin —dijo Raskolnikov con aire pensativo.

—¿Lo oyes? ¡Conoce a Vakruchin! —exclamó

Razumikhin—. ¿Cómo no iba a conocerlo? Por lo demás, me doy cuenta de que también usted es un hombre que sabe hablar cuando llega el momento. ¡Vamos! Siempre resulta agradable escuchar cosas bien dichas.

—El señor Atanasio Ivanovich Vakruchin, por cuyo intermedio su mamá ya le envió dinero en otra oportunidad, no ha vacilado en indicar a Semione Semionovich que le entregue la cantidad de treinta y cinco rublos, como acabo de expresarle. Esperemos que más adelante la suma sea mayor.

—A fe mía que ese "esperemos" es lo que salió mejor… Veamos… En su opinión, ¿tiene este joven pleno uso de sus facultades? ¿Sí o no?

—Todo induce a creerlo… Con tal que esté en condiciones de firmar…

—¡Ya lo creo que podrá firmar! ¿Tiene usted el recibo?

—Aquí está el talonario…

—Deme… Vamos, Rodia, levántate un poco…, voy a ayudarte: escribe "Raskolnikov" con buena letra… Toma la pluma, amigo mío. El dinero nos es más que necesario.

—No lo necesito —pronunció débilmente Raskolnikov rechazando la pluma.

—¿Qué cosa no necesitas?

—No firmaré recibo alguno.

—¡Pero es necesario que firmes éste!

—No tengo necesidad de dinero.

—¡No tienes necesidad de dinero! ¡Vamos,

amigo mío, no mientas! Le ruego que no se impaciente, señor; ya se le pasará... Todavía está un poco alterado. Eso le ocurre aun cuando recobra el conocimiento... Usted es un hombre sensato... Lo ayudaremos, le guiaremos la mano y firmará. Vamos, póngase de ese lado...

—No vale la pena..., puedo volver en otro momento...

—¡De ningún modo! ¿Por qué va a molestarse? Usted es una persona razonable. Vamos, Rodia, no detengas más a este señor..., ya ves que te está esperando.

Con gesto decidido comenzó a guiar la mano del joven.

—¡Déjame! Puedo hacerlo solo —pronunció con vehemencia Raskolnikov, y tomando la pluma y el libro de recibos garrapateó nerviosamente su nombre. El empleado entregole el dinero y, despidiéndose después con amables frases, abandonó la habitación.

—¡Bravo! Ahora, amigo mío, ¿quieres comer alguna cosa?

—Sí —respondió Raskolnikov.

—¿No queda un poco de sopa?

—Tenemos un poco de ayer —dijo Anastasia, silencioso testigo de la escena anterior.

—¿Sopa de arroz con papas?

—Sí, de arroz con papas.

—Ya me parecía. Trae la sopa y sírvenos un poco de té.

—Voy corriendo.

Raskolnikov miraba con aspecto extraño y al parecer nervioso. Había resuelto callar y ver qué ocurría. "Me parece que ya no deliro —pensaba—. Esto tiene todas las apariencias de la realidad."

Al cabo de dos minutos Anastasia volvió con la sopa, diciendo que luego traería el té. Con la sopa trajo cucharas, platos, sal, aceite, mostaza y lo que hacía tiempo no se veía en esa habitación: un mantel limpio.

—Anastasia —dijo Razumikhin—, creo que Praskovia Pavlovna no haría mal en mandarnos dos botellas de cerveza. Las beberíamos con sumo agrado.

—¡Caramba, cómo te cuidas! —refunfuñó la sirvienta, saliendo para cumplir la orden.

Raskolnikov continuaba mirando a su alrededor con aire extraviado. Razumikhin se sentó a su lado en el diván. Con delicadeza de oso amaestrado levantó con el brazo izquierdo la cabeza del enfermo, que, sin embargo, no tenía necesidad de ayuda, mientras con la mano derecha llevaba a sus labios una cucharada de sopa, después de soplarla varias veces para que no quemara, aunque apenas estaba tibia. Con verdadera avidez Raskolnikov sorbió una cucharada, luego otra, pero de pronto Razumikhin se detuvo inopinadamente y declaró con solemnidad que antes de darle más alimento era preciso consultar al médico.

Anastasia entró trayendo las botellas de cerveza.

—¿Quieres un poco de té?

—Sí.

—Corre a buscar el té, Anastasia; creo que en lo que concierne al mismo, podemos prescindir de la opinión del facultativo. ¡Pero aquí está la cerveza!

Razumikhin se sentó en una silla y se acercó el plato de sopa, comenzando a devorar los trozos de carne cocida que la misma contenía como si hiciera tres días que no probara bocado.

—Pues sí, amigo, es así; ahora como todos los días en esta casa —dijo con dificultad, hablando con la boca llena—. Va por cuenta de Pachenka, la patrona; tiene toda clase de atenciones para conmigo. Como es natural, yo no tengo el menor inconveniente y estoy lejos de protestar. Aquí está Anastasia con el té; es una muchacha despierta... Anastasia, ¿quieres un vaso de cerveza?

—¡No se burle de mí!

—¿O un poco de té?

—Eso sí.

—Bueno, sírvete. No, espera; voy a servirte yo. Siéntate a la mesa.

Como un perfecto anfitrión, llenó dos tazas, y abandonando por un momento su comida fue a sentarse en el diván, pasando como antes su brazo izquierdo bajo la cabeza de Raskolnikov para darle el té por cucharadas con paternal solicitud; soplaba cada cucharada como si la salvación del enfermo dependiese de esa especie de rito singular. Raskolnikov no oponía la menor resistencia, aun cuando notara que se encontraba en plena posesión de sus medios, por lo menos para sostener una cuchara o una taza, y quizás hasta para caminar.

Pero por una especie de astucia, de instinto casi animal, se le había ocurrido que era preferible ocultarlo por el momento, fingir, simular, llegado el caso, una incomprensión total. Mientras tanto escucharía y observaría lo que ocurriera a su alrededor.

Por lo demás, no lograba vencer cierta repugnancia; después de haber ingerido unas cuantas cucharadas de té, apartó la cabeza y rechazó la cuchara, dejándose caer en la almohada. Su cabeza reposaba, en efecto, en una verdadera almohada de plumas, cubierta por una funda limpia, detalle que no dejó de intrigarle.

—Es necesario que Pachenka nos envíe hoy mismo dulce de frambuesa para hacer una bebida para nuestro enfermo —dijo Razumikhin volviendo a sentarse en su sitio y atacando de nuevo la sopa y la cerveza.

—¿De dónde quieres que saque frambuesa? —replicó Anastasia, que había derramado el té en el platillo para que se enfriara y lo sorbía con verdadero placer.

—Las frambuesas, querida Anastasia, las comprará tu patrona en el almacén. ¿Sabes, Rodia? Ha ocurrido toda una historia de la que no pudiste darte cuenta. Cuando escapaste de mi casa como un loco, sin decirme dónde vivías, sentí una ira tan enorme que decidí buscarte para darte tu merecido. Ese mismo día me puse en campaña. ¡Lo que habré corrido y preguntado! Había olvidado tu dirección, y, por otra parte, nunca he podido saber si alguna vez la tuve. Recordaba que tu antiguo domicilio era en el barrio de Cinco Esquinas, en el edificio Kharlamov. Demoré bastante para encontrar ese condenado edificio, que tampoco es del señor Kharlamov, sino del señor Bukh. ¡Cómo se equivoca uno con los nombres propios! Estaba verdaderamente indignado. Al día siguiente fui a la Oficina de Direcciones, y figúrate que en menos de dos minutos me dieron tu domicilio. Estás inscrito allí.

—¿Que yo estoy inscrito?

—¡Ya lo creo! Y, sin embargo, no pudieron dar la dirección del general Kobeliev a una persona que preguntaba por él delante de mí. Pero estos detalles no vienen al caso. Apenas llegué aquí, me enteré de todos los pormenores de tu existencia; sí, de todos, amigo mío; lo sé todo. Anastasia puede atestiguarlo. Conocí también a Nicomedes Fomich, me mostraron a Ilia Petrovich, entré en relación con el secretario, señor Alejandro Grigorievich Zamiotov, y por último con Pachenka, lo que ha constituido la coronación de todo... Anastasia no lo ignora.

—Has sabido domesticarla —murmuró Anastasia con irónica risita.

—¿Qué te parece si la encerráramos en una jaula, entonces, Anastasia Nikiforovna?

—¡Qué bestia eres! —exclamó la sirvienta, comenzando a reír a mandíbula batiente—. Pero no olvides que me llamo Petrovna y no Nikiforovna —agregó cuando se hubo calmado la violencia de su acceso de risa.

—Tomo buena nota; bien, amigo mío, para no perdernos en inútiles divagaciones, te diré que al principio quise introducir la electricidad aquí para extirpar de una vez por todas los prejuicios y las rarezas de esta gente, pero... Pachenka me suplicó que no lo hiciera. Amigo mío, jamás hubiera creído que fuera una mujer tan tratable... ¿Eh? ¿Qué te parece?

Raskolnikov permanecía mudo, aunque en ningún momento hubiese apartado de Razumikhin su mirada cargada de angustia.

Sin mostrarse molesto por ese silencio y, como si lo considerara un asentimiento, Razumikhin añadió:

—Es una bella persona desde todo punto de vista.

—¡Qué animal! —exclamó Anastasia, que demostraba sentir inexplicable placer al oír la alegre charla del joven.

—Lo malo, querido, es que no hayas sabido tratarla en forma desde el primer momento. No debiste proceder de ese modo con ella. Es de carácter un tanto raro..., pero ya hablaremos más tarde de su carácter. Por ejemplo, ¿cómo has podido hacer para que se atreviera a dejar de enviarte la comida? ¿Y lo de ese pagaré? Debo creer que habías perdido el juicio cuando lo firmaste. ¿Y ese proyecto de matrimonio cuando todavía vivía su hija Natalia Yegorovna? Lo sé todo. Comprendo que eso debe ser efecto de un verdadero asno, perdóname. Pero, a propósito de asno, ¿qué piensas? ¿No te parece que Praskovia Pavlovna está lejos de ser tan bestia como podría suponerse a primera vista?

—Sí —balbuceó Raskolnikov mirando hacia otra parte, sin comprender que hubiera sido mejor proseguir la conversación.

—¿No es cierto? —exclamó Razumikhin, con manifiesta alegría por haber obtenido una respuesta—. Pero tampoco llega a ser inteligente, ¿eh? Te digo que es algo raro de verdad; ¡es original esa mujer! No vayas a pensar mal de mí... Tiene cuarenta y seis años, aunque no confiesa más que treinta y seis, y puedo decirlo sin temor a quedar en ridículo. Pero mis juicios son puramente intelectuales y sólo conciernen a la metafísica: lo que ocurre entre nosotros es para mí un problema de álgebra: ¡no comprendo ni jota! Bien mirado, todo esto es absurdo. En cuanto a ella, viendo que tú no ibas más a la universidad, que no tenías lecciones ni ropas decentes y que después de la muerte de su hija no podía considerarte un miembro de su familia, es probable que haya experimentado ciertas inquietudes; y como por tu parte en lugar de continuar viviendo como antes, te encerraste en tu cuarto, habrá pensado que lo mejor era ponerte en la calle. Hace tiempo que abrigaba ese propósito, pero temía no poder cobrar el pagaré que le firmaste. Además, creyó tus palabras de que tu madre pagaría todo...

—Fui lo bastante cobarde para decirle eso... Mi madre está casi en la miseria; mentí para que continuara dándome alojamiento y... comida —dijo Raskolnikov en voz alta e inteligible.

—Hiciste bien. Lo malo es que la patrona recurrió al señor Chebarov, consejero áulico y hombre de negocios. Pachenka, por sí sola, a nada se hubiera atrevido; es demasiado tímida para eso. Pero ese bandido Chebarov no tiene tantos escrúpulos, y lo primero que hizo fue preguntar si había alguna esperanza de que levantaras el referido documento. Se enteró de que tu madre tiene una pensión de ciento veinte rublos anuales y que prefería no comer con tal de ayudar a su hijo, y de que tu hermana se vendería como esclava, si fuera preciso, para sacarte de un apuro. Hizo sus proyectos sobre esta base. ¿Qué te pasa? ¿Te sientes molesto por lo que digo? Ten presente que ahora estoy al tanto de todo cuanto te concierne. No en vano te confiaste a Pachenka en el tiempo en que podías considerarte un miembro de su familia; te hablo con toda simpatía... Bien; entonces ocurrió lo siguiente: mientras que el hombre honesto y sensible se abandona a las confidencias, el hombre de negocios se sienta a la mesa y se dispone a comerse el mejor bocado. Pachenka cedió el pagaré a Chebarov, y éste no ha tenido el menor reparo en exigir su pago por vía judicial. Cuando supe todo esto, quise confesar lo que sabía para calmar mi conciencia, pero como se restableció la armonía entre Pachenka y yo, logré detener el procedimiento y me covertí en garantía a tu *favor* ¿Lo oyes, amigo mío? Me ofrecí como garante tuyo. Llamamos a Chebarov, le tiramos diez rublos a la cara y devolvió el papelucho, que tengo el honor de presentarte. Ahora debes dinero únicamente bajo palabra. Toma, aquí lo tienes; lo he roto como conviene.

Razumikhin depositó los trozos del documento sobre la mesa. Raskolnikov los miró con aire distraído, y sin pronunciar palabra se volvió hacia la pared, lo que no dejó de causar embarazo y sorpresa a su amigo.

—Ya veo que he cometido alguna nueva torpeza —declaró Razumikhin al cabo de un instante—. Creía distraerte con mi charla, pero por lo contrario, no he hecho más que revolverte la bilis.

—¿Eras tú la persona a quien no reconocía en mi delirio? —preguntó Raskolnikov después de un momento, sin darse vuelta.

—Sí, era yo. Y mi presencia te ocasionó algunas crisis, en especial cuando traje a Zamiotov...

—¿Zamiotov? ¿El secretario del comisario? ¿Por qué?

Raskolnikov giró la cabeza con brusquedad y contempló azorado a su amigo.

—¿Qué te sucede? ¿Por qué te alteras de ese modo? Deseaba conocerte ... Habíamos hablado mucho de ti. Es un buen muchacho, de los más singulares..., en su género, se entiende. Ahora somos amigos; nos vemos casi a diario. Hace poco me mudé a este barrio. En dos oportunidades fuimos juntos a casa de Luisa. ¿Te acuerdas de Luisa, Luisa Ivanovna?

—¿He dicho muchas tonterías durante mi delirio?

—¡Vaya si has dicho! No estabas en tu sano juicio.

—¿Qué decía? ¿Lo recuerdas?

—No te preocupes por eso... Puedes imaginarte las cosas que dice un hombre presa del delirio. Ahora no perdamos tiempo; manos a la obra.

Se levantó y tomó su gorra.

—¿Qué decía en mi delirio?

—¡Demonios! ¡Qué interés tienes en saberlo! ¿Temes haber revelado algún secretillo? No tengas cuidado; no has dicho palabra de la princesa de tus sueños. Has hablado mucho de un perro bulldog, de aros, de cadenas de reloj, de la isla Krestowski, de un portero... También te has referido a Nicomedes Fomich y a su ayudante Ilia Petrovich, y manifestabas desusado interés por la punta de tu zapato... No hacías más que pedir que te dieran tu zapato. El mismo Zamiotov lo buscó por todas partes, y con sus manos blancas y delicadas te dio esa porquería para calmarte.

Durante veinticuatro horas no quisiste separarte de él; no había manera de arrancártelo. Todavía debe estar en alguna parte debajo de tu gabán. Reclamabas asimismo con lágrimas en los ojos las hilachas de tu pantalón. Nos preguntábamos a qué hilachas querías referirte, pero no pudimos saberlo... ¡Bueno! ¡Ahora, al trabajo! Ahí hay treinta y cinco rublos; me llevo diez, y dentro de un par de horas te daré cuenta del uso que les he dado. Mientras tanto, veré a Zossimov, que debería haber venido hace tiempo; son más de las once. Tú, Anastasia, no me lo descuides durante mi ausencia y dale de beber o cualquier otra cosa que necesite. También voy a decirle a Pachenka lo que es necesario hacer. ¡Hasta luego!

—¡La llama Pachenka! ¡Qué descarado! —exclamó la sirvienta cuando hubo salido. Luego se dirigió a la puerta y prestó atención, pero sin poder reprimir su curiosidad, descendió a su vez precipitadamente. Ansiaba saber qué decía Razumikhin a su patrona, pues era evidente a todas luces que sentía viva admiración por el estudiante.

Apenas se cerró la puerta detrás de Anastasia, el enfermo arrojó el gabán que lo cubría y saltó del lecho como enloquecido. Había aguardado con desesperada impaciencia que los dos se retiraran para poder dedicarse a su asunto. Pero, ¿de qué asunto se trataba? Como hecho a propósito, lo había olvidado. "Dios mío, dime solamente una cosa: ¿lo saben ya o aún lo ignoran? Tal vez lo saben, pero aparentan ignorarlo para engañarme mientras guardo cama; después dejarán de fingir para decirme que estaban enterados desde un principio... ¿Qué hacer ahora? Ya no lo sé... Hace apenas un minuto lo sabía."

De pie en el centro del cuarto, miraba en torno suyo presa de dolorosa perplejidad. Fue hacia la puerta y la abrió para escuchar, pero no era eso. De improviso, como si recuperara la memoria, lanzose hacia el rincón donde el papel estaba despegado y examinó el agujero con el mayor detenimiento, introduciendo la mano y palpando en todas direcciones, pero tampoco era eso. Fue a la estufa, la abrió y revolvió las cenizas; las hilachas de los bajos del pantalón y las trizas del bolsillo estaban en la misma forma en que las había dejado; por consiguiente, nadie anduvo inspeccionando allí. Entonces recordó el zapato de que había hablado Razumikhin. Como el estudiante supuso, estaba en el lecho, debajo del gabán, pero desde el día del crimen se había rozado y ensuciado tanto que era muy difícil que Zamiotov notara en él nada sospechoso.

"¡Hum! ¡Zamiotov!... La comisaría... ¿Por qué me citan allí? ¿Dónde está la citación? ¡Bah! Me confundo... Fue el otro día que me citaron. Entonces también examiné la punta del zapato y después caí enfermo... ¿Por qué habrá venido Zamiotov?"

Su creciente debilidad lo obligó a sentarse de nuevo en el diván.

"¿Qué me ocurre? ¿Es el delirio que vuelve o

ya se me ha pasado por completo? Parece que ahora estoy en plena posesión de mis facultades. ¡Ah, ya recuerdo! ¡Tengo que huir! ¡Huir lo más pronto posible! ¡Huir, huir a toda costa! ¿Pero a dónde? ¿Y mis vestidos? Tampoco encuentro los zapatos... ¡Se los han llevado! ¡Los han escondido! Ya comprendo... ¡Ah!, aquí está mi gabán... Deben haberlo olvidado... y hay dinero sobre la mesa, ¡gracias a Dios! El documento también... Tomo el dinero y me voy; alquilaré otra habitación, no podrán dar conmigo... Sí, pero, ¿y la Oficina de Direcciones? Me descubrirán, Razumikhin me descubrirá... Más vale huir muy lejos, a América... Desde allí podré burlarme de ellos... ¿Qué tengo que llevar? Creen que estoy enfermo, que no puedo dar un paso... ¡Je, je, je! He leído en sus ojos que todo lo saben. No tengo más que bajar la escalera. ¿Y si la casa está vigilada? ¿Si tropiezo con los agentes de policía? ¿Qué es esto? ¿Té? También quedó cerveza, media botella bien fresca."

Se apoderó de la botella y se sirvió un vaso hasta el borde, vaciándolo de un trago con verdadero deleite, sintiendo que mitigaba el ardor de su pecho. Pero, apenas transcurrido un minuto, el alcohol subiósele a la cabeza y un leve estremecimiento, casi agradable, le recorrió la espalda. De nuevo se volvió a acostar, cubriéndose con la frazada. Sus ideas, ya febriles e incoherentes, comenzaron a embrollarse cada vez más y muy pronto invadiole un dulce sopor. Hundió voluptuosamente la cabeza en la limpia almohada, se envolvió en el espeso cobertor que reemplazaba a su harapiento gabán de invierno y, suspirando, quedose dormido con el sueño de los justos.

Despertó al oír que alguien entraba. Al abrir los ojos vio a Razumikhin, que se había detenido como cohibido. Razumikhin lo contempló con el aspecto de quien trata de recordar algo.

—Vaya, ¿no duermes? Aquí me tienes otra vez. ¡Anastasia, trae el paquete! —gritó Razumikhin a la sirvienta, que estaba abajo—. Voy a rendirte cuentas.

—¿Qué hora es? —inquirió Raskolnikov con gesto de alarma.

—¡Has hecho una siesta magnífica! Son cerca de las seis... Has dormido seis horas largas.

—¡Señor! ¿Cómo habré podido dormir tanto?

—¡Y bien! ¿Qué importa eso? Duerme todo lo que quieras... ¿Qué tienes que hacer de importancia? ¿Alguna cita, por casualidad? Ya tendrás tiempo de sobra. Esperé más de tres horas a que te despertaras; dos veces vine a verte y dormías como un bendito. También fui dos veces a la casa de Zossimov, pero no lo encontré. No importa, ya vendrá... Tuve que ocuparme también de algunos asuntillos personales: hoy me separé del todo de mi tío, porque sabrás que ahora tengo un tío. ¡Pero al diablo con todo esto! Vamos al grano. ¿Cómo te sientes, amigo mío?

—Estoy bien; ya me siento enteramente repuesto... Razumikhin, ¿hace tiempo que estás aquí?

—Ya te dije que estuve esperando tres horas largas a que despertaras.

—No es eso... ¿Y antes?

—¿Cómo antes?

—¿Cuánto tiempo hace que vienes aquí?

—¡Pero ya te lo he dicho! ¿No lo recuerdas?

Raskolnikov comenzó a reflexionar. Lo que acababa de pasar le parecía un sueño. Veíase imposibilitado de recordar nada por sí solo, y por lo tanto dirigió una mirada interrogativa a su amigo.

—¡Hum! Te has olvidado... Ya me parecía hoy que todavía no estabas del todo bien. Ahora el sueño te ha repuesto; tienes mejor semblante. ¡Bravo! ¡Pero a trabajar! Ya te vas a acordar. Mira esto, querido...

Se puso a desenvolver un paquete por el que parecía sentir la mayor solicitud.

—¿Ves? Esto es lo que más me interesaba; se trata de convertirte de nuevo en un hombre decente... ¡Comencemos por arriba!, ¿ves este gorro? —dijo sacando del paquete uno de buen aspecto, aunque ordinario y barato—. Permíteme que te lo pruebe.

—Ahora no, más tarde —exclamó con cierta rudeza Raskolnikov.

—No puede ser, amigo Rodia, no insistas; si no te lo pruebas ahora, esta noche no podré dormir, porque lo compré sin saber la medida. ¡Te queda a las mil maravillas! —gritó con entusiasmo después de habérselo encasquetado—. ¡Justo a la medida! El sombrero constituye la pieza capital de la indumentaria y sirve para clasificar a los individuos. Mi amigo Tolstiakov se saca la galera cada vez que se encuentra en un lugar público donde los demás permanecen con el sombrero puesto. Todo el mundo le atribuye sentimientos serviles, pero no es así; simplemente tiene vergüenza de llevar un nido de cigüeña como ése sobre la cabeza, tal es su orgullo. Mira, Anastasia, contempla estos dos sombreros, el Palmerston aquí presente —fue a buscar en un rincón el viejo sombrero de Raskolnikov, al que bautizaba sin saber por qué con el nombre de *Palmerston*— y esta obra maestra de sombrerería. Adivina cuánto he pagado, Rodia... Adivina tú, Anastasia... —dijo volviéndose hacia la sirvienta al no obtener contestación de Raskolnikov.

—Veinte kopeks, por lo menos —repuso la sirvienta.

—¿Veinte kopeks? ¿Estás loca? —gritó indignado—. En los tiempos que corremos, por veinte kopeks ni siquiera sería posible comprarte a ti. Pagué ochenta kopeks, y eso porque es de segunda mano. Me lo vendieron, además, con una condición: el año que viene, una vez que lo hayas usado, pasas por allí y te lo cambiarán por otro, completamente gratis. ¡Palabra de honor! Ahora vamos a efectuar una excursión por los Países Bajos, como decíamos en el colegio. Antes de nada, te prevengo que estoy orgulloso de este pantalón —y extendió frente a Raskolnikov un pantalón gris de tela liviana—. Ni un agujero, ni una mancha, completamente digno de ser usado aunque lo haya usado otro antes... Y es del mismo color que el chaleco, como lo exige la moda. Las prendas ya usadas son mejores que las nuevas: más flexibles, más amoldadas... Para hacer carrera en este mundo es preciso vivir de acuerdo con la estación, siempre que no se trate de exigir espárragos en verano, aún te quedará algún dinero en el bolsillo; he seguido este procedimiento para efectuar mis compras. Estamos en verano, he comprado artículos de verano. En otoño te hará falta una tela más abrigada, de modo que podrás abandonar esta ropa, que ya habrás reducido a lamentable condición por tu negligencia... Veamos, ¿a que no adivinas cuánto he pagado por todo esto? ¡Dos rublos y veinticinco kopeks! Y en las mismas condiciones que el gorro; una vez usado, tienes derecho a cambiarlo el año que viene por otras ropas. Ése es el sistema que se sigue en la tienda de Fediaiev: se paga una vez por todas, porque jamás vuelve uno a poner los pies en ella. Pasemos a los zapatos. ¿Cómo los encuentras? Se ve a simple vista que han sido usados, pero tirarán satisfactoriamente un par de meses, por lo menos; se trata de confección extranjera; un secretario de la Embajada de Inglaterra los vendió hace unos días; apenas si se los puso una semana, pero necesitaba algún dinero con urgencia. Precio: un rublo cincuenta kopeks. ¿Son o no son baratos?

—Tal vez no sean de su número —observó Anastasia.

—¿Cómo no van a ser de su número? ¿Y esto qué es?

Razumikhin extrajo del amplio bolsillo de su abrigo un zapato viejo agujerado y descosido: el zapato derecho de Raskolnikov.

—Como podéis apreciar, adopté mis precauciones; tomaron la medida exacta con esta inmundicia. Todo ha sido efectuado concienzudamente. Respecto a la ropa blanca, me entendí con tu patrona: aquí tienes tres camisas de hilo, con plastrones a la moda... Veamos ahora cuánto resulta todo: gorro, ochenta kopeks; traje, dos rublos veinticinco, lo que da un total de tres rublos con cinco kopeks; un rublo y medio por los zapatos, porque se hallan en buen estado, cuatro rublos cincuenta y cinco kopeks; la ropa blanca, adquirida al mayoreo por cinco rublos, total: nueve rublos con cincuenta y cinco kopeks. Aquí están los cuarenta y cinco kopeks que restan; de esta manera, Rodia, ya tienes todo lo necesario para vestirte como un caballero, porque tu gabán no sólo puede servir todavía, sino que hasta te confiere un cierto aire de distinción: ¡resultado de vestirse en lo de Charmer! Los calcetines y demás quedan por tu cuenta; aún nos quedan veinticinco rublos, y no tienes que inquietarte por Pachenka ni por el pago del alquiler: ya te lo he dicho, tienes crédito ilimitado. Y ahora, querido, si me lo permites, vamos a cambiarte la camisa;

no sería extraño que toda tu enfermedad estuviese alojada en ella...

—¡Déjame en paz! ¡No quiero! —exclamó haciendo un gesto de disgusto Raskolnikov, que había escuchado con frialdad y desdén la charla de su amigo para explicarle con fingida ironía la adquisición de la nueva indumentaria.

—¡Eso no es posible, Rodia! ¡Que no resulte que me he gastado los zapatos en balde! —insistió Razumikhin—. Vamos, Anastasia, no te hagas la melindrosa, ayúdame... ¡Así! Ya está...

Y a pesar de la resistencia de Raskolnikov, procedió a cambiarle la camisa. El enfermo, visiblemente contrariado, dejose caer de nuevo en el diván y durante dos minutos guardó silencio.

“¡Cómo tardan en irse!”, pensaba.

—¿Con qué dinero has comprado todo eso? —preguntó con la mirada fija en la pared.

—¿Con qué dinero? ¡Vaya una pregunta! Pues con el tuyo. ¿No recuerdas al empleado que vino a traerlo de parte de tu mamá?

—Sí, ahora recuerdo... —articuló Raskolnikov después de largas y penosas reflexiones.

Razumikhin lo contempló con el ceño fruncido, experimentando alguna inquietud.

En ese momento se abrió la puerta, apareciendo un hombre de elevada estatura, grueso y bien proporcionado, que parecía conocer a Raskolnikov.

—¡Zossimov! ¡Por fin llegas! —exclamó Razumikhin con verdadera alegría.

4

Zossimov era un muchachón alto y corpulento, de rostro casi redondo, descolorido, cuidadosamente afeitado. Sus cabellos, de un rubio casi blanco, estaban cortados en forma de cepillo. Usaba anteojos, y en uno de los dedos lucía una gruesa sortija de oro. Su edad era en apariencia de unos veintisiete años. Vestía un amplio gabán de verano de tela liviana y corte elegante, y un pantalón claro cuidadosamente planchado. Su camisa de inmaculada blancura, su chaleco cruzado por una cadena de reloj también de oro y todos los demás detalles de su tocado indicaban el cuidado que prestaba a su apariencia. Sus movimientos eran lentos, casi flemáticos, a pesar de los esfuerzos que realizaba para demostrar desenvoltura, y a cada instante adivinábase en él la vanidad, no obstante el cuidado con que trataba de disimularla.

A cuantos le conocían parecíales insoportable, sin dejar por ello de conceder que en su profesión era una verdadera autoridad.

—Estimado amigo, estuve dos veces en tu casa... Nuestro paciente ha recobrado el sentido, como puedes ver —exclamó Razumikhin con entusiasmo.

—Ya veo, ya veo. Y bien, ¿cómo nos sentimos ahora, eh? —preguntó el médico a Raskolnikov, mientras se sentaba a sus pies en el diván, cuidando de no arrugarse la ropa.

—Sigue un poco alterado y nervioso —contestó Razumikhin—; no hace mucho, cuando le cambiamos la ropa interior, estuvo a punto de echarse a llorar.

—Se comprende; hubieran dejado eso para más adelante si no quería... El pulso se ha normalizado... Todavía le duele un poco la cabeza, ¿no?

—¡Me siento bien, completamente bien! —dijo Raskolnikov con irritación.

Habíase incorporado por un momento con los ojos relampagueantes de ira, pero volvió a caer sobre la almohada, dándose vuelta hacia la pared. Zossimov lo observaba con atención.

—Muy bien, tanto mejor —declaró con calma—. ¿Ha comido algo?

Le manifestaron que el paciente había comido, y luego le preguntaron qué era lo que podía dársele.

—Pueden darle de todo... Sopa, té... Claro está que todavía no conviene que coma hongos, pepinos ni carne... Aunque no está de más que yo lo diga —y al expresar esto cambió una mirada con Razumikhin—. Nada de medicamentos, ya no son necesarios... Hoy hubiera podido...

—Mañana por la noche lo llevaré a dar una vuelta —interrumpió Razumikhin—. Iremos al parque Yusupov y después al *Palacio de Cristal*.

—Por mi parte, mañana lo dejaré tranquilo... Una salidita y luego veremos...

—¡Qué lástima! Justamente hoy inauguro mi nuevo domicilio, a dos pasos de aquí. ¡Si pudiera ser de los nuestros, aunque fuese acostado en un diván! ¿Cuento contigo, no es cierto? —preguntó Razumikhin dirigiéndose al médico—. No vayas a olvidarte, mira que me lo prometiste.

—Bueno, pero llegaré un poco tarde. ¿Con qué nos agasajarás?

—No dispongo de mucho: té, aguardiente, arenques y un pastel. Es una fiestecilla íntima.

—¿Quiénes serán los otros invitados?

—Algunos compañeros y gente que acabo de conocer, y un tío mío anciano, al que he tratado poco. Se encuentra desde ayer en San Petersburgo por asuntos de negocios; nos vemos una vez cada cinco años.

—¿A qué se dedica?

—Ha vegetado toda su vida en un distrito apartado como encargado de correos... Ahora tiene una pequeña pensión; pasa de los sesenta y cinco años... No vale la pena ocuparse de él, aunque en verdad lo aprecio mucho. También estará Porfirio Petrovich, juez de instrucción del barrio, jurisconsulto al que, por otra parte, ya conoces.

—¿Es también pariente tuyo?

—Sí, pero muy lejano... ¿Pero por qué pones esa cara? Que hayas tenido hace tiempo una cuestión con él no es motivo para que ahora dejes de venir.

—Me importa un bledo él...

—Tanto mejor, entonces; los demás serán estudiantes, un profesor, un funcionario, un músico, un oficial, Zamiotov...

—Permíteme, si no tienes inconveniente: ¿qué puede haber de común entre tú o entre éste —con un movimiento de cabeza indicó a Raskolnikov— y un Zamiotov cualquiera?

—¡Vamos, no seas aguafiestas! Todo por cuestión de principios. Reposas sobre estos últimos como sobre resortes; de este modo nadie podría proporcionarme el menor placer. Por lo que a mí respecta, me basta que se trate de un buen tipo; ése es mi principio y no pregunto más. Y Zamiotov es un excelente individuo.

—Sí, vive del presupuesto.

—¿Y qué hay con eso? ¿Qué puede importarnos a nosotros? ¿Acaso se ha alabado en tu presencia de vivir del presupuesto? ¡Te digo que en su género es un excelente individuo! Si tuviéramos que ver lo que vale cada uno, me pregunto cuánta gente decente quedaría. Estoy convencido de que no darían una cebolla frita por mí, aun agregándome tu persona como obsequio.

—Una cebolla es poco... Yo daría dos.

—¡Pues yo sólo una! Zamiotov es un muchacho al que todavía tendré ocasión de tirarle de los cabellos; hay que domesticarlo un poco, pero llegar hasta rechazarlo... No se corrige a nadie con brusquedades, menos todavía a un muchacho. Es preciso ser doblemente astuto con él. Vosotros, progresistas necios e infatuados, no comprendéis nada de nada; al no respetar la naturaleza humana, os perjudicáis vosotros mismos... Y bien, ya que quieres saberlo, tenemos un asunto que tratar.

—Me agradaría saber qué asunto es ése.

—Se trata siempre del pintor, de ese pintor de brocha gorda... Entre los dos veremos de sacarlo del enredo, aunque por otra parte no corre peligro alguno. El asunto está casi aclarado, pero mataremos dos pájaros de un tiro.

—¿Quién es ese pintor de brocha gorda?

—¿Cómo? ¿No te lo había contado? ¿No? Es verdad que sólo te conté el comienzo... Ya conoces la historia de la vieja prestamista, la viuda del funcionario que fue asesinada... Este pintor está implicado en el asunto.

—Oí hablar de ese crimen. Es un asunto que no deja de interesarme hasta cierto punto...; leí las crónicas de los diarios...

—Mataron también a Isabel —dijo Anastasia con voz temblorosa dirigiéndose a Raskolnikov. Durante todo ese tiempo había permanecido apoyada contra la puerta, siguiendo la conversación.

—¿Isabel? —balbuceó Raskolnikov con voz ahogada.

—Sí, la revendedora de ropa, ¿te acuerdas? Venía a esta casa; una vez hasta te arregló una camisa.

Raskolnikov se volvió hacia la pared y su mirada se posó en una florecilla blanca del papel, burdamente dibujada, cribada de puntos castaños, abstrayéndose en su contemplación y tratando de contar el número de sus pétalos y el de los dientes de cada hoja. Sus miembros se entumecían hasta el punto de no sentirlos casi, pero no trataba de moverse, manteniendo la vista obstinadamente fija en la florecilla.

—Y bien, ¿qué ocurre con ese pintor? —dijo Zossimov interrumpiendo con visible descontento a Anastasia, que, lanzando un suspiro, guardó silencio.

—También él está implicado en el asesinato —continuó Razumikhin.

—¿Existen pruebas contra él?

—Pruebas, en realidad, no las hay, pero algunos indicios hicieron recaer sospechas sobre el individuo, como cuando se trató de los otros dos, Koch y Pestriakov, que fueron detenidos al principio. Todo ha sido llevado con torpeza tan inaudita que hasta da vergüenza, aunque se trate de otros. Es probable que Pestriakov venga también a mi casa... A propósito, Rodia: tú conoces este asunto; ocurrió antes de que cayeras enfermo, justamente la víspera del día en que te desmayaste en la comisaría mientras lo comentaban en tu presencia.

Zossimov miró con curiosidad a Raskolnikov, pero éste no pestañeó.

—¿Sabes, Razumikhin, que tienes la manía de meterte en todo? —insistió el médico después de una pausa.

—¡Poco importa! ¡Ya lo sacaremos de ese berenjenal! —gritó Razumikhin entusiasmado, asestando un violento puñetazo sobre la mesa—. En todo eso, ¿qué es lo que más choca? No tanto que se equivoquen; es humano equivocarse, puesto que por los errores se llega a la verdad. Lo que en realidad subleva es que a pesar de equivocarse, continúan por el mismo falso camino, sin dar su brazo a torcer. Estimo a Porfirio, pero..., por ejemplo: ¿qué los ha desorientado desde el primer momento? La puerta estaba cerrada; cuando Koch y Pestriakov llegaron con el portero, ¡estaba abierta! En consecuencia, según la justicia, Koch y Pestriakov han cometido el asesinato. ¡Ésa es su lógica!

—Vamos, no te exaltes; se han contentado con detenerlos..., no podían hacer otra cosa. A propósito, tuve oportunidad de conversar con ese Koch; era el que compraba a la vieja los objetos no rescatados a tiempo.

—Sí, es un bribón. También le compraba pagarés... Es un pillo de siete suelas. ¡Que el diablo cargue con él! No estoy incomodado por lo referente a su persona... Pero en cuanto a los otros, esos señores de la justicia..., su rutina atrabiliaria, ignorante, estúpida, me revuelve la bilis. Sin embargo, solamente en este asunto podría hallarse la posibilidad de explorar un nuevo camino; las nociones psicológicas pueden demostrar cómo debe hacerse para dar con la verdadera pista. "¡Tenemos hechos!", nos dicen; pero los hechos no constituyen todo; la mitad del asunto, por lo menos, consiste en la forma de interpretarlos.

—¿Y tú estás en condiciones de hacerlo?

—¡Por supuesto! Escucha: a los dos días de cometido el asesinato, por la mañana, cuando la policía estaba todavía ocupada con Koch y Pestriakov, aunque éstos hubieran dado a conocer detalladamente cada uno de sus pasos, surgió un incidente imprevisto. Un cierto Duchkin, campesino que posee una taberna frente a la casa del crimen, se presentó en la comisaría para hacer entrega de un estuche que contenía unos aros de oro y contar de paso una historia deshilvanada: "Anteayer por la noche, después de las ocho, el obrero pintor Nicolás, que frecuenta mi establecimiento, me trajo este estuche con estos pendientes y me pidió que le facilitara dos rublos, dejando eso en garantía. Al preguntarle la procedencia, me contestó que lo había encontrado en la calle. Sin hacerle más preguntas, le di un rublo, pensando que, si no lo hacía yo, lo haría otro, y que era mejor que el objeto estuviese en mis manos; de ese modo estaba seguro, y si lo reclamaban como producto de un robo, lo entregaría a la policía". Bien entendido —siguió Razumikhin—, todo eso son historias; ese Duchkin miente como un sacamuelas. Lo conozco bien; es un encubridor, y si aceptó de ese Nicolás un objeto que bien vale treinta rublos, no era para "entregarlo". Sencillamente, tuvo miedo. ¡Pero al diablo con

Duchkin! Prosigamos con su relato: "Conozco desde hace mucho tiempo a Nicolás Dementiev, desde su infancia. Somos de la misma provincia, Riazan, distrito de Zaraisk. Nicolás, sin llegar a ser un ebrio consuetudinario, bebe bastante, y sé que se dedica a trabajos de pintura con Dimitri, otro muchacho de la misma provincia. Después de recibir el rublo, cambió de aspecto, tomó un par de copas y se fue. Entonces no vi a Dimitri con él. Al día siguiente oímos hablar del asesinato de la vieja Aliona Ivanovna y de su hermana Isabel, ambas conocidas en casa. Eso me hizo entrar en sospechas acerca de los pendientes, porque estábamos enterados de que la muerta prestaba dinero sobre alhajas. Fui a la casa de la vieja, donde sabía que trabajaba Nicolás, y con prudencia traté de averiguar algo. Al preguntar a Dimitri por Nicolás, éste me dijo que había regresado al amanecer, borracho perdido, y después de quedarse diez minutos en la casa salió de nuevo; que luego no lo vio más, tratando desde entonces de terminar él solo aquel trabajo. El departamento que están pintando se encuentra en el primer piso y da a la escalera que conduce a las habitaciones de las dos mujeres asesinadas. Cuando supe todo esto, no dije nada a nadie y volví a mi casa, siempre con las mismas sospechas. Ahora bien, esta mañana a las ocho —es decir, a los dos días del crimen, ¿comprendes?— vi entrar a Nicolás, no del todo en ayunas, pero tampoco del todo ebrio, y en estado de sostener una conversación. Se sentó en un banco sin decir palabra. En ese momento no había en la taberna, aparte de él, más que un desconocido y otro cliente que dormía tirado en un banco, sin contar a los mozos. '¿No has visto a Dimitri?', pregunté a Nicolás. 'No —respondió—, no lo he visto.' '¿Y no has venido por aquí?' 'No, desde anteayer.' 'Pero anoche, ¿dónde dormiste?' 'En Las Arenas, con los Kolomna.' '¿Y de dónde sacaste los pendientes que me trajiste el otro día?' 'Los encontré en la calle', dijo con aire raro y sin mirarme. '¿No has oído decir que ese mismo día, a la misma hora, pasó algo en el cuarto piso de la misma escalera?' 'No, no oí decir nada...' A medida que yo le iba contando el asunto abría los ojos desmesuradamente, poniéndose cada vez más pálido; de pronto tomó el sombrero y quiso retirarse. Traté de retenerlo: 'Espera, Nicolás, ¿no quieres beber otra copa?' Al mismo tiempo hice señas a uno de los muchachos para que guardara la puerta; yo no abandoné el mostrador. Sin embargo, el otro, como si temiera algo, partió a la carrera, separando de un empellón al muchacho, y ganó la calle. Cuando salimos, ya había desaparecido. Entonces no dudé de que era el autor del crimen."

—Evidentemente —murmuró Zossimov.

—¡Espera! Oye el final. Enseguida fue movilizada toda la policía para dar con el paradero de Nicolás. Detuvieron a Duchkin, allanaron su domicilio; lo mismo hicieron con Dimitri, y hasta los Kolomna corrieron igual suerte; pero sólo anteayer pudieron dar con Nicolás y detenerlo en una posada próxima al puente de... Parece que llegó allí, pidió que le dieran una botella de aguardiente a cambio de una cruz de plata que llevaba colgada del cuello, y una vez obtenida la botella se retiró. Algunos minutos más tarde, una campesina fue al establo a ordeñar y vio por una rendija que Nicolás se disponía a ahorcarse en el corral vecino; había atado un extremo de su cinturón a un travesaño, dejando en el otro extremo un nudo corredizo, y estaba subido a un balde dando vuelta, tratando de colocarse el nudo alrededor del cuello. La mujer empezó a dar gritos en demanda de auxilio, por lo que acudieron varias personas que le impidieron que se suicidara. El pobre confesó entre sollozos quién era y pidió que lo llevaran a la policía para prestar amplia declaración. De allí fue conducido a la comisaría correspondiente, es decir, a la de este barrio; ahí lo interrogaron acerca de su edad, profesión... "¿Cuántos años tienes?" "Veintidós". "Mientras trabajabas con Dimitri, ¿no viste a nadie en la escalera entre tal y tal hora?" "Pudo pasar mucha gente, pero nosotros estábamos ocupados en nuestro trabajo y no recuerdo a nadie." "¿No oíste algo, un ruido cualquiera?" "No oí nada de particular." "¿Sabes, Nicolás, que ese día, entre las horas mencionadas, asesinaron y robaron a tal viuda con su hermana?" "No supe nada de eso; no tenía la menor idea. Me enteré por Anastasio

Pavlich, en la taberna." "¿Y dónde has encontrado los pendientes?" "Los encontré en la acera..." "¿Por qué al día siguiente de haberlos encontrado no fuiste a trabajar con Dimitri?" "Porque estuve bebiendo fuerte esa noche." "Pero, ¿dónde estuviste bebiendo?" "En tal y tal sitio." "¿Por qué escapaste de lo de Duchkin?" "Porque tenía miedo." "¿De qué tenías miedo?" "De ser detenido." "¿Cómo podías temer eso si dices que no eres culpable de nada?... Podrás creerlo o no, Zossimov, pero esta pregunta le fue formulada literalmente en estos términos, lo sé de manera positiva, me la han repetido al pie de la letra. ¿Qué te parece?

—Pero no es tan... Las pruebas existen.

—No hablo de pruebas por el momento, sino de la pregunta, de la forma en que los funcionarios de la policía interpretan sus obligaciones. ¡Pero al diablo con esto! En resumen, lo abrumaron tanto a preguntas que terminó por confesar. No había encontrado el estuche de los pendientes en la acera, sino en el departamento en que trabajaban. "¿En qué forma lo encontraste?" Dimitri y yo estuvimos trabajando todo el día; eran las ocho de la noche y nos retirábamos ya, cuando Dimitri tomó una brocha y me embadurna la cara con pintura. Me lancé en su persecución, corriendo detrás de él y gritando como un salvaje, pero al final de la escalera, cerca del patio, tropecé con el portero, que estaba allí con otras personas, no recuerdo cuántas. El portero comenzó a insultarme en voz alta, a cuyos gritos acudió el otro portero, el cual también empezó a injuriarme; la mujer del portero salió de la garita y nos insultó a todos, y un señor que entraba por la puerta cochera acompañado por una dama la emprendió a puntapiés con Dimitri y conmigo, que habíamos rodado por el suelo peleándonos, y le impedíamos el paso; yo tenía agarrado del pelo a Dimitri con una mano, mientras con la otra le pegaba; también él me pegaba, pero todo era en broma, para reírnos un poco... Después Dimitri consiguió levantarse y salió corriendo a la calle; yo corrí detrás de él, pero al no poder darle alcance regresé solo al departamento para arreglar mis cosas. Mientras tanto, esperaba que volviera Dimitri. En el vestíbulo, cerca del ángulo de la puerta, pisé algo duro; lo levanté y vi que era un estuchito que contenía unos pendientes..."

—¿Detrás de la puerta? ¿Estaba detrás de la puerta? —exclamó de repente Raskolnikov mirando con espanto a Razumikhin, mientras con visible esfuerzo incorporábase en el diván, apoyándose en una mano.

—Sí..., ¿qué tiene de particular? ¿Qué tienes? ¿Qué te pasa?

Razumikhin se levantó de su asiento.

—Nada —respondió Raskolnikov con voz tan baja que apenas se le oyó, y dejándose caer de nuevo en el diván volvió el rostro hacia la pared.

Todos quedaron en silencio por un minuto.

—Estaba dormido, tal vez soñaba —dijo por fin

Razumikhin interrogando con la mirada a Zossimov; éste hizo un gesto negativo con la cabeza.

—Bien, prosigue. ¿Qué pasó después? —dijo el médico.

—Apenas tuvo los pendientes en su poder, abandonó la tarea y, sin esperar a Dimitri, tomó su sombrero y se fue corriendo a casa de Duchkin, y, como te he dicho, consiguió un rublo por ellos, pero le dijo que los había encontrado en la calle. Después se fue de juerga. Respecto al asesinato, se mantiene firme en sus trece: "No sé nada de nada; lo supe solamente a los dos días." "Pero, ¿por qué has permanecido oculto desde entonces?" "Tenía miedo." "¿Por qué querías ahorcarte?" "Porque me decía una cosa." "¿Qué te decías?" "Que me detendrían y me someterían a un proceso." Y ésa es toda la historia. Ahora, ¿qué conclusiones imaginas que han formulado?

—¿Qué quieres que te diga? Existen indicios; sean los que sean, son indicios. Hay además un hecho. Supongo que no pretenderás que pongan en libertad a tu pintor.

—¡Pero es que lo han inculpado de asesinato! Y su culpabilidad no presenta para ellos la más mínima duda...

—Te extravías y te exaltas inútilmente. Veamos, ¿y los pendientes? Tú mismo convendrás en que si el mismo día, a la misma hora, éstos desaparecieron del cofre de la vieja para ir a dar a las manos de Nicolás, habrán llegado a ellas por algún medio. Por lo tanto, una investigación sobre este punto no está de más.

—¿En qué forma han llegado? ¿En qué forma? —exclamó Razumikhin—. ¿Es posible que tú, médico, que tienes que conocer al hombre y que más que nadie tienes ocasión de estudiar la naturaleza humana, es posible que no adivines a través de lo que acabo de referir cuál es la naturaleza de ese Nicolás? ¿Cómo no te das cuenta de que todo cuanto declaró durante esos interrogatorios es cierto? Los pendientes cayeron por casualidad en sus manos, como afirma. Tropezó con el estuche, lo levantó del suelo.

—¡La verdad! Sin embargo, ¿no confesó él mismo que había mentido la primera vez?

—Escucha, escucha un poco: el portero, Koch, Pestriakov y el otro portero, la esposa del primer portero, el consejero de justicia Kriukov, que en ese preciso instante acababa de bajar de un coche y franqueaba el umbral del brazo de una dama, todos, es decir, ocho o diez testigos, declaran unánimemente que Nicolás había derribado a Dimitri y, puesto encima de él, dábale de puñetazos, mientras el otro le tiraba a su vez de los cabellos, devolviéndole los golpes. Ambos estaban atravesados en la puerta sin dejar pasar a nadie; los injuriaban desde todas partes, y ellos, "como dos criaturas", para servirnos de la expresión de los testigos, se revolcaban por el suelo, reían golpeándose, y después se levantaron, corriendo por la calle como verdaderos chiquillos. ¿Has oído?

Ahora, ten esto presente: en el cuarto piso los dos cadáveres estaban calientes todavía; no se habían enfriado del todo cuando los descubrieron. Si hubieran sido ellos los asesinos, o Nicolás solo, si hubieran robado, o si hubieran tomado parte en el desvalijamiento de alguna manera, esos gritos, esas carcajadas, ese proceder a todas luces pueril en la puerta cochera, ¿pueden ser compatibles con aquella hacha, aquella sangre, aquella astucia, aquella prudencia y aquel saqueo? Acababan de asesinar, todo lo más hacía cinco o diez minutos, lo que surge de los cadáveres aún calientes, y se fueron dejando la puerta abierta, sabiendo que la gente acudiría de un momento a otro; comenzaron a jugar como dos chicos, corriendo por la calle, riendo a carcajadas y llamando de este modo la atención general, según las declaraciones coincidentes de diez testigos...

—Sin duda alguna, es extraño. Hasta parece imposible, pero...

—No hay "peros", querido. Si los pendientes que ese mismo día y a la misma hora cayeron en manos de Nicolás constituyen un hecho material en su contra, hecho que, por otra parte, explican perfectamente las declaraciones del acusado, y, por lo tanto, *sujetas a comprobaciones*, es preciso también tomar en consideración los hechos justificativos, tanto más cuanto que *no hay medio de refutarlos*. ¿Cuál es tu opinión, dado el carácter de nuestra jurisprudencia? ¿Se admitirá o serán capaces de no admitir un hecho de tal naturaleza, fundado únicamente sobre una imposibilidad psicológica, sobre una simple disposición de espíritu, como un hecho indiscutible que destruye todos los hechos materiales de la acusación, cualesquiera que sean? No, no lo admitirán, aunque más no fuese que por el encuentro del estuche y el intento de suicidio, "lo que no habría ocurrido si no se hubiese sentido culpable". ¡He aquí la cuestión capital, he aquí la causa de mi exaltación! ¿Comprendes?

—Sí, veo que te exaltas. Espera, olvidé hacerte una pregunta: ¿cómo se demuestra que el estuche de los pendientes procede en realidad del cofre de la vieja?

—Eso ya está probado —respondió con cierta contrariedad Razumikhin, cuyo rostro ensombreciose—. Koch, que reconoció el objeto, indicó la persona que lo había empeñado, y esta última ha demostrado a entera satisfacción que le pertenecía.

—Tanto peor; otra pregunta: ¿nadie vio a Nicolás cuando Koch y Pestriakov subían por la escalera, y no puede demostrarse esto de alguna manera?

—Lo cierto es que nadie los vio —respondió Razumikhin con despecho—, y eso es justamente lo malo del asunto; ni Koch ni Pestriakov notaron a los obreros cuando subían a lo de la vieja, aunque su testimonio no servirá ahora de mucho. "Vimos que el departamento estaba abierto —declaran—, y que al parecer se estaban efectuando reparaciones en el interior, pero al pasar no prestamos mayor atención y no recordamos si había o no obreros en esos momentos."

—¡Hum! En consecuencia, todo cuanto puede invocarse en su favor es que se tomaron a golpes y que reían a carcajadas... Es una prueba convincente, en verdad, pero... Permíteme que te haga una pregunta a mi vez: ¿cómo te explicas tú mismo el hecho? ¿Cómo explicas el hallazgo del estuche, si en realidad lo encontró del modo que declara?

—¿Cómo lo explico? ¿Qué hay que explicar en este caso? ¡La cosa está clarísima! Por lo menos, el camino que debe seguir la instrucción del sumario está claro y bien determinado, precisamente por el mismo estuche. El verdadero asesino lo dejó caer; estaba arriba cuando Koch y Pestriakov llamaron a la puerta: había corrido el cerrojo. Koch cometió la estupidez de bajar también, y entonces el asesino abandonó el departamento, descendiendo a su vez por la escalera, puesto que no le quedaba otro medio para escapar. Al llegar al primer piso para ocultarse de Koch, Pestriakov y el portero, se introdujo en el departamento vacío, del que Dimitri y Nicolás habían salido hacía pocos instantes; estuvo detrás de la puerta mientras el portero y los dos visitantes subían al cuarto piso, esperó a que cesara el rumor de sus pasos y entonces bajó con la mayor tranquilidad cuando Dimitri y Nicolás corrían por la calle; toda la gente habíase dispersado y nadie quedaba en la puerta cochera. Quizá lo hayan visto, pero nadie lo notó, ¡pasa tanta gente! En cuanto al estuche, se le cayó del bolsillo mientras estaba detrás de la puerta, y no se dio cuenta porque en ese momento tenía su atención puesta en otras cosas. El estuche demuestra a las claras que el asesino estuvo allí; eso es todo.

—Bien imaginado, qué duda cabe. Pero, sin embargo, tu razonamiento es un tanto fantástico.

—¿Por qué?, vamos a ver.

—Pues porque todo está combinado en forma demasiado ingeniosa para ser real...; parece un argumento teatral o de novela.

Razumikhin estaba a punto de protestar con energía, cuando se abrió la puerta, apareciendo un nuevo personaje, al que ninguno de los tres jóvenes conocía.

5

Era un caballero de cierta edad, majestuoso y solemne, de fisonomía reservada y severa. Comenzó por detenerse en el vano de la puerta, paseando su vista por todas las cosas con sorpresa no disimulada y, por lo tanto, más hiriente, como si se preguntara: "¿Dónde he venido a parar?" Contemplaba con desconfianza y hasta con cierta afectación de temor la estrecha y baja buhardilla. Con el mismo estupor detuvo su mirada en Raskolnikov, que yacía en el diván con los cabellos enmarañados, a medio vestir y con señales evidentes de no haberse lavado en varios días. Luego examinó con parsimonia la figura de Razumikhin, quien por su parte le observó también con insolente curiosidad, sin moverse de su sitio. Durante un minuto reinó el silencio, y luego, como era de esperarse, hubo un pequeño cambio de decorado. Comprendiendo sin duda por la frialdad de ese recibimiento que a nada llegaría en aquel cuchitril si afectaba aire de exagerada solemnidad, el visitante se humanizó un tanto, y en tono cortés, aunque no desprovisto de altanería, dijo dirigiéndose a Zossimov:

—¿El señor Rodion Romanovich Raskolnikov, un joven que es o ha sido estudiante?

Zossimov se movió lentamente y tal vez habría contestado si Razumikhin, a quien no iba dirigida la pregunta, no se le hubiese adelantado.

—¡Ahí lo tiene, en ese diván! Pero usted, ¿qué quiere aquí?

El descaro de estas palabras confundió al caballero de maneras afectadas, que estuvo a punto de increpar a Razumikhin, pero se contuvo a tiempo y dirigió una interrogativa mirada a Zossimov.

—Este señor es Raskolnikov —murmuró el médico indicando al enfermo con un leve movimiento de cabeza—. Después comenzó a bostezar hasta desquijararse, con un bostezo interminable. Luego, con estudiada lentitud, buscó en el bolsillo de su chaleco, extrajo un enorme reloj de oro, lo abrió para ver la hora y, cerrándolo, lo volvió a guardar.

Mientras tanto, Raskolnikov permanecía acostado sin decir palabra, con los ojos obstinadamente fijos en el recién llegado, aun cuando su mirada careciera de la menor expresión. Después de haber contemplado aquella florecilla del empapelado, su rostro, extremadamente pálido, y su dolorosa expresión denotaban un sufrimiento inaudito.

Se hubiera dicho que acababa de sufrir una dolorosa operación quirúrgica, o de ser sometido a las torturas de un feroz interrogatorio. El nuevo personaje fue despertando poco a poco en él más y más atención, luego sorpresa, enseguida desconfianza y hasta una especie de temor.

Cuando Zossimov dijo "este señor es Raskolnikov", incorporose bruscamente como impulsado por un resorte, se sentó en el diván y, con acento desafiante aunque su voz fuera débil y entrecortada, articuló:

—Sí, yo soy Raskolnikov. ¿Qué desea usted?

—Me llamo Pedro Petrovich Lujin... Creo que mi nombre no le será desconocido del todo.

Raskolnikov, que esperaba otra cosa, lo miró sin contestar, con aire asombrado, como si en realidad fuera la primera vez que oyera el nombre de Pedro Petrovich.

—¿Cómo? ¿Será posible que no haya usted recibido noticia alguna de mí hasta ahora? —preguntó Pedro Petrovich un poco desconcertado.

Por toda respuesta, Raskolnikov se dejó caer lentamente sobre la almohada, cruzó las manos detrás de su cabeza y se puso a contemplar el techo. Por el rostro de Lujin pasó una expresión de tristeza. Zossimov y Razumikhin lo miraban con curiosidad todavía más viva, hasta que por fin su desconcierto fue evidente.

—Suponía y contaba con que la carta de su madre puesta en el correo hace diez días, si no quince...

—Oiga, ¿por qué se queda tan cerca de la puerta? —le interrumpió Razumikhin—. Si tiene algo que explicar, entre y siéntese. Anastasia y usted están incómodos en el umbral. ¡Anastasia, apártate, déjalo entrar! ¡Adelante! Ahí tiene una silla..., haga de cuenta que está en su casa...

Separó una silla de la mesa, dejando un pequeño espacio entre ella y sus rodillas, y esperó en esa posición un tanto incómoda que el visitante pasara por allí, lo que hizo no sin dificultad. Llegado junto a la silla, se sentó, dirigiendo una rencorosa mirada a Razumikhin.

—Por lo demás, no se ande con rodeos —exclamó este último—. Rodia está enfermo desde hace cinco días y ha delirado durante tres días, pero ahora está repuesto y hasta come con apetito. El señor es el médico que lo atiende; yo soy un ex estudiante amigo de Rodia y le sirvo de niñera; no repare en nosotros y hable sin empacho; dígale lo que tenga que decirle.

—Muchas gracias, pero mi presencia y mi conversación, ¿no molestarán al enfermo? —interrogó Pedro Petrovich dirigiéndose a Zossimov.

—No, eso puede ser que le distraiga —contestó por decir algo el médico, bostezando de nuevo.

—Hace tiempo que ha recobrado la memoria; desde esta mañana —prosiguió Razumikhin, cuya conversación amigable y bonachona dio confianza a Pedro Petrovich, quien comenzó a sentirse un tanto más cómodo, tal vez también porque aquel incorrecto desarrapado habíase presentado como estudiante.

—Vuestra señora madre… —comenzó Lujin.

—¡Hum! —profirió con reciedumbre Razumikhin. El recién llegado lo miró con aprensión—. No haga caso, lo hice sin advertirlo; continúe.

Lujin se encogió de hombros.

—Vuestra señora madre, cuando todavía me encontraba junto a ella, había comenzado una carta para usted. Al llegar aquí, dejé pasar algunos días a propósito, para tener absoluta certeza de que estuvierais informado de todo. Ahora bien, con el mayor asombro…

—Ya sé, ya sé —exclamó de pronto Raskolnikov con expresión de despecho y de impaciencia—. ¿Usted es el prometido? ¡Bien, ya lo sé! ¡Eso basta!

Pedro Petrovich pareció ofenderse, pero se

contuvo. Apenas comprendía qué significaba todo aquello. El silencio duró un minuto largo.

Mientras tanto, Raskolnikov, que se había dado vuelta para responderle, lo examinaba con fijeza y singular curiosidad, como si la primera vez no hubiera tenido tiempo de hacerlo totalmente, o como si algo le hubiese llamado la atención en su persona; hasta levantó la cabeza de la almohada para observarlo mejor. En efecto, algo había en la persona de Pedro Petrovich que chocaba, algo que parecía justificar la denominación de "prometido" que le habían aplicado antes de las recientes brusquedades. Antes que nada era evidente en demasía que Pedro Petrovich habíase apresurado a aprovechar los escasos días que debía pasar en la capital para hermosearse y recomponerse mientras esperaba a su prometida, lo que, por otra parte, era disculpable y hasta legítimo en cierto modo. Tal vez exteriorizaba demasiado su opinión personal, un poco jactanciosa, tocante a la transformación operada en su persona, lo que también podía perdonársele, dado que después de todo entraba en la categoría de novio. Su traje parecía recién salido de manos del sastre, y se le hubiera considerado perfecto de no ser tan nuevo, lo que denunciaba a las claras un propósito determinado. Su flamante sombrero de copa producía análoga impresión; tenía para él excesivos cuidados, conservándolo entre sus manos con un sinfín de precauciones. Y luego, aquel magnífico par de guantes color malva, legítimos

Jouvin, ¿no ponían de manifiesto ese propósito por el solo hecho de que no los traía puestos, contentándose con tenerlos en la mano a guisa de adorno?

En las ropas de Pedro Petrovich predominaban los tonos claros, que hacen más joven a la persona. Su saco irreprochable era de un castaño claro, y el pantalón de verano, claro también, con un chaleco del mismo matiz. En cuanto a su ropa blanca, de reciente adquisición, era muy fina; una vaporosa corbata de batista rodeaba su cuello, y, a decir verdad, todo sentaba perfectamente a la figura y a la talla del visitante. Su rostro fresco no carecía de atractivo y llevaba muy bien sus cuarenta y cinco años. Sus patillas, de color castaño, anchas en la parte inferior, se esparcían con gracia en torno de su mentón, cuidadosamente afeitado y reluciente. Sus cabellos, que apenas comenzaban a encanecer, peinados y ondulados por el peluquero, no presentaban ese aspecto ridículo y tonto que no deja de conferir al rostro ese aire de desposado alemán. Si había en aquella fisonomía, seria y no desprovista de belleza, algo desagradable y antipático, sin duda procedía de otras causas.

Después de haber examinado con descaro al señor Lujin, Raskolnikov, con una sonrisa sarcástica, dejose caer sobre la almohada y volvió a contemplar el techo.

El visitante no dio muestras de enfado, dispuesto al parecer a no prestar atención por el momento a todas aquellas rarezas.

—Lamento muy de veras hallaros en este estado —dijo por fin con esfuerzo—. Si hubiese sabido que os hallabais enfermo, habría venido antes. ¡Pero tengo tantas cosas que atender! Estoy a cargo de un importante proceso, que mis funciones de abogado me obligan a llevar ante el Senado. No me referiré a otras preocupaciones que adivinaréis. Espero a vuestra familia, es decir, a vuestra madre y a vuestra hermana de un momento a otro...

Raskolnikov hizo un gesto y quiso decir algo; su rostro expresó cierta emoción.

Pedro Petrovich se detuvo esperando alguna palabra, pero como el joven no la pronunció, siguió diciendo:

—...de un momento a otro. Les he buscado un alojamiento provisional.

—¿Dónde? —preguntó con débil voz Raskolnikov.

—Cerca de aquí, en el edificio Bakaleiev.

—En la calle de la Ascensión —interrumpió Razumikhin— hay allí dos pisos amueblados que alquila un comerciante, Iuchin; conozco la casa.

—Sí, dos pisos amueblados...

—Lo peor que puede existir, es un sitio abominable: madrigueras infectas, sucias y sospechosas por añadidura. Han pasado allí cosas inenarrables; ¡el diablo sabe la clase de gente que alberga esa pocilga! Yo mismo fui a ella por una aventura escandalosa. Pero, con todo, los alquileres no son caros que digamos.

—Como no se os escapará, no me ha sido posible recoger todas esas informaciones, puesto que he llegado hace poco —replicó Pedro Petrovich, desconcertado y ofendido—. Los dos cuartos que me mostraron eran muy limpios, y como es por poco tiempo... Ya he encontrado nuestro verdadero, quiero decir, nuestro futuro alojamiento —prosiguió dirigiéndose a Raskolnikov—; por el momento vivo en una pensión a dos pasos de aquí, en casa de una señora llamada Amelia Lippewechsel, en el departamento de un joven amigo, Andrés Semionovich Lebeziatnikov; fue él quien me indicó el edificio Bakaleiev.

—¿Lebeziatnikov? —pronunció lentamente Raskolnikov como si recordara algo.

—Sí, Andrés Semionovich Lebeziatnikov, funcionario de un ministerio. ¿Le conocéis por casualidad?

—Sí..., no... —respondió el joven.

—Dispensadme, por un momento lo creí al ver que preguntabais. En otro tiempo fui su tutor...; es un muchacho muy gentil y de ideas modernas. Gusto de frecuentar a los jóvenes; ellos nos enseñan muchas cosas.

Pedro Petrovich paseó su mirada por el auditorio como si esperase su aprobación.

—¿A qué se refiere? —preguntó Raskolnikov.

—A lo más serio, a lo más esencial, por decirlo así —prosiguió Pedro Petrovich, satisfecho de que se le interrogara—. Hace diez años que estoy ausente de San Petersburgo. Todas las novedades, reformas e ideas actuales han llegado a las provincias un tanto diluidas, pero para apreciarlas con mayor exactitud y verlo todo es preciso estar aquí. Y yo creo que se observa y se aprende más estando en contacto directo con las nuevas generaciones. Confieso que estoy más que satisfecho.

—¿De qué?

—Vuestra pregunta es harto amplia. Quizá me engañe, pero creo descubrir puntos de vista más netos, más sentido crítico, por decirlo así, una mejor comprensión en el mundo de los negocios...

—Es cierto —terció Zossimov.

—Mientes, no existe comprensión en los negocios —protestó Razumikhin—. Ese entendimiento se adquiere penosamente y no cae del cielo de cualquier manera. Hace doscientos años que hemos perdido el hábito de los negocios. Las ideas, lo admito, circulan con más frecuencia —agregó dirigiéndose a Pedro Petrovich—, y existe el deseo de hacer bien las cosas, aunque esto parezca infantil. Puede hallarse hasta honestidad, aunque el proverbio "a la ocasión la pintan calva" sirva de lema a los sinvergüenzas. Pero, no obstante, no hay entendimiento alguno en los negocios.

—No soy de vuestra opinión —replicó Pedro Petrovich con evidente placer—; sin duda hay apasionamiento, desarreglo, pero es preciso ser justos: el apasionamiento demuestra que se han tomado las cosas a pecho, y también que las circunstancias exteriores no son de ningún modo lo que deberían ser. Si se ha hecho poco, es porque todavía no ha habido tiempo. No quiero referirme a los medios. Según mi criterio personal, algo se ha logrado: se han propagado ideas nuevas útiles; se han propagado ciertas obras no menos útiles, en lugar de los románticos sueños de antaño; la literatura ha madurado, una cantidad de nefastos prejuicios han desaparecido... En pocas palabras: nos hemos separado definitivamente del pasado, y esto ya es algo.

—¡Continúa, sigue luciéndote! —profirió de repente Raskolnikov.

—¿Me hablabais? —preguntó Pedro Petrovich, que no había entendido pero no obtuvo respuesta.

—Todo lo que acaba usted de exponer es exacto —asintió Zossimov.

—¿No es cierto? —prosiguió Pedro Petrovich con una mirada llena de amabilidad al médico—. Usted mismo no dejará de reconocer —dijo luego dirigiéndose a Razumikhin con acento de triunfo— que marchamos hacia adelante, que, como se dice, hay progreso, aunque más no sea en los terrenos de la ciencia y de la verdad económica.

—¡Bah! Lugares comunes...

—No no son lugares comunes. Por ejemplo, se me ha dicho hasta el presente: "Ama a tu prójimo". Lo he hecho, ¿y cuál ha sido el resultado? —prosiguió Lujin con un apresuramiento un tanto intempestivo—. He partido mi capa en dos, y ambos hemos quedado desnudos, conforme al proverbio ruso: "Cuando se persiguen varias liebres a la vez, no se atrapa ninguna". La ciencia declara: "Ámate a ti mismo por sobre todas las cosas, pues en el mundo todo está fundado en el interés personal. Y amándote a ti mismo, tu capa seguirá entera, harás tus negocios en forma conveniente". La economía política agrega que cuantos más negocios personales se crean en la sociedad existen tantas más capas enteras; los cimientos son más sólidos y la obra común aparece organizada. En consecuencia, al adquirir bienes exclusivamente para mí, los adquiero al mismo tiempo para todos, y de ello resulta que mi prójimo recibe algo más que un pedazo de capa, no a causa de larguezas privadas e individuales, sino en razón del progreso general. La idea es simple, pero por desgracia ha tardado mucho en abrirse camino, y no se requiere demasiado ingenio para adivinar...

—Perdón, yo también carezco de ingenio —interrumpió con sequedad Razumikhin—. Por lo tanto, quedémonos en este asunto. Yo tendía a un fin al iniciar esta conversación; todo ese palabrerío que constituye una manera de pasarse la mano sobre el vientre repleto, todos esos interminables lugares comunes me han causado tanta repugnancia en estos tres últimos años que me sonrojo, no ya al hablar de ellos, sino hasta al oírlos en boca de otro. Como es natural, usted ha creído hacer bien al imponernos sus conocimientos; es disculpable y no se lo critico. Yo quería saber solamente quién es usted, porque, como no se le escapará, en estos últimos tiempos se tropieza a cada paso con una cantidad de embaucadores que han deformado hasta tal punto cuanto han tocado por interés que decididamente lo han ensuciado todo. ¡Creo que esto es bastante!

—¡Caballero! —exclamó Lujin haciendo un gesto de dignidad ofendida—. Imagino que no osaréis insinuar que yo...

—¡Por Dios! ¿Cómo creéis?... Ya es suficiente —cortó Razumikhin, y volviéndose hacia Zossimov reanudó la conversación con él.

Pedro Petrovich tuvo el buen tino de aceptar esta explicación sumaria; por lo demás, había resuelto marcharse casi enseguida.

—Espero que la relación que acabamos de iniciar —dijo dirigiéndose a Raskolnikov— se hará más estrecha todavía cuando os hayáis restablecido, dadas las circunstancias que son de vuestro dominio... Os deseo una pronta mejoría.

Raskolnikov ni siquiera volvió la cabeza; Pedro Petrovich estaba a punto de levantarse.

—¡Es seguro que la ha asesinado uno de sus clientes! —pronunció Zossimov con acento categórico.

—Estoy convencido de ello —asintió Razumikhin—. Porfirio no exterioriza sus ideas; sin embargo, interroga a todos los que habían empeñado objetos en casa de la vieja.

—¿Los interroga? —preguntó Raskolnikov con voz estridente.

—Sí..., como es natural.

—¿Cómo sabe quiénes son? —inquirió Zossimov.

—Koch ha dado los nombres de algunos; los de otros estaban escritos en los papeles que envolvían los objetos; por fin han salido de su castillo de marfil sin intervención ajena, cuando supieron...

—El bandido que ha dado el golpe debe ser un individuo avezado al crimen y de gran experiencia. ¡Qué audacia! ¡Qué decisión!

—Creo, precisamente, todo lo contrario —interrumpió Razumikhin—. Eso es lo que engaña a todos. Yo sostengo que ni es diestro ni experimentado, y que tal vez sea éste su primer delito. Si suponemos que se trata de un bribón hábil, inmediatamente se presenta toda una serie de inverosimilitudes; si, por el contrario, lo suponemos sin experiencia, resulta que sólo el azar lo ha hecho salir con bien del asunto. ¿Qué no puede el azar? Piensa un momento: ni siquiera había previsto los obstáculos. ¿Y cómo procedió? Como un verdadero novato; se llenó los bolsillos con objetos de veinte o treinta rublos, hurgó en el cofre de la vieja, entre los trapos, mientras que en la cómoda, en el cajón superior, había una caja que contenía mil quinientos rublos en metálico, sin contar los billetes de banco. No supo robar, solamente supo matar. Es un novato, te digo, ¡un novato! Perdió la cabeza... Si logró escapar, fue por suerte y no por cálculo.

—¿Habláis, sin duda, del reciente asesinato de esa vieja usurera, viuda de un funcionario? —dijo Pedro Petrovich dirigiéndose a Zossimov, deseoso de intervenir en la conversación. Ya estaba de pie, con los guantes y la galera en la mano, pero antes de partir deseaba pronunciar algunas palabras llenas de cordura para dejar una impresión favorable, y la vanidad se había impuesto al cálculo.

—En efecto, ¿ha oído hablar de este asunto?

—Sí..., los vecinos...

—¿Conoce usted los detalles del hecho?

—No puedo decir tanto, lo que más me interesa en este asunto son las sugestiones, vale decir, el problema que plantea. No me referiré al hecho de que en los últimos cinco años los crímenes vayan en progresión constante entre la clase baja; no hablaré de los robos y los incendios que se suceden sin interrupción; lo que parece más extraño es que en las esferas elevadas los crímenes aumenten del mismo modo, paralelamente, por decirlo así. Hoy es un ex estudiante que asalta un transporte postal en una carretera; mañana, gentes de ideas avanzadas que ocupan buena posición social y que falsifican billetes; en Moscú se ha detenido a toda una banda de falsarios que operaban con la emisión del último empréstito; uno de los principales acusados ocupa una cátedra de Historia Universal; uno de nuestros secretarios de embajada en el extranjero es asesinado con fines de robo, y quizá por motivos secretos... Y si esa vieja usurera ha sido ultimada por un individuo que pertenece a la clase superior, pues los hombres del pueblo no tienen, que yo sepa, objetos de oro que empeñar, ¿cómo explicar ese desenfreno que se registra en buena parte de nuestra esfera culta?

—Las perturbaciones económicas... —opinó Zossimov.

—¿Cómo explicarlo? —exclamó Razumikhin—. Precisamente se explica por la inveterada ausencia de entendimiento en los negocios.

—¿Qué queréis decir?

—¡Y bien! ¿Qué respondió en Moscú el profesor de la universidad que citó usted, cuando le preguntaron por qué se dedicaba a falsificar títulos? "Todo el mundo se enriquece de cualquier manera; yo también he querido enriquecerme pronto." No recuerdo textualmente sus palabras, pero su concepto era que quería hacer fortuna en poco tiempo, con poco gasto y sin incomodarse mayormente. Nos hemos habituado a llevar una existencia cómoda, a vivir a expensas de los demás, a procurar que el trabajo esté ya hecho. Y llegado el momento, cada cual ha demostrado lo que era capaz.

—Pero, ¿y la moral? También existen las leyes...

—¿Por qué se inquieta? —intervino de súbito

Raskolnikov—. Eso no es más que la aplicación de su teoría.

—¿Cómo de mi teoría?

—Desarrolle las consecuencias de todo cuanto ha erigido en principio hace un momento y hasta resultará que es lícito degollar a la gente.

—¡Misericordia! —exclamó Lujin.

—No, no es eso —respondió Zossimov. Raskolnikov se puso muy pálido; su labio superior temblaba, respirando con dificultad.

—En todo hay un justo término medio —prosiguió Lujin con aire altanero—. La idea económica no es una invitación al asesinato, y si se supone solamente...

—¿Es cierto —interrumpió de pronto Raskolnikov con voz temblorosa de cólera, en la que se transparentaba una especie de cruel alegría—, es cierto que usted dijo a su prometida, en el mismo instante en que le daba su consentimiento, que le alegraba sobremanera que fuese pobre..., porque es preferible casarse con una mujer que no tenga un kopek para conservar de ese modo la supremacía... y reprocharle los beneficios que obtiene?

—¡Caballero! —gritó casi Lujin extraviado por el furor y con voz entrecortada—. Caballero..., ¡desnaturalizar de ese modo mi pensamiento! Dispensadme —prosiguió—, pero debo declararos que los rumores que os han llegado, o, mejor dicho, que se os han transmitido, carecen del menor fundamento... Y yo... sospecho que... en una palabra... vuestra madre... Sin tener esto en cuenta ya me había parecido, a pesar de todas sus excelentes cualidades, un tanto exaltada y romántica en sus ideas. Sin embargo, estaba a mil leguas de sospechar que hubiera podido apreciar las cosas a través de un prisma tan fantástico..., y al fin..., al fin...

—¿Quiere que le diga una cosa? —rugió Raskolnikov incorporándose y mirándole bien de frente con ojos relampagueantes—. ¿Quiere que le diga una cosa?

—¿Qué? —Lujin esperó con aire ofendido y provocativo. Hubo unos segundos de silencio.

—¡Pues bien! ¡Si tiene la audacia de pronunciar una sola palabra más acerca de mi madre, lo tiro por la escalera, y de cabeza!

—¿Qué te pasa? —intervino Razumikhin.

—¡Ah! ¿Lo tomáis así? —dijo Lujin palideciendo y mordiéndose el labio inferior—. Escuchad, joven —comenzó después de una pausa y conteniendo visiblemente su indignación—: hace poco, al entrar, no me pasó inadvertida vuestra singular acogida, y si me quedé fue sólo con el propósito de ver hasta dónde llegaba esto. Habría podido perdonar a un enfermo o a un pariente, pero ahora... jamás... os...

—¡No estoy enfermo! —exclamó Raskolnikov.

—Tanto peor.

—¡Vaya usted al infierno!

Pero Lujin ya se había retirado sin concluir la

frase comenzada, pasando de nuevo entre la mesa y la silla. Razumikhin levantose esta vez para permitirle que saludara a Zossimov, quien había estado haciéndoles señas para que dejaran reposar al enfermo. Al franquear el umbral, Lujin levantó el sombrero con precaución a la altura del hombro, inclinándose un poco; hasta en la forma de arquear la espalda notábase que su resentimiento era muy profundo.

—¡Qué forma de proceder! —dijo Razumikhin moviendo la cabeza.

—¡Déjame en paz! ¡Déjenme todos! —gritó Raskolnikov—. ¿Van a dejarme de una vez, verdugos? ¡No tengo miedo de ustedes! ¡Quiero estar solo! ¡Solo, solo!

—Vamos —dijo Zossimov haciendo una señal con la cabeza a Razumikhin.

—Pero... en este estado...

—Vamos —insistió el médico y salió. Razumikhin, tras breve reflexión, siguiole.

—Hubiera sido peor no ceder a su capricho —declaró Zossimov, ya en la escalera—. Es preciso no irritarlo.

—¿Pero qué tiene?

—Si fuera posible que recibiera alguna impresión agradable..., eso le haría mucho bien. Hace poco había recuperado las fuerzas, pero tiene algo en la imaginación que no le deja en paz, una idea fija...

—Sí, tal vez ese mismo Pedro Petrovich. Según lo que hemos oído, parece que va a casarse con la hermana de Raskolnikov, y que se enteró de ello por una carta recibida antes de enfermarse.

—Sí... El diablo lo ha traído aquí en estos momentos, quizá lo eche todo a perder. ¿Pero no has notado que todo le es indiferente, que nada lo arranca de su mutismo, aparte de una sola cosa, ese asesinato?

—Sí, es cierto —asintió Razumikhin—. Ya me di cuenta. Se interesa, se inquieta. Debe ser porque el mismo día en que comenzó su enfermedad le impresionaron mucho los comentarios que hicieron en la comisaría, y hasta llegó a desvanecerse.

—Esta noche me contarás todo eso en detalle y luego te diré algo. Este caso me interesa mucho; volveré dentro de una hora para ver cómo sigue. Podemos estar tranquilos, no hay peligro de que se produzca alguna infección...

—Gracias a ti. Mientras tanto, esperaré en la habitación de Pachenka, haciéndolo vigilar por Anastasia.

Una vez solo, Raskolnikov comenzó a mirar con impaciencia y enojo a la sirvienta, pero ésta demoraba en irse.

—¿Tomarás el té ahora? —le preguntó.

—¡Más tarde! ¡Quiero dormir! Déjame...

Con un movimiento convulsivo volviose hacia la pared. Anastasia se retiró.

6

Apenas hubo salido Anastasia, Raskolnikov se levantó y, después de correr el cerrojo, deshizo el paquete traído por Razumikhin, que éste había atado de nuevo, y comenzó a vestirse. Cosa curiosa, se hubiese dicho que su estado era normal: no conservaba trazas del delirio semilúcido de hacía unos instantes, ni del terror que experimentara en los últimos días. Fue para él un primer minuto de extraña tranquilidad. Sus movimientos decididos y mesurados indicaban una resolución enérgica.

"Hoy, hoy mismo", murmuró. Comprendía que aún estaba débil, pero una gran tensión moral lindera con la serenidad y con las ideas preconcebidas dábale fuerzas y ánimo. Esperaba no desplomarse en la calle. Una vez vestido, miró el dinero depositado sobre la mesa, reflexionó un instante y se lo guardó en el bolsillo. Eran veinticinco rublos. También tomó los kopeks, resto de los diez rublos gastados por Razumikhin, y luego abrió la puerta con cuidado, salió de su cuarto y descendió la escalera. Al pasar frente al departamento de la patrona echó una ojeada a la cocina; Anastasia, de espaldas a él, estaba inclinada soplando el samovar de su ama y no lo oyó. ¿Quién hubiera podido imaginarse que saldría? Un minuto después estaba en la calle.

Eran las ocho de la noche y el sol desaparecía

en occidente. La atmósfera era tan pesada como la de días anteriores, pero Raskolnikov respiró con avidez el aire de la gran ciudad cargado de polvo y de pestilencias. Su cabeza no estaba muy firme, pero en su rostro demacrado reflejábase una especie de salvaje energía. No sabía, ni pensó siquiera, a dónde iba a dirigir sus pasos; sólo sabía "que era necesario *terminar* ese mismo día, de una sola vez y enseguida, y que de otro modo no regresaría a su casa, *porque no era posible vivir así*". ¿Cómo terminar? ¿De qué manera? No tenía la menor idea. Descartado un pensamiento, lo atormentaba otro. Una cosa solamente deseaba, y era que todo cambiase de una vez, en una u otra forma; "pase lo que pase", repetía con desesperación.

La fuerza de la costumbre guiole por el camino de sus paseos familiares, y se dirigió directamente al Mercado del Heno. Antes de llegar a ese lugar, frente a una mercería, en la acera, un hombre joven de cabellos negros tocaba en un organillo una romanza sentimental. Acompañaba a una jovencita de unos quince años, vestida como una mujerzuela, con una crinolina, una mantilla, guantes y un sombrero de paja ornado con una pluma rojo fuego; todas las ropas eran viejas y arrugadas. Cantaba con voz bastante agradable aunque un tanto chillona, esperando que el dueño del negocio le diera algunos kopeks. Raskolnikov se detuvo para escuchar junto al pequeño grupo de auditores, sacó del bolsillo una moneda de cinco kopeks y la puso en la mano de la muchacha. Como si no esperara más que eso, la joven interrumpió su canto en la nota más aguda y emocionante, y gritando "¡basta!" al músico con tono seco y desabrido, los dos se alejaron hasta la tienda vecina.

—¿Le gustan las canciones callejeras? —preguntó bruscamente Raskolnikov a uno de los curiosos, un hombre de cierta edad que se había detenido a su lado. El hombre lo miró con cierta sorpresa.

—En cuanto a mí —prosiguió Raskolnikov como si se refiriera a otra cosa muy distinta de las piezas de los organillos— me complace sobremanera oír cantar al son del órgano en las tardes sombrías del otoño húmedo y frío, sobre todo húmedo, cuando los transeúntes tienen el rostro verdoso y enfermizo, o, mejor todavía, cuando la blanda nieve cae verticalmente, sin que se sienta el menor soplo de viento, ¿comprende?, cuando los faroles de gas brillan a través de la nieve.

—Yo no sé..., disculpe... —balbuceó su interlocutor, casi asustado por las palabras y el extraño aspecto de Raskolnikov, pasándose a la otra acera.

Raskolnikov siguió caminando y llegó a la esquina del Mercado del Heno, en el mismo sitio en que había visto y oído al mercero y a su mujer conversando con Isabel. Al reconocer el lugar se detuvo, mirando en derredor, y se dirigió a un muchacho de camisa roja que bostezaba en la puerta de un negocio de granos.

—¿No es aquí donde tiene su tienda un mercero, en compañía de su esposa?

—Mucha gente vende en este lugar —respondió el muchacho mirándolo de arriba abajo.

—¿Cómo le llaman?

—Por su nombre.

—Ya veo que tú no eres de Zaraisk. ¿De qué provincia eres?

El muchacho miró de nuevo a Raskolnikov.

—No soy de una provincia, monseñor, sino de un cantón; mi hermano ha quedado allí y yo me he ido, de modo que no sé nada... Tenga lo bondad de excusarme, monseñor.

—¿Ahí arriba hay un bodegón?

—Es una taberna... Tiene un billar y hasta pueden encontrarse princesas..., ¿me entiende?

Raskolnikov se dirigió al otro extremo de la plaza. En un ángulo se hallaba estacionada una multitud de campesinos; deslizose entre ellos, mirando sus rostros. Algo le impulsaba a conversar con todo el mundo. Pero los mujiks no le prestaban la menor atención, y diseminados en pequeños grupos charlaban de sus asuntos. Se detuvo un instante, y tras una breve reflexión tomó la acera de la derecha, siguiendo hacia la avenida V..., se internó en una callejuela que había recorrido a menudo y que lleva de la plaza al Paseo de los Jardines. En ocasiones anteriores habíase sentido atraído hacia aquellos lugares cuando estaba invadido de gran repugnancia por sus proyectos, "para asquearse más aún de ellos". En aquel momento iba por allí sin pensar en nada. Existía en esa callejuela una gran casa, ocupada toda ella por despachos de bebidas, restaurantes y bodegones de los que a cada instante salían mujeres vestidas en forma llamativa, con la cabeza descubierta y sin abrigo. En dos o tres lugares se estacionaban en la acera, de preferencia en las cercanías de los subsuelos, cuyas escaleras daban acceso a establecimientos poco recomendables. En uno de éstos oíase una baraúnda infernal que causaba conmoción en toda la calle; tocaban la guitarra, cantaban, reían y hablaban estrepitosamente. Buen número de mujerzuelas habíase agolpado en la entrada, unas sentadas en los escalones, otras en el cordón de la acera, y otras, de pie, conversaban y reían. Cerca de allí, un soldado ebrio trataba de avanzar haciendo eses, con un cigarrillo en la boca, lanzando imprecaciones a cada paso, al parecer, quería entrar en alguna parte, pero no recordaba dónde.

Un individuo andrajoso cambiaba insultos a más y mejor con otro de su misma catadura. Un tercero, completamente borracho, estaba tendido en medio de la calzada.

Raskolnikov se detuvo junto al grupo de mujerzuelas que charlaban ruidosamente; todas llevaban vestidos de indiana y calzado de piel de cabra y tenían la cabeza descubierta. Algunas pasaban de los cuarenta años, otras no llegaban a los dieciocho; casi todas tenían los ojos hinchados.

Los cantos y el estruendo infernal que surgían del subsuelo llamaron la atención del joven, sin que hubiera podido decir el motivo. Entre las carcajadas y los gritos, una voz de falsete, acompañada por el rasgueo de una guitarra, jaleaba una danza frenética de un bailarín que marcaba el compás con los talones.

Raskolnikov se inclinó, tratando de ver desde la acera lo que ocurría abajo, percibiendo entonces este estribillo:

Hermoso tesorito mío,
no me pegues sin razón.

El joven experimentó un violento deseo de escuchar aquella canción, como si ésa fuera la finalidad de todos sus pensamientos.

—¿Si bajara? Se oyen risas..., están borrachos... ¿Por qué no he de emborracharme yo también como un cerdo?

—¿No quiere entrar, señor? —le preguntó una de las mujeres, de voz bien timbrada y de aspecto agradable todavía. Era joven y tal vez la única del grupo que no inspiraba repugnancia.

—¡Oh, qué linda chica! —contestó Raskolnikov después de observarla.

La joven sonrió, halagada por el piropo.

—También usted es un joven muy simpático.

—¡Simpático! ¡Si sólo le quedan la piel y los

huesos! —observó con voz ronca una mujerona—. Es probable que recién salga del hospital.

—Parecen hijas de generales, lo que no les impide tener las narices como berenjenas —interrumpió de pronto un mujik que se había adelantado. Llevaba la blusa desabotonada y su expresión era maliciosa y risueña.

—¡Vamos, entra, ya que has venido!

—¡Ya entro, mi reina!

Y bajó los escalones.

Raskolnikov pretendió seguir su camino.

—¡Oiga, señor! —le gritó la joven.

—¿Qué se te ofrece?

—Tendré sumo agrado en pasar algunas horas en su compañía, guapo, pero ahora me siento confusa en su presencia... ¿No quiere darme seis kopeks para tomar una copa a su salud?

Raskolnikov introdujo la mano en el bolsillo y tomó unas monedas: quince kopeks.

—¡Qué bueno y qué amable es usted!

—¿Cómo te llamas?

—Cuando quiera, pregunte por Duklida.

—¡Qué desfachatada! —grúñó una de las mujeres del grupo designando con un gesto a la joven—. ¡No sé cómo se atreve a pedir de esa manera! ¡Yo me moriría de vergüenza!

Raskolnikov levantó los ojos, mirando con curiosidad a la que hablaba. Era una mujer de unos treinta años, con el rostro ajado y cubierto de moretones, y el labio superior inflamado. Había pronunciado esas palabras con la mayor calma y seriedad.

"¿Dónde he leído —pensaba mientras se alejaba—, dónde he leído que un condenado a muerte dijo pocas horas antes de subir al cadalso que preferiría vivir de cualquier manera antes que morir tan pronto, aunque fuese sobre la cima de una montaña, en una roca donde sólo hubiera espacio para colocar los pies y que en torno hubiera solamente abismos, océanos, tinieblas eternas, una inmensa soledad azotada por continua tempestad, aunque debiera pasar allí toda la vida durante mil años, toda la eternidad? ¡Vivir, sólo vivir y nada más que vivir! ¡No importa cómo, pero vivir! ¡Qué verdad tan grande! ¡Señor, qué verdad! ¡El hombre es cobarde! ¡Pero también lo es el que por ello lo trata de cobarde!"

Llegó a otra calle: "¡Ah, el Palacio de Cristal! Hace poco Razumikhin habló de este lugar. ¿Pero qué me proponía hacer? ¡Ah, sí!... Leer... Zossimov dijo haber leído en los diarios..."

—¿Tienen todos los diarios? —preguntó al entrar en un despacho de bebidas muy espacioso y hasta de buena apariencia, compuesto de cinco habitaciones en las que se veían escasos parroquianos. Dos o tres tomaban té en la primera; más lelos, en otra sala, cuatro individuos sentados a una mesa bebían champaña. Raskolnikov creyó reconocer entre ellos a Zamiotov, pero a la distancia no podía distinguir bien.

"¡Bah, no importa!", se dijo.

—¿Le sirvo aguardiente? —preguntó el mozo.

—Tráeme una taza de té y los diarios, los de los últimos cinco días. Te daré una buena propina.

—Bien, aquí tiene los de hoy. ¿Le traigo aguardiente también?

Al cabo de unos instantes el servicio de té y los diarios atrasados fueron colocados sobre su mesa. Raskolnikov comenzó a hojearlos: "Izler, Izler, Los Aztecas, Los Aztecas, Izler, Bartola, Mássimo, Los Aztecas... Izler... ¡Qué demonios! ¡Ah!, aquí están los hechos diversos: una mujer cayó por una escalera; un comerciante enloquecido por el abuso de la bebida; un incendio en Las Arenas; un incendio en el barrio de Petersburgo; otro incendio en el mismo barrio; Izler, Izler, Izler, Mássimo... ¡Aquí está!"

Una vez hallado lo que buscaba, comenzó a leer; las letras bailaban ante sus ojos, sin embargo logró llegar hasta el final de la crónica, y luego buscó febrilmente en los números posteriores las últimas noticias.

Nervioso temblor agitaba sus manos mientras volvía las hojas. De pronto alguien sentose a su mesa, junto a él. Levantó la vista y vio que se trataba de Zamiotov, Zamiotov en persona, con su aspecto de siempre, sus anillos, su gruesa cadena de oro, sus negros cabellos partidos por una raya impecable y peinados con pomada, su elegante chaleco, su levita un tanto desgastada y su camisa de dudosa blancura. Estaba alegre, o por lo menos sonreía con aire bonachón y satisfecho.

Su rostro, un poco cetrino, parecía ligeramente iluminado por la alegría que da el champaña.

—¡Cómo! ¿Usted por aquí? —comenzó con expresión de sorpresa y en un tono que podía hacer suponer una vieja relación—. ¡Razumikhin me dijo ayer que permanecía siempre sin conocimiento! ¡Vaya una cosa extraña. ¿Sabe usted que estuve en su casa?

Raskolnikov esperaba esto. Dejó a un lado los diarios y encarose con Zamiotov. Una sonrisa sarcástica erraba por sus labios, dejando transparentar cierta irritación.

—Ya sé que vino..., me lo dijeron. Y que me buscó el zapato cuando lo pedí... Razumikhin no hace más que hablar de usted desde que estuvieron juntos en lo de Luisa Ivanovna, esa mujer a la que trató de defender el otro día en la comisaría. Le hacía señas al ayudante, el teniente "Pólvora", que no las comprendía, ¿recuerda? ¿Cómo no comprender, sin embargo? La cosa era clara, ¿no?

—¡Qué individuo!

—¿Quién, "Pólvora"?

—No, su amigo Razumikhin.

—Qué buena vida llevan ustedes, señor Zamiotov; tienen entrada gratis en los lugares más agradables. ¿Quién les ha pagado ese champaña?

—¡Lo hemos pagado nosotros! ¿Por qué se imagina usted que nos lo han pagado?

—A guisa de honorarios..., ustedes aprovechan todo —dijo con ironía Raskolnikov—. ¡Bah!

¡No es nada, compañero, no es nada! —agregó palmeando la espalda de Zamiotov—. No lo digo para molestarlo; es nada más que una broma, "para reírnos", como decía el pintor cuando propinaba golpes a Mitka, ¿sabe?, en el asunto de la vieja...

—¿Cómo sabe eso?

—Tal vez sepa más que usted...

—Qué individuo raro es usted... Probablemente todavía está muy enfermo. Ha hecho mal en salir.

—¿Le parezco raro?

—Sí. ¿Qué buscaba en los diarios?

—¿En los diarios?

—Sí... ¿Le interesan los incendios de los últimos días?

—No, no me preocupan los incendios.

Al decir esto miró a Zamiotov con expresión enigmática. Una sonrisa burlona contrajo de nuevo sus labios.

—No, no son los incendios —prosiguió acercándose a Zamiotov—. Pero confiese, joven, que siente grandes deseos de saber lo que leía...

—No tengo el menor deseo de saberlo, le preguntaba esto sólo por decir algo. ¿Acaso no puedo preguntar eso? ¿Por qué está siempre tan...?

—Oiga, usted es un hombre instruido, culto, ¿no es así?

—Cursé estudios secundarios —respondió Zamiotov no sin cierta fatuidad

—¡Estudios secundarios! ¡Ah, un verdadero

Fénix! Su raya es impecable, usa anillos, tiene dinero...

Raskolnikov lanzó una carcajada espasmódica en el mismo rostro de su interlocutor, que retrocedió un tanto, no ofendido, sino asombrado.

—¡Qué extraño es usted! —repitió Zamiotov con seriedad—. Apostaría que todavía está delirando.

—¿Yo, delirando? ¡Se equivoca, barbilindo! ¿Así que le parezco extraño? Digamos el término apropiado: me encuentra curioso, ¿eh? ¿Curioso?

—Curioso.

—En resumen, ¿usted desea saber qué buscaba en los diarios? Vea cuántos números me hice traer. Es un tanto sospechoso, ¿no?

—Pues bien, diga usted.

—¿Esto le hace parar las orejas?

—¿Para qué?...

—Se lo diré más adelante; por ahora, estimado amigo, le declaro... No, mejor dicho, "le confieso"... No, tampoco es esto. "Presto una declaración y usted toma nota de ella": ¡ésta es la expresión! Así, pues, declaro que he leído, que he tenido la curiosidad de leer..., que buscaba..., y encontré... —Raskolnikov entrecerró los ojos, haciendo una pausa—, que he buscado, y que para eso vine aquí, los detalles relativos al asesinato de la vieja, la viuda del funcionario —pronunció por fin casi en un murmullo, aproximando su rostro al de Zamiotov, quien lo miró con fijeza sin pestañear y sin apartarse como antes.

Lo que pareció más extraño a Zamiotov fue que el silencio entre ellos duró un minuto, y durante ese minuto no cesaron de mirarse uno al otro sin bajar la vista.

—¡Y bien! —exclamó por fin lleno de impaciencia y sin saber qué pensar—. ¿Qué puede importarme lo que usted haya leído? ¿Qué hay con eso?

—Es que siempre se trata de esa vieja —prosiguió Raskolnikov con el mismo susurro y sin que le impresionara la exclamación de Zamiotov—, de esa vieja que hizo que me desvaneciera cuando se hablaba de ella en la comisaría, ¿recuerda? ¿Comprende ahora?

—¿Qué cosa? ¿Qué quiere decir ese "comprende"? —articuló Zamiotov con cierta alarma.

La fisonomía impasible y seria de Raskolnikov cambió de súbito y de pronto comenzó a reír con risa nerviosa, como incapaz de contener su alegría.

Por espacio de un segundo su memoria reprodujo con alucinante nitidez la sensación que experimentara cuando detrás de la puerta del departamento de la vieja, con el hacha en la mano, veía saltar el cerrojo y oía a los dos visitantes que gritaban y se esforzaban en abrir lanzando juramentos, y sintió deseos de cubrirlos de injurias, de insultarlos, de sacarles la lengua, de mirarlos frente a frente, de reír, de burlarse de ellos.

—Usted está loco, o bien... —dijo Zamiotov,

deteniéndose de pronto como si una súbita idea hubiese pasado por su mente.

—¿O bien qué? ¿Qué? Vamos, diga...

—¡Nada! —respondió Zamiotov encolerizado—. ¡Todo esto es absurdo!

Ambos quedaron en silencio. Después de su espasmódica hilaridad, Raskolnikov permaneció pensativo y melancólico. Acodose en la mesa y apoyó la cabeza en sus manos, olvidando al parecer a Zamiotov.

—¿Por qué no toma el té? Se le va a enfriar —dijo Zamiotov.

—¿Eh? ¿Qué? ¿El té?... Sí... —Raskolnikov llevó la taza a sus labios, comió un pedazo de pan y, mirando de nuevo a Zamiotov, pareció recordar dónde se hallaba y sacudir su abatimiento. Su rostro recuperó la expresión burlona anterior, y con la mayor calma siguió tomando el té.

—Hoy en día los delitos se multiplican a ojos vistas —pronunció Zamiotov—. Hace poco leí en la *Gaceta de Moscú* que había sido apresada en esa ciudad toda una banda de falsificadores. Formaban una sociedad reglamentada hasta en los detalles más pequeños... Falsificaban billetes de banco.

—¡Oh, ése es un asunto viejo! Lo leí hace un mes —replicó tranquilamente Raskolnikov—. En su opinión, ¿son estafadores esos individuos?

—Claro está, ¿no lo cree así?

—¿Ésos? Son criaturas, aprendices, y no verdaderos delincuentes. Se reúnen cincuenta personas para ese trabajo. ¿Es posible tanta ingenuidad? En un asunto de esa clase, tres hombres son ya demasiados, y todavía cada uno de ellos tiene que estar más seguro de los demás que de sí mismo. Basta que uno se emborrache y charle más de lo que conviene para hacer saltar el polvorín. ¡Novatos, nada más que novatos! Confían a gente poco segura la misión de hacer circular los billetes. ¿Le parece lógico encargar esa tarea al primero que se presenta? Supongamos que esos novatos tengan éxito, que cada uno de ellos haya logrado cambiar un millón. ¿Y después? ¿Puede durar eso toda la vida? Durante toda su existencia dependerán unos de otros. Es mejor ahorcarse que vivir así. Pero éstos ni siquiera han sabido hacer circular los billetes falsificados; el que se presentó al banco recibió cinco mil rublos en la ventanilla con manos temblorosas. Contó los primeros cuatro mil rublos, pero aceptó el millar restante sin contarlo, con la única preocupación de meter el dinero en el bolsillo y marcharse lo más pronto posible. De ese modo, forzosamente tuvo que despertar sospechas, y todo el asunto se vino abajo a causa de ese imbécil. ¿Es admisible esto?

—¿Que sus manos hayan temblado? —observó Zamiotov—. A fe mía, se concibe. Por mi parte, yo estoy persuadido de que eso es lógico. Hay casos en que uno no puede conservar el dominio de sí mismo.

—¿Cómo entiende usted eso?

—Veamos, ¿usted hubiera sido capaz de mantenerse sereno? Le confieso que yo no. ¡Correr semejante riesgo por cien rublos! ¡Presentarse con un billete falso en la ventanilla de un banco! No, yo habría perdido el dominio de mis nervios. ¿Usted no?

Raskolnikov sintió de nuevo un loco deseo de sacarle la lengua; un escalofrío glacial recorriole la espalda.

—Yo no hubiera procedido de ese modo —comenzó con tono indiferente—. Vea mi manera de comportarme para cambiar ese billete: habría contado y recontado cuatro veces por lo menos los primeros mil, examinando los billetes uno por uno; luego de hacer la misma operación con el segundo millar, hubiera sacado del medio del fajo un billete de diez rublos para mirarlo a trasluz. "No tengo mucha confianza —habríale dicho al cajero—; un pariente mío perdió veinticinco rublos por aceptar un billete falso." Daríale verosimilitud contando una historia cualquiera sobre ese asunto. Llegado el tercer millar, habría dicho: "Espere, creo haber contado mal el séptimo centenar de los segundos mil rublos; sí, tengo una duda", dejando el tercer millar para volver al segundo, y así con la suma íntegra. Y una vez terminado el recuento, sacando al azar dos billetes del segundo y el quinto millar, después de mirarlos y remirarlos, habría pedido que me los cambiaran por otros, hasta que el cajero sudara tinta, sin saber ya qué hacer para desembarazarse de mí. Como es natural, por fin me hubiera ido, pero al llegar a la puerta habría vuelto para pedir una información. ¡He ahí mi manera de proceder!

—¡Oh, qué cosas tan abominables acaba de decir! —exclamó riendo Zamiotov—. Pero eso no son sino vanas palabras. Puesto en el terreno de los hechos hubiera surgido algún impedimento. Permítame que le exprese mi opinión. No sólo usted o yo, sino hasta el más avezado delincuente, no estamos capacitados para responder de lo que haremos llegado el caso. Sin ir más lejos, tiene el ejemplo de esa vieja: todo lleva a creer que el que perpetró el asesinato es un bandido de singular audacia y sangre fría; dio el golpe en pleno día, salvándose por milagro. Pero sus manos temblaron; no supo robar, no pudo llegar hasta el fin. Los hechos lo demuestran.

Raskolnikov pareció ofenderse.

—¿Qué demuestran? ¡Trate entonces de atraparlo, córrale detrás ahora! —vociferó mirando a Zamiotov con maligna alegría.

—No tenga cuidado, que ya lo atraparemos.

—¿Quién? ¿Ustedes? ¿Ustedes lo atraparán? ¡Ya pueden correr! Lo que más les interesa es saber si el individuo gasta o no dinero. Antes no tenía un kopek, y de pronto comienza a mostrarse pródigo, ¿cómo podría no ser culpable ese hombre? En este punto un chiquillo podría burlarse de ustedes si quisiera.

—El hecho es que todos proceden de esta manera —respondió Zamiotov—. Cuando se trata de matar, llegan a hacerlo con bastante astucia y habilidad, pero luego se dejan pescar en la taberna. Al verles tirar el dinero, se les detiene. Todos no son tan sagaces como usted; con seguridad que usted no iría a la taberna...

Raskolnikov frunció el ceño y miró con fijeza a Zamiotov.

—Parece que le interesa mi punto de vista... ¿Desea que le diga mi proceder en este caso? —preguntó con rudeza.

—Me gustaría saberlo —respondió el otro en tono grave y reposado. Se hubiera dicho que su voz y su mirada habían adquirido excesiva gravedad.

—¿Le interesa mucho?

—Muchísimo.

—Bien. He aquí cómo me habría conducido— comenzó Raskolnikov acercando de nuevo su rostro al de Zamiotov mientras le clavaba los ojos, y hablando con voz que apenas era un susurro, de suerte que el otro sintió un estremecimiento—, he aquí lo que habría hecho: hubiera tomado el dinero y las alhajas y abandonado de inmediato la casa, en procura de algún lugar solitario, un jardín rodeado por un vallado o algo parecido. Buscaría una piedra grande y pesada en algún rincón, contra la valla, que tal vez estuviese allí desde que se construyeron las casas vecinas; habría levantado esa piedra, debajo de la cual debe de haber un hueco, y en ese hueco habría puesto las alhajas y el dinero; hubiera colocado la piedra en su sitio, apisonado la tierra a su alrededor, y me habría ido. Por un año, dos años, tres años, abstendríame de ir a buscar esos objetos. ¡Y bien! ¡Busque ahora! ¡El pájaro ha volado!

—Usted está loco —replicó Zamiotov, quien sin saber por qué motivo pronunció estas palabras en voz muy baja, apartándose de Raskolnikov, cuyos ojos relampaguearon y palideció espantosamente mientras sus labios temblaban. Se inclinó todo lo posible sobre Zamiotov y se puso a mover los labios sin proferir palabra alguna.

Pasó así medio minuto; Raskolnikov sabía lo que estaba haciendo, pero le era imposible contenerse. La terrible palabra, el preludio de la espantosa confesión de su delito, estaba apunto de brotar de su boca, iba a escapársele, bastaba no retenerla...

—¿Y si hubiese sido yo el asesino de la vieja y de Isabel? —articuló de súbito.

Zamiotov le contempló con espanto y palideció como un muerto, mientras esforzábase en sonreír.

—¿Será posible? —dijo con voz apenas perceptible.

Raskolnikov lo miró con malignidad.

—Confiese que lo creyó —dijo burlonamente—. Sí, ¿no es cierto? ¿Sí?

—No, de ninguna manera; ¡ahora menos que nunca! —se apresuró a contestar Zamiotov.

—¡Por fin lo tengo! ¡Cayó en la trampa! Entonces lo había creído antes, puesto que ahora "lo cree menos que nunca"...

—De ningún modo —exclamó Zamiotov visiblemente conturbado—. Usted me impresionó con sus palabras para llevarme a esto.

—¿Así que no lo cree? ¿De qué hablaron entonces cuando abandoné la comisaría? ¿Y por qué me interrogó el teniente "Pólvora" después de mi desvanecimiento? ¡Oiga usted! ¿Cuánto le debo? —gritó al mozo levantándose y tomando su gorro.

—Treinta kopeks en total —respondió éste acudiendo de inmediato.

—Toma, aquí tienes veinte kopeks de propina. ¿Ves cuánto dinero tengo? —agregó dirigiéndose a Zamiotov y mostrándole en la mano temblorosa un puñado de billetes—. Hay azules, rojos..., veinticinco rublos... ¿De dónde proceden? ¿Y mi traje nuevo, de dónde sale? Sin embargo, no ignora que yo no tenía un kopek... Apuesto a que ha interrogado ya a mi patrona. ¡Vamos, ya basta! *Assez causé!* ¡Hasta más ver!

Salió agitado por una sensación rara, histérica, con una mezcla de intenso placer, a pesar de que estaba triste y terriblemente abatido. Su rostro gesticulaba como si acabara de atravesar una crisis. Su abatimiento no hacía más que ir en aumento.

Al menor choque, a la primera sensación, sus fuerzas volvían a él sobreexcitadas, pero le abandonaban con la misma rapidez a medida que la sensación se iba atenuando.

Una vez solo, Zamiotov permaneció buen rato

sentado en el mismo lugar, sumido en hondas reflexiones. Raskolnikov, sin proponérselo, acababa de trastornar todas sus ideas acerca de un punto determinado y de fijar de una vez por todas su opinión.

—¡Ilia Petrovich es un imbécil! —se dijo con firmeza.

Apenas Raskolnikov había abierto la puerta de calle, vio a Razumikhin que disponíase a entrar. A un paso de distancia uno del otro no se habían visto, de modo que casi chocaron. Por un instante miráronse con sorpresa; Razumikhin estaba estupefacto, pero su asombro dio pronto paso a una cólera terrible que hizo centellear su mirada.

—¿Así que es aquí donde te encuentro? —vociferó a voz en cuello—. ¡Te has levantado de la cama! ¡Y yo que te busqué hasta debajo del diván! Fuimos a revisar hasta el granero... Por tu culpa casi le pego a Anastasia... ¡Y te encuentro aquí! ¿Qué significa esto, Rodia? ¡Dime la verdad! ¡Confiesa! ¿Me entiendes?

—Significa que todos ustedes me hastían y que quiero estar solo —respondió con calma Raskolnikov.

—¡Solo! ¡Cuando ni siquiera puedes caminar! ¡Cuando tienes la cara más pálida que un cirio y respiras con fatiga! ¡Idiota! ¿Qué has venido a hacer aquí? ¡Confiesa sin demora!

—¡Déjame pasar! —dijo Raskolnikov, pretendiendo apartarlo con un ademán, lo que enfureció aún más a Razumikhin. Asiéndolo con fuerza por un brazo, rugió más que dijo:

—¡Dejarte! ¿Te atreves a decir "déjame pasar" después de lo que acabas de hacer? ¡Bien! ¿Sabes lo que voy a hacer contigo sin perder un minuto? ¡Te voy a atar como un paquete y te voy a llevar al hombro a tu casa para encerrarte con llave!

—Oye, Razumikhin —comenzó con suavidad Raskolnikov, en apariencia tranquilo por completo—, ¿no ves que no aprecio en lo más mínimo tus servicios? ¿Qué manía tienes de hacer bien a quien le importa un comino lo que puedas hacer por él? ¿No ves que me molestan? Vamos, ¿por qué has venido a acosarme desde el comienzo de mi enfermedad? ¿No te hice comprender hoy bastante que me atormentas, que me fastidias? ¡Qué afán de martirizar a la gente! Te aseguro que todo esto retarda mi restablecimiento porque me mantiene en un estado de incesante irritación. ¡Déjame de una vez tú también, por amor de Dios! ¿Qué derecho tienes para fiscalizar mis actos a la fuerza? ¿No te das cuenta de que estoy en plena posesión de mis facultades? ¿Cómo obtener de ti que no me impongas más tu presencia y termines de prodigarme tus cuidados? Soy un ingrato, lo acepto. Soy un grosero, pero por lo menos déjame tranquilo. Por el amor de Dios, ¡déjame! ¡Déjame!

Había comenzado con calma, saboreando de antemano todo el veneno que se proponía destilar; terminó en un estado de paroxismo, sin aliento, como hacía poco le ocurriera con Lujin.

Razumikhin reflexionó un instante y soltó su brazo.

—¡Bueno, vete al diablo! —dijo un poco pensativo—. ¡Espera! —rugió cuando Raskolnikov iba a retirarse—. Escucha: todos los de tu clase son unos charlatanes y unos miserables fanfarrones. Apenas tienen la menor cosita, proceden hacia ella como la gallina que pone un huevo y hasta llegan a plagiar a autores extranjeros. Carecen del menor indicio de vida personal e independiente; su carne es de pescado y por sus venas circula horchata en lugar de sangre. ¡No creo en ninguno de vosotros! La primera preocupación que os asalta en cualquier circunstancia es la de evitar mostrarse hombres. ¡Espera, espera! —rugió con redoblada furia al ver que Raskolnikov hacía de nuevo ademán de irse—. Escucha hasta el fin. Ya sabes que esta noche se reúnen en casa unos amigos; tal vez ya hayan llegado, pero los recibirá mi tío. Si tú no fueras un imbécil, un imbécil incorregible, rematado, una traducción de algún idioma extranjero... Oye, Rodia, reconozco que eres inteligente, lo que no te impide ser un estúpido... Si no fueras un imbécil, harías mejor en venir a mi casa en lugar de andar vagando por las calles sin objeto alguno. Ya que has salido, no tienes por qué volver a tu cuchitril. Te traeré un buen sofá, muy comodo, los dueños de casa tienen uno...; tomarás té, habrá compañía; no, mejor te acuestas en mi cama; por lo menos estarás con nosotros... Zossimov estará también. Vendrás, ¿no?

—No.

—¡Haces mal en negarte! —exclamó Razumikhin perdiendo la paciencia—. ¿Qué te propones? No puedes responder de ti mismo..., no entiendes nada... Mil veces me ha ocurrido sentirme con deseos de escupir al rostro a la gente, de apartarme para siempre de todo el mundo, pero luego me he recobrado de ese necio impulso, y he vuelto entre los hombres... No lo olvides, Rodia: edificio Pochinkov, tercer piso.

—Creo de veras, Razumikhin, que permitirías hasta que te pegaran por el placer de obligar a alguien.

—¿Quién, yo? Bueno, edificio Pochinkov No. 47, departamento del funcionario Babuchkin.

—No iré, Razumikhin.

Raskolnikov dio media vuelta y alejose.

—Apuesto a que vendrás —le gritó Razumikhin—. Si no vienes, si no..., ¡te juro que no vuelvo a mirarte más a la cara! ¡Espera! ¡Eh, tú! ¿Está adentro Zamiotov?

—Sí.

—¿Te vio?

—Sí, me vio.

—¿Habló contigo?

—Sí, estuvimos hablando.

—¿De qué? ¡Bah! ¡Que el diablo te lleve! No lo

digas si no quieres. Edificio Pochinkov No. 47, departamento Babuchkin. ¡No lo olvides!

Raskolnikov, al llegar al paseo de los Jardines, dobló. Razumikhin siguiole con la vista, hasta verlo desaparecer, con aire preocupado. Luego hizo un gesto de indiferencia y entró en el establecimiento.

—¡Qué demonios! —dijo en voz alta—. Habla en forma consciente, pero sin embargo se diría... ¡Qué necio soy! ¿Acaso los locos no hablan también a veces como personas razonables? Y Zossimov, por lo que me ha parecido, teme también esto... ¿Cómo dejarlo solo en este momento? ¡Es capaz de ir a tirarse al río! Creo que hice una tontería, no debí abandonarle.

Corrió tras de su amigo, pero no pudo hallar el menor rastro de él. Hizo un gesto de despecho, volviendo a grandes zancadas al Palacio de Cristal para interrogar lo más pronto posible a Zamiotov.

Raskolnikov dirigiose directamente hacia el puente..., se detuvo en la mitad, apoyándose en la balaustrada, y se puso a mirar a lo lejos.

Después de haber dejado a Razumikhin, sintiose tan débil que a duras penas pudo llegar hasta allí. Sentía deseos de sentarse en alguna parte o de acostarse en plena calle. Inclinado sobre la superficie de las aguas, contemplaba el último reflejo del sol poniente y la hilera de casas que las tinieblas iban velando; allá abajo, sobre la margen izquierda, una lejana ventana de buhardilla brillaba como fuego bajo los últimos rayos del sol; el agua del canal tornábase más oscura. Se hubiera dicho que el joven pretendía desentrañar los misterios ocultos bajo la tranquila superficie.

Al cabo de un rato comenzó a danzar ante su vista una serie de círculos rojos, las casas se alejaron a la deriva; los transeúntes, los muelles, las barcas, todo comenzó a girar y a moverse. De pronto se estremeció, salvado quizá del desvanecimiento por una visión brutal y horrorosa. Sintió que alguien se le aproximaba por la derecha; levantó los ojos y vio que se trataba de una mujer alta, tocada con un pañuelo, de rostro amarillento, demacrado, con los ojos enrojecidos que se hundían en las órbitas. Tenía su mirada fija en él, pero probablemente no lo veía; no distinguía a nadie. Con un ademán brusco apoyó el codo sobre la balaustrada y, levantando la pierna derecha, subió a la verja, y después de hacer lo mismo con la pierna izquierda, arrojose al agua fangosa, que resonó al choque, engullendo su presa. Pocos segundos después la suicida emergió a la superficie y fue llevada lentamente por la corriente, la cabeza y las piernas bajo el agua, la espalda hacia arriba, con la falda hinchada, moviéndose como un globo a medio inflar.

—¡Una mujer se ha tirado al agua! ¡Una mujer se ha tirado al agua! —gritaron muchas voces. Los muelles llenáronse de curiosos. En el puente la multitud se agolpó junto a Raskolnikov, que quedó bloqueado e imposibilitado de retirarse.

—¡Señor, si es nuestra Afrosiniuchka! —gritó a poca distancia una voz plañidera de mujer—. ¡Señor! ¡Socorro! ¡Buenas gentes, sálvenla!

—¡Una barca, una barca! —gritaron entre la multitud.

Pero ya no era necesaria embarcación alguna. Un policía había descendido apresuradamente las escaleras que llevaban hasta la superficie del río y, despojándose con rapidez de su gorro y su chaqueta, arrojose al agua. En contados segundos llegó junto a la suicida, que la corriente había aproximado a la orilla. Con la mano derecha la tomó de la ropa, y con la izquierda pudo asirse a una soga arrojada por otro policía, y la mujer fue sacada del canal. La extendieron en las losas de granito que forman el pavimento del puerto bajo y comenzaron a prodigarle solícitos cuidados.

A los pocos minutos la mujer abrió los ojos y estornudó, pasando la mano con un gesto inconsciente por sus ropas empapadas. Ni una palabra salió de sus labios.

—¡Está borracha, sí, está borracha! —exclamó la misma voz de mujer, esta vez junto a Afrosiniuchka—. Hace poco quiso ahorcarse, y tuvimos que sacarle la cuerda del cuello. Yo acababa de salir de compras y le había dicho a la sirvienta que la vigilara, pero a pesar de todo ocurrió esta desgracia. Es vecina mía, vive en la pieza de al lado, en la segunda casa después de la esquina, allí...

Los curiosos empezaron a alejarse, cada cual

por su lado; los dos agentes de policía siguieron ocupándose de la infeliz. Alguien dijo que era necesario llevarla a la comisaría. Raskolnikov contemplaba todo aquello con una extraña sensación de apatía e indiferencia, de pronto se sobresaltó:

"No, es innoble... El agua..., no vale la pena. Estoy seguro de que Zamiotov no sospecha de mí... Pero, ¿por qué no estaba en la comisaría? Las oficinas permanecen abiertas hasta las nueve".

Se volvió de espaldas a la balaustrada, mirando en derredor.

"¡Vamos! ¿Por qué no?", se dijo resueltamente, y abandonando el puente encaminose hacia el lado de la comisaría. Su corazón estaba como vacío. No quería pensar. Hasta su angustia habíase disipado, no quedando en él ni el menor rastro de aquel impulso de energía que lo había hecho salir de su casa. "Para terminar."

"¡Y bien! Esto también es una solución —pensaba mientras recorría con lentitud el muelle del canal—. Después de todo, terminaré porque se me da la gana. Pero, ¿es una solución eso? ¡Qué importa! Siempre me quedará un pie cuadrado de espacio para vivir... ¡Qué fin, sin embargo! ¿Es posible que eso sea el fin? Pero estoy tan cansado..., quisiera sentarme o acostarme lo más pronto posible. Lo que más me avergüenza es la estupidez que voy a demostrar... ¡Vamos, terminemos de una vez! ¡Qué ideas más estúpidas pasan a veces por la cabeza!..."

Para trasladarse a la comisaría tenía que seguir derecho y doblar en la segunda calle, a la izquierda; la oficina quedaba a dos pasos de allí.

Pero antes de llegar a la primera bocacalle se detuvo, y después de reflexionar dio un rodeo, internándose por una callejuela sin propósito definido, tal vez para concederse algún reposo y ganar tiempo. Caminaba con la vista fija en el suelo. De pronto pareciole que le murmuraban algo al oído. Levantó la cabeza, viendo que se encontraba frente a la puerta de *aquella* casa, a la que no había vuelto desde *aquella* noche...

Impulsado por un deseo irresistible, inexplicable, entró. Después de franquear el umbral encaminose hacia la primera escalera de la derecha y comenzó a subir los bien conocidos escalones que llevaban al cuarto piso. Reinaba la oscuridad de siempre. A cada rellano, Raskolnikov se detenía, mirando con curiosidad en derredor. Una ventana del primer piso había sido renovada. "*Entonces* esta ventana no estaba —pensó—. He aquí el departamento donde trabajaban Dimitri y Nicolás. La puerta está recién pintada y cerrada...; debe de estar desalquilado... Éste es el tercer piso..., el cuarto... ¡Aquí es!" Vaciló un instante; la puerta del departamento que ocupara la vieja estaba abierta; había gente dentro, se escuchaban voces. No esperaba encontrar a nadie allí. Tras breve reflexión, subió los últimos peldaños y entró en el departamento. Varios obreros lo estaban pintando y arreglando, lo que le causó cierto estupor. Sin saber por qué, habíase figurado que lo hallaría en el mismo estado en que lo dejara, tal vez aún con los cadáveres tirados en el suelo. Se encontraba con un departamento de paredes peladas, sin muebles... ¡Extraño espectáculo! Se adelantó hacia la ventana y sentose en el alféizar.

Sólo había dos obreros, dos muchachones, ocupados en pegar en las paredes un papel blanco con florecillas color violeta, en reemplazo del viejo papel amarillento y desgarrado. Raskolnikov, sintiendo inexplicable despecho, contempló con hostilidad aquel nuevo papel, como si lamentara todos aquellos cambios.

Los empapeladores se disponían a dar por terminada su tarea del día, poniendo en orden sus cosas y preparándose para retirarse. La entrada de Raskolnikov no había llamado la atención y proseguía su charla.

—Una mañana llegó a mi casa —decía el mayor al más joven—, muy temprano, emperifollada como para ir a un baile. "¿Qué te pasa? —le pregunté—. ¿Qué vienes a hacer aquí a esta hora?" "Tito Vasilich —me dijo—, a partir de hoy quiero ser solamente tuya." ¡Ya ves cómo es! Y emperifollada, ya te digo, como un figurín de una revista de modas, de una verdadera revista de modas...

—Dime..., ¿qué es una revista de modas? —inquirió el más joven. Se veía que estaba haciendo su aprendizaje junto al mayor.

—Una revista de modas es una revista con figuras en colores que todos los sábados llegan por correo para los sastres y las modistas, del extranjero. Es para mostrar cómo tienen que vestir hombres y mujeres. Son dibujos... Los hombres están siempre vestidos con trajes muy elegantes..., pero en la sección de las mujeres, ¡ah, si vieras!, las arreglan tan bien esos individuos que, aunque dieras todo lo que tienes, no podrías pagar lo que valen.

—¡Cuántas cosas se ven en este "Piter"! —exclamó el menor, encantado de la conversación—. Hay de todo...

—Sí, y lo demás que no sabes —declaró el de más edad con aplomo.

Raskolnikov levantose y pasó a la habitación en que estaban antes el cofre y la cómoda, y que sin los muebles le pareció extremadamente pequeña. El empapelado era el mismo. En el rincón se distinguía el lugar que ocupara la vitrina de las imágenes. Después de su inspección volvió a la ventana. El mayor de los muchachos lo miraba de reojo, y de pronto le dijo en forma brusca:

—¿Qué busca usted aquí?

Por toda respuesta Raskolnikov se levantó, pasó al vestíbulo y tiró del cordón de la campanilla. El mismo sonido que le era familiar, de hojalata resquebrajada. Tiró una segunda vez, luego otra; escuchaba y los recuerdos acudían a su memoria. La sensación de entonces, terrible, punzante, monstruosa, volvía a repetirse con agudeza. Estremecíase a cada campanillazo, experimentando un placer que iba en aumento.

—¿Qué quiere aquí? ¿Quién es usted? —gritó el obrero yendo a su encuentro.

Raskolnikov pasó a la antesala.

—Busco un piso para alquilar y vine a visitar éste.

—De noche no se visitan pisos, y, además, debiera haber venido con el portero.

—Lavaron el piso, ¿van a encerarlo? —prosiguió Raskolnikov—. ¿No hay sangre?

—¿Qué sangre?

—Aquí asesinaron a la vieja y a su hermana; esto era un mar de sangre...

—Oiga, ¿qué clase de hombre es usted? —exclamó atemorizado el empapelador.

—¿Yo?

—Sí.

—¿Quieres saberlo? Acompáñame a la comisaría, allí te lo diré.

Los muchachos se miraron espantados.

—Ya es hora de irnos, estamos retrasados. Vamos, Aliocha, tenemos que cerrar —dijo el de más edad.

—¡Bien, vamos! —repuso Raskolnikov con indiferencia, y saliendo primero comenzó a descender la escalera.

—¡Eh, portero! —gritó al llegar a la puerta cochera.

En la entrada de la casa había varias personas que miraban pasar a los transeúntes, entre ellas los dos porteros, una campesina, un obrero y algunos individuos más. Raskolnikov fue derecho a ellos.

—¿Qué se le ofrece? —preguntó uno de los porteros.

—¿Has estado en la comisaría?

—Vengo de allí. ¿Qué desea?

—¿Están todavía en la oficina?

—Sí, los empleados están todos.

—¿También el ayudante del comisario?

—Estaba hace un rato. ¿Me dirá, por fin, qué desea?

Raskolnikov no respondió, plantándose en medio del grupo con aire pensativo.

—Vino a visitar el departamento —dijo el mayor de los empapeladores acercándose.

—¿Qué departamento?

—El del cuarto piso, donde estamos trabajando. Nos preguntó por qué habían lavado la sangre, pues dice que allí hubo un asesinato, y que tiene interés en alquilarlo. Luego se puso a tocar la campanilla, y no sé cómo no rompió el cordón a fuerza de tirar. "Vamos a la comisaría —agregó—, y allí diré todo."

El portero miró a Raskolnikov con el ceño fruncido, visiblemente intrigado.

—¿Quién es usted? —preguntó con aire amenazador.

—Rodion Romanovich Raskolnikov, ex estudiante; vivo en la casa Schiel, cerca de aquí, en una callejuela vecina, habitación No 4. Pregunte al portero; le dará razón de mi persona.

Raskolnikov dijo lo que antecede con indiferencia y calma, sin darse vuelta, con los ojos fijos en la calle, que comenzaba a oscurecerse.

—¿Qué vino a hacer en ese departamento?

—Quería verlo.

—¿Qué era lo que quería ver allí dentro?

—¿Si lo lleváramos a la comisaría? —propuso el obrero, pero se calló enseguida.

Raskolnikov lo miró por encima del hombro y dijo con absoluta indiferencia:

—Vamos...

—Sí, tenemos que llevarlo —repitió el hombre con más aplomo—. Si ha venido por *eso*, es que algo sabe, ¿no?

—A lo mejor está ebrio —refunfuñó el otro portero.

—Pero, ¿qué quiere, en resumen? —gritó el primer portero, que comenzaba a enfadarse de veras—. ¿Qué se propone al venir a molestarnos con sus tonterías?

—¿Tienes miedo de ir a la comisaría? —le preguntó Raskolnikov, sonriendo sarcásticamente.

—¿Por qué he de tener miedo? ¿Qué quiere decir con tantos misterios?

—¡Es un bribón! —exclamó la campesina.

—Sí, ¿para qué discutir con él? —dijo el segundo portero, un hombrachón alto y de hercúlea apariencia, con la chaqueta sobre un hombro y un gran manojo de llaves en la cintura—. ¡Vamos!

¡Vete de una vez antes que se me acabe la paciencia! ¡Eres un imbécil! ¡Que te vayas, te digo!

Y tomando a Raskolnikov de un brazo, le arrojó sin esfuerzo aparente al medio de la calzada. El joven estuvo a punto de caerse, pero pudo recuperar el equilibrio, y después de mirar en silencio a los espectadores se alejó.

—¡Qué individuo! —pronunció el obrero.

—¡Ah, el mundo está lleno de gente rara! —asintió la campesina.

—Hubiera sido mejor llevarlo a la comisaría —agregó el obrero.

—¿Para qué? —dijo el portero de cuerpo hercúleo—. Debe ser un pillo, pero ya que se ha ido, que vaya a hacerse ahorcar a otra parte.

"¿Iré o no iré?", preguntábase mientras tanto Raskolnikov, llegando a una bocacalle y mirando en derredor suyo como si esperara que alguien dijera la palabra decisiva. No hubo respuesta: todo estaba sordo e inanimado como las piedras del piso, muerto para él, para él tan sólo...

De improviso, a doscientos pasos de allí, en la extremidad de la calle, oyó gritos y animadas discusiones y vio muchas personas en torno a un elegante carruaje. ¿Qué ocurría? Raskolnikov dobló a la derecha, mezclándose entre la multitud. Parecía querer aferrarse a cualquier pretexto, y al notarlo sonrió con expresión de burla, pues su resolución estaba adoptada en lo concerniente a su visita a la comisaría y sabía que estaba resuelto a que dentro de escasos instantes todo terminara.

7

En el medio de la calle estaba detenido un elegante coche particular, tirado por un tronco de fogosos caballos grises; en el interior no se veía a nadie, y el cochero, que había descendido del pescante, estaba de pie junto al coche. Algunas personas sujetaban los caballos por el freno y varios policías esforzábanse en impedir que el público se aproximara demasiado, mientras otro, con una pequeña linterna en la mano, alumbraba algo que estaba en el suelo, junto a las ruedas. Todo el mundo hablaba, hacía comentarios y parecían consternados; el cochero lamentábase entre suspiros:

—¡Qué desgracia, Señor! ¡Qué desgracia!

Raskolnikov se abrió paso entre los curiosos y pudo enterarse del motivo de aquella aglomeración. En medio de la calzada yacía ensangrentado y privado de conocimiento un hombre que acababa de ser atropellado por los caballos, mal vestido, aunque sus ropas no eran las usuales en la clase baja. De su cabeza y rostro, llenos de heridas, manaba sangre en abundancia. A las claras veíase que aquello no era un accidente de poca importancia.

—¡Dios mío! —gemía el cochero mesándose los cabellos—. No pude evitarlo... Si hubiera lanzado los caballos al galope, si no hubiera gritado..., pero iba al trote, a paso regular. Todos lo vieron y no me dejarán mentir... Ya se sabe que los borrachos no ven bien ni siquiera de día... Le vi atravesar la calle tambaleándose, a punto de caer; le grité una, dos, tres veces; contuve los caballos, pero vino a tirarse casi delante de sus patas... Hay que creer que lo hizo a propósito, o, si no, es que estaba muy borracho... Los caballos son briosos y siguieron a pesar del freno; él gritó, asustándolos más todavía... Esto es lo que ha ocurrido.

Uno de los presentes gritó:

—¡Es cierto! Pasó tal como lo cuenta.

—¡Claro que sí! —confirmó otra voz—. ¡Gritó tres veces para advertirle!

—¡Tres veces! ¡Tres veces! Todo el mundo lo oyó —dijo una tercera voz.

A pesar de sus exclamaciones y sus lamentos, el cochero no parecía muy impresionado. El coche debía pertenecer a algún personaje influyente, y los policías no dejaban de tener en cuenta esa consideración. No quedaba más que conducir al herido a su domicilio o al hospital, pero nadie sabía quién era ni dónde vivía.

Durante ese intervalo Raskolnikov había logrado colocarse en primera fila. De pronto la luz de la linterna dio de lleno en el rostro de la víctima, y lo reconoció.

—¡Yo lo conozco! —exclamó—. Es un funcionario retirado, el consejero Marmeladov. Vive cerca de aquí, en el edificio Kozel... ¡Llamen pronto a un médico! Pagaré lo que sea...

Sacó dinero del bolsillo, mostrándolo a un policía, presa de gran agitación. Los policías se dieron por satisfechos al saber quién era el atropellado. Raskolnikov dio su nombre y dirección, desplegando la mayor actividad para que trasladaran al herido lo más pronto posible a su domicilio, como si se tratara de un hermano suyo.

—Ya llegamos..., tres casas más allá —apresurose a agregar—. Vive en el edificio de un tal Kozel, un alemán muy rico... Con seguridad que regresaba ebrio a su domicilio. Lo conozco, es un ebrio consuetudinario; tiene mujer y varios hijos... Perderíamos mucho tiempo para conducirlo al hospital, mientras que por aquí cerca será fácil encontrar un médico. Yo pagaré... Por lo menos habremos hecho lo indispensable; recibirá cuidados inmediatos, pues de otro modo quizá muera antes de llegar al hospital.

Aprovechó un momento favorable para deslizar una moneda en la mano de un agente, aunque todas esas disposiciones nada tuvieran de ilegal, puesto que se recurría al medio más simple al llevar al herido a su domicilio...

Varias personas se ofrecían para transportar a la víctima. El edificio Kozel quedaba a unos treinta pasos de allí. Raskolnikov marchaba detrás, sostenía la cabeza del herido con cuidado.

—¡Por aquí! En la escalera habrá que mantenerle la cabeza en alto... Den vuelta..., ya estamos... Yo pagaré..., les estoy muy agradecido...

La esposa de Marmeladov, Catalina Ivanovna,

como siempre que disponía de un minuto, se paseaba a lo largo de su pequeña habitación, yendo y volviendo de la ventana a la chimenea, con los brazos estrechamente cruzados sobre el pecho y monologando entre breves accesos de tos. Hacía algún tiempo que mantenía conversaciones cada vez más prolongadas con su hija mayor, Polia, que a pesar de sus diez años y de no comprender aún muchas cosas se daba cuenta de que su madre tenía necesidad de ella; la seguía siempre con sus grandes ojazos inteligentes tratando de adivinar, ya que no de comprender, todo cuanto le decía. En aquel momento Polia estaba desnudando al hermanito para acostarlo, pues había estado enfermo todo el día. Esperando que le cambiaran la camisita para lavarla durante la noche, el niño estaba sentado muy serio en una silla, silencioso e inmóvil, con las piernecitas extendidas y los pies desnudos, escuchando con los ojos muy abiertos las palabras que su madre dirigía a su hermanita. La otra hija, más pequeña aún, cubierta con verdaderos andrajos, aguardaba su turno de pie cerca del biombo. La puerta que daba a la escalera estaba abierta, único medio de disipar el humo de tabaco que se escapaba de las otras habitaciones, y que a cada instante hacía toser en forma cruel a la pobre tísica. En aquella semana Catalina Ivanovna parecía haber adelgazado aún más, y las manchas rojas de sus mejillas más rojas que nunca.

—No podrás creer, no podrás imaginarte, Polia —decía mientras se paseaba por la habitación—, qué feliz y alegre era nuestra vida cuando estábamos en casa de papá, y en qué forma este borracho ha hecho mi desgracia y la vuestra. Papá tenía un título equivalente al de coronel, algo así como gobernador de provincia; le faltaba poco para serlo, y todos se apresuraban a decirle: "Desde ya consideramos a usted, Iván Mikhailich, como nuestro gobernador..." Cuando..., ¡maldita sea mi existencia! —exclamó tosiendo y expectorando, en tanto se oprimía el pecho con angustia—, cuando en el último baile..., en el palacio del mariscal de la nobleza, me vio la princesa Bezzemelnaya... (fue ella la que me dio la bendición cuando me casé con tu padre), me preguntó: "¿No fue usted, señorita, la que bailó cubierta de velos, al terminar sus estudios, en la fiesta del colegio?..." Tienes que coser ese agujero; toma una aguja y haz como te he enseñado, si no, mañana será más grande... Un joven chambelán que había venido a San Petersburgo, el príncipe Schegolski, bailó una mazurca conmigo, y al día siguiente quiso presentarse en mi casa para pedir mi mano, pero yo lo disuadí con los términos más amables que pude, manifestándole que mi corazón pertenecía ya a otro. Ese otro era tu padre, Polia. Papá se enojó muchísimo... Vamos, ¿ya estás? Dame la camisa y las medias. Lyda —dijo dirigiéndose a la más pequeña—, esta noche tendrás que dormir sin camisa; dame también las medias; lo lavaremos todo junto. ¿No pensará volver a casa esta noche ese borrachín? Hace días que no se saca la camisa; la tiene toda rota... Quisiera lavar todo junto para no tener que lavar dos noches seguidas... ¡Señor! ¿Qué es esto? —exclamó sobresaltada al ver que el descansillo llenábase de gente que trataba de penetrar en la pieza llevando un cuerpo inmóvil—. ¿Qué ocurre? ¿A quién traen?

—¿Dónde lo colocamos? —preguntó un policía mirando a su alrededor, mientras entraban en la habitación a Marmeladov, cubierto de sangre y sin conocimiento.

—¡En el diván! Acuéstenlo en este diván... ¡La cabeza aquí! —indicó Raskolnikov.

—Lo atropelló un coche en la calle..., estaba ebrio —dijo alguno en el descansillo.

Catalina Ivanovna quedó como clavada en su sitio, palidísima y respirando con dificultad. La pequeña Lyda dio un grito y corrió hacia su hermana Polia, demudada y temblorosa.

Después de haber acostado a Marmeladov en el diván, Raskolnikov aproximose a Catalina Ivanovna.

—¡Por amor de Dios, tenga calma, no se agite! Cruzaba la calle y un coche lo arrolló... No se inquiete, pronto recuperará los sentidos. Yo hice que le trajeran aquí... ¿No se acuerda de mí? Estuve otra vez... Pronto volverá en sí... Yo los ayudaré.

—¡Tenía que suceder! —gritó Catalina Ivanovna, desesperada, lanzándose hacia su esposo.

Raskolnikov diose cuenta rápidamente de que aquella mujer no era de las que pierden el tino ante cualquier desgracia. En un abrir y cerrar de ojos colocó una almohada debajo de la cabeza del herido; nadie había pensado en hacerlo. Luego comenzó a desnudarlo, poniendo toda su atención en ello; al hacerlo, olvidábase de sí misma y mordíase los temblorosos labios para reprimir los gritos prontos a escaparse de su pecho.

Entre tanto, Raskolnikov procuró que alguien fuese a buscar un médico; precisamente en la casa vecina vivía uno.

—Hice llamar a un médico —dijo a Catalina Ivanovna para tranquilizarla—. No tenga cuidado, yo pagaré lo que sea necesario. Alcánceme un poco de agua y una toalla, o una servilleta, cualquier cosa...; todavía no sabemos si sus heridas revisten gravedad... Está herido, nada más... Ya veremos lo que opina el médico.

Catalina Ivanovna corrió a la ventana, junto a la cual, en una silla desfondada, había un gran barreño lleno de agua preparado para lavar la ropa de los niños y de su marido. La misma Catalina Ivanovna efectuaba ese trabajo dos veces por semana, cuando no más a menudo, por carecer de mudas; cada miembro de la familia poseía solamente una camisa. Antes de permitir que la suciedad lo invadiera todo, y a pesar de su grave mal en los pulmones, lavaba durante la noche, mientras los otros dormían, para que encontraran la ropa limpia al despertar.

Tomó el barreño lleno de agua para llevarlo junto al herido, pero estuvo a punto de escapársele de las manos por lo pesado. Raskolnikov, con una toalla que encontró a mano, después de humedecerla, comenzó a lavar el rostro ensangrentado de Marmeladov.

Catalina, de pie a su lado, respiraba trabajosamente. También ella necesitaba asistencia. Raskolnikov decíase que tal vez había hecho mal al hacer llevar al herido a su domicilio. El mismo agente de policía estaba perplejo.

—¡Polia! —exclamó Catalina Ivanovna—. Corre pronto a casa de Sonia; si no la encuentras, deja dicho que su padre ha sido atropellado por un carruaje y que venga lo más pronto posible, apenas llegue... ¡Pronto, Polia! ¡Toma, cúbrete con este pañuelo!

—¡Corre, Polia!—gritó el pequeño sentado en la silla, volviendo luego a su mutismo, rígido e inmóvil, mirando con los ojos muy abiertos y con los piececillos tendidos hacia adelante.

Mientras tanto, la reducida habitación habíase colmado de gente, al punto que un objeto arrojado al aire no habría llegado al suelo. Los agentes se retiraron, excepto uno que quedó provisionalmente para tratar de contener a los curiosos que subían por la escalera. Casi todos los inquilinos de la señora Lippewechsel habían acudido, deteniéndose primero en la puerta para invadir luego la pieza. Catalina Ivanovna se encolerizó

—¡Por lo menos, podrían dejarlo morir en

paz! ¡Consideran que esto es un espectáculo y ni siquiera se abstienen de fumar! No les falta más que entrar aquí con el sombrero puesto... ¡Claro, ya lo decía! ¿Qué hace usted aquí con el sombrero en la cabeza? ¡Váyase! ¡Respete la muerte, por lo menos!

Un acceso de tos le impidió continuar, pero estas palabras no dejaron de surtir efecto. Era evidente que los inquilinos sentían cierto respeto y hasta temor por Catalina Ivanovna, pues se fueron retirando uno a uno, con esa extraña sensación de placer que puede notarse aun en los parientes más allegados o los amigos más íntimos cuando contemplan la desgracia acaecida a uno de sus semejantes, sensación de la que ningún hombre está exento, por sinceros que sean sus sentimientos de pesar y compasión.

Sin embargo, comenzaron a oírse voces del otro lado de la puerta que mencionaban el hospital y se referían a los inconvenientes que originaba la presencia de un enfermo tan grave en una casa tranquila.

—¿Qué? ¿Inconveniente un enfermo? —gritó Catalina Ivanovna yendo hacia la puerta para cubrir de imprecaciones a los vecinos. Pero al llegar al umbral tropezó con la señora Lippewechsel, que acababa de enterarse de lo ocurrido y venía para restablecer el orden. Era una alemana de mal carácter y pendenciera.

—¡Ach! ¡Mi Tios! Fuestro esposo que estafa fo-

rracho se ha hecho pisar por un cafallo. ¡Hay que llefarlo al hospidal! ¡Cho soy la dueña te casa!

—Amelia Ludvigovna, le ruego que reflexione antes de hablar —comenzó en tono desdeñoso Catalina Ivanovna, como hacía siempre que se dirigía a la inquilina principal para recordarle que "debía guardar las distancias"—. Amelia Ludvigovna…

—*Ya le he ticho te una fez por dodas: yo no me llamo Amelia Ludvigovna; me llamo Amelia Ivanovna.*

—Usted no es Amelia Ivanovna, sino Amelia Ludvigovna, y como no formo parte de sus serviles aduladores, tales como el señor Lebeziatnikov, que se está riendo en este momento detrás de la puerta —en efecto, se oía una risa burlona y una voz que decía: "Ahora se van a tirar de los pelos"—, la llamaré siempre Amelia Ludvigovna, aunque en verdad no puedo comprender por qué le disgusta este nombre. Usted ve con sus propios ojos lo que le ha ocurrido a Semione Zakharich: está por morir. Le ruego que cierre enseguida esa puerta y no deje entrar a nadie. Déjelo cuando menos que muera en paz. Si no lo hace así, le aseguro que mañana mismo denunciaré su actitud al gobernador general. El príncipe me conoce desde mi infancia y recuerda muy bien a Semione Zakharich, al que muchas veces ha dispensado sus favores. Todo el mundo sabe que mi marido contaba con numerosos amigos y protectores. Su noble orgullo le obligó a apartarse de ellos, consciente de su malhadada inclinación a la bebida, pero ahora —designó con un gesto a Raskolnikov— este magnánimo joven viene en nuestra ayuda; es hombre de fortuna y posee extensas vinculaciones. Semione Zakharich lo conoce desde hace años, y tenga la seguridad, Amelia Ludvigovna...

Todo este discurso fue espetado con extremada rapidez, pero la tos interrumpió en forma brusca la elocuencia de Catalina Ivanovna.

En ese instante el moribundo volvió en sí, exhalando un gemido. Catalina Ivanovna corrió a su lado. Marmeladov abrió los ojos y, sin reconocer ni comprender todavía, clavó su mirada en Raskolnikov. Respiraba penosamente y tenía sangre en la comisura de los labios; gruesas gotas de sudor perlaban su frente. Catalina Ivanovna le miró con tristeza y severidad, mientras las lágrimas corrían por sus demacradas mejillas.

—¡Dios mío! ¡Tiene el pecho destrozado! ¡Cuánta sangre, cuánta sangre! —dijo con desesperación—. Tenemos que sacarle toda la ropa... Date vuelta un poco, Semione Zakharich, si es que puedes...

Marmeladov la reconoció.

—Un sacerdote —articuló débilmente.

Catalina Ivanovna se retiró hasta la ventana, apoyó la frente en el marco y exclamó desolada.

—¡Oh vida tres veces maldita!

—¡Un sacerdote! —repitió el moribundo después de un momento de silencio.

—¡Calla! —le gritó Catalina Ivanovna.

Marmeladov obedeció. Su mirada tímida y ansiosa comenzó a buscarla; ella volvió a su lado. Los ojos de Marmeladov se posaron en Lyda (su predilecta), que, temblando en un rincón como atacada por la fiebre, lo miraba con sus ojazos asombrados y tristes.

—A... a... —balbuceó con agitación señalándola con un leve ademán.

—¿Qué quieres ahora?

—Está... des... calza —dijo en forma casi ininteligible, sin separar la vista de los piececillos desnudos de la criatura.

—¡Cállate! —le ordenó irritada Catalina Ivanovna—. Demasiado bien sabes por qué está descalza.

—¡Gracias a Dios! —exclamó Raskolnikov—. Aquí está el médico.

Éste penetró en la habitación. Era un viejecillo escrupuloso, alemán, que miraba en derredor con muestras de cierta desconfianza. Aproximose al herido, le tomó el pulso y examinole la cabeza con detenimiento; luego, ayudado por Catalina Ivanovna, desabrochó la camisa tinta en sangre y puso su pecho al descubierto. Las heridas eran horribles; del lado derecho había varias costillas rotas; a la izquierda, en el lugar del corazón, veíase una gran mancha oscura con los bordes amarillentos: la marca de una herradura.

El médico frunció el entrecejo. El agente de

policía explicole la forma en que se había producido el accidente.

—Lo que me extraña es que haya recuperado el conocimiento —murmuró el facultativo al oído de Raskolnikov.

—¿Qué opina, doctor? ¿Se salvará? —preguntó éste.

—Sus minutos están contados...

—¿Entonces no hay esperanza?

—Ni la más mínima. Está a punto de expirar... Además, la herida de la cabeza es gravísima... Podríamos efectuar una sangría, pero todo es inútil...; dentro de cinco o diez minutos dejará de existir.

—De cualquier modo, practíquele una sangría.

—Como guste, pero le advierto desde ya que es perfectamente inútil.

En ese momento se oyó un nuevo rumor de pasos. La multitud agolpada en el vestíbulo se hizo a un lado; apareció un sacerdote de blancos cabellos trayendo los santos óleos para el moribundo. El médico cediole enseguida su lugar, después de cambiar con él una significativa mirada. Raskolnikov le rogó que esperara unos instantes, a lo que accedió el galeno encogiéndose levemente de hombros.

Todo el mundo se retiró. La confesión fue muy breve, y es posible que el agonizante no comprendiera gran cosa; sólo profería sonidos entrecortados y roncos. Catalina Ivanovna tomó a Lyda, levantó de la silla al pequeñuelo, arrodillose en el rincón de la chimenea y, mordiéndose los labios para contener las lágrimas, hizo arrodillar a sus hijos delante de ella. La niña no cesaba de temblar; el pequeño, con las rodillas desnudas sobre el piso, levantó la mano derecha, al mismo tiempo que la madre, haciendo grandes signos de la cruz, prosternábase hasta tocar el suelo con la frente, lo que parecía causarle especial placer.

Catalina Ivanovna oraba, ocupándose al mismo tiempo de arreglar la camisa del niño y de colocar sobre los hombros de su hija un chal que sacó de la cómoda, sin levantarse ni interrumpir sus plegarias.

Los curiosos habían abierto de nuevo la puerta que daba acceso a las otras habitaciones, y en el rellano el grupo de espectadores iba en aumento, engrosado a cada instante por los vecinos de todos los pisos que iban acudiendo.

La mortecina luz de una vela iluminaba toda esta escena.

En ese momento Polia, cumplido el encargo de avisar a su hermana Sonia, se abrió paso entre las personas que se encontraban en el descansillo, entrando en la habitación sin aliento, a causa de la carrera; se despojó del pañuelo y, buscando con la vista a la madre, acercose a ella, diciendo:

—¡Ya viene! La encontré en la calle.

Catalina Ivanovna la hizo arrodillar también. A los pocos segundos apareció una jovencita que deslizose tímidamente entre los espectadores sin hacer el menor ruido; su repentina irrupción produjo extraño efecto en aquel decorado de miseria, harapos, desolación y muerte. Estaba bastante mal vestida, aunque de acuerdo con las reglas en vigor en determinado círculo, con fines evidentemente ignominiosos. Se detuvo cerca de la puerta, sin atreverse a ir más lejos. Miraba con aire contrito y cohibido, al parecer inconsciente de lo ocurrido. Traía puesto su vestido de seda, adquirido de ocasión y cuyos colores llamativos y larga cola desentonaban en aquel lugar; asi mismo desentonaban su inmenso miriñaque, que ocupaba todo el vano de la puerta; sus zapatitos blancos, su sombrilla a todas luces inútil, puesto que era de noche, y su estrafalario sombrero de paja adornado con una pluma roja como una llamarada. Bajo aquel sombrero, mal colocado, se entreveía una carita delgada, pálida, temerosa, con los ojos fijos y espantados por el terror.

Sonia contaba dieciocho años. Era de pequeña talla, delgaducha, pero el conjunto era agradable, y sus ojos, de un azul profundo, muy bellos. Miraba con fijeza el lecho donde yacía su padre; también su respiración era agitada por haber corrido.

Algunas palabras murmuradas por la gente llegaron a sus oídos. Bajó aún más la cabeza y dio unos pasos, pero sin alejarse mucho de la puerta.

La confesión y la comunión habían terminado. Catalina Ivanovna volvió junto al diván.

Antes de retirarse, el sacerdote creyose en la obligación de dirigirle algunas palabras de consuelo.

—Sí, pero, ¿qué será de mis hijos? —interrumpió ella con acritud, señalando a los niños de corta edad.

—Dios es misericordioso. Tened esperanza en la ayuda del Altísimo.

—¡Sí, es misericordioso, pero no para nosotros!

—Eso es un pecado, señora, un pecado —observó el sacerdote moviendo la cabeza.

—¿Y esto no es un pecado? —gritó Catalina Ivanovna señalando con un gesto al agonizante.

—Tal vez los causantes de esta involuntaria desgracia le ofrezcan una indemnización para reparar siquiera el perjuicio material que le han ocasionado.

—¡No me comprende! —replicó violentamente Catalina Ivanovna haciendo un gesto—. ¿Cómo quiere que me ofrezcan una indemnización? Fue él mismo, este borracho, quien se tiró casi entre las patas de los caballos. ¡Ah, sí! ¡El perjuicio material! ¡Si sólo ha servido para darme disgustos! ¡Se lo bebía todo! Nos despojaba hasta de lo imprescindible para ir a bebérselo... Se va a morir... ¡Dios nos hace un favor llevándoselo!

—Es menester perdonar a la hora de la muerte; esos sentimientos constituyen un pecado, señora, un gran pecado...

Catalina Ivanovna continuaba cuidando del enfermo: dábale de beber, enjugábale el sudor y la sangre que manaba lentamente de sus heridas, arreglaba la almohada y hablaba con el sacerdote sin interrumpir esos cuidados. Al sentir las últimas palabras, volviose como picada por una víbora.

—¡Bah, padre! ¡Eso no son más que palabras! ¡Perdonar! Si no lo hubieran atropellado en la calle, habría regresado a casa ebrio como de costumbre. Como sólo tiene la camisa que lleva puesta, sucia y rota, hubiera debido lavársela junto con la ropa de las criaturas mientras él dormía la borrachera. Después, secarlo todo en la ventana, y al amanecer, remendar... ¡Vea de qué manera paso las noches! ¿A santo de qué hablar aquí de perdón? Por otra parte, ya lo he perdonado...

Un espantoso acceso de tos interrumpió sus palabras. Escupió en su pañuelo colocándolo enseguida ante los ojos del sacerdote y oprimiéndose el pecho con la mano izquierda. El pañuelo estaba manchado de sangre...

El sacerdote bajó la cabeza en silencio.

Marmeladov, en la agonía, no apartaba los ojos del rostro de su esposa, que se había inclinado sobre él. Al parecer, quería decir algo; movía los labios con esfuerzo, musitando palabras ininteligibles.

Catalina Ivanovna comprendió que pretendía pedirle perdón, y le gritó con tono que no admitía réplica.

—¡Cállate! ¡Es inútil! Ya sé lo que quieres decir.

El moribundo obedeció; su mirada errante se posó en Sonia...

Hasta entonces no la había notado; la joven permanecía en el rincón más oscuro.

—¿Quién es? ¿Quién es? —murmuró con voz ronca y ahogada. Al mismo tiempo mostraba con ojos aterrorizados la puerta cerca de la cual Sonia manteníase de pie, y trataba de levantarse.

—¡Quédate acostado! ¡Quédate acostado! —le ordenó Catalina Ivanovna.

Mediante un esfuerzo sobrehumano, Marmeladov logró incorporarse, apoyándose con una mano en el diván. Durante algunos segundos contempló a su hija como si no la reconociera, con una mirada de extraña fijeza. Jamás la había visto con aquel atavío. Tímida, humillada, abatida bajo sus oropeles de mal gusto, la pobrecilla esperaba con resignada dulzura que se le permitiera despedirse de su padre moribundo. De pronto éste la reconoció, y en su rostro pintose una expresión de infinito sufrimiento.

—¡Sonia, hija mía, perdóname! —gritó, pretendiendo extender la mano hacia ella, pero al perder su apoyo cayó pesadamente en el diván, quedando con la cabeza colgando. Todos se apresuraron a colocarlo de nuevo en su primitiva posición; cuanto hicieron era ya inútil. Sonia, lanzando un gemido ahogado, corrió hacia su padre, abrazándose a él, a tiempo para recoger su último suspiro...

—Ya dejó de sufrir —murmuró Catalina Ivanovna ante el cadáver—; en cambio, nosotros... ¿Qué hacer ahora? ¿Cómo lo enterraremos? Y mis pobres hijos..., ¿qué comerán mañana?

Raskolnikov aproximose a ella.

—Catalina Ivanovna, la semana pasada el difunto me narró toda su vida en detalle. Le aseguro que hablaba de ustedes con verdadera veneración. Desde entonces sé en qué forma los amaba, a usted sobre todo, Catalina Ivanovna; era muy grande su amor a pesar de su desgraciado vicio; desde entonces lo consideré un verdadero amigo... Permítame, por lo tanto, que contribuya..., que la ayude a cumplir los postreros deberes con el amigo que ha desaparecido... Aquí tiene veinte rublos..., si pueden serle de alguna utilidad. Volveré mañana, sí, mañana... ¡Adiós!

Apresuradamente salió de la habitación abriéndose paso entre la gente que se encontraba en el descansillo, pero allí encontrose de improviso con Nicomedes Fomich, el comisario de policía, que enterado del accidente había concurrido al domicilio de Marmeladov para tomar las disposiciones necesarias. Desde la escena en la comisaría no habían vuelto a verse, pero Fomich lo reconoció a la primera mirada.

—Vaya, ¿usted por aquí? —dijo con cierta sorpresa.

—Ha muerto —contestó Raskolnikov en voz baja—. Hice venir a un médico, luego llamamos a un sacerdote; hicimos todo lo necesario. Le ruego no atormente a la pobre viuda con inútiles preguntas: está tuberculosa... Consuélela dentro de lo posible...; después de todo, usted es una buena persona —agregó con un tonillo burlón, mirándolo fijamente a los ojos.

—Tiene toda la ropa manchada de sangre —observó el comisario al ver a la luz de la linterna varias manchas en el chaleco de Raskolnikov.

—Sí, me manché al traerlo..., estoy cubierto de sangre —pronunció Raskolnikov con rara entonación. Luego sonrió, hizo un movimiento con la cabeza y comenzó a descender la escalera.

Bajó a pasos precipitados, invadido por una fuerte emoción que asaltaba todo su ser como una ola poderosa. Aquella sensación era tal vez análoga a la que experimenta un condenado a muerte al recibir la noticia de su indulto. En la mitad de la escalera encontrose con el sacerdote, que volvía a su casa, y cambió con él un silencioso saludo. De pronto oyó que alguien lo llamaba y bajaba tras él. Era la pequeña Polia.

—¡Un momento, señor, un momento!

La niña bajó el último tramo y se detuvo cerca de él, un escalón más arriba. Una débil claridad llegaba del patio. Raskolnikov contempló el rostro demacrado pero no desprovisto de belleza de la criatura, que le sonreía, mirándole con expresión de infantil alegría. Se le había confiado un encargo que a todas luces le resultaba agradable cumplir.

—¿Cómo se llama usted, señor..., y dónde vive? —preguntó con rapidez.

Raskolnikov, colocando sus manos en los hombros de la niña, la miró con ternura; le resultaba infinitamente agradable mirarla, sin saber por qué.

—¿Quién te envía a preguntarme eso?

—Mi hermana Sonia —respondió la niña con una sonrisa más alegre todavía.

—Ya sabía que era ella.

—Mamá también me mandó. Cuando mi hermana Sonia me lo dijo, mamá se acercó, recomendándome que me apresurara.

—¿Quieres mucho a Sonia?

—La quiero más que a nada en el mundo —pronunció la niña con particular energía y convicción, poniéndose muy seria.

—Y a mí, ¿me querrás también? —Por toda respuesta la niña, echándole los bracitos al cuello, diole un beso en la mejilla y lo apretó muy fuerte. Su cabecita inclinose sobre su hombro y comenzó a llorar despacito, apoyándose cada vez más sobre su pecho.

—¡Pobre papá! —dijo al cabo de un minuto, levantando el rostro y secándose las lágrimas con el dorso de la mano—. ¡Cuántas desgracias ocurren hoy! —agregó con ese tono de importancia que afectan los niños cuando se sienten inclinados a hablar como "las personas mayores".

—¿Y tu papá os quería mucho?

—A Lyda más que a nadie —prosiguió en el mismo tono grave—. La quería porque es chiquita y está enferma. Siempre le traía regalos. Nos enseñaba a leer, gramática y catecismo. Mamá no decía nada, pero nosotros sabíamos que estaba contenta, y papito también lo sabía. Mamá quiere enseñarme el francés, porque ya es tiempo de que comience mi educación.

—¿Sabes orar?

—¡Ya lo creo, hace mucho tiempo! Yo, como soy grande, rezo sola. Kolia y Lyda rezan en voz alta con mamá recitan "Dios te salve María" y después otra plegaria: "Dios mío, bendice a nuestra hermana Sonia y perdonala, y bendice a nuestro otro papá". Porque nuestro primer papá murió; éste era nuestro segundo padre, pero nosotros rogamos también por el primero.

—Bueno, Polia, me llamo Rodion. Rogad también por mí; decid: "Por el pobre Rodion", nada más.

—Toda mi vida rezaré por usted —dijo con fervor la pequeña, abrazándolo de nuevo con un gesto brusco.

Raskolnikov le dio su nombre y dirección y prometió una visita para el día siguiente sin falta. La niña subió a su casa con el rostro inundado de alegría.

Eran más de las diez cuando Raskolnikov encontrose en la calle. Cinco minutos más tarde llegaba al puente, exactamente al sitio donde aquella pobre mujer había tratado de suicidarse arrojándose al agua.

"¡Basta ya! —se dijo con decisión y entereza—. ¡Fuera todos los espejismos, atrás los vanos terrores y las visiones! La vida existe... ¿Acaso no estoy vivo en esta hora? ¡Mi vida no terminó con la de aquella vieja! Ella está en el otro mundo... ¡Basta ya, vieja, deja a los otros en paz! ¡He ganado ahora la razón y la luz... la voluntad!..., ¡la fuerza!... ¡Vamos a ver! ¡A nosotros, ahora! —agregó con aire de altanero desafío, como si se dirigiera a alguna oscura potencia—. ¿No he decidido acaso pasar la vida aunque sea en dos pies cuadrados de espacio? Me siento débil en este momento, pero creo que la enfermedad ha pasado ya. Sabía esto cuando salí de casa no hace mucho. A propósito: la casa Pochinkov queda a dos pasos de aquí; no dejaré de ir a lo de Razumikhin; iría aunque tuviese que caminar mucho más. ¡Que gane su apuesta! ¡Que se burle de mí, poco importa! La fuerza, la fuerza es necesaria, sin ella a nada se llega; ahora bien, la fuerza se adquiere por medio de la voluntad y el esfuerzo personal; esto es algo que ellos ignoran", agregó con orgullo y seguridad, y con paso firme abandonó el puente. Un minuto bastó para hacer de él otro hombre. ¿Cuál era el motivo de tal transformación? Él mismo lo ignoraba; como un ahogado que se aferra a una tabla, parecíale que podría vivir, que la vida no terminaba para él y que no estaba ligada a la de su víctima. Tal vez era una conclusión demasiado precipitada, pero no se le ocurrió pensarlo.

"Sin embargo, he pedido que recen por el pobre Rodion —murmuró—. ¡Bah! Eso no significa nada... ¿Qué mal puede hacerme?"

Se sentía en excelente disposición de espíritu. No le costó trabajo dar con el domicilio de Razumikhin; en el edificio Pochinkov conocían ya al nuevo inquilino, y el portero le indicó el camino sin vacilar. Desde la mitad de la escalera percibíanse ya los rumores de las conversaciones de una animada reunión. La puerta que daba al rellano permanecía abierta de par en par; la habitación de Razumikhin era bastante espaciosa, y ya se encontraban allí unos quince contertulios. Raskolnikov se detuvo en el descansillo. En una mesa veíanse dos grandes samovares, botellas, platos llenos de emparedados y pastelillos, tazas y copas procedentes de la cocina de la dueña de casa. Dos muchachas, sirvientas de la dueña, se ocupaban del servicio.

Raskolnikov preguntó por Razumikhin, y éste acudió en el acto. A simple vista podíase apreciar que había bebido con exceso, y aunque Razumikhin no se embriagaba con facilidad, esa vez las apariencias no inducían a error.

—Escucha —se apresuró a declarar Raskolnikov—: he venido sólo para decirte que has ganado tu apuesta, y que en verdad nadie sabe lo que puede sucederle. En cuanto a entrar, no puedo. Estoy tan débil que me parece que me voy a desplomar. Por lo tanto, divertíos mucho y adiós. Pero no dejes de venir mañana a casa...

—¿Sabes lo que voy a hacer? Te voy a acompañar, si tú mismo dices que estás tan débil

—¿Y tus invitados? ¿Quién es ese hombre de cabellos rizados que mira hacia acá?

—¿Ése? El diablo lo sabe. Tal vez algún amigo de mi tío o alguno que se invitó a sí mismo. Los dejaré con mi tío; es un hombre que no tiene precio. ¡Lástima que no puedas conocerlo hoy! ¡Por lo demás, que el demonio cargue con todos! No sé qué hacer de ellos en este momento y además necesito tomar un poco de aire. Has caído muy bien, querido; dos minutos más y le daba unos golpes a alguno. ¡Cuántas estupideces! No puedes figurarte hasta qué punto son capaces de fastidiar ciertos individuos. ¿Pero cómo no imaginártelo? ¿Acaso no mentimos nosotros también? Pues bien, que mientan y disparateen todo lo que les venga en gana... Siéntate un momento, voy a llamar a Zossimov.

El médico vino a ver a Raskolnikov con una especie de avidez, podía notarse en él una singular curiosidad que pronto se desvaneció.

—Tiene que volver enseguida a la cama —dictaminó después de haber examinado con rapidez a su paciente—. Le convendría tomar algo para pasar una noche tranquila; le daré un sello... ¿Lo tomará?

—Dos, si es necesario —respondió Raskolnikov. Y sin vacilación alguna, pidió un vaso de agua e ingirió el medicamento.

—Harás bien en acompañarlo —observó Zossimov dirigiéndose a Razumikhin—. Mañana veremos cómo sigue; hoy lo encuentro bastante bien. Un cambio notable... Cuanto más se vive, más se aprende.

—¿Sabes lo que me ha dicho al oído Zossimov cuando salíamos? —díjole Razumikhin cuando estuvieron en la calle—. Me recomendó que charlara contigo por el camino y que luego le repitiera punto por punto todo lo que hubieras dicho. ¡Son todos un hato de imbéciles! Se le ha puesto en la cabeza que estás loco... o que te falta muy poco para estarlo... ¿Te imaginas esto? En primer lugar, eres dos o tres veces más inteligente que él; luego, si no estás loco, puedes burlarte de las cosas raras que le pasan por la cabeza; finalmente, ese zoquete, cuya especialidad es la cirugía, se dedica desde hace algún tiempo al estudio de las enfermedades mentales, y en lo que te concierne, la conversación que has mantenido hoy con Zamiotov lo ha trastornado por completo.

—¿Zamiotov te contó todo?

—Todo, con lo que hizo muy bien. He comprendido las circunstancias y los pormenores del asunto, y Zamiotov comprendió también. Sí, Rodia, el hecho es que... En este momento estoy un poco ebrio, pero no importa... Ese pensamiento..., ¿comprendes?..., esa idea había echado raíces en ellos..., ¿comprendes? Nadie osaba decirlo de viva voz, porque la cosa era un poco ridícula, en especial después que detuvieron al pintor; todo estalló como una pompa de jabón y se ha desvanecido para siempre. ¿Pero por qué razón serán todos ellos tan imbéciles? Le dije unas cuantas cosas a Zamiotov, esto en confianza, entre nosotros, no des a entender que lo sabes; pude notar que es un poco quisquilloso. Fue en lo de Luisa..., pero hoy todo está aclarado. El causante principal fue Ilia Petrovich. Entró en sospechas cuando te desvaneciste en la comisaría, pero puedo asegurarte que ahora está avergonzado de su tontería, lo sé.

Raskolnikov escuchaba con avidez. Razumikhin, bajo los efectos de la bebida, acababa de traicionarse al hablar.

—Me desvanecí porque hacía un calor insoportable y por el olor de la pintura fresca —aseguró Raskolnikov.

—Estas explicaciones sobran..., aunque no fue sólo la pintura... Estabas enfermo desde hacía un mes por lo menos; Zossimov lo afirma. No puedes darte una idea de lo confuso que se halla ese necio de Zamiotov: "No le llego al tobillo", declara refiriéndose a ti. Es un buen muchacho en el fondo, pero la lección que le diste hoy en el Palacio de Cristal fue una consumada prueba de inteligencia y maestría. Lo asustaste, jugaste con él, lo hiciste temblar. Casi lo habías convencido de que su teoría era acertada, alentando su espantosa sospecha, y de pronto, en un santiamén, lo dejaste con un palmo de narices, burlándote de él. ¡Fue colosal! Quedó confundido, anonadado; en verdad, se topó con su maestro. Siento no haber presenciado la escena. Te esperaba en casa deseoso de congraciarse contigo. Porfirio tiene también ganas de conocerte.

—¡Ah, ése también! ¿Pero por qué creían que estaba loco?

—Vamos, tanto como eso no; creo que se me ha ido un poco la lengua. Les llama la atención que sólo te interesara un asunto determinado, y ése fue el origen de sus sospechas. Ahora que conocen detalladamente todas las circunstancias, es comprensible que hayan modificado su opinión. Ese asunto de la vieja tuvo por fuerza que impresionarte, y más estando de tal modo ligado a tu enfermedad... ¡Diablos! La cabeza me da vueltas... Cada uno tiene su idea... En cuanto a Zossimov, las enfermedades mentales le han sorbido el seso... De cualquier modo, no tienes por qué preocuparte más.

—Oye, Razumikhin, quiero hablarte con franqueza: vengo de casa de una persona que perdió la vida en un accidente... Era un funcionario, al que conocí no hace mucho... Dejé allí casi todo el dinero que llevaba. Una criatura, una niña de pocos años, me besó..., creo que lo hubiera hecho aun sabiendo que había matado a una persona... Vi allí a una joven, también casi una criatura, con una pluma roja en el sombrero... Estoy divagando..., me siento muy débil..., permíteme que me apoye..., esta escalera...

—¿Qué tienes? ¿Qué te pasa? —preguntó Razumikhin alarmado.

—La cabeza me da vueltas..., pero no se trata de esto... Es que me siento tan triste..., tan triste..., como una mujer... ¡Mira! ¿Qué es eso? ¡Mira!...

—¿Qué quieres que mire?

—Fíjate. Hay luz en mi cuarto..., por esa rendija...

Se encontraban cerca de la puerta del departamento de la patrona, y desde allí veíase que, en efecto, había luz en el cuarto de Raskolnikov.

—Es extraño..., tal vez sea Anastasia —insinuó Razumikhin.

—Nunca va a mi pieza a estas horas, además, debe haberse acostado hace rato... ¡Bah!, tanto me da... ¡Adiós!

—¿Qué dices? De ningún modo... Te acompañaré hasta arriba, entraremos juntos.

—Ya sé que entraremos juntos, pero quiero estrecharte la mano aquí y despedirme de ti... ¡Vamos, un apretón de manos! ¡Adiós!

—¿Qué te sucede, Rodia?

—Nada..., vamos, quiero que seas testigo.

Siguieron subiendo. Razumikhin iba pensando que tal vez Zossimov no estuviese descaminado. "Lo habré perturbado aún más con mi charla", pensó.

Al aproximarse a la puerta oyeron rumor de voces en la habitación.

—¿Quién está ahí? —gritó Razumikhin.

Raskolnikov se adelantó con decisión y, al abrir la puerta, quedó como clavado en el umbral.

Su madre y su hermana estaban sentadas en el diván. Esperaban allí desde hacía más de una hora.

¿Por qué esperaba aquello menos que cualquier otra cosa, a pesar de haber recibido confirmación de su llegada inminente? Durante aquella hora las dos mujeres no habían cesado de interrogar a Anastasia, que también estaba allí y que al entrar Raskolnikov les contaba por centésima vez todo lo que sabía de él.

Al enterarse de su huida de la casa, al parecer presa del delirio, quedaron muy apenadas. ¡Cuántas lágrimas y cuántas ardientes plegarias en aquella hora de angustiosa espera!

La aparición de Raskolnikov fue saludada con vivas demostraciones de alegría y exclamaciones de entusiasmo. Ambas se arrojaron sobre él, que permaneció inmóvil, rígido, sin que sus brazos se abrieran para estrecharlas, como herido por un rayo. Su madre y su hermana lo abrazaban, cubríanlo de besos, reían y lloraban a la vez... El joven dio un paso hacia adelante, se tambaleó y cayó desvanecido en el piso.

Alarma, exclamaciones de terror, gemidos... Razumikhin, que había permanecido en el descansillo, precipitose en el interior de la habitación, y, tomando al enfermo en sus robustos brazos, lo condujo al diván.

El desmayo de Raskolnikov fue de corta duración. Al abrir los ojos vio a todos junto a él prodigándole solícitos cuidados.

—¡No es nada! ¡No es nada! —dijo Razumikhin a la madre—. Un simple desvanecimiento, una insignificancia... El médico declaró hace unos instantes que estaba mucho mejor, casi restablecido del todo. A ver, un poco de agua... ¡Ya vuelve en sí!

Y asiendo a Dunia por la mano con tanta fuerza que le hizo lanzar un gemido, la obligó a inclinarse sobre su hermano para que viera en efecto que había recuperado el conocimiento. Llenas de gratitud y enternecidas, las dos mujeres miraban a Razumikhin como a un ser providencial. Estaban ya enteradas por Anastasia del comportamiento de "aquel joven tan listo" durante la enfermedad de Raskolnikov.

Tercera parte

1

Raskolnikov se incorporó, y sentándose en el diván hizo un signo con la mano a Razumikhin para poner fin al torrente de sincera y consoladora elocuencia que dirigía a su madre y a su hermana, tomó a las dos por las manos y durante un minuto las contempló en silencio, alternativamente.

La madre sintió una punzante angustia. En el fondo de la mirada de Raskolnikov adivinábase un sentimiento de indescriptible dolor, al mismo tiempo que una extraña fijeza, un atisbo de locura. Pulkeria Alejandrovna se puso a llorar.

Abdocia Romanovna estaba blanca como un sudario, y su mano se estremecía en la de su hermano.

—Vuelvan a su casa..., con él —profirió Raskolnikov con voz entrecortada señalando a Razumikhin—. Mañana..., mañana hablaremos... ¿Hace mucho que llegaron?

—Esta noche, Rodia —respondió Pulkeria Alejandrovna—; el tren se retrasó mucho. ¡Pero, Rodia, por nada del mundo te dejaría ahora! Pasaré la noche aquí, a tu lado...

—¡No me atormenten! —replicó el joven con irritación.

—Yo me quedaré con él —terció Razumikhin—, no lo abandonaré un solo instante, y que el demonio se lleve a mis invitados, que protesten y que juren todo lo que les venga en gana. Mi tío está allí para presidir el coro...

—¿Cómo podría agradecerle? —comenzó Pulkeria Alejandrovna rechazando de nuevo las manos del amigo de su hijo, pero también esta vez Raskolnikov la interrumpió.

—¡No quiero! ¡No quiero! —repetía con terquedad—. ¡No me atormenten más! ¡Terminen de una vez! Váyanse todos... ¡No puedo más!

—Vamos, mamá, salgamos aunque sea por un momento de la habitación —murmuró Dunia espantada—. Es evidente que lo estamos haciendo sufrir.

—¿Pero ni siquiera podré verlo un poco, después de tres años de separación? —dijo llorando Pulkeria Alejandrovna.

—¡Esperen! —exclamó Raskolnikov—. No hacen más que interrumpirme, y mis ideas se confunden... ¿Han visto ya a Lujin?

—No, Rodia, pero ya sabe que hemos llegado. Supimos que Pedro Petrovich tuvo la gentileza de visitarte hoy —agregó no sin cierta timidez Pulkeria Alejandrovna.

—Sí, tuvo esa gentileza. Dunia, le dije a Lujin que lo arrojaría de cabeza por la escalera y lo mandé al infierno.

—¡Rodia! ¿Qué dices? En verdad..., ¿lo dices de veras? —exclamó Pulkeria Alejandrovna presa del espanto, pero se detuvo ante una mirada de Dunia.

Abdocia Romanovna, con los ojos clavados en su hermano, esperaba la continuación. Una y otra estaban ya enteradas de la disputa por Anastasia, dentro de lo que ésta había podido darse cuenta, y hasta ese momento sentían viva ansiedad.

—Dunia —prosiguió con esfuerzo Raskolnikov—, ¡no quiero saber nada de esa boda! Mañana mismo despedirás a Lujin, y que no se oiga hablar más de él.

—¡Dios mío! —exclamó Pulkeria Alejandrovna.

—Hermano mío, piensa un poco en lo que dices —replicó serenamente Abdocia Romanovna, pero de pronto se contuvo—. No te encuentras bien en este momento, estás fatigado —agregó con dulzura.

—Estoy delirando, ¿no es cierto? ¡Pues bien, no deliro! Quieres casarte con Lujin *por mí*. Y yo no acepto ese sacrificio. Mañana mismo le escribirás una carta..., de ruptura. Quiero leerla antes de que la mandes, y todo quedará terminado.

—¡Yo no puedo hacer eso! —exclamó la joven mortificada—. ¿Con qué derecho...?

—Dunia, tú también estás exaltada ahora... Tranquilízate... Mañana..., ¿no ves? —dijo la madre presa de gran aflicción—. ¡Ah!... Vamos..., vamos..., será mejor.

—¡Está delirando! —dijo Razumikhin, cuya

voz pastosa delataba su estado—. De otro modo no se permitiría... Mañana se le habrá pasado... Pero hoy, en efecto, le echó con cajas destempladas... Como es natural, el otro se enfadó... Peroraba ante nosotros, hacía gala de sus conocimientos acerca de las cuestiones sociales, pero eso no impidió que tuviera que marcharse con la cola entre las piernas...

—¿Entonces, es cierto? —dijo Pulkeria Alejandrovna.

—Hastá mañana, hermano —dijo Dunia con acento de conmiseración—.¡Vamos, mamá!... ¡Adiós, Rodia!

—¿Me entiendes, hermanita? —repitió Raskolnikov reuniendo sus energías—. No estoy delirando; ese matrimonio es una infamia. Si soy un cobarde, tú no debes serlo también; basta con uno... Pero, por cobarde que sea, dejaré de considerarte hermana mía si te casas con Lujin... O él o yo... ¡Elige!

—¡Pero has perdido el juicio por completo! ¡Tirano! —gritó Razumikhin.

Raskolnikov no respondió; acaso no tenía fuerzas para hacerlo. Extendiose en el diván y se volvió hacia la pared, agotado por completo.

Abdocia Romanovna miró con curiosidad a Razumikhin; sus ojos negros relampaguearon, y el joven se estremeció bajo esa mirada. Pulkeria Alejandrovna estaba aturdida...

—Por nada del mundo podría irme —murmuró con verdadera desesperación—. Acompañe usted a Dunia —dijo a Razumikhin—. Yo me quedaré...

—Y lo echará todo a perder —musitó Razumikhin—. Salgamos por lo menos al rellano. ¡Anastasia, alúmbranos!

Ya en el descansillo, prosiguió:

—Hace poco les aseguro que estuvo a punto de pegarnos al doctor y a mí. ¿Comprenden? Hasta al médico... Y éste cedió para no irritarlo aún más. Luego encontró la forma de vestirse y salir mientras yo permanecía abajo... Es de creerse que pretenda escapar otra vez si nos empeñamos en quedarnos aquí... o quizás intente algo contra sí mismo...

—¡Ay! ¡No diga eso, por el amor de Dios! —dijo angustiada la madre.

—Además, no es posible que Abdocia Romanovna permanezca sola en un piso amueblado. ¡Piensen por un momento en dónde han ido a alojarse! ¿No podía ese sinvergüenza de Pedro Petrovich encontrar algo mejor?... No les ocultaré que estoy un poco alegre, y si digo alguna cosa fuera de lugar, les ruego que me disculpen.

—¡Pues bien! Iré a hablar con la patrona —dijo resueltamente Pulkeria Alejandrovna— para suplicarle que nos permita a Dunia y a mí pasar la noche en cualquier rincón. ¡No puedo dejar a mi hijo en ese estado, no puedo!

En ese momento se encontraban frente a la puerta del departamento de la patrona. Anastasia los alumbraba un escalón más abajo. Razumikhin demostraba extremada agitación; media hora antes, al acompañar a Raskolnikov, charlaba hasta por los codos, como no dejó de reconocerlo; sin embargo, se encontraba bien, animado y con la cabeza firme a pesar de la enorme cantidad de alcohol que había ingerido. En aquel momento hallábase sumido en una especie de éxtasis, y los vapores del alcohol parecían ejercer un efecto de redoblada violencia en su cerebro; en medio de las dos mujeres, las tomaba de las manos y se esforzaba en persuadirlas exponiéndoles sus razones con una locuacidad inagotable y, sin duda para convencerlas mejor, les apretaba la mano como una prensa, devorando con los ojos a Abdocia Romanovna, sin el menor asomo de disimulo.

Las pobres mujeres trataban a veces de librar sus manos de aquellas robustas tenazas huesudas, pero Razumikhin apretaba más fuerte todavía, atrayéndolas hacia sí. Si en aquel momento le hubieran ordenado que se arrojara de cabeza por la escalera, habría cumplido la orden sin la menor vacilación.

Pulkeria Alejandrovna, emocionada con el pensamiento de su hijo, notaba que el joven estrechábale la mano hasta hacerle daño y advertía sus excentricidades, pero a todo cerraba los ojos, para seguir considerándolo un ser providencial.

En cuanto a Abdocia Romanovna, aun cuando lejos de ser tímida, experimentaba gran turbación y hasta un poco de miedo al encontrarse con la mirada llameante de aquel amigo de su hermano, y solamente la infinita confianza que le había inspirado Anastasia con sus descripciones y elogios de aquel joven terrible impedíale ceder a la tentación de huir llevándose a su madre consigo. Por lo demás, comprendió que eso no era posible por el momento. Pero al cabo de diez minutos tranquilizose. Razumikhin tenía el don de mostrarse tal cual era a primera vista, en cualquier disposición que se encontrase, de suerte que pronto se sabía con quién se estaba tratando.

—Su idea de hablar con la patrona es descabellada —manifestó para convencer a Pulkeria Alejandrovna—. No importa que usted sea la madre de él; si se queda, le causará un disgusto atroz, y Dios sabe lo que puede ocurrir. Escuche y vea lo que me propongo hacer: Anastasia se quedará con él, y yo las acompañaré a su domicilio, ya que no es conveniente que vayan solas por las calles de San Petersburgo... Luego, sin perder un minuto, regresaré volando aquí, y les doy mi palabra de que al cabo de un cuarto de hora iré a darles noticias, a decirles cómo está, si duerme o no. Después iré a mi casa, porque, como ya les dije, tengo invitados, que a estas horas deben estar más borrachos que una uva. Hablaré con Zossimov, el médico que lo atendió durante su dolencia, y que con toda seguridad no estará ebrio, pues jamás se embriaga; lo traeré aquí, y después que haya visto a Rodia iré nuevamente a casa de ustedes. Es decir, en una hora poco más o menos recibirán ustedes dos veces noticias de Rodia, y las recibirán de un médico, ¿comprenden?, de un médico, lo que es muy distinto que si las llevara yo. Si se encontrara mal, les juro que las traeré junto a él, pero si está bien tienen que prometerme que se irán a dormir. Pasaré toda la noche aquí, sin que él tenga la menor idea de ello, y haré quedar a Zossimov en el departamento de la patrona, para tenerlo a mano si es preciso. ¿Quién es más útil en estos momentos: ustedes o el médico? En mi opinión, este último. Por lo tanto, regresen ustedes a su casa. En cuanto a permanecer en el departamento de la patrona, es imposible; para mí no tendría importancia, pero estoy seguro de que no lo consentiría, porque..., porque..., es una idiota. Tendría celos a causa de Abdocia Romanovna, ¿quieren saberlo?, está... enamorada de mí, y los tendría de usted también..., pero de Abdocia Romanovna con absoluta seguridad. Su carácter es muy raro, originalísimo... ¡Vamos, también yo soy un imbécil! Dejemos todo esto, que a nada conduce... ¡Vamos! ¿Tienen confianza en mí, a ver, tienen confianza en mí, sí o no?

—Vamos, mamá. Estoy segura de que cumplirá lo que promete —dijo Abdocia Romanovna—. Rodia debe su existencia a sus cuidados, y si es cierto que el doctor consiente en pasar la noche aquí, ¿qué más podríamos desear?

—¡Eso es! Usted..., ¡usted me comprende porque es un ángel! —exclamó Razumikhin transportado de entusiasmo—. ¡Partamos! Anastasia, sube a la pieza en seguida y quédate cerca de él con la luz encendida; dentro de un cuarto de hora estaré de vuelta.

Aunque no del todo conforme, Pulkeria Alejandrovna no opuso la menor resistencia. Razumikhin las tomó del brazo, haciéndoles descender la escalera.

La madre experimentaba cierta inquietud y decíase: "Fuera de dudas, se trata de un joven muy amable y servicial, ¿pero se encontrará en condiciones de cumplir sus promesas? A juzgar por su estado..."

—Adivino lo que está pensando —dijo de pronto Razumikhin—. Usted cree que estoy borracho.

Caminaba a grandes zancadas por la acera, sin advertir que las dos mujeres apenas podían seguirlo.

—Es una cosa tonta..., quiero decir..., me refiero a mi estado..., pero no se trata de eso, no estoy ebrio de alcohol. Desde que las vi, me pareció haber recibido un golpe en la cabeza... ¡Bah!, no hagan caso de mis tonterías; estoy divagando, no soy digno de mirarlas a la cara. ¡Soy indigno de ustedes en el más alto grado! Pero, tan pronto las haya dejado en su casa, iré al canal y me refrescaré la cabeza con un par de baldes de agua. Eso me dejará como nuevo... ¡Si siquiera pudieran apreciar cuánto las estimo! No se rían ni se enfaden conmigo. ¡Enfádense contra todo el mundo, pero no conmigo! Soy amigo de Rodia y, por consiguiente, también amigo de ustedes. Presentí el año pasado..., en cierto momento..., pero no puedo decir que presentí esto, dado que ustedes han caído como llovidas del cielo... Es probable que esta noche no duerma... Zossimov temía no hace mucho que se volviera loco..., por eso no conviene excitarlo.

—¿Qué dice? —gritó la madre.

—¿Es posible que el médico haya dicho eso? —preguntó Abdocia Romanovna llena de espanto.

—Lo dijo, pero no se asusten; estoy seguro de que Rodia se halla en su sano juicio, tranquilícense. Le dio un medicamento, un sello, yo vi cuando lo tomaba..., y después nos encontramos con ustedes. ¡Ah! ¡Hubiera sido mejor que hubiesen venido mañana! Hicimos bien en irnos. Dentro de una hora Zossimov les dará cuenta de todo. ¡Ese sí que no se embriaga como yo! Yo tampoco estaré ebrio... ¿Por qué me encuentro tan excitado? Esos imbéciles me hicieron discutir sin ton ni son... Había jurado que no discutiría más... ¡Se dicen tantas necedades! Por poco la emprendo a golpes con ellos. Dejé a mi tío como presidente de la reunión... ¿Creerán ustedes que preconizan la impersonalidad absoluta? Ante todo y sobre todo, no ser uno mismo, parecerse a sí mismo lo menos posible... ¡Vean un poco lo que consideran el colmo del progreso! Cada uno de ellos empezó a decir disparates a su manera...

—Permítame —interrumpió con timidez Pulkeria Alejandrovna, pero sólo consiguió que arreciara su charla.

—¿Qué opinan ustedes? —vociferó casi Razumikhin—. ¿Creen que me indigno al oírles decir estas sandeces? ¡De ningún modo! ¡Me alegra que las digan! Las charlatanerías insulsas y desprovistas de sentido constituyen el único privilegio del hombre sobre los animales. Por la mentira se llega a la verdad. Si soy hombre es porque miento. No se ha logrado jamás la conquista de una sola verdad sin que antes haya sido preciso decir por lo menos catorce mentiras, o ciento catorce, y esto nada tiene que no sea honorable en sí; ¡pero es que no sabemos mentir de acuerdo con nuestro espíritu! ¡Que me endilguen todos los embustes que se les ocurran, pero que sean propios, y les daré un abrazo! Mentir de acuerdo con la propia individualidad es casi más bello que decir la verdad siguiendo los dictados de un extraño; en el primer caso, uno se afirma como hombre; en el segundo, se desempeña el papel de un loro. La verdad no desaparece, pero la vida puede ser aniquilada, es un hecho incontrovertible... ¿Dónde estábamos? ¡Ah, sí! Todos, sin excepción, sea en el terreno de las ciencias, de la cultura, del pensamiento, del genio inventivo, de los ideales, de los deseos del liberalismo, de la experiencia, en todo, estamos todavía en los cursos preparatorios de la escuela primaria. ¡Nos encantan los conocimientos que hemos devorado ya masticados! ¿Está bien eso? ¿Digo bien o no?

—gritó Razumikhin sacudiendo y apretando las manos de ambas mujeres—. ¿Tengo o no razón?

—¡Oh Dios mío! Yo no sé nada de estas cosas —respondió la pobre Pulkeria Alejandrovna.

—Sí, es así, aunque yo no estoy de acuerdo con usted en todos los puntos —añadió seriamente Abdocia Romanovna, lanzando a continuación un grito de dolor provocado por una presión aún más fuerte de la mano de Razumikhin.

—¿Sí? ¿Dice usted que sí? Y bien, después de esto..., usted..., usted es un ángel de bondad, de pureza, de razón y de... perfección... ¡Deme su mano! ¡También usted! Quiero besárselas aquí mismo, de rodillas.

Y se puso de hinojos en la acera, felizmente desierta a esa hora.

—Por favor..., le ruego..., ¿qué hace? —exclamó alarmada Pulkeria Alejandrovna.

—Levántese, levántese —agregó riendo Dunia, también un poco inquieta.

—¡Por nada del mundo antes que me hayan permitido besarles las manos! Así..., ¡bien! Ahora, sigamos andando. Soy un patán, indigno de ustedes, y ebrio por añadidura; me siento profundamente avergonzado. No soy digno de amarlas, pero cualquiera que no sea un perfecto bruto tiene el deber de prosternarse ante ustedes. Por eso lo hice... Hemos llegado..., ésta es la casa... Aunque no fuera más que por esto, Rodia habría tenido razón de echar a puntapiés a Pedro Petrovich. ¿Cómo se le ha ocurrido alojarlas en esta cueva infame? ¡Es un escándalo! ¿Saben ustedes qué clase de gente vive aquí? ¡Y decir que usted es su novia! Porque usted es su novia, ¿no es cierto? ¡Pues bien! Sólo por lo que acabo de decirles, no vacilo en declarar que su futuro esposo es un sinvergüenza.

—Oiga, señor Razumikhin, olvida usted... —comenzó Pulkeria Alejandrovna.

—Sí, sí, tiene razón..., me había olvidado —dijo Razumikhin—. Espero que no me guarden rencor por estas palabras. Hablé con toda franqueza, y no porque... ¡Hum!, sería una cobardía...; en resumen, no porque yo la..., ¡hum!... ¡Bien!... Me lo callaré, no lo digo porque no me atrevo... Pero, cuando ese hombre fue a ver a Rodia, todos comprendimos que no era como nosotros. No porque lo hayamos visto entrar con la cabeza recién salida de la peluquería ni porque se haya apresurado a hacer gala de sus conocimientos, sino porque es un espía, un especulador y un charlatán..., eso se ve a las claras... ¿Lo creen inteligente? No; es un fatuo. ¿Acaso puede considerársele partido digno de usted? ¡Oh, por Dios!

Al pie de la escalera se detuvo bruscamente:

—Los amigos que tengo en casa estarán ebrios, mas no por ello dejan de ser honestos y buenos muchachos; contarán todas las paparruchas que se les ocurran; yo también las cuento a veces; pero algún día llegaremos a conquistar la verdad, porque estamos en la senda recta, cosa que no sucede con Pedro Petrovich, que no sigue el camino derecho. Aunque esta noche los haya injuriado, no dejo de estimarlos, hasta a Zamiotov, que es un bicho raro, hasta Zamiotov, digo, porque es honrado y conoce su oficio... Pero basta ya... Todo queda dicho y perdonado. ¿No es así? ¿Me perdonan? ¿No es cierto que me perdonan? Sigamos..., conozco este corredor, estuve una vez aquí...; en el departamento 3 se produjo un buen escándalo... ¿Cuál es el departamento de ustedes? ¿El número 8? Cierren con llave y no abran a nadie. Dentro de un cuarto de hora estaré de regreso, y media hora después volveré con Zossimov. ¡Adiós! ¡Hasta pronto!

—¡Dios mío, Dunia! ¿Qué irá a suceder? —exclamó Pulkeria Alejandrovna mirando a su hija con aire temeroso y compungido.

—¡Tranquilízate, mamá! —respondió la joven sacándose el sombrero y la mantilla—. ¡Dios nos ha enviado a este amigo tan leal! Te aseguro que, a pesar de que ha bebido un poco más de lo necesario, podemos confiar en él..., y todo lo que hizo por el pobre Rodia...

—¡Ah, Dunia! ¡Quién sabe si volverá! ¿Cómo he podido resolverme a dejar a Rodia? ¡Y sobre todo, cuando lo que menos esperaba era encontrarlo en ese estado! ¡Qué raro se mostró con nosotras! Parecía que le disgustaba volver a vernos...

Sus ojos se llenaron de lágrimas.

—No, no es eso, mamá, no viste bien, pues estuviste llorando todo el rato. Todavía está bajo los efectos de la grave enfermedad que acaba de pasar; eso es la causa de todo.

—¡Ah, esa enfermedad! Veo algo raro en todo esto... ¡Y cómo te habló, Dunia! —agregó con timidez la madre, buscando los ojos de su hija para tratar de leer sus más recónditos pensamientos y sintiéndose casi consolada al ver que Dunia defendía a su hermano y por consiguiente lo perdonaba—. Estoy segura de que mañana cambiará de opinión —dijo por último, tratando de llegar hasta el fin.

—En cambio yo estoy segura de que mañana pensará lo mismo..., a este respecto —interrumpió Abdocia Romanovna, cortando de ese modo la conversación, pues se trataba de un tema muy delicado que Pulkeria Alejandrovna no se atrevía a comentar en detalle en aquellos momentos. Dunia besó a su madre, que la atrajo con fuerza hacia su pecho sin añadir palabra.

Pulkeria Alejandrovna se sentó y se dispuso a esperar el regreso de Razumikhin, siguiendo con inquieta mirada a su hija, que se paseaba de un lado a otro con los brazos cruzados, esperando también, sumida en profundas reflexiones. Aquella forma de pasearse era habitual en Abdocia Romanovna cuando vacilaba en adoptar una resolución, y su madre tenía buen cuidado de no hablarle en tales ocasiones.

Sin duda alguna Razumikhin se había mostrado ridículo en absoluto con su repentina pasión, surgida en pleno acceso de embriaguez, por Abdocia Romanovna; pero aquello era en cierto modo explicable al contemplar a la joven paseándose triste y pensativa por la habitación. Abdocia era una muchacha alta, bien formada, fuerte, segura de sí misma, como lo revelaba cada uno de sus gestos, lo que en nada desmerecía la soltura y la gracia de sus movimientos. Su rostro se asemejaba al de su hermano, pero sus rasgos, todavía más delicados, eran de inigualable belleza. Sus cabellos eran castaños, un poco más claros que los de Rodia, y sus ojos negrísimos y brillantes, de altiva mirada, traslucían, sin embargo, extraordinaria bondad. Era pálida, pero su palidez nada tenía de enfermizo; su rostro resplandecía de frescura y salud. Su boca era pequeña, y el labio inferior, de rojo muy vivo, avanzaba un tanto, al igual que su barbilla, únicas irregularidades que se notaban en aquella cara tan hermosa, aunque innegablemente le conferían un carácter particular de firmeza y hasta de tenacidad. Su expresión era más bien seria y pensativa que alegre, pero en cambio, ¡qué bien sentaba a aquella boca la risa, la risa espontánea y juvenil!

Era lógico que, con todo esto, Razumikhin, el ardiente, el leal, el simple Razumikhin, honesto y fuerte como un paladín de las épocas pasadas, y por añadidura un tanto exaltado por los vapores del alcohol, hubiese perdido la cabeza por completo. Además, el azar le había mostrado a Dunia cuando era todo amor y alegría al volver a encontrarse con su hermano. Luego la vio con los labios trémulos de indignación ante las insolentes exigencias de ese hermano..., y quedó definitivamente cautivado.

Por otra parte, no mintió al decir en la escalera con su volubilidad de beodo que la patrona de Raskolnikov, Praskovia Ivanovna, sentiría celos, no sólo de Abdocia Romanovna, sino hasta de su madre. Aunque esta última tuviera ya cuarenta y tres años, parecía mucho más joven, como ocurre con frecuencia en las mujeres que conservan hasta los umbrales de la vejez la lucidez de espíritu, la frescura de las impresiones y el puro y honrado calor del corazón.

Agreguemos a este paréntesis que conservar todo esto constituye la única manera de no perder la belleza al envejecer.

Los cabellos de Pulkeria Alejandrovna comenzaban a encanecer, y desde tiempo atrás esbozábanse pequeñas arrugas junto a sus ojos; las preocupaciones y disgustos habían demacrado sus mejillas, pero su rostro continuaba siendo bello. Era el vivo retrato de Dunia con veinte años más, salvo la expresión del labio inferior, un tanto sumido en ella. Era sensible sin llegar a la afectación; naturalmente tímida, podía ceder aun en contra de sus propias convicciones, mientras no estuvieran en juego el honor, el deber y sus creencias más arraigadas, cuyos límites no se hubiera decidido a franquear, cualesquiera que fuesen las circunstancias.

A los veinte minutos exactos de la partida de Razumikhin, se oyeron dos suaves y rápidos golpes en la puerta. Era el joven, que volvía.

—No entraré, no tengo tiempo —se apresuró a decir Razumikhin apenas abrieron—. Rodia duerme como un bendito con un sueño calmo, apacible, y Dios permita que duerma así durante diez horas. Anastasia está junto a él, y le recomendé que no lo abandone hasta mi regreso. Ahora voy a buscar a Zossimov, y él les dirá más tarde lo que hay; después tienen que acostarse, pues no pueden ocultar que están rendidas de fatiga.

Tras un breve saludo, emprendió veloz carrera por el corredor.

—¡Qué muchacho despierto y simpático! —exclamó gozosa Pulkeria Alejandrovna.

—Parece de nobles sentimientos —asintió con vehemencia Abdocia Romanovna, reanudando sus paseos por la habitación.

No había transcurrido una hora cuando resonaron pasos en el corredor y llamaron de nuevo a la puerta. Las dos mujeres aguardaban, creyendo esta vez en las promesas de Razumikhin. En efecto, era éste, que volvía acompañado por Zossimov, que no había vacilado en dejar la fiesta para ir a visitar a Raskolnikov, pero que opuso ciertos reparos para trasladarse a la casa de la madre y la hermana del joven, un tanto receloso por el estado en que se encontraba Razumikhin. Pronto su amor propio sintiose halagado; comprendió que realmente lo esperaban como a un oráculo. En diez minutos logró convencer a Pulkeria Alejandrovna y tranquilizarla por completo. Sus palabras trasuntaban vivo interés por el enfermo, pero, no obstante, mantenía alguna reserva, adoptando un aire importante, como corresponde a un médico de veintisiete años consultado en una circunstancia grave. No pronunció un solo término que no estuviera estrictamente dentro del tema que trataba y se guardó de manifestar el menor deseo de trabar relaciones más personales y más continuas con las dos damas. Desde el primer momento notó la deslumbrante belleza de Abdocia Romanovna y puso el mayor empeño en aparentar no fijarse en ella, dirigiéndose exclusivamente a Pulkeria Alejandrovna durante todo el tiempo que duró la visita. Todo aquello proporcionábale indecible satisfacción. En lo concerniente a Raskolnikov, declaró que por el momento se encontraba en un estado satisfactorio. Según su diagnóstico, la enfermedad, aparte de las pésimas condiciones materiales en que había vivido el paciente en los últimos meses, reconocía otras causas de origen moral: "Es, por decirlo así, el resultado de ciertas preocupaciones e ideas fijas".

Al observar de soslayo que Abdocia Romanovna le escuchaba con la mayor atención, extendiose complacientemente en detalles acerca de su tesis.

Pulkeria Alejandrovna le preguntó con timidez si existían síntomas de extravío mental, a lo cual respondió con franca sonrisa que se había exagerado, que sin duda se comprobaba en el enfermo una especie de obsesión, algo que inducía a pensar en las monomanías, añadiendo que eso era comprensible teniendo en cuenta el delirio que apenas acababa de abandonar a Raskolnikov. Dijo asimismo que la llegada de la familia iba a ser de gran utilidad y aliviaría al paciente, distrayéndole y ejerciendo una acción benéfica sobre él, siempre que se cuidara "evitarle nuevas emociones".

Terminada su especie de conferencia, se levantó y saludó de modo grave y jovial a la vez al verse colmado de bendiciones, de cálidas efusiones de reconocimiento; hasta Abdocia Romanovna tendiole espontáneamente la mano para que la estrechara.

Zossimov salió encantado de la visita y más aún de sí mismo.

—Mañana hablaremos todo lo que quieran; ahora es preciso que se acuesten sin demora —insistió Razumikhin al salir con el médico—. Mañana vendré a primera hora para traerles nuevas informaciones.

—¡Qué encantadora mujercita esa Abdocia Romanovna! —exclamó Zossimov sin el menor propósito de adulación cuando ambos estuvieron en la calle.

—¿Encantadora? ¿Dices encantadora? —rugió Razumikhin, saltando sobre el médico y tomándolo del cuello—. ¡Si te permites siquiera una vez...! ¿Comprendes? ¿Comprendes? —gritó sacudiéndolo como a un muñeco y apretándolo contra el muro.

—¡Suelta! ¡Suéltame, borracho del demonio! —articuló Zossimov debatiéndose.

Una vez libre, miró con fijeza a Razumikhin y comenzó a reír como un loco. Su amigo, con los brazos colgando, parecía sumido en amargas reflexiones.

—Es cierto..., soy un asno..., pero tú también..., tú también lo eres —dijo con aspecto sombrío.

—No, yo no, amigo; no soy un asno... Yo no sueño con imposibles.

Siguieron caminando sin pronunciar palabra; sólo al llegar cerca de la casa de Raskolnikov, Razumikhin rompió el silencio.

—Oye —dijo a Zossimov—, eres un buen muchacho, pero además de tus numerosos defectos te sientes Tenorio y llegas a cualquier extremo para satisfacer tus pasiones. Eres una enciclopedia de vicios; engordas y de nada te privas; y a esto lo llamo yo ser un puerco, porque conduce a las mayores suciedades. Siendo como eres, podrido hasta tal punto, no comprendo cómo puedes ser un buen médico, y hasta un médico abnegado. ¡Un médico que duerme sobre colchón de plumas y que se levanta de noche para ir a la casa de un enfermo! Dentro de tres años, con toda seguridad no te levantarás... Pero no se trata de eso; me proponía simplemente hacerte esta indicación: pasarás la noche en el departamento de la patrona, a la que logré persuadir no sin trabajo; en cuanto a mí, dormiré en la cocina; de este modo podrás trabar relación más íntima con ella... No, no pienses en eso...; no hay nada entre nosotros.

—Pero si yo no pienso nada...

—Mira, se trata de una mujer recatada, pudibunda, tímida, de castidad inquebrantable, lo que no impide que lance suspiros, derritiéndose como la cera expuesta al fuego. ¡Líbrame de ella, te lo suplico por todos los demonios del universo! Agradable lo es, pero... ¡Me harás un favor que no olvidaré aunque viva mil años!

Zossimov se echó a reír de buena gana.

—Ya veo que no estás tan borracho que digamos... Pero, ¿qué he de hacer?

—Te aseguro que no es cosa de mucho trabajo; dile solamente las tonterías que se te ocurran; bastará con que te sientes al lado de ella y le hables. Además, ¡eres médico!, comienza por prescribirle un tratamiento cualquiera..., te juro que no te arrepentirás. Posee un clavicordio, y, como sabes, yo canto algo; le he cantado una romanza rusa, una romanza de verdad: "Lloro con ardientes lágrimas"... Adora las romanzas, y empezamos por ahí... Tú eres un virtuoso del piano, un maestro, un segundo Rubinstein... Te aseguro que no tendrás de qué arrepentirte.

—¿Acaso le has hecho alguna promesa? ¿Hasta quizás una promesa por escrito? ¿Le has dicho que te casarías con ella?

—¡No, no, absolutamente nada de eso! Esa mujer no es lo que crees. El mismo Chebarov se imaginó...

—¡Y bien! Entonces, déjala plantada.

—¡Es que no hay medio de hacerlo así!

—¿Por qué?

—¡Pues porque no lo hay! Tiene algo que no puedo explicar, un "principio de atracción", me atrevería a decir...

—Entonces, ¿por qué la has enamorado?

—¡En ningún momento traté de enamorarla! Pero a ella poco le importa que sea yo, o tú, u otro cualquiera, con tal que haya un hombre que suspire a su lado. No sabría explicártelo bien... Mira, tú eres fuerte en matemáticas: comienza a exponerle las reglas del cálculo integral; no me burlo, te aseguro que tanto da una cosa como otra. Te contemplará como a un dios y suspirará y eso puede durar un año entero. Yo le hablé dos días seguidos de la Cámara de los señores prusianos (de algo tenía que hablar), y te juro que no cesó de mirarme como una boba y de suspirar. ¡Pero no le hables de amor! Es pudibunda hasta la exageración; aparenta solamente no poder prescindir de ella, eso bastará. En su casa encontrarás todas las comodidades apetecibles; podrás sentarte, acostarte, leer, escribir..., hasta te permitirá besarla, pero anda con miramiento...

—Pero, en resumen, ¿qué haré luego con esa mujer?

—Mira, no sé cómo explicártelo. Ya verás por ti mismo. Estáis hechos el uno para el otro... Ya que debes terminar en eso..., ¿acaso no te es igual ahora que más adelante? Allí podrás poner en práctica el principio del lecho de plumas, y no sólo ése, sino muchos otros. Tu destino te llama..., ése será el fin del mundo para ti, el ancla, el puerto tranquilo, el ombligo del universo, las perdices en escabeche, los pasteles de crema, el samovar a la tarde, el calientapiés en la cama... Estarás como muerto y, sin embargo, vivirás; ¡habrás matado dos pájaros de un tiro! ¡Uf, amigo mío! ¡Qué difícil eres de convencer! ¡Cuánto me haces hablar! Ya es hora de acostarse. Oye, a veces me despierto de noche; en tal caso iré a echar un vistazo en el cuarto de Raskolnikov; creo que todo marchará bien... Si te sientes en disposición, sube tú también. Pero si notas delirio, o fiebre, o lo que sea, llámame enseguida, aunque no creo que eso ocurra.

2

A las siete del día siguiente, Razumikhin despertose preocupado y lleno de ansiedad. Sintiose invadido por inquietudes imprevistas, y jamás hubiera imaginado que podría despertarse de ese modo. Recordaba hasta los detalles menores de la jornada de la víspera y comprendía que algo insólito había ocurrido, experimentando una sensación desconocida hasta entonces, muy diferente de las habituales. Al mismo tiempo se daba perfecta cuenta de que el sueño forjado en su imaginación era irrealizable, a tal punto que sintió vergüenza, y se apresuró a recurrir a otros cuidados de orden práctico que en cierto modo eran derivados de "aquel maldito día anterior".

Su recuerdo más execrable era haberse comportado como un "desvergonzado y un cínico", no sólo por haberse embriagado, sino porque, presa de necios celos, había insultado a Pedro Petrovich, repitiendo los insultos ante Dunia, sin tener en cuenta la situación de la joven, ni siquiera quién era en verdad aquel hombre. ¿Qué derecho tenía para juzgar a otra persona en forma tan apresurada y temeraria? ¿Un ser como Abdocia Romanovna podía entregarse a un hombre indigno sólo por amor al lucro? Tal vez poseía méritos ignorados... ¿Y el departamento amueblado que había alquilado para Abdocia y su madre? ¿Acaso podía saber lo que encerraba aquel edificio? ¿No estaba buscando otro alojamiento para las damas? ¡Ah, qué innoble era todo aquello! Su embriaguez no era justificativo. Tan necia excusa lo rebajaría aún más. El vino hace decir la verdad, y él reveló la vileza de su corazón groseramente envidioso. ¿Acaso podía permitirse abrigar un sueño tan descabellado? ¿Qué era él,

Razumikhin, comparado con aquella bellísima joven? ¿Existía algo más ridículo y estúpido que la idea de un acercamiento a un ser tan superior?

Razumikhin palideció sólo al pensarlo, y su desesperación y vergüenza crecieron al recordar las palabras pronunciadas en la escalera para expresar que la patrona lo amaba y tendría celos de Abdocia Romanovna... Eso era el colmo del cinismo...

En un arrebato de ira asestó un formidable puñetazo en la chimenea de la cocina, partiendo un ladrillo y lastimándose la mano.

—Fuera de duda —murmuró al cabo de un minuto con un sentimiento de profunda humillación—, no puedo borrar todas estas incidencias ni pensar siquiera en...; me presentaré ante ellas sin decir palabra..., aceptaré todo sin esperar retribución alguna..., en silencio y sin ofrecer disculpas... Evidentemente, todo está perdido ahora.

Sin embargo, se vistió con más esmero que de costumbre. No tenía otro traje; pero, de haberlo tenido, tal vez no se lo habría puesto "para no dar a entender que trataba de aparecer mejor de lo que era". Mas, de todos modos, no podía exhibir cínicamente vestidos manchados y en desorden, pues no era propio herir la delicadeza de otras personas, máxime cuando éstas necesitaban de él y lo habían invitado a su casa. Cepilló sus ropas con el mayor cuidado. En cuanto a la ropa blanca, Razumikhin era incapaz de usarla si no estaba escrupulosamente limpia.

Se lavó con el mayor cuidado la cabeza, el cuello y las manos, utilizando un trozo de jabón que encontró en la cocina. Cuando se trató de decidir si se afeitaba o no (Praskovia Pavlovna poseía excelentes navajas de afeitar que conservaba desde el fallecimiento de su esposo, el extinto señor Zarnitsin), resolvió la cuestión por la negativa, con una especie de ferocidad: "¡Mi barba quedará como está! A lo mejor pensarían que me afeité por… ¡Claro, es natural! ¡No me afeitaré! Admitamos que yo sea un hombre honesto, a pesar de mi grosería y mi desvergüenza y de oler a taberna a una versta de distancia… ¿Qué se gana con eso? Todo el mundo tiene la obligación de ser honesto, y hasta un poco más; todos debemos luchar para surgir del anonimato… En lo tocante al género de vida que he llevado hasta ahora… ¡Ah! ¿Cómo puedo pretender establecer comparaciones y llegar a la altura de Abdocia Romanovna? ¡Que el diablo me lleve! ¡Soy un cerdo, un necio, un bribón, y a pesar de ello no me importa un rábano! ¡Seguiré como hasta ahora, y todavía peor!"

Zossimov, que había pasado la noche en la sala de Praskovia Pavlovna, lo encontró abstraído en monólogos similares al precitado.

Después de trasladarse a su casa, volvía para examinar al enfermo.

Razumikhin le manifestó que Raskolnikov dormía como un leño, y el médico recomendó que no lo despertaran y prometió regresar unas horas más tarde.

—¡Con tal que no se le antoje escaparse otra vez! —agregó—. Es difícil cuidar a un paciente que hace su santa voluntad. ¿Sabes si irá a ver a su madre y su hermana, o si ellas vendrán aquí?

—Creo que vendrán —respondió Razumikhin, comprendiendo el motivo de la pregunta—. Sin duda, tendrán que hablar de asuntos de familia. Yo me retiraré... Tú, como médico, tienes naturalmente más derechos que yo...

—No soy director de conciencias; vendré y luego de ver al enfermo me iré. Demasiado tengo que hacer sin esto.

—Hay algo que me inquieta —añadió Razumikhin frunciendo el ceño—: ayer estaba borracho, y al acompañar a Raskolnikov dije una serie de tonterías; entre otras, que temías cierta predisposición a la demencia en él.

—Lo mismo dijiste a las damas.

—Ya sé que cometí una inaudita torpeza... ¡Pégame si quieres! Pero dime: en realidad, ¿crees que Raskolnikov presenta síntomas de locura?

—Que si creo... ¡Vamos! ¡Esto es casi un absurdo! Tú mismo me lo describiste como un monomaníaco cuando me llevaste a su cuarto por primera vez. Ayer le hicimos aumentar la fiebre, o, mejor dicho, se la hiciste aumentar con tus chismes del pintor... ¡Bonito tema de conversación cuando tal vez él mismo haya perdido la cabeza a causa de eso! Si yo hubiera sabido exactamente lo que ocurrió en la comisaría, y que un canalla cualquiera le había hecho la afrenta de sospechar de él, no habría tolerado ayer esa conversación. Estos monomaníacos confunden una gota de agua con el mar y todas las quimeras les parecen reales. La mitad de las cosas me fueron aclaradas por lo que Zamiotov nos contó ayer. ¡Y de qué manera! Recuerdo el caso de un hipocondríaco, un hombre de cuarenta años, que, exasperado por las burlas de que lo hacía objeto en la mesa un niño de ocho años, terminó por estrangularlo. Tenemos ahora un desdichado cubierto de harapos, al comienzo de una enfermedad, que se ve insultado por un policía salvaje y luego mortificado por innobles sospechas. ¡Si todo su mal se debe precisamente a su vanidad exacerbada, que ha terminado por provocar la crisis! Ése es el punto sensible de su enfermedad. No diré que carezcas de razón. Zamiotov es un buen hombre, pero ha incurrido en un grave desacierto al hablar en la forma que lo hizo. ¡Es un charlatán incorregible!

—Pero, ¿a quién contó lo sucedido? A ti y a mí.

—Y a Porfirio.

—¿Qué tiene de particular que se lo haya contado a Porfirio?

—Dejemos eso. Creo que tienes alguna influencia sobre la madre y la hermana de Raskolnikov... Recomiéndales que se muestren circunspectas hoy al hablar con él.

—Descuida —dijo Razumikhin con cierta vacilación.

—¿Por qué se habrá incomodado de ese modo con Lujin? Es un hombre que tiene dinero, y al parecer no disgusta a la muchacha. Por otra parte, ellas no tienen un centavo...

—¿Qué te importa eso? —exclamó irritado Razumikhin—. ¿Cómo puedo saber si tienen o no dinero? Pregúntales a ellas, si tienes interés en saberlo...

—¡Uf! ¡Qué tonto te pones por momentos! ¿Todavía te dura lo de anoche? Adiós, despídeme de Praskovia Pavlovna y agradécele en mi nombre su hospitalidad. Se ha encerrado en su habitación; le di los buenos días ante la puerta cerrada y no me contestó, aunque me consta que a las siete estaba ya levantada; le llevaron el samovar de la cocina por el corredor... Quizá no se dignara admitirme en su presencia...

A las nueve en punto Razumikhin hizo su aparición en el edificio Bakaleiev. Las dos mujeres lo esperaban hacía rato con nerviosa impaciencia; se habían levantado a las siete, o tal vez más temprano. El joven entró con aspecto sombrío, saludando con torpeza, lo que lo indispuso enseguida contra sí mismo. Pulkeria Alejandrovna precipitose a su encuentro y tomole ambas manos entre las suyas, faltando poco para que se las besara. Razumikhin miró con timidez a Abdocia Romanovna, pero en aquel rostro altanero había en ese momento una expresión tal de reconocimiento y amistad, tanto respeto, inesperado en absoluto, en lugar de las miradas burlonas y el aire de desprecio mal disimulado que creía encontrar, que lleno de confusión pensó que casi hubiera preferido que lo colmaran de injurias. Afortunadamente no faltaban temas de conversación, y pronto recobró la calma.

Al saber que Raskolnikov dormía aún y que "todo iba bien", Pulkeria Alejandrovna dio muestras de satisfacción, manifestando que tenía verdadera necesidad de conversar previamente con Razumikhin.

Madre e hija habíanle esperado para tomar el desayuno en su compañía; Abdocia Romanovna tiró del cordón de la campanilla, y apareció un individuo desaseado y de mala catadura, el mucamo de la casa; se le ordenó que sirviese el té, y así lo hizo, pero en una forma tan incorrecta y poco limpia que las pobres mujeres sufrieron verdadera mortificación.

Razumikhin estuvo a punto de protestar en términos enérgicos contra la inmundicia e infamia de los pisos amueblados, pero se contuvo al recordar a Lujin, y sintiose aliviado y feliz cuando Pulkeria Alejandrovna le dirigió una verdadera andanada de preguntas.

Para responder a ellas habló durante tres cuartos de hora; viéndose interrumpido con nuevas preguntas a cada momento, logró exponer tal como él los conociera los hechos principales de la vida de Raskolnikov desde hacía un año. Terminó con el relato detallado de la enfermedad, observando silencio acerca de algunas escenas, entre ellas la de la comisaría y sus consecuencias. Las dos le escuchaban con avidez, pero cuando Razumikhin creyó haber terminado y satisfecho su curiosidad, volvían a la carga como si sólo entonces comenzara la narración...

—Díganos, por favor, ¿qué le parece a usted?... ¡Ah, discúlpeme! Todavía no sabemos su nombre... —dijo precipitadamente Pulkeria Alejandrovna.

—Dimitri Prokofich.

—Bien, Dimitri Prokofich... Yo quisiera saber cómo considera mi hijo las cosas en general ahora..., ¿comprende? ¿Cómo hacer para explicarme o expresarme mejor?... Lo que ama y lo que no ama... ¿Siempre es tan irritable? ¿Cuáles son sus deseos, sus sueños, si usted quiere? ¿Qué es lo que ejerce ahora mayor influencia sobre él? En resumen, quisiera saber...

—¡Ah, mamá! ¿Cómo quieres que te conteste a tantas preguntas a la vez? —observó Dunia.

—¡Dios mío! Es que yo no esperaba encontrarle así, de ningún modo, Dimitri Prokofich.

—Es muy natural —respondió Razumikhin—. Yo no tengo madre; mi único pariente es un tío que viene a verme todos los años, y apenas me reconoce cuando me ve, aun exteriormente. Ustedes se separaron de Rodia hace tres años, y desde entonces ha corrido mucha agua debajo de los puentes. ¿Qué podría decirles? Conozco a Rodion hace un año y medio; es taciturno, sombrío, orgulloso y altanero. En estos últimos tiempos (aunque tal vez esta predisposición date de mucho antes) se ha vuelto suspicaz e hipocondríaco. Es magnánimo y bueno. Poco afecto a revelar sus sentimientos, prefiere cometer una maldad antes que confesar lo que ocurre en su corazón. En ocasiones no es del todo hipocondríaco, sino simplemente frío e insensible hasta la crueldad, como si existieran en él dos naturalezas opuestas que se sucedieran por turno. A veces se reconcentra a tal punto en sí mismo que parece que todo el mundo le molesta, y permanece acostado sin mover un dedo. No es burlón, no por falta de ingenio, sino porque no quiere perder tiempo en tonterías. No escucha hasta el final lo que se le dice. Jamás se interesa en las cosas que en un momento dado llegan a interesar a todos sus semejantes. Tiene una elevada opinión de sí mismo, y creo que no se equivoca. ¿Qué más?... La llegada de ustedes ejercerá sobre él una influencia benéfica, según mi entender.

—¡Dios lo permita! —exclamó Pulkeria Alejandrovna, angustiada por las declaraciones del joven.

Razumikhin se animó por fin a mirar con menos disimulo a Abdocia Romanovna. Mientras hablaba la había contemplado a hurtadillas; la joven permanecía sentada escuchándolo con atención, o se levantaba para pasear de un lado a otro, según su costumbre; con los brazos cruzados sobre el pecho y los labios apretados, formulando de tanto en tanto una pregunta sin abandonar su paseo, sumida en profundas reflexiones.

También ella tenía el hábito de no escuchar hasta el fin cuanto se le decía. Estaba vestida con un trajecito liviano, y un pañuelo de vaporoso tejido anudábase al cuello.

Razumikhin no tardó en advertir por numerosos indicios que las dos mujeres vivían en un estado de extrema pobreza. Si Abdocia Romanovna hubiera estado ataviada como una reina, acaso no lo habría intimidado, pero el simple hecho de que estuviera tan pobremente vestida y el conocimiento de toda la amplitud de su desamparo le causaban verdadera desazón; cuidaba sus menores expresiones, sus gestos más insignificantes, lo que, como es natural, contribuía a hacer mayor su nerviosidad y su desasosiego.

—Nos ha dado usted una cantidad de detalles curiosos acerca del carácter de mi hermano... y ha hablado con absoluta imparcialidad. Por un momento llegué a suponer que usted le admiraba —observó Abdocia Romanovna con una sonrisa—. Tengo idea de que debe haber alguna mujer en su existencia —agregó con cierta vacilación.

—No he querido decir eso, aunque tal vez usted tenga razón. Pero...

—¿Qué?

—Rodion no ama a nadie, y quizá no ame jamás a nadie —pronunció Razumikhin con plena convicción.

—¿Lo cree incapaz de amar?

—¿Sabe usted, Abdocia Romanovna, que en todo se parece a su hermano? —exclamó Razumikhin inopinadamente, pero al recordar lo que había dicho del hermano de la joven turbose, enrojeciendo como un colegial. Abdocia Romanovna no pudo evitar una sonrisa al verlo.

—Tal vez los dos se engañan con respecto a Rodia —dijo la madre un tanto mortificada—. No hablo de ahora, Dunia. Lo que Pedro Petrovich escribe en esa carta..., y lo que tú y yo hemos supuesto acaso no sea cierto; no puede figurarse usted, Dimitri Prokofich, lo raro y caprichoso que es Rodia. Nunca pude estar tranquila a causa de su carácter, aun de niño. Lo creo capaz de intentar empresas que jamás se le ocurrirían a ningún otro hombre. Sin ir más lejos, hace dieciocho meses me atormentó y estuvo a punto de hacerme morir de pena cuando se le puso en la cabeza que quería casarse con esa mujer, ¿cómo se llamaba?, la hija de esa señora Zarnitsin, su patrona...

—¿Conoce usted los detalles de ese asunto? —preguntó Abdocia Romanovna.

—¿Cree usted —prosiguió Pulkeria Alejandrovna— que lo hubieran detenido mis lágrimas, mis súplicas, mi enfermedad, mi muerte tal vez, que nuestra miseria lo habría conmovido? Hubiera franqueado con entera tranquilidad todos los obstáculos. Pero, ¿es posible, es posible que no nos ame?

—Jamás me dijo una palabra de esa historia —manifestó Razumikihin, con alguna reserva—, pero algo he oído de labios de la propia señora Zarnitsin, que no es muy conversadora que digamos, y lo que supe no deja de ser un tanto extraño.

—¿Qué sabe usted? —preguntaron a la vez las dos mujeres.

—¡Oh!, nada de particular. Sólo que el matrimonio, que en efecto era un asunto perfectamente decidido, y que la muerte de la novia impidió realizar, disgustaba muchísimo a la señora Zarnitsin. Por otra parte, hay quien pretende que la futura estaba lejos de ser bella, o más bien se asegura que era fea, de poca salud y rara..., aunque no desprovista de ciertas cualidades, sin lo cual no podría comprenderse...; carecía de dote, aunque Raskolnikov hubiera sido el último hombre del mundo que contara con esa ventaja... Resulta difícil formarse un juicio exacto.

—Estoy convencida de que esa joven era digna de aprecio —observó Abdocia Romanovna.

—¡Dios me perdone! Pero yo me alegré de su muerte, sin saber, no obstante, cuál de los dos habría resultado más perjudicado con ese matrimonio —dijo Pulkeria Alejandrovna. Luego, con la mayor prudencia, con reticencias y miradas furtivas a Dunia, lo que evidentemente causaba profundo desagrado a la joven, comenzó a interrogar a Razumikihin acerca de la escena producida entre Rodia y Lujin. Ese incidente la preocupaba por sobre todas las cosas, al punto de hacerla estremecer. Razumikihin repitió su relato sin olvidar detalle, pero esta vez agregó su propia conclusión, acusando con franqueza a Raskolnikov de ultraje premeditado hacia Lujin, y sin insistir demasiado en la enfermedad como circunstancia atenuante.

—Es indudable que ya había meditado bien esa actitud antes de su enfermedad —agregó.

—Eso creo yo también —dijo Pulkeria Alejandrovna con abatimiento. Experimentaba gran sorpresa al ver que el joven se refería a Pedro Petrovich en términos mesurados y hasta con cierto respeto, hecho que produjo asombro también a Abdocia Romanovna.

—¿Así que ésa es su opinión acerca de Pedro Petrovich? —no pudo dejar de preguntar Pulkeria Alejandrovna.

—No podría expresarme de distinto modo tratándose del futuro esposo de su hija —respondió Razumikhin con firmeza—. No hablo así impulsado por un sentimiento de rastrera cortesía, sino porque..., porque..., y bien, porque es suficiente que Abdocia Romanovna haya hecho recaer su elección sobre esa persona. Si ayer cometí la grosería de insultarlo, fue debido a encontrarme bajo la influencia del alcohol y había perdido la cabeza..., estaba trastornado por completo...; me siento sumamente avergonzado de mi proceder.

Enrojeció, guardando silencio. Abdocia Romanovna ruborizose también, sin formular observación alguna. No había despegado los labios desde que se comenzó a hablar de Lujin.

Privada del apoyo de su hija, Pulkeria Alejandrovna sentíase cohibida e indecisa. Por fin, siempre vacilando y sin dejar de mirar a Abdocia Romanovna, declaró que una circunstancia la preocupaba en grado sumo en ese momento.

—Vea, Dimitri Prokofich —comenzó—. ¿Puedo ser franca con él, no es verdad, Dunia?

—Claro que sí, mamá —respondió la joven con tono convencido.

—Se trata de esto: esta mañana temprano recibimos una carta de Pedro Petrovich en respuesta al aviso de nuestra llegada. Había prometido venir a buscarnos ayer a la estación, pero en lugar de hacerlo así envió un criado para que nos diera la dirección de esta casa y nos acompañara; el criado nos informó que Pedro Petrovich pasaría hoy por aquí. Ahora bien, en vez de venir Pedro Petrovich nos ha mandado esta carta... Tome, es preferible que usted mismo la lea. Hay un párrafo que me preocupa mucho..., ya verá...; deme su opinión con entera franqueza, Dimitri Prokofich. Usted conoce mejor que nadie el carácter de Rodia, y puede aconsejarnos. Dunia ya adoptó su decisión, pero yo no sé aún qué partido tomar; lo esperaba para consultarle...

Razumikhin desdobló la carta, fechada el día precedente, y leyó lo siguiente:

"Estimada señora Pulkeria Alejandrovna: Tengo el honor de informaros que por causas imprevistas me ha sido imposible aguardar vuestra llegada en la estación, en vista de lo cual envié un hombre de mi entera confianza. Del mismo modo me veré privado del honor de visitaros mañana, debido a ciertos asuntos urgentes que reclaman mi presencia en el Senado, y para no constituir una molestia en vuestra entrevista maternal con vuestro hijo y en la de Abdocia Romanovna con su hermano. Tendré, por lo tanto, el honor de visitaros y presentaros mis respetos, en vuestro alojamiento, mañana a las ocho de la noche; en esta oportunidad, me permitiré dirigiros un ruego, y hasta diré un ruego encarecido: que Rodion Romanovich no asista a nuestra entrevista, dado que me insultó en forma grosera y sin precedentes durante la visita que le hice cuando se hallaba enfermo. Aparte de esto, tengo necesidad de conversar con vos acerca de un punto sobre el cual deseo me hagáis conocer vuestra interpretación personal. Tengo el honor de anunciaros por anticipado que si, a pesar de mi pedido, me encuentro con Rodion Romanovich, me veré en la obligación de retirarme enseguida, y entonces no tendréis más que obrar como os parezca. Escribo esto para el supuesto caso de que Rodion Romanovich, que parecía tan enfermo durante mi visita, y que dos horas después había recobrado la salud, pudiera, ya que puede salir, ir a visitaros. Pude ver con mis propios ojos a vuestro hijo en la habitación de un beodo que había sido atropellado por un carruaje y que murió a consecuencia del accidente, y a cuya hija, una joven de conducta notoriamente equívoca, entregó veinticinco rublos so pretexto de costear el entierro. Esto me extrañó muchísimo, pues estoy enterado de las dificultades que tuvisteis para conseguir ese dinero. Sin otro particular, os ruego tener la gentileza de presentar el testimonio de mi personal estima a la honorable Abdocia Romanovna, y aceptéis los sentimientos de respetuosa consideración de vuestro humilde servidor.

P. LUJIN."

—¿Qué haré ahora, Dimitri Prokofich? —preguntó Pulkeria Alejandrovna a punto de romper a llorar—. ¿Cómo puedo decirle a Rodia que no venga? Ayer insistía con tanta energía en que debíamos despedir a Pedro Petrovich, ¡y ahora es éste quien me prohíbe recibir a mi hijo! ¡Es seguro que, apenas se entere de esto, Rodia vendrá a propósito! ¿Qué sucederá entonces?

—Haga lo que ha decidido Abdocia Romanovna —respondió sin inmutarse Razumikhin.

—¡Ah, Dios mío! Mi hija dice... Dios sabe lo que dice sin explicarme del todo sus intenciones... Según ella, sería mejor...; no, no sería mejor..., es indispensable que Rodia venga esta noche a las ocho y que se encuentren los dos... Yo preferiría no mostrarle esta carta..., proceder con precaución y tratar de que no viniera, contando siempre con su ayuda...; es tan irritable... Además, no comprendo lo que significa ese beodo atropellado por un carruaje, ni su hija, ni cómo ha podido darle a ésta el dinero que...

—Que te fue tan dificultoso procurarte, mamá —agregó Abdocia Romanovna.

—Ayer no estaba en sus cabales —murmuró pensativo Razumikhin—. ¡Si supieran ustedes a qué clase de diversión se entregó en un café! Aunque salió bien librado... En efecto, recuerdo que me habló de un muerto y de una joven cuando volvíamos a su casa, pero no entendí a qué se refería... Cierto es que, por mi parte, ayer...

—Lo mejor es que vayamos sin dilación a verlo, mamá, y allí veremos qué es lo que conviene hacer. ¡Qué tarde es ya, Dios mío! ¡Las diez pasadas! —exclamó la joven consultando un precioso reloj de oro esmaltado, suspendido a su cuello por una cadenita veneciana que desentonaba a todas luces con el resto de su atavío. "Un regalo de esponsales", pensó Razumikhin.

—¡Es cierto, es cierto, Dunia! —pronunció Pulkeria Alejandrovna con aire consternado—. Es capaz de imaginarse que estamos enfadadas por lo de ayer al ver que no vamos. ¡Ah, Dios mío!

Mientras hablaba se puso apresuradamente una mantilla y el sombrero. Dunia la imitó. Razumikhin observó que sus guantes no sólo eran viejos, sino que hasta estaban agujerados; sin embargo, la manifiesta pobreza de sus ropas confería a las dos mujeres un sello de particular distinción, como ocurre siempre con los que saben llevar dignamente vestidos humildes.

El joven envolvía a Dunia con una mirada de admiración y estaba orgulloso al pensar que la acompañaría: "Aquella reina que zurcía sus medias en el calabozo era tan reina en ese momento como en los bellos días de su triunfo y su coronación", pensaba.

—Jamás hubiera creído que llegaría a temer una estrevista con mi hijo, con mi querido Rodia, como la temo en este momento —dijo apenada Pulkeria Alejandrovna—. Siento verdadera zozobra, Dimitri Prokofich.

—No tengas miedo, mamá —dijo Dunia abrazándola—. No estés intranquila; yo tengo confianza.

—¡Ah, Dios mío! Yo también tengo confianza, pero esta noche no pude dormir —exclamó la pobre mujer.

Los tres salieron de la casa.

—¿Sabes, Dunia? Cuando logré conciliar el sueño, ya en la madrugada, soñé con esa pobre Marta Petrovna... Estaba vestida de blanco..., se aproximó a mí, me tomó la mano y movía la cabeza mirándome con un aire tan severo que parecía reprocharme algo. ¿Será un buen augurio? ¡Ah, Dios mío! ¿No sabe usted, Dimitri Prokofich, que Marta Petrovna ha muerto?

—No, no lo sabía... ¿Quién es Marta Petrovna?

—¡Murió en forma repentina! Y figúrese usted...

—Más tarde, mamá —intervino Dunia—; todavía no sabe siquiera quién es Marta Petrovna.

—¡Ah!, ¿no la conocía? Creí que estaba ya al corriente... Perdone, Dimitri Prokofich; hace dos días que no sé dónde tengo la cabeza. Considero a usted como nuestra providencia, y por eso creí que conocía ya todos nuestros asuntos. Es usted casi un miembro de nuestra familia... ¿No le disgusta que hable así? ¡Dios mío! ¿Que tiene usted en esa mano? ¿Se ha lastimado?

—Sí, me hice mal —tartamudeó Razumikhin, embargado de felicidad.

—Acostumbro hablar con el corazón en la mano, y Dunia me regaña a veces... Pero, ¡qué fea es esta casa! ¿Se habrá despertado ya? ¿Y esa mujer, la patrona, considera eso una habitación? Oiga; usted dice que Rodia no gusta de manifestar sus sentimientos... ¿No lo molestaré con mis... debilidades? Indíqueme lo que debo hacer, Dimitri Prokofich..., ¿Cómo debo comportarme con él? Me siento perdida...

—No lo interrogue demasiado, en especial si frunce el ceño; sobre todo, no haga referencia alguna a su estado de salud: eso le disgusta profundamente.

—¡Ah, Dimitri Prokofich! ¡Qué penoso es ser madre! Ahora esta escalera..., ¡qué horrible!

—Mamá, estás muy pálida, tranquilízate —dijo Dunia, acariciándola—. Para él debe ser una felicidad el verte, y, sin embargo, persistes en atormentarte —agregó con una mirada llena de ternura.

—Esperen un segundo, voy a ver si ya se ha despertado —dijo Razumikhin.

Las dos mujeres siguieron subiendo con lentitud, dejando que Razumikihin tomara la delantera. Al llegar al cuarto piso notaron que la puerta de la patrona estaba entreabierta, y que dos ojillos negros las observaban desde la oscuridad. Cuando las miradas se cruzaron, la puerta se cerró de súbito con tal estrépito que Pulkeria Alejandrovna estuvo a punto de lanzar un grito de espanto.

3

—¡Va bien! ¡Va bien! —exclamó regocijado Zossimov al ver llegar a las dos mujeres. Hacía diez minutos que estaba allí, ocupando el lugar de la víspera, en el extremo del diván. Raskolnikov, sentado en el otro extremo, estaba vestido del todo y se había lavado y peinado con cuidado, lo que no acostumbraba hacer desde tiempo atrás. La habitación quedó llena de gente, pero Anastasia logró deslizarse detrás de las visitantes con el propósito de permanecer allí para enterarse de todo.

Raskolnikov se encontraba muy mejorado, sobre todo en comparación con el día anterior; sin embargo, su palidez era más acentuada y parecía triste y absorto en penosas reflexiones. Su aspecto era el de un hombre herido o que acabara de experimentar un agudo sufrimiento físico; con los labios crispados y los ojos irritados, hablaba a regañadientes, cual si cumpliera a la fuerza una obligación ineludible; por instantes transparentábase en sus gestos una especie de inquietud.

No le faltaba más que un vendaje en un brazo o en una mano para completar la semejanza con un hombre que tuviera un panadizo muy doloroso, o se hubiera deshecho un dedo, o cualquier otra cosa por el estilo.

Aquel rostro demacrado y triste se iluminó un instante cuando entraron su madre y su hermana, pero esto no hizo sino agregar una expresión de reconcentrado dolor al penoso extravío que se leía en sus rasgos.

El brillo de sus ojos se extinguió enseguida; Zossimov, que velaba por él con la ferviente atención de que es capaz un médico joven, observó con sorpresa que en el momento en que entraba su familia, Raskolnikov pareció adoptar una penosa resolución, como a la vista de un nuevo suplicio a que le fuera necesario someterse, en lugar de la alegría que normalmente hubiera debido producirle la visita. Comprobó asimismo que cada palabra de la conversación entablada parecía enconar y reavivar la herida del paciente, pero no dejó de extrañarle que permaneciera dueño de sí mismo y lograra disimular sus impresiones, mientras que la víspera se enfurecía como un verdadero monomaníaco a cada frase pronunciada.

—Sí, ahora yo mismo me doy cuenta de que estoy casi curado —dijo Raskolnikov besando con cariño a su madre y a su hermana, lo que causó intenso júbilo a Pulkeria Alejandrovna—. Y conste que no digo esto *como ayer* —agregó dirigiéndose a Razumikhin y estrechándole la mano con cordialidad.

—Sentí verdadera sorpresa al encontrarle de este modo —comenzó Zossimov, satisfecho de la llegada de las visitantes, pues durante aquellos diez minutos habíanse agotado todos los temas de conversación entre el enfermo y él—. Dentro de tres o cuatro días, si continúa así, estará como antes, es decir, como hace un mes o dos..., o tal vez tres. Esta enfermedad se estaba incubando hace tiempo. ¿Convendrá ahora conmigo en que usted tuvo buena parte de culpa? —agregó con una sonrisa circunspecta, como si temiera irritar al enfermo.

—Es posible —repuso con frialdad Raskolnikov.

—Digo esto —prosiguió Zossimov con más confianza— porque su restablecimiento depende ahora de usted mismo. Ya que en la actualidad es posible conversar con usted, quisiera persuadirlo de la necesidad de examinar las causas primitivas, y por decir así radicales de su estado enfermizo, para que la curación sea completa, de otro modo, el mal puede reagravarse. Ignoro qué causas pueden ser ésas, mas usted debe conocerlas. Su inteligencia le habrá permitido, sin duda alguna, observar todas las etapas; creo que el comienzo de la enfermedad coincide con su salida de la universidad. No debe permanecer ocioso; el trabajo, con una finalidad determinada, le será sumamente beneficioso, en mi opinión.

—Sí..., tiene razón... Volveré lo más pronto que pueda a la universidad..., y entonces todo irá como sobre ruedas...

Zossimov, cuyos juiciosos consejos estaban destinados en parte a producir admiración en las damas, quedó desconcertado cuando, al terminar su discurso y levantar los ojos hacia su interlocutor, advirtió en su rostro una expresión de ironía no disimulada. Esto duró sólo un segundo. Pulkeria Alejandrovna apresurose a dar las gracias al médico, recordando de paso la visita efectuada la noche anterior.

—¡Cómo! ¿Fue a la casa de ustedes anoche? —preguntó Raskolnikov con inquietud—. ¿Así que no durmieron después de un viaje tan prolongado?

—Sí, Rodia, pero todo esto sucedió antes de las dos de la mañana. Dunia y yo no nos acostamos nunca antes de las dos.

—No sé cómo agradecerle —continuó Raskolnikov, repentinamente sombrío y bajando la cabeza—. Dejando de lado la cuestión dinero, ¿me permite que haga esta alusión? —dijo dirigiéndose a Zossimov—: no me explico cómo he podido merecer tantas atenciones de su parte. No comprendo y me resulta penoso no saber por qué... Se lo digo con entera franqueza.

—Vamos, no se exalte —respondió Zossimov con una forzada sonrisa—; suponga que es usted mi primer cliente, y cuando un médico trata a sus primeros pacientes, los mima cual si fueran hijos suyos, y hasta se da el caso de que se encariñe con algunos. Como usted sabrá, mi clientela no es muy numerosa...

—No hablaré de éste —añadió Raskolnikov señalando a Razumikhin—, que sólo ha recibido de mí molestias e injurias sin cuento.

—¡Vaya unas tonterías! Está visto que hoy te encuentras de lo más sentimental —exclamó Razumikihin.

Si hubiera sido más perspicaz, habría notado que su amigo no se hallaba en disposición sentimental, sino todo lo contrario, circunstancia que no escapaba a los ojos de Abdocia Romanovna, que observaba a su hermano con inquietud.

—Apenas me atrevo a referirme a ti, mamá —continuó Raskolnikov como si recitara una lección aprendida esa misma mañana—; sólo hoy he podido comprender cuánto te has atormentado esperando mi regreso.

Después de dicho esto, extendió la mano a su hermana en silencio, pero con una sonrisa que denotaba sincera emoción. Dunia tomó la mano ofrecida y la oprimió entre las suyas con alegría y gratitud. Era la primera vez que Raskolnikov se dirigía a ella después de la borrascosa escena de la víspera.

El rostro de la madre se inundó de felicidad al ver aquella reconciliación muda y definitiva de ambos hermanos.

—¡Ah, eso es lo que más me gusta en él! —exclamó Razumikhin, siempre dispuesto a exagerar, moviéndose bruscamente en su silla— ¡Tiene unos arranques tan nobles y tan espontáneos!

"¡Qué delicada forma de proceder! —pensó la madre—. ¡Qué gestos dignos de él, y qué actitud al poner fin al malentendido con su hermana, tendiéndole sólo la mano y mirándola de frente! Y es hermoso... Sus ojos son expresivos y su rostro es más bello aun que el de Dunia. ¡Pero, Dios mío! Siento deseos de arrojarme a su cuello, de besarlo, de llorar de alegría; pero tengo miedo..., miedo... Mira de una manera... ¡Señor! Habla con ternura, pero tengo miedo... ¿Por qué?"

—Ah, Rodia! —exclamó de pronto, apresurándose a responder a la observación de su hijo—. No puedes imaginarte cuán desdichadas nos sentimos ayer Dunia y yo. Ahora, que todo ha pasado, podemos decírtelo. Figúrate que apenas dejamos el tren corrimos aquí para abrazarte, y esa mujer... ¡Pero si está aquí! Buenos días, Anastasia. Esta mujer nos dijo que te habías acostado con elevada temperatura, que huiste sin saberlo el médico, en pleno delirio, y que te estaban buscando. ¡Imagínate la impresión que nos causó este relato! Recordé sin quererlo la trágica muerte del teniente Potanchikov, uno de nuestros conocidos, amigo de tu padre..., quizá no te acuerdes de él, Rodia, que también salió a la calle con temperatura, y cayó en un pozo del que fue retirado sólo al día siguiente, ya cadáver. Como es natural, nosotras exagerábamos tu estado. Estuvimos a punto de mandar a buscar a Pedro Petrovich para que nos prestara alguna ayuda... ¡Nos sentíamos tan solas, tan desamparadas!

Dijo todo esto con voz doliente y trémula, pero se interrumpió de súbito, al recordar que Pedro Petrovich constituía un tema peligroso "aunque en ese momento todo marchara bien".

—Sí, sí..., todo esto es muy lamentable —murmuró Raskolnikov, pero con tal indiferencia, tal desgano, que Dunia lo miró con estupor.

—¿Qué quería decir? —continuó haciendo un esfuerzo para coordinar sus ideas—. ¡Ah, sí! No vayas a creer, mamá, ni tú tampoco, Dunia, que no había pensado ir a veros hoy sin esperar que vinierais vosotras primero.

—¿Por qué dices eso, Rodia? —exclamó Pulkeria Alejandrovna con asombro.

"¿Se cree obligado a respondernos? —pensó Dunia—. Hace las paces y pide disculpas como si desempeñara una obligación o como si recitara una lección aprendida de memoria."

—Apenas me desperté, quise ir a veros, pero me vi impedido por la cuestión de la ropa; olvidé decir a Anastasia ayer que limpiara esas manchas de sangre... Recién ahora pude vestirme.

—¿Sangre? ¿Qué sangre? —inquirió Pulkeria Alejandrovna.

—No es nada, no te inquietes, mamá; ayer, como titubeaba un poco al marchar, débil todavía, tropecé con un hombre herido..., un funcionario..., estaba delirando...

—¿Delirabas? Pero lo recuerdas todo —interrumpió Razumikhin.

—Es cierto —repuso Raskolnikov algo preocupado—; recuerdo hasta los más insignificantes detalles de lo acontecido... ¿Por qué habré hecho eso? ¿Por qué habré ido allí y habré obrado en la forma que lo hice? No puedo explicármelo con claridad.

—Es un fenómeno bien conocido —intervino Zossimov—. La ejecución de los actos es magistral, de una habilidad extraordinaria; pero el principio del que emana este acto se altera en el alienado y depende de diversas impresiones morbosas. Es como un sueño.

"Persiste considerándome un demente o poco menos", pensó Raskolnikov.

—¿Pero eso no ocurre con las personas normales? —insinuó Dunia mirando a Zossimov con inquietud.

—La observación es muy justa —replicó éste—, en el sentido de que casi todos somos en realidad alienados, con la diferencia de que los enfermos son un poco más alienados que nosotros. En cuanto a lo que podría llamarse hombre normal en absoluto, apenas existe; podrá encontrarse uno entre cien, decenas y aun centenas de miles, y todavía...

Al oír el término "alienado", que Zossimov había dejado escapar por descuido al referirse a su tema favorito, todos los rostros se ensombrecieron.

Raskolnikov, con una extraña sonrisa en los labios descoloridos, al parecer no prestaba atención alguna a cuanto ocurría, ensimismado en sus pensamientos.

—¿Qué sucedió con ese hombre atropellado? Te interrumpí sin querer —dijo Razumikhin.

—¿Qué? —pronunció Raskolnikov como si se despertara—. ¡Ah, sí!... Me manché de sangre mientras ayudaba a conducirlo a su domicilio... A propósito, mamá, ayer hice algo imperdonable, verdaderamente no estaba en mi sano juicio. Di todo el dinero que me enviaste... a su esposa..., para el entierro. La pobre mujer queda viuda y está tuberculosa; tiene tres niños pequeños, hambrientos... Carecen de todo... Hay también una joven. Creo que tú misma les habrías dado el dinero si hubieses visto. No había derecho alguno para hacerlo, lo reconozco, sobre todo sabiendo las penurias que pasaste para procurarte esa suma. Hasta para ayudar a los demás es preciso antes que nada tener el derecho de hacerlo, sino: *Crevez, chiens, si vous n'êtes pas contents!* ¿No es así, Dunia? —observó sonriendo.

—No, no es así —repuso la joven con firmeza.

—¡Bah, tú también!... Tienes ciertas intenciones... —murmuró mirándola casi con odio y sonriendo sarcásticamente—. Hubiera debido imaginármelo..., aunque no te hace mucho honor... ¡Tanto mejor para ti! De esa manera llegarás hasta cierto límite; si no lo franqueas, serás desdichada, y si lo haces, acaso seas más desdichada todavía... ¡Pero todo esto es absurdo! —añadió con viva irritación, como si lamentara haberse dejado llevar por su carácter—. Sólo quise pedirte perdón, mamá —concluyó con sequedad que casi era dureza.

—No te preocupes, Rodia, estoy convencida de que haces siempre lo que conviene —se apresuró a contestar la madre,

—No estés tan convencida —replicó Raskolnikov con expresión casi siniestra.

Hubo un momento de silencio. Toda la conversación había tenido algo de tenso, tanto en la reconciliación como las disculpas, y nadie dejaba de advertirlo.

"Se diría que tienen miedo de mí —pensó Raskolnikov observando a su madre y a su hermana—. Entonces, ¿las habré amado por costumbre?"

—¿Sabes, Rodia, que ha muerto Marta Petrovna? —exclamó de repente Pulkeria Alejandrovna.

—¿Qué Marta Petrovna?

—Dios mío, Marta Petrovna, la esposa del señor Svidrigailov... Te hablé mucho de ella en mi última carta...

—¡Ah, sí! Ya recuerdo... ¿Así que ha muerto? —dijo Raskolnikov estremeciéndose como si sintiera frío—. ¿Es posible? ¿Y de qué murió?

—Fue de repente —se apresuró a agregar Pulkeria Alejandrovna, alentada por la curiosidad de su hijo—, justo en el momento en que te envié mi carta, ¡ese mismo día! Ese hombre malvado, a lo que parece, ha sido la causa de su muerte. Dicen que le pegaba como un verdadero salvaje.

—¿Vivían de ese modo? —preguntó Raskolnikov a Dunia.

—No, todo lo contrario. Él se mostraba siempre paciente y hasta amable hacia ella. En muchas ocasiones llegó a ser demasiado indulgente con el carácter de su mujer; eso durante siete años... Después habrá perdido la paciencia.

—Entonces no era tan terrible como dicen, ya que aguantó siete años... Pero se diría que lo excusas, Dunia.

—No, de ningún modo. Es un individuo abominable; no puedo imaginarme hombre más repulsivo que él —dijo la joven casi temblando, y arrugando el entrecejo como al recuerdo de algo abyecto.

—Sucedió por la mañana —prosiguió Pulkeria Alejandrovna—. Después de una escena terrible, Marta Petrovna hizo enganchar el coche para trasladarse a la ciudad por la tarde, como hacía siempre que se peleaba con su esposo.

Almorzó con buen apetito, a pesar de que Svidrigailov le había pegado, y de inmediato tomó un baño frío, como tenía por costumbre hacer diariamente. Apenas entró en el agua, quedó fulminada por un ataque de apoplejía.

—No es de extrañar —dijo Zossimov.

—¿El marido habíala castigado mucho?

—Vamos, no nos interesan esos detalles —replicó Dunia.

—¡Hum! Pero en definitiva, mamá, ¿por qué tienes que andar refiriendo todos esos chismes? —dijo de pronto Raskolnikov, con irritación que nada hacía prever.

—¡Ah, querido! No sabía de qué hablar —dejó escapar la madre.

—¡Sí, ya veo! Todos ustedes tienen miedo de mí, ¿no es cierto? —exclamó Raskolnikov con una mueca que quiso parecerse a una sonrisa.

—Ésa es la verdad, en efecto —declaró Dunia clavando sus ojos en los de su hermano con severa expresión—. Al subir la escalera, mamá llegó hasta a hacer la señal de la cruz, tanto miedo tenía.

El rostro de Raskolnikov se crispó como en el momento de una crisis nerviosa.

—¡Ah, qué dices, Dunia! No te enfades, Rodia, te lo ruego. ¿Por qué le has dicho eso, hija mía? —balbuceó consternada Pulkeria Alejandrovna—. Durante el viaje en el tren no cesaba de repetirme que pronto volveríamos a vernos, que hablaríamos de todas nuestras cosas... Era tan feliz que el trayecto me pareció corto... Pero, ¿qué digo? Ahora también soy feliz... ¡No tienes razón, Dunia! ¡Soy feliz nada más que al verte, Rodia!

—¡Basta, mamá! —murmuró Raskolnikov visiblemente agitado, y sin mirarla le estrechó la mano—. Ya tendremos oportunidades sobradas de hablar...

Al decir estas palabras experimentó una sensación horrible de vacío en el corazón, palideciendo como un muerto; de nuevo invadía su ser el frío mortal de horas pasadas, sintiendo que terminaba de decir una espantosa mentira; no sólo no podría hablar jamás con el corazón en la mano, sino que ni siquiera podría *hablar* de cualquier cosa que fuera con persona alguna. La impresión fue tan violenta que por un momento olvidó cuanto lo rodeaba, y levantándose del diván se dirigió hacia la puerta sin mirar a nadie.

—¿Qué haces? —gritó Razumikhin tomándolo de un brazo.

Raskolnikov sentose de nuevo y miró silenciosamente en derredor suyo: todos lo contemplaban con estupefacción y asombro.

—¡Qué fastidiosos son ustedes! —exclamó de pronto—. ¡Digan algo de una vez! ¿Por qué se quedan así? ¡Vamos, hablen! Vamos a conversar... Estamos reunidos y no decimos una palabra... ¡Digan algo!

—¡Dios sea loado! Pensé que iba a repetirse lo de anoche —dijo Pulkeria Alejandrovna persignándose.

—¿Qué tienes? —preguntó con desconfianza Abdocia Romanovna.

—Nada, acabo de acordarme de una tontería —repuso Raskolnikov, echándose a reír con falsa alegría.

—Vamos, si es una tontería, menos mal, pero yo temía... —murmuró Zossimov levantándose del sofá—. Debo irme; volveré luego... si puedo.

Saludando cortésmente a los presentes, se retiró.

—¡Qué hombre excelente! —observó Pulkeria Alejandrovna.

—Sí, un buen hombre, magnífico, culto, instruido, inteligente —afirmó Raskolnikov con entusiasmo y vivacidad poco habitual en él—. No recuerdo dónde lo vi antes de mi enfermedad... Creo haberlo conocido en alguna oportunidad anterior... Éste también es un hombre excelente —dijo señalando con un movimiento de cabeza a Razumikhin—. ¿No es cierto, Dunia, que es muy simpático?

—En efecto —respondió la joven.

—¡Bah, qué cosas se te ocurren! —exclamó Razumikhin, a todas luces confuso y enrojeciendo hasta la raíz de los cabellos. Pulkeria Alejandrovna sonrió con dulzura, y Raskolnikov soltó una carcajada sonora.

—Pero, ¿a dónde vas?

—Yo también... tengo que hacer...

—¡Eso no es cierto! Quédate. Que Zossimov se haya ido no es una razón para que tú también te marches. Te quedas aquí. Pero, ¿qué hora es? ¿Ya son las doce? ¡Dunia, qué bonito reloj! ¡Vamos, hablen un poco! Parecen empeñados en que todo lo diga yo.

—Ese reloj es un regalo de Marta Petrovna —respondió Dunia.

—Le costó muy caro —añadió Pulkeria Alejandrovna.

—¡Ah, sí! Es un poco grande para ser de señora.

—Me gusta mucho esta forma —declaró Dunia.

"Entonces no es un regalo del novio", pensó Razumikhin, regocijándose íntimamente sin explicarse bien por qué.

—Creí que era un regalo de Lujin —insinuó Raskolnikov.

—No, todavía no ha regalado nada a Dunia.

—¿Recuerdas, mamá, que yo también estuve enamorado y que quise casarme? —dijo de pronto Raskolnikov a su madre, causándole cierto sobresalto por el imprevisto giro de la conversación y por el tono con que pronunció estas palabras.

—¡Ah, sí, hijo mío! —repuso Pulkeria Alejandrovna, cambiando una mirada con su hija y con Razumikhin.

—¿Qué podría decirles de eso? Apenas lo recuerdo yo mismo... Era una joven enfermiza —continuó con aire pensativo y sin levantar la vista del piso—, delicada y muy sensible; daba limosna a los pobres y no pensaba sino en el convento. Un día, al hablarme de sus ideas y sus propósitos, se deshizo en lágrimas... lo recuerdo muy bien... Era más bien fea... En verdad, no sé qué fue lo que me atrajo hacia ella; tal vez el hecho de que siempre estuviese delicada. Creo que si hubiera sido coja o jorobada, la habría querido más aún —sonrió como absorto en sus reflexiones, y continuó—: fue algo así como un delirio de primavera...

—No, no fue sólo un delirio de primavera —exclamó Dunia con vivacidad.

Raskolnikov miró a su hermana, pero pareció no haber oído o comprendido sus palabras. Luego, como en un sueño, se acercó a su madre, la besó y volvió a sentarse en su lugar.

—¿La amas todavía? —preguntó emocionada Pulkeria Alejandrovna.

—¿Ahora? ¡Ah, te refieres a ella! No, todo pertenece al otro mundo para mí..., es tan antiguo. ¡Si hasta lo que me rodea me parece en ocasiones que se desarrolla en otra parte!

Los miró uno a uno con profunda atención.

—A vosotros mismos... os miro como si os encontrarais a mil leguas de distancia. ¡Pero el diablo sabe por qué hablamos de esto! ¿Por qué me interrogáis? —preguntó con despecho y comenzó a roerse las uñas en silencio, perdido de nuevo en su abstracción.

—¡Qué cuarto infame el tuyo, Rodia! Es una verdadera tumba —exclamó de improviso Pulkeria Alejandrovna, con el propósito de romper el penoso silencio—. Estoy segura de que tu melancolía se debe en gran parte a este alojamiento.

—Mi alojamiento... —murmuró Raskolnikov distraídamente—, sí, mí alojamiento ha contribuido..., también lo he pensado... Pero si supieras... qué extraña idea acabas de enunciar, mamá —agregó con enigmática expresión.

El tono familiar de la conversación y la presencia de aquellos parientes a los cuales no veía desde hacía tres años estaban a punto de hacérsele insoportable. Sin embargo, tenía que resolver un asunto de suma urgencia en una u otra forma, y desde la mañana, al levantarse había resuelto hacerlo; pensó en ello con verdadera alegría, como en una escapatoria providencial.

—Oye, Dunia —comenzó en tono severo y seco—, naturalmente te pido perdón por lo sucedido ayer, pero creo que mi deber consiste en no apartarme de la línea de conducta que me he trazado. O yo o Lujin. Quizá yo sea un individuo innoble, pero tú no debes serlo. Basta con uno. Si te casas con Lujin, dejaré de considerarte hermana mía desde el mismo instante de la boda.

—¡Rodia! ¡Rodia! Volvemos a lo de ayer —exclamó Pulkeria Alejandrovna visiblemente angustiada—. ¿Por qué persistes en considerarte un ser innoble? ¡No puedo soportarlo! Ayer hiciste lo mismo...

—Hermano mío —replicó Dunia con firmeza e idéntica sequedad—, todo reside en un error de tu parte. Anoche reflexioné y logré descubrir en qué consiste ese error. Al parecer, supones que me sacrifico por alguien. Nada de eso. Me caso simplemente por mí misma, porque me resulta penoso vivir sola; no tengo necesidad de agregar que seré feliz si estoy en condiciones de ser útil a los míos, pero éste no es el motivo principal.

"Está mintiendo —pensó Raskolnikov royéndose las uñas con verdadero furor—. ¡Orgullosa! ¡Se niega a reconocer que quiere desempeñar el papel de bienhechora! ¡Estos caracteres! ¡Aman o detestan del mismo modo! ¡Cuánto los... execro a todos."

—En resumen, me caso con Pedro Petrovich porque de dos males opto por el menor —prosiguió Dunia—. Estoy dispuesta a cumplir con lealtad todo cuanto espera de mí, y por consiguiente no lo engaño... ¿Por qué te sonríes?

Su faz estaba congestionada casi y sus ojos relampagueaban de ira.

—¿Cumplirás todo? —preguntó Raskolnikov sarcásticamente.

—Hasta un determinado límite. La forma y las circunstancias en que Pedro Petrovich pidió mi mano me han hecho ver enseguida a qué debo atenerme. No se me oculta que acaso tiene una opinión demasiado elevada de sí mismo, pero confío en que sabrá apreciarme... ¿Por qué sigues riendo?

—¿Y por qué suben los colores a tu rostro? Mientes, hermana, mientes a sabiendas; por terquedad femenina, arreglas delante de mí las cosas a tu manera. No puedes estimar a Lujin; lo he visto y he hablado con él. En consecuencia, te vendes por dinero; de cualquier manera, procedes villanamente, pero observo con satisfacción que todavía sabes ruborizarte.

—¡No es cierto! ¡No miento! —exclamó Dunia perdiendo su sangre fría—. No contraería enlace con él sin estar convencida de que me aprecia y me estima; no me casaría sin abrigar la firme convicción de que puedo estimarlo. Por suerte, puedo convencerme hoy mismo. ¡Un matrimonio así no es una infamia como tú pretendes! Pero aun cuando tuvieras razón, y en realidad me hubiese decidido a cometer esa infamia, ¿no sería una crueldad de tu parte hablarme de este modo? ¿Por qué me exiges un heroísmo que acaso tú tampoco posees? ¡Eso es despotismo, violencia! ¡Si hago la infelicidad de alguien, que por lo menos sea sólo la mía! ¡Todavía no he asesinado a nadie! ¿Por qué me miras de esa manera? ¿Por qué palideces? Rodia, ¿qué tienes? Rodia querido...

—¡Dios mío! Lo martirizas... ¡Has hecho que se desvanezca! —exclamó Pulkeria Alejandrovna.

—No, no... ¡Qué tontería!... No es nada... La cabeza, que todavía no está muy firme... No es un desvanecimiento... ¡Sólo piensan en esto! ¡Hum! ¿Qué iba a decir?... Sí..., ¿por cuál medio te convencerás hoy de que puedes estimarlo y que él te aprecia? ¿Es esto lo que has dicho? Hoy..., ¿comprendí bien?

—Mamá, muéstrale a Rodia la carta de Pedro Petrovich.

Con manos trémulas Pulkeria Alejandrovna tendió la carta a su hijo.

Raskolnikov la tomó con curiosidad, pero antes de abrirla miró a Dunia, con sorpresa.

—Es raro —dijo lentamente, como asaltado de súbito por un nuevo pensamiento—. ¡Me pregunto por qué he de preocuparme tanto! ¿Por qué todas estas discusiones? ¡Cásate con quien te plazca!

Habló como para sí mismo, aunque pronunciando las palabras en voz alta, y por un instante contempló a su hermana con cierta aprensión.

Por fin abrió la carta y comenzó a leerla con detenimiento, y una vez terminada la releyó, siempre con gran atención. Pulkeria Alejandrovna experimentaba enorme inquietud, y todos aguardaban un estallido.

—Es sorprendente —pronunció el joven después de un momento de reflexión, devolviendo la misiva a su madre y sin dirigirse a nadie en especial—; es abogado, tiene una vasta clientela, su conversación es amanerada y sus términos rebuscados, y, sin embargo, escribe como un iletrado.

Hubo un movimiento general; nadie esperaba aquella salida.

—Todos escriben de ese modo —objetó Razumikhin.

—¿Has leído esta carta?

—Sí.

—Se la mostramos, Rodia, para pedirle consejo —balbuceó confundida Pulkeria Alejandrovna.

—Es el estilo de los tribunales —interrumpió Razumikhin—. De ese modo se redactan las actas judiciales.

—¿De los tribunales? Sí, eso es…, de leguleyo… ¡No es el estilo de un iletrado, sino el de un hombre de negocios!

—Pedro Petrovich no oculta que recibió escasa instrucción y se enorgullece de haberse abierto camino por sí solo —intervino Abdocia Romanovna un tanto mortificada por el tono que afectaba su hermano.

—Bien, si está orgulloso, será sin duda porque tiene motivos para estarlo, no digo lo contrario. Creo advertir que te sientes contrariada, hermana, porque esta carta sólo me ha sugerido una observación frívola, y piensas que hablo a propósito de estas insignificancias para incomodarte. Todo lo contrario; el estilo de Lujin ha hecho acudir a mi mente una observación que en el presente caso no me parece fuera de lugar. Hay una expresión: "no tendréis más que obrar como os parezca", que nada deja que desear en cuanto a riqueza de sentido y claridad, además la amenaza de partir de inmediato si yo voy…, que equivale a la de abandonarlas sin remisión, aun cuando haya sido él quien las invitó a trasladarse a San Petersburgo. ¿Qué opinas, Dunia? ¿Es tan ofensiva esa expresión de parte de Lujin como lo sería si la hubiera escrito él —y designó a Razumikhin—, o Zossimov, o alguno de nosotros?

—No —repuso Dunia animándose—; comprendí muy bien que esa expresión era demasiado cándida, y que tal vez Lujin no es dueño de su pluma; has razonado con justeza, hermano. No esperaba...

—La expresión es del estilo de los abogados; no podría escribir de distinta manera, y tal vez ha sido más grosero de lo que se propuso. Pero voy a desencantarte un poco: en esa carta hay otra expresión todavía, una calumnia hacia mí, bastante vil por cierto. Ayer di dinero a una viuda tuberculosa y agotada por las privaciones, no "con el pretexto de costear el entierro", sino en realidad para hacerlo, y no en la mano de una joven "cuya conducta equívoca es notoria", como él dice (ayer la veía por vez primera), sino a la propia viuda. En todo esto veo el propósito de envilecerme ante vuestros ojos y de crear cizaña entre nosotros. Todo expresado en estilo de los tribunales, es decir, revelando con claridad sus intenciones, sin adornar el asunto, con cierta ingenuidad. Es un hombre inteligente, pero no basta serlo para obrar con inteligencia. Todo esto lo pinta de cuerpo entero..., y no creo que te aprecie gran cosa. Lo digo únicamente para que no te forjes vanas ilusiones, pues deseo sólo tu bien...

Dunia no respondió; su resolución estaba ya adoptada, y no esperaba más que la noche.

—Y bien, ¿qué dices tú, Rodia? —inquirió Pulkeria Alejandrovna, más nerviosa todavía por el tono de *negocios* en que se desarrollaba la conversación.

—¿Qué quieres decir con eso?

—Ya ves... Pedro Petrovich solicita que no vengas a casa esta noche y dice que se marchará si vienes... ¿Vendrás?

—No soy yo quien debe decidir eso, sino vosotras, en primer lugar si esta exigencia de Pedro Petrovich no os ofende, y luego, si la misma Dunia no se siente mortificada. En cuanto a mí, haré lo que más os agrade —agregó con sequedad.

—Dunia ha decidido ya, y yo estoy de acuerdo con ella —se apresuró a contestar Pulkeria Alejandrovna.

—He resuelto rogarte, Rodia, rogarte con el mayor empeño, que asistas en nuestra casa a la entrevista —dijo Dunia—. ¿Vendrás?

—Sí, iré.

—Me permitiré invitar a usted también para que venga a casa a las ocho —añadió Dunia dirigiéndose a Razumikhin—. Mamá, lo invito también a él.

—Perfectamente, Dunia —dijo Pulkeria Alejandrovna—. Sea como vosotros queréis; para mí será un alivio; no me gusta fingir ni mentir: es preferible decir toda la verdad, por dolorosa que sea. ¡Enójate ahora si quieres, Pedro Petrovich!

4

En aquel momento se abrió lentamente la puerta, y una jovencita entró en la habitación, mirando a todos con gran timidez. Su llegada causó asombro y curiosidad en los presentes. Raskolnikov no la reconoció en el primer momento, pero no tardó en recordar aquella carita pálida y demacrada. Era Sonia Marmeladov. La había visto por vez primera el día anterior, pero en tales circunstancias, en tal lugar y con un atavío tan llamativo, que en su memoria había quedado grabada la imagen de una persona muy distinta. En ese momento era una joven vestida con suma sencillez, rayana en la pobreza; una niña casi, de modales reservados y recatados, de fisonomía franca, pero que parecía un tanto atemorizada. Llevaba un vestido de diario y un viejo sombrerito pasado de moda; como la víspera, iba con la sombrilla en la mano.

Al ver que la habitación estaba llena de gente extraña, aumentó su confusión, turbose por completo y hasta hizo un movimiento de retirada.

—¿Ah, es usted? —dijo Raskolnikov en el colmo del asombro, experimentando enseguida gran turbación.

Pensó en el mismo instante que su madre y su hermana conocían ya la existencia de una cierta joven "cuya equívoca conducta era notoria" por la carta de Lujin. Acababa de protestar contra las calumnias de este último y de declarar que había visto a esa joven por primera vez el día anterior, y ella llegaba sola a su cuarto. Recordó también que no había protestado contra los términos empleados por Lujin para referirse a ella. En un abrir y cerrar de ojos todas estas reflexiones pasaron por su mente, pero al observarla con atención vio ante sí una criatura humillada, tan humillada que en su corazón despertó un sentimiento de profunda compasión, y con un gesto la invitó a quedarse.

—No la esperaba a usted —se apresuró a declarar—. Tenga la bondad de tomar asiento. Con seguridad que viene usted de parte de Catalina Ivanovna... Permítame, ahí no; siéntese aquí.

Razumikhin, que ocupaba una de las tres sillas, cerca de la puerta, se había levantado al llegar Sonia para permitirle pasar.

Raskolnikov había indicado a la joven el lugar del diván donde Zossimov había estado sentado hacía poco, mas al recordar que ese mueble era demasiado íntimo y que le servía de lecho, se apresuró a ofrecerle la silla de Razumikhin.

—Tú, siéntate aquí —dijo a Razumikhin señalándole el diván.

Sonia tomó asiento temblando casi, y miró avergonzada a las damas. Resultaba claro que en su fuero interno no se consideraba digna de estar sentada junto a ellas. Al pensar esto sintió tanto bochorno que, levantándose de improviso, dirigiose a Raskolnikov.

—Vine por un minuto..., discúlpeme la molestia que le ocasiono —tartamudeó—. Me envía Catalina Ivanovna..., no tenía a quién mandar..., para rogarle que asista mañana al sepelio, después de la misa en San Mitrophan, y que luego pase por casa a comer algo... Le ruega que le haga este honor..., me encargó que le dijera...

La lengua se le trabó, optando por guardar silencio.

—Está bien..., trataré..., puede ser... —repuso Raskolnikov levantándose, y su turbación impidiole seguir hablando.

Tras una breve pausa, dijo a Sonia casi con brusquedad:

—¡Siéntese, hágame el bien! Tengo algo que decirle... Le ruego me conceda dos minutos... ¿Tiene prisa?

Le ofreció de nuevo la silla; la joven volvió a sentarse, mirando de nuevo a las damas, y colorada como una amapola clavó la vista en el suelo.

El pálido rostro de Raskolnikov enrojeció de súbito, mientras en sus ojos brillaba un destello.

—¡Mamá! —dijo con franqueza—. La señorita es Sonia Semionovna Marmeladov, la hija de ese desventurado Marmeladov que ayer fue atropellado ante mi vista por un carruaje, y de la que ya te hablé.

Pulkeria Alejandrovna miró a Sonia y guiñó levemente los ojos. A pesar de la turbación que experimentaba ante la mirada insistente y provocativa de Rodia, no supo privarse de ese placer.

Dunia miró de frente a la joven y observó su rostro con detenimiento y seriedad, como si tratara de adivinar su carácter y sus condiciones morales por sus rasgos fisonómicos.

Al oír las palabras de Raskolnikov, Sonia trató de levantar la vista, enrojeciendo aún más.

—Quería preguntarle —prosiguió Raskolnikov— cómo han ido las cosas ayer en su casa: ¿no ha tenido dificultades? ¿No las molestó la policía?

—No, todo estuvo bien. La causa de la muerte era demasiado evidente, y no nos han molestado; sólo la patrona está enfadada...

—¿Por qué?

—Dicen que el cuerpo ha permanecido demasiado tiempo en nuestra habitación, y como hace tanto calor..., olía..., de modo que hoy lo llevarán a la capilla del cementerio, donde quedará hasta mañana. Al principio Catalina Ivanovna no quería, pero ahora ha visto que no queda otro remedio...

—¿Así que es hoy?

—Catalina Ivanovna le ruega nos haga el honor de asistir mañana al sepelio, y de pasar después por casa para participar en la comida...

—¿Da una comida?

—Sí, muy modesta; me encargó especialmente le agradeciera la ayuda que tuvo a bien prestarnos ayer. Sin usted, no habríamos podido enterrarlo.

Sus labios y su mentón comenzaron a temblar, pero con un gran esfuerzo logró serenarse, clavando otra vez la mirada en el suelo.

Durante la conversación Raskolnikov no había apartado sus ojos de ella. El rostro de Sonia era delgado y pálido, de rasgos bastante irregulares, angulosos casi, con su naricilla un tanto respingada y su mentón en punta. No se hubiera podido calificarla de hermosa, pero sus ojos azules eran tan límpidos y, cuando se animaban, la expresión de su rostro tan cándida y tan bondadosa, que atraía en forma irresistible. Su fisonomía y hasta su cuerpo eran casi infantiles, a pesar de sus dieciocho años, y sus ademanes y su comportamiento, propios de una persona mayor, llegaban a causar gracia por esa circunstancia.

—¿Cómo ha podido arreglarse Catalina Ivanovna con tan poco dinero? Hasta una comida... —inquirió Raskolnikov con animación.

—El féretro es muy sencillo... Todo se hará con la mayor modestia, de modo que no resulte caro... Hicimos cálculos con Catalina Ivanovna, y vimos que sobraba algo para la comida... Catalina Ivanovna está empeñada en que sea así..., y si eso le sirve de consuelo... Usted ya sabe cómo es ella.

—Comprendo, comprendo... Seguro... ¿Qué le parece mi cuarto? Mamá dice que se asemeja a una tumba.

—¡Usted nos dio todo lo que tenía ayer! —dejó escapar de pronto Sonia, con una voz que parecía un susurro prolongado y bajando de nuevo los ojos, mientras sus labios y su mentón volvían a temblar. Hacía rato que se había dado cuenta de la pobreza del alojamiento de Raskolnikov. Hubo un momento de silencio. Los ojos de Dunia se iluminaron, y la misma Pulkeria Alejandrovna miró a Sonia con aire afable.

—Rodia, espero que almorcemos juntos —dijo la madre—. Vamos, Dunia. Sería bueno que salieras un poco, Rodia, luego podrías descansar, y venir a casa lo antes posible. Temo que te hayamos fatigado demasiado...

—Sí, sí, iré —respondió Raskolnikov levantándose con presteza—. Además, tengo algo que hacer.

—¡Supongo que no se irán a comer cada cual por su lado! —exclamó Razumikhin, mirando con extrañeza a Raskolnikov—. ¿Qué tienes que...?

—Sí, sí, quedamos en eso. Pero tú, quédate un minuto. No lo necesitan ahora, ¿no, mamá?

—¡Oh, no! Y usted, Dimitri Prokofich, tenga la gentileza de venir a comer con nosotros; lo esperamos...

—No falte, le ruego —apoyó Dunia.

Razumikhin se inclinó radiante de alegría. Por un instante, todos experimentaron una especie de extraño malestar.

—Adiós, Rodia, es decir, hasta luego; no me gusta decir *adiós*. Adiós, Anastasia... ¡Oh!, se me ha vuelto a escapar.

Pulkeria Alejandrovna hubiera querido saludar también a Sonia, pero no lo consiguió, y apresurose a salir de la habitación. Como si hubiera aguardado su turno, Abdocia Romanovna, al pasar tras de su madre junto a Sonia, le hizo un cortés y ceremonioso saludo. Sonia, turbadísima, contestó con apresuramiento y temor, mientras una expresión dolorosa erraba por su faz, cual si la cortesía y la atención de Abdocia Romanovna constituyeran para ella una verdadera tortura.

—¡Adiós, Dunia! —gritó Raskolnikov—. Dame la mano por lo menos...

—¡Si ya te la he dado! ¿No recuerdas? —repusó Dunia volviéndose hacia él con una amable sonrisa.

—Bien, entonces dámela de nuevo.

Le dio un fuerte apretón. Dunia retiró la mano con precipitación, siempre sonriendo, feliz sin explicarse bien por qué causa.

—¡Vamos, todo marcha a pedir de boca! —dijo Raskolnikov a Sonia, mirándola con risueña expresión—. ¡Que el Señor haga que los muertos reposen en paz y que permita vivir a los vivos! ¿No es cierto? ¿No es cierto? ¿No está bien?

Sonia contempló con sorpresa al joven, cuyo rostro tranquilo denotaba paz y serenidad interior. Raskolnikov la miró unos instantes en silencio, recordando todo cuanto el padre de la joven le había contado acerca de ella...

Una vez en la calle, Pulkeria Alejandrovna dijo a su hija:

—¡Dios mío!, casi me alegro de que nos hayamos marchado; creo que me siento mejor. ¡Quién me hubiera dicho ayer, en el tren, que me causaría satisfacción salir a la calle después de haber visto a Rodia!

—Vuelvo a recordarte, mamá, que está enfermo todavía. ¿Es posible que no se den cuenta de eso? Acaso la pena de sentirse separado de nosotras lo ha llevado a ese extremo. Es preciso ser indulgente y perdonar ciertas cosas.

—¡Pero tú no fuiste indulgente! —replicó Pulkeria Alejandrovna con irritación—. Mientras conversabas con él, yo los miraba a los dos; eres el vivo retrato de tu hermano, tanto en lo físico como en lo moral; ambos son melancólicos, reconcentrados y tercos, desdeñosos y magnánimos... No es posible pensar que Rodia sea sólo un egoísta, ¿no es cierto, hija mía? Y cuando pienso que estará en casa esta noche, mi corazón deja de latir...

—No te inquietes, mamá; pasará lo que tenga que pasar.

—¡Pero, Dunia, piensa por un momento en qué situación nos hallamos! ¿Qué ocurrirá si Pedro Petrovich rompe su compromiso? —dijo imprudentemente la pobre Pulkeria Alejandrovna.

—¡Bien! ¡Eso no le hará mucho honor que digamos! —replicó Dunia con tono seco y altanero.

—Hicimos bien en irnos —se apresuró a decir Pulkeria Alejandrovna para cambiar de conversación—. Tenía que hacer algo... Por lo menos saldrá un poco, respirará... Uno se ahoga en ese cuarto; aunque aquí en la calle también hay una atmósfera sofocante... ¡Dios mío, qué ciudad! ¡Cuidado! ¡Te van a aplastar! Es un piano lo que llevan... También tengo miedo por esa muchacha...

—¿Qué muchacha, mamá?

—Esa Sonia Semionovna, la que fue a verlo...

—¿Por qué tienes miedo?

—Es como un presentimiento, Dunia. Mira, cuando entró, me creerás o no, pero en el mismo instante pensé que ése era el punto capital.

—¡De ningún modo! —exclamó Dunia con verdadera indignación—. ¡Siempre con tus presentimientos! La conoce desde ayer; cuando entró, ni siquiera la recordaba...

—¡Ya verás! Esa muchacha me tiene intranquila... Ya verás... Cuando nos la presentó, tuve miedo... ¿No te fijaste con qué ojos nos miraba? No dejó de extrañarme que lo hiciera después de lo que Pedro Petrovich nos escribió de ella. Es indudable que siente aprecio por ella.

—¡Oh! ¡Se escriben tantas infamias! ¿Has olvidado acaso lo que dijeron y escribieron de nosotras, de mí en especial? Creo que es una muchacha admirable y que todo lo que se dice de ella son calumnias.

—¡Dios lo permita!

—En cuanto a Pedro Petrovich, es un personaje rastrero y vil —tajó bruscamente Dunia.

Pulkeria Alejandrovna inclinó la cabeza, y la conversación terminó allí.

....

—Escucha lo que quería decirte —declaró Raskolnikov a Razumikhin, llevándolo hacia la ventana.

—¿Puedo decir entonces a Catalina Ivanovna que usted vendrá? —dijo Sonia con una leve inclinación de cabeza, disponiéndose a partir.

—Un segundo todavía, Sonia Semionovna; no tenemos secretos, y su presencia no nos molesta. Antes de que se vaya, quiero conversar unos instantes con usted...

Raskolnikov se volvió hacia Razumikhin y le preguntó:

—¿Conoces a ése..., cómo se llama..., Porfirio Petrovich?

—¡Claro que sí! Es algo pariente mío... ¿Qué hay con él? —preguntó con vivo interés.

—Ese asunto..., ¿sabes?, lo del asesinato... ¿Ayer decíais vosotros que está a cargo de la instrucción del sumario?

—Sí, ¿y qué? —insistió Razumikhin abriendo mucho los ojos.

—Ha interrogado a las personas que habían empeñado objetos en lo de la vieja. Yo empeñé algo allí..., poca cosa..., un anillo que me regaló Dunia cuando vine a San Petersburgo y el reloj de plata de mi padre. El valor total de las dos cosas no pasa de seis o siete rublos, pero las aprecio por lo que significan como recuerdo. ¿Qué debo hacer? No quisiera perderlas, en especial el reloj. Hace un instante temblaba sólo al pensar que mi madre podía pedirme que se lo mostrara, cuando se habló del reloj de Dunia. Es lo único que conservamos de mi difunto padre, y estoy seguro de que mamá se enfermará si llega a perderse. ¡Ah, las mujeres! Dime, por lo tanto, qué tengo que hacer para recuperarlo... Creo que será necesario efectuar una declaración... Pero, ¿no sería mejor avisar previamente al mismo Porfirio Petrovich? ¿Qué te parece? Quisiera arreglar este asunto a la brevedad posible. Verás que antes del almuerzo se le ocurrirá a mamá interrogarme acerca del reloj...

—¡No hay necesidad de recurrir a la policía, basta con Porfirio! —exclamó Razumikhin presa de extraordinaria agitación—. ¡Oh, qué contento estoy! ¿Por qué no ahora? ¡Vamos ahora mismo, es a dos pasos de aquí! Seguro que lo encontraremos.

—Sea... ¡Vamos!

—Tendrá sumo agrado en conocerte. Le he hablado mucho de ti en diversas oportunidades... Todavía ayer... ¿De modo que conocías a la vieja? ¡Vaya, vaya! ¡Cómo se encadena todo ad-mi-ra-ble-men-te! ¡Ah, sí! Sofía Ivanovna...

—Sonia Semionovna —rectificó Raskolnikov—. Sonia Semionovna, éste es mi amigo Razumikhin, un joven excelente.

—Si tienen ustedes que salir... —comenzó Sonia sin mirar a Razumikhin.

—¡Y bien! Salgamos entonces —decidió Raskolnikov—. Yo pasaré por su casa más tarde; dígame sólo dónde vive...

No parecía turbado, pero dijo lo que antecede con precipitación y tratando de no encontrar las miradas de la joven. Sonia le dio las señas de su domicilio ruborizándose, y los tres salieron juntos.

—¿No cierras la puerta con llave? —preguntó Razumikhin mientras bajaban la escalera.

—¡Jamás! No te sorprendas..., hace dos años que quiero comprar una cerradura..., pero siempre me digo que no la necesito... ¡Felices aquellos que nada tienen que guardar bajo llave! ¿No es cierto? —dijo dirigiéndose a Sonia con tono festivo.

Se detuvieron en la puerta de entrada.

—Usted va hacia la derecha..., ¿no es así, Sonia Semionovna? A propósito, ¿cómo hizo para encontrar mi casa? —preguntó como si se propusiera hablar de otra cosa. Sentía deseos de detener su mirada en los ojos límpidos y calmos de la joven, pero no le era posible.

—Usted mismo dio su dirección a Polia..., ¿no lo recuerda?..., ayer...

—¿Polia? ¡Ah, sí! Polia..., la niña..., su hermanita... ¿Le di mi dirección?

—¿Se ha olvidado?

—No, ya me acuerdo...

—Además, yo había oído a mi difunto padre hablar de usted..., y aunque no sabía su nombre..., él también lo ignoraba... Vine aquí, y como ayer me enteré de que se llamaba Raskolnikov, pregunté por usted. No me imaginaba que viviese en pensión... Adiós, le diré a Catalina Ivanovna...

Con alegría indescriptible al poder alejarse por fin, Sonia partió con los ojos bajos, apresurándose para escapar más pronto a la vista de los jóvenes y salvar los veinte pasos que la separaban de la primera bocacalle y quedarse sola de una vez. Ansiaba dar vuelta en la primera esquina para irse pronto, sin mirar a nadie, sin ver nada a su alrededor, pensando, recordando, analizando en su espíritu cada palabra pronunciada, cada circunstancia... Nunca había experimentado una sensación parecida. En su alma surgía confusamente todo un mundo desconocido hasta entonces. De pronto recordó que Raskolnikov deseaba ir a su casa ese mismo día, tal vez por la mañana, dentro de breves instantes.

—¡Dios quiera que no venga hoy! —murmuraba, angustiada, como si fuese una niña asustada que implorase la ayuda de alguien—. ¡Señor! En mi casa, en ese cuarto..., verá... ¡Oh, Dios mío!

Dado su estado de ánimo, resultaba natural que no hubiera advertido que un desconocido la seguía a pocos pasos de distancia, desde que se despidió de los jóvenes. En el momento en que Raskolnikov, Razumikhin y Sonia se detuvieron para cambiar breves frases en la acera, aquel individuo había escuchado al pasar algunas palabras de la joven y el nombre de Raskolnikov. Miró de soslayo, pero con atención, a los tres interlocutores, en especial a Raskolnikov, a quien se dirigía Sonia, y luego examinó la casa como para grabarla en su memoria. Todo esto ocurrió en contados segundos.

El desconocido habíase alejado acortando el paso como si esperara a alguien. Era Sonia a quien aguardaba. Vio que los tres se despedían, y que la joven se encaminaba a su domicilio.

"Ese rostro... he visto a esta muchacha en alguna parte —pensó—. ¿Dónde vivirá? La mejor forma de saberlo es seguirla."

Llegado a la esquina, cruzó a la acera opuesta y, volviéndose con disimulo, observó que la joven marchaba en la misma dirección que él, sin darse cuenta de que la seguían y la observaban. Se detuvo un instante y la dejó pasar adelante, siguiéndola a prudente distancia sin perderla de vista.

Era un hombre de unos cincuenta años, de talla superior a la mediana y corpulento. Vestido en forma elegante y cómoda, tenía el aspecto de un respetable burgués. Llevaba en la diestra un bonito bastón que hacía sonar a cada paso en la acera; sus guantes eran flamantes, y la frescura de su tez parecía indicar que no se trataba de un habitante de San Petersburgo. Sus cabellos, abundantes todavía, eran perfectamente rubios y apenas comenzaban a encanecer; su barba poblada y sedosa era aún más clara que sus cabellos. Sus ojos azules miraban con frialdad, casi con dureza, y sus labios eran de un rojo muy vivo. En resumen, tratábase de un hombre conservado en forma admirable, de apariencia mucho más joven de lo que en realidad era.

Cuando Sonia llegó al canal, los separaba una distancia de pocos pasos. Al observarla de cerca, su perseguidor tuvo tiempo de notar el aire pensativo y discreto de la joven. El domicilio de Sonia quedaba a escasa distancia: la joven franqueó la puerta cochera, y su perseguidor hizo otro tanto, demostrando cierta sorpresa. Ya en el patio, Sonia tomó hacia la derecha, dirigiéndose a la escalera que llevaba a su departamento.

—¡Vaya! —murmuró el desconocido, comenzando a subir detrás de ella.

Sólo entonces Sonia advirtió su presencia. En el tercer piso, la joven tomó por un pasillo y llamó en la puerta del departamento No. 9, en la que se veía un letrero escrito con tiza: "Kapernaumov, sastre".

—¡Vaya! —repitió el desconocido, asombrado de la extraña coincidencia, y llamó en la puerta del departamento contiguo, el No. 8.

—¿Vive usted en lo de Kapernaumov? —preguntó sonriendo a Sonia—. Ayer me hice arreglar un chaleco por él. Yo vivo aquí, en lo de la señora Resslich Gertrudis Karlovna. Somos vecinos...

Sonia lo miró con atención.

—Sí, pues..., somos vecinos —continuó el hombre con verdadera jovialidad—. Estoy en esta ciudad desde anteayer... Bien, será entonces hasta que tenga el placer de volver a verla.

Sonia no contestó. Abriose la puerta, y la joven se deslizó en su departamento, avergonzada e intimidada sin saber a ciencia cierta por qué razón.

....

Razumikhin iba muy animado y alegre mientras se dirigía con su amigo a la casa de Porfirio.

—¡Muy bien, Rodia! ¡Estoy contento, mucho más de lo que puedes figurarte! ¡Estoy alegre!

"¿De qué estará contento?", pensó Raskolnikov.

—Ignoraba que tú también hubieras empeñado algún objeto en lo de la vieja... ¡Eh!... ¿Y hace mucho de eso? Es decir, ¿hace mucho que estuviste en su casa?

"¡Qué candidez tan grande!", pensó Raskolnikov. Luego añadió en voz alta:

—¿Que estuve allí?... —se detuvo un instante como para reflexionar—. Unos días antes de su muerte, me parece. Por otra parte, no pretendo recuperar ahora mismo esos objetos —se apresuró a agregar con un tono que expresaba gran solicitud por los mismos—; sólo me queda un rublo de plata a causa de ese maldito delirio bajo cuya influencia estuve ayer...

Pronunció "delirio" de un modo particularmente sugestivo.

—¡Vamos! Sí, sí —asintió Razumikhin sin saber a las claras por qué.—. He aquí por qué entonces... eso no había dejado de extrañarme... ¿Sabes?, durante tu delirio no hacías más que hablar de cadenas y de anillos... Sí, sí..., ahora me lo explico todo, todo se aclara.

"¡Así, pues, ese pensamiento se había insinuado en su espíritu! ¡Este hombre se dejaría crucificar por mí, y se siente feliz de poder *explicarse* por qué hablaba yo de cadenas y anillos durante mi delirio! ¡La idea ha debido arraigarse profundamente en todos ellos!"

—¿Lo encontraremos en su casa? —preguntó.

—¡Claro que sí! Es seguro que lo encontraremos —se apresuró a contestar Razumikhin—. Es un muchacho excelente, ya verás. Un poco torpe, es decir, según el pensar de la generalidad de las gentes, pero a mí no me lo parece. Creo que es inteligente, aunque de maneras singulares... Es desconfiado, escéptico, cínico, se complace en mixtificar y más aún en burlarse de los que le rodean... Está apegado al viejo método, el que se apoya sobre los hechos materiales, pero conoce su oficio... El año pasado puso en claro un asesinato en el que se carecía casi por completo de indicios. Tiene grandes deseos de conocerte.

—¿A qué se debe tanto empeño?

—¡Oh!, no vayas a imaginarte... Es que durante tu enfermedad, en estos últimos tiempos, hablamos a menudo de ti... Me escuchaba con atención. Cuando supo que eras estudiante de Derecho y que no habías podido terminar los estudios en razón de las circunstancias, dijo que era una verdadera lástima. Pude deducir por otras cosas y no por eso sólo... Ayer Zamiotov... Oye,

Rodia, es posible que ayer yo haya charlado demasiado bajo la influencia del alcohol cuando regresábamos a tu casa... Temo que hayas exagerado el alcance de mis palabras...

—¿Qué quieres decir? ¿Que tal vez me tomen por loco? Quizá no anden descaminados.

Soltó una carcajada poco natural.

—Sí..., sí..., más bien no..., ¡bah! Vamos, todo cuanto dije era absurdo y tienes que atribuirlo a la bebida —insistió Razumikhin.

—¿Por qué te disculpas? ¡Todo esto acabará con mi paciencia! —exclamó Raskolnikov, fingiendo una cólera que no sentía.

—Ya sé, lo comprendo. Estoy seguro de que te comprendo. Hasta es vergonzoso hablar de ello.

—¡Y bien! Puesto que es vergonzoso, no hablemos más del asunto.

Los dos guardaron silencio. Razumikhin desbordaba entusiasmo, lo que producía cierto disgusto a Raskolnikov, inquieto por lo que su amigo terminaba de referirle acerca de Porfirio.

"También a él tendré que echarle tierra a los ojos —pensaba palideciendo, y sintiendo que su corazón latía con fuerza—. Nada más natural. Más natural todavía sería no hacerlo, esforzarme en no hacerlo. ¡No! *Esforzarme* podría dar origen a nuevas sospechas. Ya veremos cómo van las cosas. ¿Hago bien o mal en ir allá? La mariposa vuela por sí misma hacia la llama..., tengo palpitaciones... mal síntoma."

—Es en esa casa gris —dijo Razumikhin.

"Existe una cuestión de capital importancia: ¿tendrá o no conocimiento Porfirio de mi visita de ayer a la casa de esa bruja..., y de mis preguntas acerca de la sangre? Es imprescindible que lo sepa desde el primer momento, que lo lea en su rostro, apenas entremos... ¡Aunque signifique mi pérdida, lo sabré!"

—A propósito —dijo de súbito, dirigiéndose a Razumikhin con maliciosa sonrisa—, he notado que te hallas en un estado de extraordinaria agitación. ¿Me equivoco?

—¿Qué agitación? No, no estoy agitado —repuso Razumikhin, sin poder evitar que subieran los colores a su cara.

—Vamos, querido, se ve a las claras. Hace poco te sentaste en una silla como jamás te sientas, apenas en el borde, temblando como un azogado; ibas a incomodarte, y de inmediato cambiabas para hablar en tono acaramelado. Te ruborizaste como un colegial cuando te invitaron a almorzar, enrojeciste hasta la raíz de los cabellos.

—¡No es cierto! ¡Te equivocas! ¿Por qué dices esto?

—¡Vaya, qué tímido eres! Bueno, bueno, no te pongas colorado otra vez.

—¡Eres insoportable con tus majaderías!

—¿Por qué tanta confusión, Romeo? Descuida, ya repetiré esto en alguna parte, hoy mismo. ¡Cómo se va a reír mamá y otra personita!

—¡Oye! ¡Te hablo en serio! ¿Qué pasará después?... ¡Diablos! —dijo Razumikhin, perdiendo la cabeza y helado de terror—. ¿Qué vas a contarles? Yo, querido... ¡Uf, qué bestia eres!

—¡Estás hecho una verdadera rosa de primavera! Y qué bien te sienta, si vieras... ¡Un Romeo de seis pies! Te has lavado y te has limpiado las uñas, ¿eh? ¡Jamás lo hubiera creído! ¡Dios mío!, hasta te has peinado con pomada... Baja un poco la cabeza para que te huela, ¿quieres?

—¡Imbécil!

Raskolnikov rompió a reír a mandíbula batiente, incapaz de contenerse por más tiempo. Esa ruidosa hilaridad duraba aun cuando franquearon el portal de la casa de Porfirio Petrovich. Era lo que se había propuesto Raskolnikov: desde el departamento podía advertirse que entraban riendo a carcajadas, y que continuaban del mismo modo aun en el vestíbulo.

—¡Ni una palabra aquí... o te rompo la cabeza! —murmuró Razumikhin, asiendo con furia a su amigo por un hombro.

5

Raskolnikov penetró en el departamento con la expresión de un hombre que trata por todos los medios de no echarse a reír. Detrás de él, con los rasgos alterados y convulsos de ira, entró Razumikhin, rojo como una amapola, aparentando una calma que no sentía. El rostro y la silueta de este último eran realmente grotescos en ese momento y justificaban casi la hilaridad de su compañero.

Antes de ser presentado, Raskolnikov se inclinó ante el dueño de casa, que de pie en el centro de la habitación interrogaba con la mirada a sus visitantes, y le tendió la mano, aparentando los mayores esfuerzos para conservar la seriedad y poder por lo menos pronunciar las breves frases indispensables en una presentación. Pero apenas había logrado adoptar un aire correcto y balbucear algunas palabras, sus ojos se posaron de nuevo sobre Razumikhin y su risa contenida estalló con fuerza irresistible.

El indescriptible furor de Razumikhin ante las sonoras carcajadas de su amigo dieron a la escena una apariencia de alegría natural y, lo que es más, sincera por completo. Razumikhin, sin proponérselo, contribuyó a acentuar esa impresión.

—¡Oh, que el diablo te...! —rugió haciendo un violento ademán y derribando una mesita alta sobre la que había un vaso de té.

—¡Señores, no destrocen el moblaje! Están perjudicando al Estado —exclamó Porfirio en tono jocoso.

Raskolnikov reía con todas sus ganas, olvidando su mano en la del dueño de casa; pero, con exacta noción de la medida, aguardaba el momento de retirarla en forma que pareciera natural por completo. Razumikhin, definitivamente aterrado por la caída de la mesita y la rotura del vaso, miraba atontado los pedazos de vidrio, hasta que con un movimiento brusco se acercó a la ventana, mirando hacia afuera vuelto de espalda a los otros.

Porfirio Petrovich también reía, pero era evidente que esperaba explicaciones. En un rincón, sentado en una silla, encontrábase Zamiotov. Al aparecer los visitantes se habían levantado a medias, observando con la boca entreabierta por una sonrisa; sin embargo, la escena habíale causado cierta perplejidad, hasta un poco de desconfianza, y contemplaba a Raskolnikov con singular curiosidad. Su presencia causó una desagradable sorpresa al joven, que no esperaba encontrarlo allí.

"Otra cosa que deberé tomar en consideración", pensó.

—Discúlpeme, le ruego —comenzó, aparentando confusión—. Raskolnikov...

—No tiene por qué disculparse; me proporcionó un verdadero placer verlos entrar con tanta alegría... ¿Y ése? ¿Ni siquiera quiere dar los buenos días? —continuó Porfirio Petrovich indicando a Razumikhin.

—No me explico por qué razón se ha enfadado tanto... Sólo le dije, cuando veníamos, que parecía un Romeo... Se lo demostraré... Supongo que no es por otra cosa.

—¡Estúpido! —gritó Razumikhin sin volverse.

—Debe tener motivos muy serios para encolerizarse por esa simple palabra —asintió Porfirio riendo.

—¡Ya apareció el juez de instrucción! ¡Que el diablo cargue con todos ustedes! —exclamó Razumikhin, recobrando el buen humor y avanzando hacia Porfirio con el rostro iluminado por una franca sonrisa. Basta de tonterías —continuó—. ¡A nuestro asunto! Éste es mi amigo Rodion Romanovich Raskolnikov, que ha oído hablar de ti y desea conocerte; además, tiene que arreglar un asuntillo contigo. ¡Hola, Zamiotov! ¿Tú también aquí? ¡Ah, se conocen? ¿Desde cuándo?

"¿Qué quiere decir esto?", pensó alarmado Raskolnikov.

Zamiotov pareció turbado, pero esa impresión no duró mucho.

—Ayer, en tu casa... nos conocimos ayer —dijo como restando importancia al asunto.

—¡Vamos! Entonces la Providencia lo ha hecho todo: la semana pasada Zamiotov insistió en que quería serte presentado, Porfirio, pero no han necesitado de mí para eso... ¿Dónde tienes el tabaco?

Porfirio vestía ropas de casa: bata, camisa muy limpia y pantuflas. Era un hombre de unos treinta y cinco años, alto, grueso y bastante ventrudo. No usaba bigote ni patillas y sus cabellos estaban cortados al rape sobre su gruesa cabeza redonda, con un pliegue voluminoso sobre la nuca. Su rostro mofletudo, redondo y un tanto achatado, de tinte enfermizo, casi verdoso, no carecía de vivacidad y hasta de buen humor. Se hubiera creído hallar en él cierta bondad, sin la expresión de sus ojos sumamente claros, rodeados de pestañas casi blancas y que guiñaban de continuo como haciendo señas a alguien. La mirada de aquellos ojos contrastaba de extraña manera con el conjunto de su persona, que tenía algo de femenino, confiriéndole un aire más serio de lo que hubiera podido imaginarse a primera vista.

Cuando supo que Raskolnikov tenía un asunto que tratar con él, indicole que se sentara en el diván, haciendo lo propio en el otro extremo, y, demostrando el mayor interés, esperó que el joven le expusiera el objeto de su visita.

El exceso de atención por parte de un desconocido parece fuera de lugar y hasta resulta un tanto molesta, sobre todo si cuando lo que tiene que decirse está lejos de parecer digno de un interés extraordinario.

Con pocas palabras Raskolnikov expuso concisamente su asunto, sin dejar nada que desear en cuanto a claridad y precisión, lo que le causó verdadero placer. Mientras tanto, tuvo oportunidad de observar a Porfirio, que, por su parte, no desviaba los ojos de su interlocutor.

Razumikhin, sentado frente a ellos, del otro lado de la mesa, seguía con impaciencia y nerviosidad la conversación; sus miradas iban de uno a otro sin motivo aparente.

"¡Qué imbécil!", pensó Raskolnikov.

—Habrá que formular una declaración a la policía —dijo Porfirio con el aire de un entendido—. Tendrá que decir que, habiéndose enterado de tal y tal hecho, es decir, del asesinato, desea informar al juez de instrucción que lo tiene a su cargo que tales y tales objetos le pertenecen y que desea recuperarlos. O bien..., lo redactarán.

—Es que —repuso Raskolnikov, tratando de aparecer lo más confuso posible— en este momento no poseo dinero, y aun esas fruslerías... no puedo... Yo quisiera declarar simplemente por ahora que esos objetos son míos, y más adelante cuando esté en condiciones...

—Eso no tiene importancia —respondió Porfirio Petrovich, acogiendo fríamente esos detalles relativos a la situación financiera del joven—. Si lo prefiere, puede escribirme directamente en este sentido: "Informado de esto y lo otro, y declarando que tales y tales objetos me pertenecen, le ruego..."

—¿Puedo hacer esa solicitud en papel corriente? —preguntó con apresuramiento Raskolnikov, indicando de nuevo así su interés por la parte financiera del asunto.

—¡Oh, cualquier papel es bueno para esto!

Porfirio Petrovich lo miró con aspecto francamente burlón, guiñando los ojos como si le hiciera una señal de inteligencia. Acaso aquello fue fruto exclusivo de la imaginación de Raskolnikov, pues se produjo con la rapidez del relámpago, pero el joven hubiera jurado que habíale hecho un guiño como para advertirle algo, el diablo sabía por qué razón.

"Lo sabe", pensó por un segundo.

—Perdone que lo moleste por estas tonterías —continuó un poco intranquilo—. Estos objetos podrán valer seis o siete rublos, pero para mí representan un valor muchísimo mayor por el recuerdo que constituyen, y experimenté gran inquietud...

—Vaya, vaya, por eso te alteraste tanto ayer cuando Zossimov te dijo que Porfirio interrogaba a las personas que habían empeñado alhajas en lo de la vieja —terció Razumikhin.

Era demasiado, Raskolnikov, agotada su paciencia, dirigió a Razumikhin una mirada fulminante, pero de inmediato se recobró.

—Querido, creo que te burlas de mí —repuso con fingida irritación—. Reconozco que me preocupo tal vez demasiado de cosas que a tus ojos son insignificancias; pero ello no es razón para que me consideres un avaro, un egoísta, pues esos objetos insignificantes tienen un valor sentimental muy elevado por lo que representan para mí como recuerdo, vuelvo a repetir. Te dije no hace mucho que ese reloj de plata era lo único que nos quedaba de mi padre. Búrlate de mí todo lo que quieras, pero mi madre ha venido a visitarme —agregó, dirigiéndose a Porfirio—, y si ella supiera que ese reloj se ha perdido, quedaría desesperada y sin consuelo. ¡Oh, las mujeres!

—¡Pero no se trata de esto! ¡Has interpretado

mal mi pensamiento! ¡Quise decir todo lo contrario! —exclamó Razumikhin con amargura.

"¿Habré estado bien? ¿Fue natural esto? ¿No habré exagerado? —se preguntaba ansiosamente Raskolnikov—. ¿Por qué habré dicho "las mujeres"?

—¿Así que ha llegado su madre? —se informó Porfirio por una u otra razón.

—Sí, en efecto.

—¿Y cuándo llegó?

—Anoche.

Porfirio calló por un instante, como reflexionando.

—Sus cosas no pueden perderse de ningún modo —prosiguió con calma y frialdad—. Por otra parte, esperaba su visita hace tiempo.

Al decir esto, arrimó un cenicero a Razumikhin, que sacudía sin reparos la ceniza de su cigarrillo sobre la alfombra. Raskolnikov estremeciose, pero Porfirio pareció no advertirlo, ocupado por el cigarrillo de Razumikhin.

—¿Qué? ¿Lo esperabas? ¿Entonces sabías que había empeñado algo *allí*? —exclamó Razumikhin.

Porfirio Petrovich se dirigió a quemarropa a Raskolnikov.

—Ambos objetos, el anillo y el reloj, estaban en casa de *ella*, envueltos en un papel, en el que se veía escrito su nombre con lápiz, al igual que la fecha en que los había recibido en empeño.

—¡Qué buena memoria tiene usted! —observó

Raskolnikov con forzada sonrisa, tratando de sostener la mirada de Porfirio sin amedrentarse, pero no logró del todo su propósito y añadió en forma brusca:

—Si hice esa reflexión, fue porque pensé que probablemente los clientes de la vieja fuesen numerosos, y que le resultaría difícil recordarlos a todos... Por el contrario, veo que recuerda las cosas con tanta precisión y exactitud...

"¡Cretino! ¡Insensato! ¿Por qué he agregado esto?"

—Es que casi todos los que empeñaron alguna cosa allí se han presentado ya, y el único que aún no lo había hecho era usted —añadió Porfirio con un matiz de ironía casi imperceptible.

—Mi salud dejaba bastante que desear.

—Sí, ya me enteré. Hasta oí decir que había tenido usted algunas contrariedades... Todavía está muy pálido.

—No estoy pálido..., ahora me siento perfectamente bien —interrumpió brutalmente Raskolnikov, con rabia y elevando el tono. Sentía bullir una cólera indescriptible en su interior, que apenas podía refrenar.

"Esta cólera me hará tragar el anzuelo —pensó—. Pero, ¿por qué se empeñan en torturarme de esta manera?"

—¡No es cierto! ¡No se encuentra bien! —exclamó Razumikhin—. Eso es una forma de hablar. Hasta ayer no había recobrado casi el conocimiento. Pues, ¿lo creerás, Porfirio?, apenas se mantenía en pie, y no habíamos hecho más que volver las espaldas, Zossimov y yo, cuando se vistió y se marchó de su casa para ir a vagar no sé por dónde hasta medianoche... en pleno delirio. ¿Puedes imaginarte algo igual? ¡Un caso de lo más curioso!

—¡Bah! ¿Es posible que lo haya hecho *en pleno delirio*? —dijo Porfirio, moviendo la cabeza con un gesto por entero femenino.

—¡Es absurdo! ¡No crea una palabra de lo que dice! —exclamó Raskolnikov—. Aunque ya veo que no lo cree —añadió casi a pesar suyo, presa de una irritación demasiado viva. Porfirio Petrovich pareció no reparar en sus palabras.

—¿Cómo podrías haber hecho para salir, si no hubieras estado delirando? —insistió Razumikhin, acalorándose—. ¿Por qué saliste? ¿Con qué intención? ¿Y por qué justamente a escondidas? Vamos, ¿pretenderás hacernos creer que estabas en plena posesión de tus facultades? Ahora que el peligro ha pasado, puedo permitirme hablar de este modo.

—Me habían fastidiado en una forma atroz —dijo de pronto Raskolnikov, dirigiéndose a Porfirio con una sonrisa sarcástica y provocativa—. Me fui para buscar otro alojamiento en el que no pudieran descubrirme y llevaba todo mi dinero encima. El señor Zamiotov vio ese dinero. Veamos, señor Zamiotov, ¿ayer estaba yo en mis cabales o deliraba? ¡Tenga la gentileza de servir de árbitro en esta discusión!

Al parecer, hubiera estrangulado de buena gana a Zamiotov en aquel momento; el policía manteníase en una actitud y en un mutismo que le resultaban odiosos.

—En mi opinión, usted hablaba en forma muy sensata y hasta con gran sutileza, pero me pareció en exceso irascible —declaró secamente Zamiotov.

—Nicomedes Fomich me dijo que ayer le vio a usted, a hora muy avanzada, en el cuarto de un funcionario que había sido atropellado por un carruaje —dijo Porfirio con indiferencia.

—¡Y bien, aunque sólo fuera por eso! —insistió Razumikhin—. Veamos, ¿no has obrado como un loco en la casa de ese funcionario? ¿No diste todo tu dinero a la viuda para costear los gastos del entierro? Si hubieras querido ayudarle, te bastaba con darle diez o quince rublos, veinte si quieres, y guardarte por lo menos unos pocos rublos para ti. ¡Pero no! ¡Tuviste que darle los veinticinco rublos!

—Tal vez haya encontrado un tesoro oculto en alguna parte..., ¿qué sabes tú? Por eso me entregué a prodigalidades poco usuales... El señor Zamiotov no ignora que yo encontré un tesoro. Pido a usted mil disculpas —agregó, dirigiéndose a Porfirio con los labios trémulos— por haberle hecho perder media hora con estas cosas tan fútiles. Le importunamos, ¿no es cierto?

—No tiene por qué disculparse, al contrario, ¡al con-tra-rio! ¡Si supiera usted cuánto me interesa esta conversación! Es curioso observarlo, oírlo a usted, y le confieso que siento gran satisfacción de que al fin se haya decidido a formular su reclamación.

—¡Pero por lo menos podrías ofrecernos un poco de té! Tengo la garganta seca —exclamó Razumikhin.

—¡Excelente idea! ¿No quieres tomar algo sólido antes del té?

—¡Encantado! ¿Qué esperas?

Porfirio Petrovich salió para pedir el té.

En la mente de Raskolnikov las ideas formaban un verdadero torbellino; se hallaba en un estado de enorme irritación.

"Lo peor es que ni siquiera tratan de fingir y no guardan el más leve miramiento. Si Porfirio no me conocía, ¿cómo habló de mí con Nicomedes Fomich? ¡No disimulan que están sobre mi pista como una jauría de perros de presa! ¡Me escupen en la cara! ¡Por lo menos, que muestren sus cartas en lugar de jugar conmigo como el gato con el ratón! ¡Eso es falta de nobleza y de cortesía, Porfirio Petrovich, y tal vez no le permita que siga adelante! ¡Me levantaré enrostrándoles la verdad, toda la verdad; así se enterarán de la dimensión de mi desprecio!"

Mediante un enorme esfuerzo recobró en parte el dominio de sí mismo.

"¿Y si todo esto no fuera más que una idea ilusoria? ¿Si fuera el efecto de un espejismo y me engañara de extremo a extremo? ¿Si mi cólera se debiera única y exclusivamente a mi inexperiencia, a mi incapacidad de representar un papel innoble? Tal vez todo lo dicen sin segunda intención..., todas sus palabras son corrientes...; pero, hay algo..., es evidente que hay algo. ¿Por qué dijo simplemente "en casa de ella"? ¿Por qué Zamiotov agregó que yo había hablado *con sutileza*? ¿Por qué me hablan en ese tono? Sí..., es el tono. ¿Cómo no ha chocado esto a Razumikhin? Jamás se da cuenta de nada ese tonto... Me parece que tengo fiebre otra vez... Me guiñó los ojos Porfirio hace poco, ¿sí o no? Es absurdo... ¿Por qué tenía que hacerlo? ¿Pretenderán ponerme los nervios de punta, acorralarme para que confiese? O es un espejismo, o lo saben todo. Hasta Zamiotov se muestra insolente... Habrá pasado la noche reflexionando... Yo sabía esto. ¡Está aquí como en su casa! ¡Y es la primera vez que viene! Porfirio no lo considera un visitante; permanece sentado dándole la espalda. ¡Ambos se entienden! ¡Se han entendido en lo que *me concierne*! Es seguro que hablaban de mí antes de nuestra llegada. ¿Sabrán que estuve de nuevo en casa de la vieja? ¡Ah, que no tarde en enterarme de eso! Cuando dije que había salido de casa para buscar otra habitación, no paró mientes en esa frase... Sí, procedí con astucia al deslizar esa cuestión del cuarto; podrá servirme más tarde. En estado de delirio..., no parece creerlo... Nada ignora de cuanto ha pasado en la noche de ayer. Ignoraba la llegada de mamá. ¡Y esa vieja bruja, que había escrito la fecha del empeño con lápiz! ¡Pero todos mienten como cerdos! ¡No me rendiré! Ésos no son hechos, no es sino un espejismo al que pretenden presentar como hechos reales. La visita al departamento de la vieja tampoco constituye un hecho; se explica por mi estado de delirio. Sé lo que tengo que decirles... ¿Tendrán conocimiento de lo que pasó allí? ¡No me iré sin estar tranquilo acerca de este punto! ¿Por qué vine? ¡Vamos, parece que me encolerizo otra vez: esto sí es un hecho! ¡Puah! ¡Qué irritable soy! Aunque acaso sea mejor...; estoy más en mi papel de enfermo... Proseguirá hostigándome..., haciéndome perder la cabeza... ¿Por qué habré venido?"

Todas estas ideas cruzaron por su mente con la celeridad del rayo.

Porfirio Petrovich volvió a instantes despues con aire alegre.

—Querido, después de tu fiesta de ayer, siento la cabeza...; todavía estoy desarticulado —comenzó a decir con distinto tono del empleado hasta entonces.

—¿Qué tal? ¿Te divertiste? Los dejé en el momento mejor, cuando arreciaban las discusiones. ¿Quién obtuvo el triunfo?

—Nadie, por supuesto; todos estaban empecinados en defender sus eternas convicciones y hacían fuego por los cuatro costados.

—Figúrate, Rodia, que partieron de este

tema: "¿Hay crímenes o no los hay?" ¡Cuántas majaderías salieron a relucir entonces!

—Sin embargo, es una cuestión social de las más vulgarizadas —dijo Raskolnikov fingiendo indiferencia.

—La cuestión no fue formulada de ese modo —objetó Porfirio.

—No del todo, es cierto —convino de inmediato Razumikhin—. Escucha, Rodia, y danos tu opinión al respecto; comenzó con el punto de vista de los socialistas, ya conocido: el crimen es una protesta contra la mala organización de la sociedad; no es más que esto, esto sólo, y no se admite ningún otro motivo.

—¡Te equivocas! —exclamó Porfirio, animándose a ojos vistas y riendo, lo que aumentaba la excitación de Razumikhin.

—¡No se admite ningún otro motivo! —insistió éste—. ¡No me equivoco! ¡Te plantaré sus libros delante de los ojos! Para ellos todo procede "del ambiente deletéreo, del medio", nada más. Es su frase favorita. De eso a concluir que si se reorganizara la sociedad desaparecerían los crímenes no hay más que un paso, pues entonces, no habiendo de qué protestar, todos se convertirían en justos en un abrir y cerrar de ojos. Para nada se tiene en cuenta a la naturaleza; se la pone de patitas en la calle, no se la tolera. Para ellos, no es la humanidad la que, transformándose, según el proceso histórico, de *una manera viviente,* llegará por fin a convertirse en una sociedad normal. No; por el contrario, es un sistema social lucubrado por un cerebro matemático cualquiera el que organizará en un santiamén al género humano, tornándolo en un abrir y cerrar de ojos en justo e infalible, con preferencia a cualquier otra evolución vital, fuera de toda evolución histórica y viviente. Por eso es que instintivamente aborrecen la historia. "Está plagada de monstruosidades y de estupideces", dicen, ¡y para ellos todo se explica por medio de tonterías! Detestan asimismo en grado sumo el proceso *vital* de la vida: ¡nada de alma *viviente*! Ésta tiene exigencias, no obedece en forma maquinal; el alma viviente es suspicaz, es reaccionaria. ¡Que hagan una de caucho! ¡Aunque esté falto de vida, será dócil y servil, no se rebelará! Y todo esto para llegar a donde nos llevaron: ¡a la concepción de un montón de ladrillos dividido en corredores y cuartos al que bautizan con el nombre de falansterio! El de ellos está dispuesto; sólo la naturaleza no se decide todavía por el falansterio: quiere la vida, no ha terminado aún con el proceso vital y estima que es demasiado pronto para ir al cementerio. ¡Imposible saltar por sobre la naturaleza con la sola ayuda de la lógica! La lógica prevé tres casos, mientras que existen millones. ¡Suprimir esos millones para limitarse a la única cuestión de la comodidad! ¡No puede pedirse manera más fácil de resolver el problema! Es tan claro que dan tentaciones de abandonarse, ¡no más necesidad de pensar! Lo primordial, en efecto, es que no haya más necesidad de pensar. Todo el misterio de la vida podrá incluirse en un par de folletos impresos.

—¡Ya se desencadenó! ¡Qué torrente de palabras! ¡Sujétenle los brazos! —dijo Porfirio, riendo de buena gana—. Figúrese usted —dijo a Raskolnikov— que esto mismo ocurrió ayer en una habitación donde hablaban seis a la vez; además, cargados previamente con ponche. No, amigo mío, el "medio" influye muchísimo en los crímenes, te lo aseguro.

—Ya sé que influye, pero dime: un hombre de cuarenta años viola a una menor de diez, ¿es el medio el que lo impulsa a hacerlo?

—En el sentido estricto de la palabra, está permitido decir que es el medio —repuso Porfirio con gravedad inusitada—. La violación de una menor puede explicarse muy bien por la influencia del medio.

Razumikhin pareció a punto de estallar.

—¡Pues bien! ¡Si quieres, te *demostraré* enseguida —rugió— que si tiene las pestañas blancas, eso se debe exclusivamente a que el campanario de San Juan Clímaco tiene doscientos treinta pies de altura, y llegaré a esa conclusión clara, exacta, progresivamente, y hasta con un matiz de liberalismo! ¡Me comprometo a ello! ¿Quieres que hagamos la apuesta?

—¡Acepto! Tengo curiosidad por ver cómo te las compondrás para demostrarlo.

—¡Muy sencillo! ¡Me bastará con efectuar malabarismos con las palabras! —gritó Razumikhin, exasperado—. Pero, ¿acaso vale la pena perder tiempo en hablar contigo? ¡Lo hace todo a propósito para sacarme de mis casillas, Rodia! Ayer se complacía en tomar partido para que la discusión no decayera, añadiendo fuego a la hoguera con sus observaciones. Los otros comenzaron en broma y terminaron acalorándose. ¡Es capaz de sostener una mixtificación quince días seguidos! El año pasado nos hizo creer que por una razón u otra iba a hacerse fraile, y durante dos meses nos machacó los sesos con esa historia. Hace poco se le ocurrió hacernos creer que se casaba y que ya tenía todas las cosas dispuestas para la ceremonia, hasta se encargó un traje. Cuando ya estábamos casi convencidos y empezábamos a felicitarlo, supimos que todo era una farsa y que la tal prometida no existía.

—¡No fue así! Me encargué el traje, y cuando lo tuve se me ocurrió la idea de hacerles una broma.

—¡Caramba! ¿Entonces es cierto? —preguntó negligentemente Raskolnikov.

—¿Usted creía que no? Espere, pues, que ya tendré oportunidad de gastarle alguna bromita. Pero, a propósito de crímenes y de medios, recuerdo en este momento haber leído un artículo suyo, titulado *Un crimen*..., o algo parecido, que me interesó muchísimo. Tuve ocasión de leerlo hace un par de meses en la *Palabra Periódica*.

—¿Mi artículo? ¿En la *Palabra Periódica*?

—exclamó Raskolnikov, asombrado—. Es cierto que hace seis meses, cuando abandoné la universidad, escribí un artículo acerca de un libro, pero lo llevé a la *Palabra Hebdomadaria*.

—Pues apareció en la *Palabra Periódica*.

—El artículo no fue publicado porque ese hebdomadario dejó de aparecer.

—Es cierto; pero, al dejar de existir, la *Palabra Hebdomadaria* se fusionó con la *Palabra Periódica*, y apareció su artículo en esta última hace dos meses. ¿No lo sabía?

Raskolnikov lo ignoraba en realidad.

—¡Bien! Entonces puede ir para que se lo paguen. ¡Qué carácter más extraño el suyo! Vive en un aislamiento tal que ni siquiera se entera de las cosas que le conciernen en forma directa.

—¡Bravo, Rodia! Yo también lo ignoraba —exclamó Razumikhin—. ¡Hoy mismo iré a una sala de lectura para pedirlo! ¿Hace dos meses? ¿Qué fecha? ¡Bah, no importa! Ya lo encontraré. No me habías dicho una sola palabra...

—¿Pero cómo sabe usted que el artículo es mío? Firmé sólo con mis iniciales.

—Ha sido por casualidad. Hace unos días me lo dijo el director, conocido mío; su artículo me interesó muchísimo.

—Recuerdo que analizaba el estado de ánimo de un asesino durante la ejecución de su crimen.

—En efecto; y sostenía con insistencia que la ejecución del crimen se halla siempre acompañada de un estado mórbido. Es un punto de vista original, muy original, pero en realidad no fue esta parte la que me interesó. Al finalizar desliza usted cierta idea, a la que, por desgracia, alude en forma vaga. Si lo recuerda, se ve apuntar la tesis de que en el mundo existen ciertos seres que pueden..., es decir, no sólo pueden, sino que tienen absoluto derecho de cometer toda suerte de acciones deshonrosas y crímenes, y para los cuales la ley no existe.

Raskolnikov esbozó una sonrisa al oír aquella interpretación arbitraria y pérfida de su pensamiento.

—¿Cómo? ¿Qué? ¿El derecho al crimen? ¿No sería, acaso, como consecuencia de la "influencia del medio"? —inquirió Razumikhin con una especie de espanto.

—No, no es eso —terció Porfirio Petrovich—. La cuestión consiste en su artículo, en que, los hombres están divididos en "ordinarios" y "extraordinarios". Los primeros deben vivir en la obediencia y no tienen derecho a transgredir las leyes, mientras que los segundos tienen derecho a cometer todos los crímenes y violar cualquier ley, precisamente porque son "hombres extraordinarios". Ésa es su proposición, si no me engaño.

—Pero, ¿cómo? ¿Es posible que sea así? —gruñó Razumikhin.

Raskolnikov sonrió de nuevo con sarcasmo. Había comprendido de inmediato a dónde querían llegar y lo que pretendían arrancarle; recordaba su artículo. Se vio obligado a aceptar el desafío.

—No es eso, de ningún modo —comenzó con sencillez y casi con modestia—. Confieso que ha expuesto poco más o menos con fidelidad mi pensamiento; digamos, si quiere, que lo ha expuesto con entera fidelidad —pronunció estas palabras con evidente satisfacción—. Toda la diferencia consiste en que yo no insisto en forma alguna en que los individuos extraordinarios deban cometer en cualquier ocasión toda clase de actos deshonestos, como ustedes pretenden. Creo que la censura no hubiera tolerado un artículo redactado en esos términos. Simplemente, he puesto de manifiesto que el hombre "extraordinario" tiene el derecho, no oficialmente, sino por sí mismo, de autorizar a su conciencia a franquear... ciertos obstáculos, y sólo en el caso que se lo exija la realización de su idea, de la que puede depender a veces la salvación del género humano. Pretende usted que mi artículo carece de claridad; estoy dispuesto a explicárselo en la medida de lo posible. No me engaño, sin duda, al suponer que tal es su deseo, según las apariencias. Bien; estoy a sus órdenes.

"En mi opinión, si los descubrimientos de los Kepler y los Newton, a consecuencia de no sé qué circunstancias, no hubieran podido ser efectuados de otro modo que sacrificando la vida de un hombre, de diez, de cien hombres o aun más que hubiesen impedido realizarlos o que se hubiesen erguido frente a ellos como un obstáculo, Newton habría tenido el derecho, y aun el deber... de *eliminar* a esos diez o cien individuos, para poder revelar sus descubrimientos a la humanidad. No debe deducirse por ello que Newton habría tenido el derecho de asesinar a quien le pareciera, o de robar todos los días a quien le viniese en gana. Además, recuerdo haber desarrollado esta idea en el curso de mi artículo, a saber, que todos..., digamos los fundadores, los legisladores de la humanidad, comenzando por los más antiguos y continuando con los Licurgo, los Solón, los Mahoma, los Napoleón, etc., todos sin excepción fueron asesinos, aunque sólo fuese porque al proclamar una ley nueva tuvieron que abolir la antigua, considerada como sagrada por la sociedad y heredada por los antepasados. Para llegar a sus fines no retrocedieron ante la necesidad de derramar sangre cuando ello contribuía a facilitar su tarea. Es de notar, asimismo, que la mayoría de esos bienhechores y reformadores de la humanidad fueron monstruos particularmente sanguinarios. En una palabra, llego a la conclusión de que todos, no digo los grandes, sino los que estuvieron, aunque fuera poco, sobre la medianía, es decir, que aportaron algo nuevo, todos se vieron en la obligación de ser asesinos por su naturaleza, en mayor o menor escala, según los casos. Hubiera sido difícil para ellos salir de la mediocridad obrando de diferente manera, y siempre por su naturaleza, no podían consentir en permanecer siempre en ella; hasta afirmo que su deber era no consentirlo. En resumen, usted ve que, hasta el presente, nada hay demasiado nuevo en mi artículo. En cuanto a la división de los hombres en ordinarios y extraordinarios, convengo en que es una idea en cierto modo arbitraria, pero no menciono cifras precisas. Creo sólo en mi idea fundamental, consistente en que los hombres, conforme a las leyes de la naturaleza, se dividen, *en general*, en dos categorías: una inferior, la de los hombres ordinarios, que existen únicamente como materiales que sirven para la procreación de seres semejantes a ellos, y la otra, la de los individuos que han recibido el don o el talento de pronunciar en su medio *una palabra nueva*. Existen, ya sin decirlo, infinidad de subdivisiones, pero los rasgos característicos de estas dos categorías están bastante bien determinados; la primera, la de los materiales, hablando en general, es la de los conservadores natos, la de las gentes disciplinadas, obedientes y que se complacen en vivir en la obediencia. Opino que tienen que obedecer, pues ése es su destino, y para ellos eso nada tiene de humillante. Los de la segunda categoría violan les leyes, son destructores, o tienen propensión a serlo, conforme a sus facultades. Los delitos de estos hombres son, en verdad, relativos y de gravedad variable; la mayoría de ellos exigen, por métodos diversos, la destrucción del presente en nombre de algo mejor. Si uno de ellos necesita, para llevar a buen término una idea, pasar por sobre un cadáver, hasta por sobre un río de sangre, creo que puede hacerlo con toda conciencia, en interés de su idea y del contenido de la misma, bien entendido. ¡Es sólo en este sentido que digo en mi artículo que los hombres tienen el derecho de matar! Recordará usted que hemos partido de una cuestión jurídica. Por lo demás, no hay que alarmarse demasiado; las masas casi nunca les reconocen este derecho: se les tortura y se les ahorca, y al hacerlo así proceden conforme a sus derechos, cumplen su destino de masas conservadoras, a pesar de que en las generaciones venideras esas mismas masas colocarán a los condenados al suplicio sobre un pedestal y quemarán incienso ante ellos (alguna que otra vez). La primera categoría es siempre dueña del presente; la segunda lo es del porvenir. Los primeros conservan el mundo y lo aumentan numéricamente; los segundos lo mueven y lo conducen a un fin. Tanto unos como otros tienen pleno derecho a existir. En una palabra, en mis teorías, todos tienen un derecho igual y *vive la guerre éternelle,* hasta la Nueva Jerusalén, se entiende."

—¿Así que cree usted en la Nueva Jerusalén?

—Sí, creo —respondió Raskolnikov con firmeza. Al decir esto, lo mismo que durante su largo discurso, había mantenido la vista baja, mirando con fijeza un punto determinado de la alfombra.

—Y..., ¿cree usted en Dios? Perdone si me muestro demasiado curioso.

—Creo en Él —repitió Raskolnikov mirando por fin a Porfirio.

—¿Cree en la resurrección de Lázaro?

—Yo..., sí, creo. ¿Por qué me formula estas preguntas?

—¿Cree usted al pie de la letra?

—Al pie de la letra.

—Así... Es por mera curiosidad, dispénseme. Pero permítame que vuelva a lo anterior. No siempre se les envía al suplicio, hay algunos que, por lo contrario...

—¿Que triunfan en vida? ¡Oh!, cierto es que algunos obtienen el triunfo en vida, y entonces...

—¿Son ellos mismos los que envían al suplicio a los otros?

—Cuando es necesario, la mayor parte obra de ese modo. Su observación no carece de sutileza.

—Muchas gracias. Pero dígame: ¿cómo se distinguen esos hombres extraordinarios de los que no lo son? ¿Tienen algún signo al nacer? Quiero decir que haría falta un poco más de precisión en este punto, o más bien alguna marca exterior para distinguirlos. Dispense esta preocupación, natural en un hombre práctico y bienintencionado, ¿pero no habría necesidad de que llevaran, por ejemplo, un uniforme, un atavío cualquiera o un sello especial? Convendrá conmigo en que si se produce un *quid pro quo*, y un individuo perteneciente a una categoría se imagina que pertenece a la otra y comienza a suprimir y a *eliminar* obstáculos, como usted ha dicho tan acertadamente, entonces...

—¡Oh, el caso se produce con frecuencia! Esta observación es todavía más aguda que la anterior.

—Le agradezco de nuevo.

—No tiene por qué; pero le haré notar que el error es posible casi exclusivamente en la primera categoría, es decir, en los "hombres ordinarios", como los he designado tal vez con poca propiedad. A pesar de su innata propensión a la obediencia, por un capricho de la naturaleza, muchos de ellos se sienten inclinados a considerarse hombres de vanguardia, "destructores", y corren detrás de la "palabra nueva", haciéndolo con entera sinceridad. Al mismo tiempo les ocurre a menudo no reconocer a los que en verdad son *renovadores*, y los desprecian como a gentes atrasadas y de bajos pensamientos. Pero no creo que exista en ello grave peligro, y no tiene por qué inquietarse, pues jamás llegan muy lejos. Sin duda, se podría a veces azotarlos por su empecinamiento y volverlos a su lugar, pero no más. No tienen necesidad de que nadie se encargue de ello; se encargan por sí mismos de darse los azotes, porque son gentes muy morales; en ocasiones se prestan ese servicio unos a otros, y no faltan los que lo realizan con sus propias manos. Se imponen además diversas penitencias públicas, lo que no deja de ser bello y edificante. En resumidas cuentas, no existe motivo de inquietud... Tal es la ley.

—¡Vamos! En esto, por lo menos, me ha tranquilizado un poco, pero hay todavía otra desventura: le ruego me aclare si son muchos los individuos que tienen derecho a degollar a los otros, es decir, esos seres "extraordinarios". Estoy dispuesto a inclinarme ante ellos, pero confesará usted que, si fuesen muchos, uno sentiría frío en la espalda.

—¡Oh, no se inquiete tampoco por esto! —prosiguió Raskolnikov en el mismo tono—. En general, nacen pocos hombres que tengan una idea nueva, o simplemente que sean capaces de decir algo *nuevo*. Sólo una cosa es evidente: que el orden de los nacimientos de los individuos, en todas sus categorías y divisiones, debe ser determinado de una manera precisa e infalible por alguna ley de la naturaleza. Esta ley es desconocida en la actualidad, pero creo que existe y que algún día podrá ser develada. Hay sobre la tierra una enorme masa de gente para esforzarse en descubrirla, y por un proceso todavía misterioso, mediante un cruce cualquiera de razas y de especies, dará al mundo un hombre que, entre mil, poseerá siquiera un poco de independencia. Hombres que posean un grado superior de independencia, nace sólo uno entre cada diez mil (hablo aproximadamente), y más superior todavía, uno entre cada cien mil. Los hombres de genio están desparramados entre millones de otros hombres. En cuanto a los grandes genios que constituyen la coronación del género humano, deben pasar por la tierra quizá mil millones antes de que surja uno solo. No he ido a mirar en la retorta donde todo esto se elabora, pero seguramente debe existir una ley determinada; en esto no puede existir el azar.

—Pero, veamos..., ¿están bromeando los dos? —exclámó por fin Razumikhin—. ¿Están mixtificándose uno a otro, sí o no? ¡Parecen empeñados en burlarse a cual mejor! ¿Hablas en serio, Rodia?

Raskolnikov alzó hacia él su rostro pálido, casi triste, sin responder. Al lado de aquella expresión, calma y dolorosa, pareció extraño a Razumikhin el tono cáustico, irritante y *descortés* que había adoptado Porfirio.

—Y bien, querido, si de veras es en serio... Tienes razón al decir que nada de nuevo hay en eso, y que se parece a lo que hemos oído y leído mil veces, pero lo realmente *original*, y que a ti sólo pertenece, lo compruebo con horror, es que decides que *en conciencia* existe el derecho de derramar la sangre, y, perdóname, que lo hagas con tanto fanatismo. En esto, por consiguiente, reside el pensamiento capital de tu artículo. Esa autorización de derramar la sangre *con plena conciencia*... resulta, a mi criterio, más terrible que una autorización oficial, legal...

—¡Exacto! Es más terrible —asintió Porfirio.

—¡No! ¡Has ido demasiado lejos! ¡Debe haber

un error! Leeré... ¡Has ido demasiado lejos! Tú no puedes pensar eso... Leeré...

—En el artículo nada hay de todo esto; sólo figuran alusiones —dijo Raskolnikov.

—¡Sí, sí! —prosiguió Porfirio—. Ahora veo más o menos con claridad la forma en que usted encara el crimen..., disculpe mi insistencia. Acaba de tranquilizarme en lo que concierne a la confusión que podría producirse entre las dos categorías, pero... hay ciertos casos que me inquietan, si fueran llevados a la práctica. Supongamos, pongo por ejemplo, que un hombre o un joven se imagine ser un Licurgo o un Mahoma (futuro, por supuesto). Enseguida tratará de suprimir todos los obstáculos que dificulten el cumplimiento de su misión. "Tengo que realizar una larga campaña —se dirá—, y para una campaña hace falta dinero." Pondrá manos a la obra para procurarse ese dinero, ¿adivina usted cómo?

Zamiotov estornudó en su rincón. Raskolnikov no lo miró siquiera.

—Debo reconocer —respondió con calma— que esos casos pueden muy bien registrarse. Los imbéciles en especial, y los vanidosos, pueden en efecto dejarse arrastrar por esa idea, en particular los jóvenes.

—¿Ve usted? ¿Y entonces?

—¡Y bien! ¿Qué? —exclamó Raskolnikov—. Eso no es culpa mía. Siempre ocurrirá lo mismo. Hace poco, éste —señaló a Razumikhin— me decía que yo autorizaba la efusión de sangre. ¡Y bien! ¿Qué? ¿No está suficientemente garantizada la sociedad por las deportaciones, las prisiones, los jueces de instrucción, los presidios? ¿Por qué inquietarse? Persigan a los delincuentes...

—¿Y si los atrapamos?

—¡Lo tendrán bien merecido!

—Por lo menos es lógico. Pero, ¿y su conciencia?

—¿Qué le importa eso?

—Es una cuestión que surge de un sentimiento humano.

—El que la posea, que sufra si reconoce su falta. Es su castigo, sin contar el presidio.

—Pero los hombres de genio —interrumpió Razumikhin frunciendo el ceño—, aquellos a los que se concede el derecho de matar, ¿no sufrirán aun después de haber derramado sangre?

—¿Por qué ese *no sufrirán*? No existe autorización ni prohibición. Quien tenga piedad de su víctima, que sufra. El dolor es obligatorio para las conciencias amplias y los corazones profundos. Los hombres verdaderamente grandes deben, al parecer, experimentar en la tierra una gran tristeza —agregó con un acento que no estaba en el tono de la conversación.

Levantó los ojos, miró a sus interlocutores con un aire pensativo y soñador y tomó su gorro. Estaba muy tranquilo, en comparación con la forma en que había entrado allí, y se daba cuenta de ello. Todos se levantaron.

—Vamos, insúlteme o enfádese usted conmigo, pero es más fuerte que yo —dijo Porfirio Petrovich a guisa de conclusión—; permítame que le formule una última pregunta, aunque en verdad me siento avergonzado por molestarlo tanto. Quisiera exponer una idea que se me ha ocurrido, únicamente para no olvidarla...

—Bien, expóngala usted —respondió Raskolnikov, pálido y grave, permaneciendo ante el juez de instrucción en actitud de espera.

—He aquí..., no sé cómo expresarme, para ser claro...; es una idea un tanto rara, psicológica, si se quiere...; cuando usted componía ese artículo, ¿no se consideró un poquito como un hombre extraordinario, que aportaba *una palabra nueva* en el sentido en que usted lo entiende?... ¿No fue así?

—Es muy posible —repuso Raskolnikov con cierto desprecio.

Razumikhin hizo un movimiento.

—Y si fuera así, ¿no se habrá sentido inclinado usted mismo, para reparar algunos fracasos personales y para hacer cesar las dificultades, o bien para acelerar la marcha hacia adelante de la humanidad; no se sintió inclinado, repito, a franquear el obstáculo? ¿Por ejemplo, a robar y a matar?

Hizo un leve guiño con el ojo izquierdo y volvió a reír silenciosamente, como poco antes.

—Si lo hubiera franqueado, no se lo diría, como es natural —respondió Raskolnikov con tono de altanero desprecio, casi de provocación.

—Una sola cosa me interesa en esto: es la forma de interpretar su artículo, desde un punto de vista puramente literario.

"¡Puah! ¡Qué malicia mal hilvanada!", pensó Raskolnikov con repulsión.

—Permítame hacerle observar —dijo con sequedad—, que yo no me considero un Mahoma ni un Napoleón, ni otro personaje de esa categoría, por lo tanto, no estoy en condiciones de darle una respuesta satisfactoria acerca de la manera en que obraría.

—¡Vamos! ¿Quién de nosotros, en Rusia, no se considera ahora un Napoleón? —dijo Porfirio con inquietante familiaridad. Su entonación dejaba entrever esa vez algo particularmente claro.

—¿No será un futuro Napoleón el que la semana pasada hundió el cráneo a Aliona Ivanovna? —exclamó de súbito Zamiotov desde su rincón.

Raskolnikov clavó sus ojos en él. Razumikhin se estremeció. Desde hacía unos momentos comenzaba a sospechar que todo aquello ocultaba algo; paseó una mirada de cólera a su alrededor.

Hubo un penoso silencio. Raskolnikov se volvió para salir de la habitación.

—¿Ya nos deja? —dijo con amabilidad Porfirio, tendiéndole la mano con un gesto suave—. Estoy verdaderamente encantado de haberlo conocido. En cuanto a su reclamación, será atendida sin demora. Escriba en el sentido que le indiqué... o, mejor, vuelva a verme uno de estos días..., mañana, por ejemplo; estaré a eso de las once. Probablemente podamos arreglar el asunto, hablaremos...; usted fue uno de los últimos que estuvieron *allí*, tal vez pueda suministrarnos algún dato de interés para la pesquisa.

—¿Quiere interrogarme oficialmente, con todas las formalidades de rigor? —preguntó Raskolnikov con aspereza.

—¡Oh, no hay necesidad, por el momento! No me ha comprendido. Mire, no dejo escapar ocasión alguna, y ya he conversado con todos los que tenían objetos empeñados; las declaraciones de algunos me permitieron recoger ciertos indicios... Usted es el último. ¡A propósito! —exclamó con una explosión de repentina alegría—. ¡Sólo ahora se me ocurre, qué cabeza! ¿Recuerdas a ese Nikolacha —dijo a Razumikhin—, que tanto te daba que hacer?... Pues bien, tengo la certeza —añadió volviéndose hacia Raskolnikov— de que ese muchacho es inocente, pero fue preciso molestar también a Mitka... Quería llegar a esto; el fondo de mi pregunta es... Al subir la escalera, entonces... ¿fue aproximadamente a las ocho cuando lo hizo?

—A eso de las ocho —respondió Raskolnikov, sintiendo instantáneamente con disgusto que podía haberse ahorrado esas palabras.

—Al subir la escalera a eso de las ocho, usted, por lo menos, ¿no vio en el segundo piso, en un departamento abierto, dos obreros, o por lo menos uno? Estaban pintando... ¿No los advirtió? ¡Esto reviste suma importancia para ellos!

—¿Pintores? No, no vi nada —respondió lentamente Raskolnikov como si buscara en su memoria, mientras ponía en juego todas las fuerzas de su espíritu y sufría mil angustias para tratar de descubrir en qué punto estaba la celada—. No, no los vi... Ni siquiera noté que hubiera un departamento abierto. Pero en el cuarto piso —había olfateado el lazo y se regocijaba con su triunfo—, recuerdo que se estaba realizando una mudanza..., en el departamento de enfrente al de Aliona Ivanovna. Recuerdo con toda precisión que unos ex soldados transportaban un diván y me obligaron a pegarme contra la pared... Pero pintores, no..., no recuerdo..., y me parece que en ninguna parte había un departamento abierto. ¡No, no lo había!

—Pero, ¿qué te pasa? —exclamó Razumikhin, como si por fin comprendiera—. ¡Vamos, Porfirio! ¡Los obreros estaban pintando el mismo día del asesinato, y él estuvo allí la antevíspera! ¿Cómo le preguntas eso?

—¡Es cierto! ¡Estaba confundido! —dijo Porfirio golpeándose la frente—. ¡Que el diablo me lleve! ¡Este asunto me hará perder la cabeza! —agregó dirigiéndose a Raskolnikov como para disculparse—. Para nosotros es muy importante saber si alguien vio a esos pintores a eso de las ocho en el departamento vacío... Me figuré que usted... Ha sido una confusión.

—Sería conveniente que se fijara más —observó Raskolnikov con pésimo humor.

Estas últimas palabras fueron dichas en la antecámara. Porfirio Petrovich los acompañó hasta la puerta con extremada cortesía. Ambos estaban sombríos y tristes al poner los pies en la calle y dieron algunos pasos sin pronunciar una sílaba. Raskolnikov respiró profundamente...

6

—¡No lo creo! ¡No puedo creerlo! —repetía Razumikhin, sumamente preocupado y tratando con todas sus fuerzas de rebatir los argumentos de Raskolnikov. Llegaban ya al edificio Bakaleiev, en el que Pulkeria Alejandrovna los esperaba desde hacía largo rato. Acalorado por la discusión, Razumikhin deteníase a cada instante, presa de gran agitación; era la primera vez que los dos amigos se referían abiertamente a *aquello*.

—¿No lo crees? —respondió Raskolnikov con fría e indiferente sonrisa—. Según tu costumbre, no te has dado cuenta de nada, pero yo pesaba cada palabra.

—Eres muy suspicaz, por eso pesaste tus palabras... ¡Hum!... En efecto, te confieso que el tono de Porfirio era bastante extraño, ¿y el de ese bribón de Zamiotov? Tienes razón, no sé por qué motivo te hablaron de ese modo...

—Tal vez Zamiotov haya cambiado de opinión desde anoche.

—¡Todo lo contrario! Si se les hubiera ocurrido esa idea descabellada, habrían tratado por todos los medios de disimularla, ocultando su juego con el fin de recoger otros indicios. ¡Pero ahora hablan sin ambages ni rodeos, sin la menor precaución!

—Si tuvieran pruebas, quiero decir, hechos reales, o por lo menos sospechas fundadas, tratarían sin duda de encubrir su juego con la esperanza de lograr otras más valiosas; por otra parte, es seguro que en ese caso habrían procedido desde hace tiempo a un allanamiento. Pero no poseen hechos, ni uno siquiera; todo se reduce a conjeturas y quimeras que no tienen pies ni cabeza, que a nada conducen, y por eso tratan de ganar posiciones con su descaro. Acaso el mismo Porfirio siente despecho y cólera al ver que no existen hechos, y se ha dejado llevar por esos sentimientos; puede ser que abrigue alguna intención oculta... Es un hombre inteligente, a lo que parece. Tal vez quiso asustarme, haciéndome ver que sabía algo... En él, éste es un asunto de psicología. ¡Pero todas estas explicaciones me causan repugnancia! ¡Dejemos esto!

—¡Es canallesco, y comprendo que te subleves! Pero, puesto que hemos comenzado a hablar con franqueza (y me felicito de que hayamos llegado a esto), te confesaré a mi vez que hace tiempo que noté esa idea en ellos, aunque no creo necesario agregar que aún no había tomado cuerpo y permanecía en el estado de simple insinuación;

pero es demasiado que haya podido deslizarse en su espíritu bajo una forma cualquiera. ¿Cómo se atreven a permitirlo? ¿En qué repliegues tenebrosos de su alma habrá ido a alojarse esa idea? ¡Si supieras qué indignación me causó! Un pobre estudiante, agobiado por la miseria y la hipocondria, en vísperas de una penosa enfermedad agravada con el delirio, que quizás ha comenzado ya; un joven retraído y lleno de amor propio que tiene conciencia de su valer, que durante seis meses ha vivido casi encerrado en su habitación sin ver a nadie, se presenta vestido de harapos y calzado con zapatos sin suela ante unos policías de baja estofa cuyas insolencias se ve obligado a sufrir; le colocan delante de la nariz un documento protestado, cuyo monto debe pagar al consejero de Tribunales Chebarov; un repugnante olor a pintura fresca llena toda la sala, donde hace un calor de treinta grados, donde el ambiente es asfixiante a causa de la cantidad de personas que se encuentran en ella; allí oye hablar del asesinato de una persona en cuya casa ha estado la víspera, y todo esto, con el estómago vacío. ¿Cómo no desvanecerse? ¡Y sobre esto, sólo sobre esto, levantan todo el edificio de sus hipótesis! ¡Qué el diablo se los lleve! Comprendo que te sientas vejado, Rodia, pero yo, en tu lugar, habríame reído en sus barbas o, mejor, les hubiera escupido en la cara a todos. ¡Tienes que hacerlo de este modo, Rodia, para terminar con ellos! ¡Escúpeles! ¡Coraje! ¡Es vergonzoso!

"Ha expuesto muy bien el asunto", pensó Raskolnikov.

—¿Escupirles? ¡Pero si mañana deberé someterme aún a otro interrogatorio! —pronunció con amargura—. ¿Tendré que darles explicaciones? ¡Cómo me arrepiento de haberme rebajado a conversar con Zamiotov en el café!

—¡Que el diablo se los lleve! ¡Yo mismo iré a casa de Porfirio y lo trataré, puedes creerme, como a un pariente! ¡Le haré desembuchar todo lo que sepa! En cuanto a Zamiotov.

"¡Por fin adivinó!", pensó Raskolnikov.

—¡Espera! —exclamó Razumikhin tomándolo de pronto por un hombro—. ¡Espera! ¡Hace poco dijiste una tontería! He reflexionado... ¿Cómo pretendes que la pregunta relativa a los obreros ocultaba un designio pérfido? Piensa un poco, veamos... Si hubieras hecho *eso,* ¿habrías sido lo bastante tonto para decir que habías visto que estaban pintando el departamento... y que habías visto a los pintores? ¡Al contrario! ¡Aunque los hubieses visto, lo habrías negado! ¿Quién es el que presta declaraciones que pueden perjudicarlo?

—Si yo hubiera hecho *eso,* es seguro que habría afirmado haber visto a los obreros y el departamento abierto —repuso Raskolnikov, que proseguía la conversación con visible disgusto.

—¿Por qué decir cosas que van contra uno mismo?

—¡Porque sólo los ignorantes y los novicios desprovistos por completo de experiencia niegan irreflexivamente cuando se les interroga! Por poco que un individuo sea inteligente y sagaz, reconoce en la medida de lo posible todos los hechos materiales que no pueden descartarse, esforzándose en interpretarlos de otra manera, darles una significación distinta y presentarlos bajo otro aspecto. Muy posible es que Porfirio contara con que yo iba a tragarme el anzuelo, respondiendo que había visto a los obreros, para prestar mayor verosimilitud a mis declaraciones…

—Pero enseguida te hubiera dicho que la antevíspera no podías haber visto a los obreros, que no estaban entonces, y que por consiguiente era el día del asesinato, hacia las ocho, tu visita a la casa.

—Contaba con mi contestación, sin darme tiempo de reflexionar, y creyó que me apresuraría a responder de la manera más verosímil posible; imaginose que yo olvidaría que dos días antes los obreros no trabajaban allí.

—Pero, ¿cómo podrías haberlo olvidado?

—¡Nada más fácil! Precisamente con estos detalles insignificantes se pierden las personas astutas y sagaces. Cuando más astuto es el individuo, menos sospecha que una pregunta tan simple en apariencia puede perderlo. ¡Porfirio no es tan tonto como tú crees!

—¡Si hizo eso, es un canalla!

Raskolnikov no pudo evitar una sonrisa. En el mismo momento el apresuramiento y el placer con que acababa de formular las anteriores explicaciones le parecieron extraños, dado que antes mantuvo la conversación con tristeza y de mala gana, sólo porque perseguía un fin y la necesidad lo impulsaba a obrar de ese modo.

"¿Acaso me proporcionarán agrado y satisfacción algunas de estas preguntas?", se dijo.

Casi al mismo tiempo demostró cierta inquietud, como si un pensamiento inesperado y angustioso acabara de cruzar por su mente. Su intranquilidad aumentaba a ojos vistas al llegar frente al edificio Bakaleiev.

—¡Entra solo! —dijo bruscamente a Razumikhin—. Vuelvo enseguida.

—¿A dónde vas? Ya hemos llegado...

—Tengo algo que hacer..., es necesario..., volveré dentro de media hora. Diles a mi madre y a mi hermana...

—¡Haz lo que quieras! ¡Te acompañaré!

—¡Vaya! ¿Tú también te propones torturarme? —exclamó con un acento tan impregnado de amargura, con tal expresión de desesperación en la mirada, que Razumikhin dejó caer los brazos. Por algunos instantes quedó de pie en el umbral, mirando a Raskolnikov, que se alejaba a grandes pasos, y después de refunfuñar algo entre dientes apretó los puños y juró que ese mismo día iba a exprimir a Porfirio como un limón, decidiéndose por fin a subir al departamento de Pulkeria Alejandrovna para tranquilizarla.

Cuando Raskolnikov llegó frente a su casa,

sus sienes estaban húmedas de sudor y respiraba con fatiga. Subió la escalera con gran prisa, entró en su cuarto y corrió el cerrojo. Luego, loco de terror, corrió hacia el rincón donde se hallaba el escondite disimulado por el empapelado en el que habían estado ocultos los objetos, introdujo la mano y durante varios minutos exploró minuciosamente, sondeando los intersticios y los repliegues. Al no encontrar nada se levantó más tranquilo y respiró con ansiedad.

En el mismo instante en que llegó al edificio Bakaleiev, figurose que un objeto cualquiera, una cadenita, un botón o un papel cualquiera de los que empleaba la vieja para envolver los artículos empeñados, tal vez con anotaciones escritas de su propia mano, podía muy bien haberse deslizado y perdido en una hendidura. Aquello hubiera podido constituir más tarde una irrefutable prueba.

Quedó como sumido en un ensueño; una extraña sonrisa, semiinconsciente, erró por sus labios. Por último tomó su gorro y abandonó la habitación. Sus pensamientos se confundían. En ese estado de ánimo llegó a la puerta cochera.

—¡Ahí lo tiene! —exclamó una voz ronca. Raskolnikov levantó la cabeza: el portero, de pie frente a su garita, lo señalaba a un hombre de baja estatura, con aspecto de artesano. Iba vestido con una especie de levita y un chaleco de color, y de lejos se le hubiera tomado por un campesino. Su cabeza estaba cubierta por una gorra grasienta, y de tan encorvado que era parecía jorobado. Su rostro decrépito y arrugado indicaba que había pasado los cincuenta años; sus ojillos hundidos tenían algo de duro, cierto aire de tristeza y descontento.

—¿Qué sucede? —preguntó Raskolnikov acercándose al portero.

El desconocido clavó sus ojos en él, lo observó con detenimiento, sin apresurarse, y por último le dio la espalda y sin decir una palabra se alejó, ganando la calle.

—¿Qué significa esto? —gritó Raskolnikov.

—Es un individuo que vino a preguntar si vivía aquí un estudiante... Mencionó su nombre y quiso saber dónde se alojaba. En ese momento descendía usted, se lo señalé, y, como ha visto, se ha ido sin agregar palabra.

El portero parecía también extrañado por la insólita actitud del desconocido, aunque no mucho; tras un breve saludo, se volvió y se introdujo en su cuarto.

Raskolnikov se precipitó en pos del individuo y lo vio en la acera opuesta, caminando con su paso igual y lento, la vista fija en el suelo.

En pocas zancadas lo alcanzó, pero durante algún tiempo contentose con marchar a su lado, mirándolo de reojo. El otro lo notó enseguida, y, lanzándole una ojeada furtiva, bajó de nuevo los ojos. Durante un minuto caminaron sin pronunciar palabra.

—¿Preguntaba usted por mí? —articuló por fin Raskolnikov con voz sorda.

El hombre no respondió; no lo miró siquiera. Siguió otro intervalo de silencio.

—Pero veamos... Fue a preguntar por mí y ahora no dice nada... ¿Qué significa esto?

La voz de Raskolnikov se estrangulaba en su garganta, experimentando dificultad para hablar. Esa vez el hombre, levantando los ojos, los fijó en Raskolnikov llenos de ferocidad.

—¡Asesino! —murmuró con voz baja, pero clara y distinta.

Raskolnikov sintió que sus piernas flaqueaban; un frío mortal recorrió su espalda, y por un segundo su corazón cesó de latir. Recorrieron un centenar de pasos en el más profundo silencio. El hombre no lo miraba.

—Pero, ¿qué dice?... ¿Quién? ¿Quién es asesino? —tartamudeó Raskolnikov con acento apenas perceptible.

—¡*Tú* eres el asesino! —pronunció el otro con tono más distinto y más enérgico todavía. Con una mueca que quiso ser una sonrisa, y en la que se transparentaba un odio triunfante, miró con fijeza el pálido rostro de Raskolnikov. Llegaban a una bocacalle. El desconocido dobló, alejándose sin mirar a su alrededor. El joven quedó como clavado en la esquina, siguiendo por largo tiempo con la vista a aquel hombre, que después de un centenar de pasos volviose para mirarle por última vez. Raskolnikov creyó advertir en su fisonomía la misma sonrisa helada y cruel.

Con paso tardo e inseguro, Raskolnikov, trémulo de espanto, volvió a su cuchitril. Dejando el gorro sobre la mesa, permaneció diez minutos inmóvil. Luego, agotadas todas sus energías, tendiose sobre el diván, estiró sus miembros temblorosos y exhaló un penoso suspiro: sus ojos se cerraron. En esa posición estuvo por espacio de media hora.

No pensaba en nada. Algunas ideas, o, más bien dicho, fragmentos de ideas, se presentaron a su espíritu sin orden ni cohesión: rostros de personas que había visto en su infancia o encontrado luego en alguna parte, y a las que no vio más; el campanario de la iglesia de B...; un billar en un café y, cerca del billar, cierto oficial; olor de tabaco en un estanco establecido en un sótano; la escalera de una taberna, una escalera negra, llena de agua sucia y de cáscaras de huevo, mientras que en un lugar distante el tañido dominical de las campanadas... Los objetos sucedíanse en un torbellino huracanado. Algunos recuerdos le resultaban agradables y procuraba fijar su atención en ellos, pero se desvanecían... Algo en su interior oprimíale suavemente... A veces experimentaba una sensación de bienestar... El leve estremecimiento de temor no había cesado, pero tampoco esa sensación parecíale desagradable.

Sintió los pasos rápidos de Razumikhin, cuya voz oyó; cerró los ojos para apaentar que dormía.

Razumikhin abrió la puerta y permaneció un instante inmóvil. Luego, penetrando con cautela en el cuarto, aproximose al diván. De pronto dijo Anastasia, que estaba allí:

—No lo despierte; es conveniente que duerma... Comerá más tarde.

—Tienes razón —asintió quedamente Razumikhin.

Los dos salieron sin hacer ruido y cerraron la puerta. Pasó otra media hora. Raskolnikov, abriendo los ojos, cruzó las manos detrás de su cabeza.

"¿Quién será? ¿Quién será ese individuo surgido de debajo de la tierra? ¿Dónde estaría y qué habrá visto? ¡Lo ha visto todo, no cabe duda! ¿Dónde se encontraba entonces y desde dónde observaba? ¿Por qué entra recién ahora en escena? ¡Hum! ¿Y el estuche encontrado por Nikolai detrás de la puerta? ¿Era posible eso? ¡Un punto, considerado detenidamente, puede transformarse en un indicio de la dimensión de las pirámides de Egipto! Una mosca volaba y lo vio todo... ¿Es posible que sea así?"

Comprendía que las fuerzas le abandonaban y sentía asco de sí mismo.

"Hubiera debido sospecharlo —pensó con amarga sonrisa—. ¿Cómo pude atreverme, conociéndome, *presintiendo* lo que me iba a ocurrir, lo que sería de mí, a tomar un hacha y manchar mis manos de sangre? Lo sabía de antemano..."

Por momentos quedaba en absoluta inmovilidad, ante un solo pensamiento:

"No, esos hombres no estaban constituidos de este modo. El verdadero *maestro* al que todo está permitido cañonea a Tolón, organiza una masacre en París, *olvida* a su ejército en Egipto, *gasta* medio millón de hombres en la campaña de Moscú y sale de una situación difícil mediante un juego de palabras en Vilna; a su muerte se le erigen monumentos, y es entonces cuando todo le está permitido. ¡No, esos hombres no tienen cuerpos de carne, sino de bronce!"

Una súbita idea casi le hizo reír. "Napoleón, las pirámides, Waterloo y una vieja decrépita, viuda de un secretario de colegio, una innoble usurera que guarda su cofre tapizado de cuero rojo debajo de su lecho..., ¿cómo hacer tragar todo esto, aunque sea a Porfirio Petrovich? ¿Cómo lo digeriría? La estética se opone a ello. ¿Acaso Napoleón habríase metido debajo de la cama de una vieja harpía? Ésta sería su reflexión... ¡Qué imbécil soy!"

Sentíase por momentos en una especie de delirio; una exaltación nerviosa de gran intensidad apoderábase de todo su ser.

"Lo de la vieja es una futesa; admitamos que sea un error, pero no era ella la que estaba en juego. Era simplemente un obstáculo que yo quería franquear lo antes posible; no asesiné a una criatura humana, sino un principio. Asesiné el principio, pero no logré pasar sobre él: quedé del otro lado; lo que pude hacer fue matar. Y ni siquiera supe hacerlo, a lo que parece... ¿El principio? ¿Por qué ese imbécil de Razumikhin se refirió hace poco en términos despectivos a los socialistas? Son gente laboriosa y ocupada que va en procura de la "felicidad universal"... No, la vida me ha sido concedida de una vez por todas; no quiero esperar esa "felicidad universal". Quiero vivir mi vida, yo mismo...; en caso contrario, no vale la pena vivir. ¿Acaso no quise pasar no hace mucho ante una madre famélica apretando mi rublo en mi bolsillo, en espera de la "felicidad universal"? Aportamos —dicen— nuestra piedra para construir el edificio de esa felicidad universal, y eso ya es bastante para que hallemos la paz del corazón. ¡Ja, ja, ja! ¿Por qué me han olvidado entonces a mí? Tengo sólo una vida, y quiero vivirla yo también. ¡Eh! Soy un gusanillo esteta y nada más."

Rió como un insensato.

"Sí, en efecto, soy un gusanillo —se repitió aferrándose a esa idea con feroz alegría, divirtiéndose en examinarla, en darle vuelta, en hacer lucir sus facetas—; soy un gusanillo aunque más no fuera por el hecho de que medito en este momento para averiguar lo que soy; también porque durante un mes entero molesté a la Providencia, tomándola por testigo de que me decidía a esa empresa, no para procurarme satisfacciones materiales, sino porque tenía en vista un fin magnífico y agradable. En tercer lugar, porque me impuse como principio proceder con la mayor justicia posible, observando en la ejecución de mi acto el peso, la medida y la aritmética; de todos los insectos dañinos del Universo elegí el más perjudicial, y al matarlo me proponía tomar lo justo que necesitara para mis primeros pasos, ni más ni menos (el resto habría ido al monasterio, conforme rezaba su testamento). Sí, sí, no soy más que un gusanillo, porque tal vez, si profundizo mucho, llegaré a la conclusión de que soy más innoble, más repugnante aún que el insecto que maté, porque de antemano presentí que me diría esto una vez que lo hubiese matado. ¿Existe algo comparable al terror que experimento? ¡Oh bajeza! ¡Oh cobardía! ¡Oh! ¡Cómo comprendo al "Profeta" a caballo, blandiendo su cimitarra! ¡Alá lo quiere: obedece y sométete, trémula criatura! ¡Tiene razón, tiene razón el Profeta cuando coloca en alguna parte una batería en una calle y barre con el bueno y el malvado, sin condescender a dar explicaciones! ¡Obedece, trémula criatura, y guárdate de querer, porque ése no es asunto tuyo! ¡Oh, jamás perdonaré a esa maldita vieja!"

Sus cabellos estaban empapados de sudor y tenía los labios resecos, con la mirada inmóvil clavada en el techo.

"Mi madre, mi hermana..., ¡cuánto las amaba! ¿Por qué las odio ahora? Sí, las odio, las odio físicamente, no puedo tolerar su presencia. Cuando me acerqué a mamá para besarla, recuerdo que... Abrazarla y pensar que si ella supiera... ¿Podría decírselo, entonces? ¿Qué sería de mí? ¡Hum! Ella debe ser como yo", agregó coordinando con un esfuerzo sus pensamientos, como si luchara contra el delirio que lo invadía. "¡Oh, cómo odio ahora a esa vieja! ¡Creo qué la mataría de nuevo si resucitara y se presentara ante mí! ¡Pobre Isabel! ¿Por qué tuvo que ir allí en aquel momento? Es raro... Apenas pienso en ella, como si no la hubiera matado... ¡Isabel! ¡Sonia! ¡Pobres criaturas humildes y dulces, de ojos llenos de bondad! ¡Pobres seres! ¿Por qué no lloran? ¿Por qué no gimen? Se despojan de cuanto tienen en beneficio de los demás..., miran con calma y dulzura... ¡Sonia, apacible Sonia!"

Perdió la conciencia de sí mismo, pareciéndole extraño no recordar cómo hizo para encontrarse en la calle. La noche estaba ya avanzada. Las tinieblas hacíanse más densas, la luna llena brillaba con luz cada vez más viva, pero la atmósfera era particularmente sofocante. Multitud de personas deambulaban; muchos obreros y empleados regresaban a sus hogares, y otros paseaban. Se percibía en el ambiente olor a cal, a polvo, a agua corrompida. Raskolnikov caminaba triste y taciturno; recordaba muy bien que había salido de su casa con cierto propósito, con algo urgente que hacer, pero en realidad había olvidado de qué se trataba.

De súbito se detuvo al ver que del otro lado de la calle un hombre le hacía señas con la mano. Atravesó la calzada para dirigirse hacia él, pero el hombre dio media vuelta y reanudó su marcha con la cabeza gacha, sin mirar atrás, como si para nada se hubiera cuidado de Raskolnikov.

"Pero veamos, ¿me habrá llamado o no?", preguntose el joven, y presa de gran incertidumbre comenzó a seguirle. No había dado diez pasos cuando, reconociendo al individuo, quedó petrificado de espanto; se trataba del hombrecillo de antes, con el mismo traje, siempre encorvado. Raskolnikov lo siguió a distancia, mientras su corazón latía como si fuera a estallar; entraron en un callejón sin que el desconocido volviera la cabeza.

"¿Sabrá que voy detrás de él?", pensó Raskolnikov. El hombrecillo penetró en un edificio. El joven avanzó con rapidez hasta la puerta cochera y miró; ¿persistiría en no mirarlo el desconocido? ¿No lo llamaría?

Pero, ya en el patio, el desconocido, girando la cabeza bruscamente, repitió su ademán de llamada. Raskolnikov se introdujo acto seguido en la casa, pero al llegar al patio notó con sorpresa que el hombrecillo había desaparecido. En consecuencia, debía haber subido por la primera escalera de la derecha. El joven lanzose en su persecución. En efecto, dos pisos mas arriba se oía un rumor de pasos lentos y cadenciosos. Cosa extraña, aquella escalera no le era desconocida; aquella ventana del primer piso... La luz de la luna se filtraba, triste y misteriosa, a través de los vidrios opacos. El segundo piso..., aquél era el departamento en que trabajaban los pintores... ¿Cómo no se había dado cuenta antes? Los pasos del hombrecillo cesaron de oírse.

"Se ha detenido u ocultado en alguna parte."

El tercer piso...

"¿Seguiré subiendo? ¡Qué silencio más lúgubre!"

No obstante ese pensamiento, prosiguió la ascensión; el ruido de sus propios pasos causábale miedo, le angustiaba.

"¡Dios mío, qué oscuridad! Ese individuo debe haberse ocultado en alguna parte, en un rincón cualquiera. ¡Ah! El departamento está abierto."

Reflexionó un instante y entró. La antecámara estaba oscura y desierta; no se veía un alma. Sin hacer el más leve ruido, en puntas de pie, penetró en la sala, bañada con viva luz por la claridad de la luna; todo estaba dispuesto como antes: las sillas, el espejo, el diván amarillo y los cuadros. A través de la ventana veíase la luna, enorme y roja.

"Este silencio viene de la luna —pensó Raskolnikov—; sin duda está ocupada en descifrar algún enigma." Se detuvo y esperó; esperó mucho tiempo; cuanto más calma parecía la luna, más fuertes eran los latidos de su corazón, hasta el punto que llegó a experimentar una dolorosa sensación en el pecho. ¡Siempre aquel silencio! De pronto se oyó un crujido seco, como si se hubiese rajado una tabla, y de nuevo el silencio. Una mosca arrancada de su sueño comenzó a volar y chocó contra los vidrios de la ventana, zumbando lastimeramente. En ese mismo momento, en el rincón entre el armarito y la ventana, vio algo como un abrigo de mujer que pendía de la pared.

"¿Por qué está ahí ese abrigo? —pensó—. Antes no estaba."

Aproximándose con precaución adivinó que alguien debía ocultarse allí detrás. Apartando lentamente el abrigo, vio que había una silla...; en ella estaba sentada la vieja, acurrucada sobre sí misma y con la cabeza muy inclinada, en forma tal que no era posible ver su rostro, ¡sin embargo, era ella! Raskolnikov permaneció un instante inmóvil. "Tiene miedo", pensó, y con lento movimiento retiró el hacha de la tira de trapo cosida en el interior de su gabán, descargando un golpe en el extremo superior del cráneo, luego otro y otro. Pero la vieja no caía...; se hubiera dicho que era de madera y estaba sujeta al piso. Presa de pánico, acercose aún más para examinarla, pero la vieja bajó todavía más la cabeza. Raskolnikov, agachándose hasta llegar casi al nivel del piso, la miró de pies a cabeza. Un espanto indescriptible se apoderó de todo su ser. La vieja, siempre sentada en la silla, reía, reía, sacudida por una risa silenciosa que procuraba hacer imperceptible para que él no la oyera. De improviso pareciole que se abría la puerta del dormitorio y que del otro lado también reían y murmuraban. El espanto se transformó en furiosa cólera; con todas sus fuerzas volvió a descargar violentos hachazos en la cabeza, pero a cada uno de ellos las risas y los murmullos hacíanse más distintos y perceptibles, mientras que la vieja se retorcía en las convulsiones de una risa histérica. Quiso huir, pero la antecámara hallábase ya llena de gente, la puerta que daba al rellano estaba abierta, y en la escalera, en todos los peldaños, hasta la entrada, veíase aglomerada una verdadera multitud; sólo se percibían cabezas y cabezas... Todo el mundo miraba, pero todos trataban de disimular y permanecían en silencio... El corazón de Raskolnikov se contrajo y sus piernas se negaron a sostenerlo, quedando inmóviles como si echaran raíces... Quiso gritar y despertó.

Respiró afanosamente, con dificultad, pero, cosa rara, el sueño al parecer no había terminado; su puerta estaba abierta y, plantado en el umbral, vio a un hombre desconocido que le miraba con fijeza. Raskolnikov volvió a cerrar los ojos, que apenas había abierto. Estaba acostado de espaldas, en absoluta inmovilidad.

"¿Es ese sueño que prosigue, sí o no?"

Levantó apenas los párpados para mirar de nuevo: el desconocido seguía en el mismo lugar, sin apartar los ojos de él. De pronto, entrando con precaución, cerró la puerta, aproximose a la mesa y esperó un minuto, sin apartar los ojos de Raskolnikov; luego, cautelosamente, sin el menor rumor, sentose en una silla.

Dejó su sombrero cerca de sí, y, colocando las

dos manos en el puño de su bastón, apoyó el mentón en ellas. Era evidente que se preparaba para una larga espera. Por lo que Raskolnikov podía juzgar a través de sus párpados entrecerrados, aquel hombre no era ya joven; su constitución era robusta, y llevaba una barba espesa de un rubio casi blanco...

Transcurrieron diez minutos. Era claro todavía, pero acercábase la noche. Reinaba en el cuarto absoluto silencio; ni un rumor subía de la escalera. Sólo se oía el zumbido de una mosca de gran tamaño, que, como en el sueño, fue a dar contra los vidrios de la ventana. Aquello era insoportable. Raskolnikov se incorporó de súbito, sentándose en el diván.

—¡Y bien, hable! ¿Qué quiere usted?

—Ya me parecía que no dormía, y que a lo sumo se trataba de una farsa —replicó el desconocido con plácida sonrisa—. Permítame que me presente: Arcadio Ivanovich Svidrigailov.

Cuarta parte

1

"¿Es posible que sea la continuación de mi sueño?", pensó una vez más Raskolnikov, mirando con prudencia y con cierta desconfianza al inesperado visitante.

—¿Svidrigailov? ¡Qué absurdo! Es imposible... —pronunció por fin en voz alta, presa de verdadera perplejidad.

El visitante no pareció extrañarse de esta exclamación.

—He venido a verlo por dos motivos: en primer lugar, deseaba conocerlo personalmente, pues desde hace mucho tiempo he oído hablar de usted en términos muy favorables; además, me atrevo a esperar que no me rehusará su concurso para un asunto que atañe en forma directa a los intereses de su hermana Abdocia Romanovna. Creo no equivocarme al suponer que si me presentara a ella solo, sin recomendación alguna, se negaría a recibirme, dado que está prevenida contra mí, mientras que con su apoyo sería distinto.

—No base sus cálculos en un apoyo que no me siento dispuesto a prestarle —interrumpió Raskolnikov.

—Permítame una pregunta: ¿han llegado recién ayer a esta ciudad?

Raskolnikov no respondió.

—Fue ayer, me consta. Yo, por mi parte, llegué anteayer. Y bien, he aquí lo que quería decirle a este respecto, Rodion Romanovich. Estimo superfluo tratar de justificar mi conducta, pero permítame que le formule esta otra pregunta: ¿qué ha habido en mi proceder que pueda considerarse particularmente criminal en realidad, si uno se mantiene fuera de los prejuicios y examina las cosas con serenidad y altura?

Raskolnikov continuaba observándole en silencio.

—¿Es el hecho de haber perseguido en mi casa a una joven indefensa, asediándola y ofendiéndola con infames proposiciones? Es esto, ¿no es verdad? Como ve, yo mismo me adelanto a la acusación. Pero considere que soy sólo un hombre, *el nihil humanum...*; en una palabra, que puedo ceder a la involuntaria seducción de una mujer, enamorarme de ella, pues para nada interviene nuestra voluntad en estos casos, bien entendido. Entonces todo se explica del modo más natural. Toda la cuestión puede plantearse así: ¿soy un monstruo o soy una víctima? ¡Y qué víctima! En resumen, cuando propuse a la elegida de mi corazón que huyera conmigo a América o a Suiza, albergaba los sentimientos más venerables, creyendo en esa forma asegurar la felicidad de ambos. La razón no es más que la esclava de nuestras pasiones. Pues bien, le aseguro que yo fui el más perjudicado.

—No, la cuestión no es ésa —interrumpió Raskolnikov con desprecio—: simplemente es usted repugnante, tenga o no razón; no quieren saber nada de usted y lo rechazan... ¡No tiene más que ir a hacerse ahorcar en otra parte!

Svidrigailov soltó una brusca carcajada.

—De cualquier modo..., no va usted con medias tintas —agregó riendo con entera franqueza. Había pensado emplear la astucia, pero usted va a los hechos en forma directa.

—Pero no por ello deja usted de emplearla.

—¿Eh? ¿Qué dice? —exclamó Svidrigailov riendo a mandíbula batiente—. Esto es lo que se llama *de bonne guerre*, una malicia perfectamente legítima... Sin embargo, me cortó usted la palabra; sostengo, pues, volviendo a lo que decía, que todas las contrariedades y disgustos se habrían evitado si no se hubiese producido el incidente del jardín. Marta Petrovna...

—Se dice también que envió usted al otro mundo a su esposa... —le interrumpió con brutalidad Raskolnikov.

—¡Ah! ¿También ha llegado eso a sus oídos? Es natural, no me asombra. En realidad, no sé qué decirle aun cuando mi conciencia esté por completo tranquila a ese respecto. No crea que deba temer cualquier cosa que sea: todo ocurrió dentro del orden más perfecto y con una exactitud escrupulosa: el informe facultativo declaró que se trataba de un caso de apoplejía, ocasionado por el baño frío después de una copiosa comida, en la que la extinta ingirió casi una botella de vino; no se descubrieron otros rastros... No, no se trata de eso. Pero a veces me he preguntado durante el viaje, cuando estaba sentado en el vagón, si no habría contribuido a esa... desgracia mediante la provocación de una perturbación moral o de algún otro modo. Tras largas reflexiones, llegué a la conclusión de que tal cosa era positivamente imposible.

Raskolnikov se echó a reír.

—¿De qué se ríe? Imagínese usted, sólo le pegué dos fustazos, de los que ni siquiera quedó la marca. Le ruego no me tome por un cínico; sé muy bien que es innoble de mi parte, pero me consta asimismo que esas muestras, digamos de atención, no disgustaban a Marta Petrovna. La historia acerca de su hermana fue explotada en forma interminable. Hacía ya tres días que Marta Petrovna veíase obligada a quedarse en casa, por carecer ya de motivo alguno para presentarse en el pueblo, pues había aburrido a todo el mundo con la lectura de la famosa carta. Supongo que tampoco ignorará a qué carta me refiero... De manera que esos dos golpes de fusta cayeron como una bendición del cielo. Lo primero que hizo fue ordenar que engancharan el coche... Me parece innecesario hacerle observar que ciertas mujeres experimentan vivo placer cuando se las insulta, por grande que sea su despecho. Todas son así, y, hasta en general, la especie humana adora que se la trate con rigor. ¿No lo ha notado? Pero, en lo que se refiere a las mujeres, esa predisposición reviste caracteres agudos... Se diría que no pueden prescindir de los malos tratos.

Raskolnikov pensó por un momento salir del cuarto y cortar de ese modo la entrevista, mas una cierta curiosidad, una especie de cálculo, lo retuvo.

—¿Le agrada emplear la fusta? —preguntó con tono distraído.

—No, tanto como eso, no —repuso con tranquilidad Svidrigailov—. Con Marta Petrovna llegué a la violencia en muy contadas ocasiones. Vivíamos en perfecta armonía, y siempre demostró estar contenta conmigo. Durante los siete años de nuestro matrimonio la castigué sólo dos veces, siempre que no se tenga en cuenta un tercer caso, que por lo demás fue de carácter un tanto equívoco; la primera vez, dos meses después de nuestra boda, cuando llegamos al campo, y la segunda y última, la que ya conoce. ¿Pensaba ya que yo era un monstruo, un retrógrado, un partidario de la esclavitud? ¡Je, je, je! A propósito, ¿recuerda usted, Rodion Romanovich, hace algunos años, en la época de las "revelaciones salvadoras", que un gentilhombre cuyo nombre he olvidado fue revolcado en el fango por la prensa y el público por haber aplicado unos azotes en un tren a una alemana? ¿Recuerda el incidente? Fue, según creo, el mismo año en que se produjo "el espantoso crimen del *Siècle*". Vamos, recuerde la conferencia pública sobre las *Noches Egipcias*. Los ojos negros... ¡Oh!, ¿dónde estarán los días dorados de nuestra juventud? Pues bien, voy a darle mi opinión acerca de ese asunto: estoy lejos de sentir simpatía por ese hombre, ya que en realidad no hay por qué sentirla. Pero no puedo evitar esta observación: en oportunidades nos encontramos con alemanas que nos hacen sentir comezón en las manos, hasta el punto que ni un progresista, a mi entender, podría responder de sí mismo en esos momentos. Nadie examinó la cuestión bajo ese aspecto, y, no obstante, era la única forma de plantearla conforme a los dictados de la justicia.

Svidrigailov soltó una nueva carcajada. Era evidente para Raskolnikov que aquel hombre tenía un proyecto premeditado con firmeza, una idea clara y bien definida.

—Sin duda, hace varios días que no conversa usted con nadie —observó.

—Eso es exacto en parte. ¿No es cierto que le extraña ver en mí a un hombre complaciente?

—No, pero me extraña que lo sea tanto.

—¿Porque no me ofendí por la grosería de sus preguntas? Por eso, ¿no es verdad?... Pero... ¿por qué razón tenía que ofenderme? Le contesté en la misma forma que usted me interrogó —agregó con sorna y de buen talante—. Vea, nada me interesa, por decirlo así —continuó con aire reflexivo—; en este momento no tengo en qué ocuparme. Es usted libre de pensar que trato de atraerme su simpatía, tanto más cuanto que abrigo ciertos proyectos con respecto a su hermana, como no le oculté. Pero le digo con franqueza que estoy hastiado..., estos tres últimos días en especial..., de manera que siento verdadera satisfacción al hablar con usted. No se enfade, Rodion Romanovich, también usted me parece extraño en sumo grado. Diga lo que quiera, pero lo cierto es que hay algo en su persona, y en particular ahora, es decir, no en este mismo instante, sino en general en los momentos actuales... Vamos, no diré nada más si lo incomodo, no arrugue el entrecejo. No soy el oso que usted puede haber imaginado.

Raskolnikov le contempló con expresión sombría.

—Quizá no sea usted un oso en lo más mínimo. Hasta me parece que es un hombre demasiado correcto, o que, por lo menos, sabe comportarse como es debido cuando llega la ocasión.

—¡A fe mía, no me interesa la opinión ajena! —replicó Svidrigailov con sequedad y hasta con un matiz de desdén—. Muchas veces me he preguntado por qué no debo conducirme como un ganapán, si esa forma de ser nos parece tan cómoda, y en especial cuando se posee propensión natural para ello —agregó, riendo de nuevo con sarcasmo.

—Tengo entendido, sin embargo, que el círculo de sus relaciones en esta ciudad es muy vasto.

No carece de vinculaciones... En este caso, ¿qué ha venido a hacer aquí, si no persigue una finalidad determinada?

—Dice usted bien; conozco a mucha gente —asintió Svidrigailov dejando sin respuesta la pregunta principal—. Ya me encontré con varias personas en los tres días que llevo deambulando por las calles de San Petersburgo; las reconocí y me reconocieron, según creo yo. Visto con corrección y paso por ser hombre de posición holgada. La abolición de nuestras prerrogativas sobre los siervos no me ha causado gran perjuicio; como poseo bosques y tierras de labor, mis entradas no han disminuido gran cosa, pero... no siento el menor deseo de reanudar relaciones con esa gente, que ya me fastidiaban antes. Hace tres días que estoy aquí, y todavía no he cruzado dos palabras con ninguno de mis antiguos amigos. ¿Y a esto llaman una ciudad? Piense un poco en qué forma está constituida: ¡sólo se ven funcionarios y seminaristas! En verdad, hay infinidad de cosas que no había notado en mi estada anterior, hace ocho años... Ahora cuento sólo con la anatomía.

—¿Qué anatomía?

—Todos esos clubes, esos restaurantes Dussaud, a los que se conviene en considerar un progreso, tendrán que pasarse sin mí —continuó sin parar mientes en la pregunta—. Y además, ¿vale la pena hacer trampas en el juego?

—¿Se dedicaba a jugar con ventaja?

—¿Qué quiere que hiciera? Hace ocho años

formábamos una verdadera sociedad de personas distinguidas que procurábamos matar el tiempo en la mejor forma posible; todos nosotros éramos educados y de buenos modales: había poetas, capitalistas, industriales... ¿No ha observado que entre nosotros, en nuestra sociedad, las personas que mejor se comportan son los ganapanes? Fue en el campo donde me dejé llevar por la corriente. En aquel entonces estuve a punto de que me encerraran en una prisión; adeudaba una crecida suma de dinero a un griego de Niejin, un verdadero cerdo. Pero apareció Marta Petrovna, llegó a un acuerdo con mi acreedor, y mediante el pago de 30,000 rublos me sacó de apuros (yo debía en total... 70,000...). Poco después nos casamos legítimamente, y enseguida me llevó a sus posesiones, como si se hubiera apoderado de un verdadero tesoro. Tenía cinco años más que yo y me amaba con verdadera pasión. Por siete años no me moví del campo. Debo agregar que siempre conservaba en su poder el documento por los treinta mil rublos, que recuperó por intermedio de una tercera persona, para utilizarlo contra mí llegado el caso; de esta manera, si yo hubiese intentado sacudir el yugo, habría podido echarme la zarpa enseguida. ¡Y lo hubiera hecho! ¿Cómo pueden las mujeres conciliar estos extremos tan opuestos?

—Si no hubiera sido por ese documento, ¿la habría abandonado?

—No sé qué decirle. El documento no me

causaba temor alguno, pero no sentía deseos de moverme. La misma Marta Petrovna, al ver que me aburría, me propuso en dos oportunidades que me fuera de viaje al extranjero. ¡Bah! Ya había viajado con anterioridad, y en todas partes experimenté idéntica sensación de fastidio mortal. No discutiré la belleza de los panoramas, la bahía de Nápoles, el mar, pero al contemplar esos soberbios espectáculos me siento invadido por una especie de tristeza. ¡Esto es lo que más me disgusta! ¡No, prefiero quedarme en este país! Aquí, por lo menos, podemos acusar a los otros de todo, y con eso nos justificamos. Quizá partiría de buena gana ahora con alguna expedición al Polo Norte, porque *J'ai le vin mauvais*, y estoy asqueado de la bebida, aun cuando es lo único que me queda. A propósito, se dice que el domingo próximo Berg partirá del parque Yusupov en un gran aeróstato, y que consiente en tomar algunos pasajeros mediante el pago de una suma determinada. ¿Será cierto?

—¿Cómo, subiría usted en globo?

—¿Yo? No..., es decir... —murmuró Svidrigailov, abstraído y meditabundo.

"¿Qué querrá, en resumen?", se preguntó Raskolnikov.

—No, ese documento no me preocupaba —continuó Svidrigailov como rememorando épocas pasadas—. Yo mismo me negué a abandonar la campiña. Pronto hará un año que Marta Petrovna, con motivo de mi cumpleaños, me devolvió el pagaré con el agregado de una respetable cantidad, a título de regalo. Su fortuna era cuantiosa. "Ya ves cuánta confianza me mereces, Arcadio Ivanovich", me dijo. ¿No lo cree? Debo advertirle que me había convertido en un excelente agricultor, conocidísimo en esos parajes. Además, me hacía llevar libros; al principio, Marta Petrovna aprobó mi afición a la lectura, pero más tarde llegó a temer que me fatigara demasiado.

—Creo que en lo sucesivo extrañará a su esposa.

—¿Yo? Tal vez..., es muy posible. Ya que estamos en esto, ¿cree usted en aparecidos?

—¿Qué aparecidos?

—Los corrientes..., ¿cuáles quiere que sean?

—¿Usted cree?

—Sí y no, *pour vous plaire*... Es decir, que "no" es quizá demasiado.

—¿Los ve?

Svidrigailov lo contempló con extraña mirada.

—Marta Petrovna no deja de visitarme —murmuró esbozando una singular sonrisa.

—¿Cómo es eso?

—Sí, ya vino tres veces. La primera, el mismo día del sepelio, una hora después de haber regresado del cementerio. Era la víspera de mi partida para esta ciudad. En el viaje se me presentó por segunda vez, al amanecer, en la estación de Malaia-Vichera. Por último, se me apareció hace dos horas escasas en mi alojamiento actual. Me encontraba solo...

—¿Estaba despierto?

—Por completo; las tres veces estaba bien despierto. Viene, habla un minuto conmigo y se va, siempre por la puerta; hasta me parece oír sus pasos.

—Es raro; ya me decía yo que debía sucederle algo por el estilo —expresó con rapidez Raskolnikov, extrañándose en el mismo instante de sus propias palabras. Estaba sumamente agitado.

—¿Cómo? ¿Se imaginaba...? —inquirió Svidrigailov, sorprendido—. ¿Es posible? ¿No le dije que entre nosotros existía algo de común?

—¡Jamás lo ha dicho! —replicó irritado Raskolnikov.

—¿No lo dije?

—¡No!

—Pues creí que era así. Hace poco, cuando entré y lo vi acostado, con los ojos cerrados y simulando dormir, pensé: "¡Es esto mismo!"

—¿Qué pretende decir con eso? ¿A qué alude? —exclamó Raskolnikov.

—¿A qué? En realidad lo ignoro... —balbuceó Svidrigailov con ingenua confusión.

Siguió un minuto de silencio. Ambos se miraron a los ojos.

—¡Todo esto es absurdo! —gritó casi Raskolnikov—. ¿Qué le dice ella cuando se le aparece?

—Me habla de cosas baladíes, de futesas. Y, ¡vea usted lo que es el hombre!, eso es lo que me exaspera. La primera vez me sentía muy fatigado: la ceremonia fúnebre, la misa de réquiem, el sepelio, luego la comida... Me hallaba solo en mi gabinete de trabajo, fumando un cigarro y dejando errar la imaginación. Entró por la puerta y me dijo: "Arcadio Ivanovich, con todas las cosas que has tenido que hacer hoy, has olvidado darle cuerda al reloj del comedor". En efecto, desde hacía siete años, era yo quien me ocupaba en ese menester cada semana, y en caso de olvido, no dejaba de recordármelo. Al día siguiente me puse en camino hacia aquí. Al despuntar el alba encontrábame en la estación; por la noche había dormitado apenas, sin poder conciliar el sueño, y sentíame derrengado y con la vista cansada. Me hice servir un café. De improviso vi a Marta Petrovna sentada a mi lado, con un mazo de naipes en las manos: "Arcadio Ivanovich, ¿quieres saber lo que dicen las cartas acerca de tu viaje?", me preguntó con voz apagada. Mi esposa era muy aficionada a la cartomancia, en la que creía a pies juntillas, y pasaba por ser una autoridad en la materia. Jamás me perdonaré no haberle permitido que me predijera el porvenir. Huí aterrorizado, aun cuando no deja de ser cierto que en ese mismo instante sonaba la campana que daba la señal de salida. Y por último, hoy, estando sentado en mi cuarto, con el estómago pesado después de una mala comida en un restaurante cercano, fumando un cigarro, de nuevo se me aparece de improviso Marta Petrovna, suntuosamente ataviada con un espléndido vestido de fiesta de seda verde, de larga cola: "Buenos días, Arcadio Ivanovich... ¿Qué te parece este vestido? No puede compararse con los que hace Aniska". Aniska es una costurera de nuestro pueblo, una ex sierva que aprendió a coser en Moscú, muy bonita por cierto. Dio unos pasos, volviose en todos sentidos para mostrarme el vestido... Eché un vistazo desganado y, clavando mi vista en sus ojos, le dije: "No vale la pena, Marta Petrovna, que te molestes para venir a contarme estas tonterías". "¡Ah! —me contestó—. ¿De modo que te molesto?" Para hacerla rabiar un poco, le dije: "Marta Petrovna, voy a casarme de nuevo". Su respuesta fue: "Ése es asunto tuyo, Arcadio Ivanovich; pero no es muy honorable para ti que te cases inmediatamente después de haber dado sepultura a tu primera esposa; y aunque hayas elegido bien, si procedes de este modo, ni tú ni ella seréis felices; la gente decente os señalará con el dedo, riéndose de vosotros". Sin añadir palabra, arreglose el sombrero y partió; creí notar el roce de la seda de la cola en el piso. Es absurdo, ¿no es cierto?

—Sí, aunque es probable que usted no esté diciendo más que mentiras.

—Miento sólo en contadas ocasiones —respondió Svidrigailov con aire abstraído, como si no hubiera notado la grosería de la observación.

—¿Ha visto usted fantasmas con anterioridad?

—Sí, una vez vi uno, hace seis años. Tenía un

criado llamado Felipe, que murió estando a mi servicio. Poco después de haberlo enterrado, la fuerza de la costumbre me hizo decir: "¡Felipe, tráeme la pipa!" El difunto apareció y fue derecho al armario donde guardo todos los adminículos para fumar. Pensé que había vuelto para vengarse de mí, pues poco antes de su fallecimiento lo había reprendido con gran severidad, pero sin perder la calma lo interpelé: "¿Cómo te atreves a presentarte delante de mí con una manga agujerada? ¡Vete de aquí, vagabundo inservible!" Giró sobre sus talones y salió de la habitación, y no lo vi más. Me guardé de decir una sola palabra de esto a Marta Petrovna. En los primeros momentos me propuse hacer oficiar una misa por el descanso de su alma, pero, pensándolo mejor, me abstuve de hacerlo.

—Le recomiendo que se haga examinar por un médico.

—No necesitaba su opinión para saber que estoy enfermo, aun cuando en verdad no sé de qué, pero considero que estoy muchísimo mejor que usted. No le pregunté si creía que los espíritus de los muertos pueden aparecer; le pregunté si creía o no que existan aparecidos.

—¡No, no lo creo! —exclamó Raskolnikov con incontenible furor.

—De ordinario se dice —murmuró Svidrigailov como si hablara consigo mismo, mirando de reojo a su interlocutor, con la cabeza levemente inclinada—: "Estás enfermo, en consecuencia, lo que se te aparece no tiene más existencia que la de los personajes de una pesadilla". Sin embargo, eso no está estrictamente de acuerdo con la lógica. Admito que las visiones se aparezcan sólo a los enfermos, mas esto demuestra únicamente que las visiones aparecen cuando uno está enfermo, y no que no existan.

—¡Es evidente que no existen! —insistió Raskolnikov, encolerizado.

—¿No? ¿Lo cree usted así? —continuó Svidrigailov—. Razonemos de otra manera: planteemos el asunto en estos términos: Las apariciones constituyen, por decirlo así, trozos, fragmentos de otros mundos. El hombre sano, como es natural, nada tiene que ver con ellas, pues por su estado de salud es antes que nada un hombre de esta tierra y, en consecuencia, debe vivir la vida terrenal para conservar la armonía y el orden de las cosas. Mas apenas cae enfermo, apenas ese orden normal terrestre se subvierte en su organismo, comienza a manifestarse la posibilidad de otro mundo, y cuanto más enfermo se encuentra, más se multiplican los contactos con el otro mundo, tanto que cuando muere en definitiva pasa directamente al mismo. He reflexionado mucho sobre este particular. Si usted cree en la vida futura, le será permitido comprender este razonamiento.

—No creo en la vida futura —dijo Raskolnikov.

Svidrigailov quedó pensativo.

—¿Y si no hubiera allí más que arañas o algo por el estilo? —dijo de pronto.

"¡Es un loco!", pensó Raskolnikov.

—Siempre nos representamos la eternidad como algo imposible de comprender, como algo inmenso. ¿Por qué tiene que ser inmensa la eternidad? En lugar de eso figúrese que sólo hubiera allí una habitación reducida, algo así como el cuarto de baño de las casas de campo, sucia y con telarañas en todos los rincones, y que eso fuera toda la eternidad. Muchas veces me la imagino de este modo.

—¿Es posible que no imagine nada más justo y consolador que eso? —profirió Raskolnikov con una sensación de desasosiego.

—¿Más justo? ¿Quién sabe? Acaso eso sea lo justo; en lo que a mí respecta, puede tener la seguridad de que he hecho lo posible para merecerla —respondió Svidrigailov con una indefinible sonrisa.

Estas cínicas palabras provocaron estupefacción y aturdimiento en Raskolnikov. Svidrigailov levantó la cabeza, clavó sus ojos en él y rompió a reír.

—Vea lo que son las cosas: hace media hora no nos habíamos visto todavía, nos considerábamos enemigos. Hay algo entre nosotros que aún no ha sido aclarado; hemos dejado de lado ese asunto y nos hemos embarcado en disquisiciones filosóficas acerca de la eternidad y la vida futura. ¿No estaba yo en lo cierto al pretender que ambos somos frutos del mismo suelo?

—¡Bien, terminemos! —exclamó Raskolnikov

con impaciencia—. Le ruego me explique sin demora a qué debo el honor de su visita... No dispongo de mucho tiempo..., tengo que salir...

—A eso voy. Permítame una pregunta: ¿su hermana Abdocia Romanovna está por contraer enlace con un señor Lujin, Pedro Petrovich?

—¿No podría evitar cualquier pregunta que se refiera a mi hermana, y en especial abstenerse de mencionarla? No alcanzo a comprender cómo se atreve a pronunciar su nombre en mi presencia, si en realidad es usted Svidrigailov.

—¿Cómo no pronunciarlo, si he venido para hablar de ella?

—Bien; hable entonces, pero despache pronto.

—Con respecto a ese señor Lujin, que es algo pariente mío por parte de mi esposa, estoy seguro de que ya ha formado usted opinión; basta para ello conversar media hora con él o tomar informes exactos y precisos acerca de su persona. No es un partido conveniente para Abdocia Romanovna. Abrigo la convicción de que, en este asunto, su hermana se sacrifica magnánima y desinteresadamente por..., por su familia. Por todo lo que oí decir de usted, creí adivinar que vería con sumo agrado la ruptura de ese compromiso, con tal que ello no irrogase perjuicio a los intereses de su hermana. Ahora que lo conozco en persona, estoy más convencido que nunca.

—Procediendo de usted, todo esto es demasiado cándido. No, permítame, debería haber dicho desvergonzado —replicó Raskolnikov.

—¿Quiere expresar con esto que predico en beneficio de mi santo? No se alarme, Rodion Romanovich; si trabajara por mi propio provecho, no habría hablado con tanta franqueza; no soy un imbécil. A este propósito, voy a revelarle una curiosidad psicológica. Hace poco, al excusarme por haber amado a Abdocia Romanovna, dije que yo mismo era una víctima. Y bien; sepa que en los momentos actuales no experimento amor alguno por ella, ni una sombra siquiera. Tal es así, que incluso me parece asombroso el haber estado realmente enamorado...

—Eso fue resultado de su vida ociosa y desenfrenada —interrumpió Raskolnikov.

—En efecto, reconozco que soy un hombre ocioso y cargado de vicios. Por lo demás, su hermana posee méritos suficientes para que hasta un individuo como yo no deje de ceder a cierta impresión. Pero todo aquello no fue más que humo que el viento disipa, ahora lo compruebo.

—¿Y desde cuándo lo ha advertido usted?

—Lo había sospechado antes, pero anteayer me convencí en forma definitiva, casi desde mi llegada a San Petersburgo. Por otra parte, todavía en Moscú, me imaginaba que el objeto de este viaje era obtener la mano de Abdocia Romanovna, disputándosela como rival al señor Lujin.

—Dispense que le interrumpa: ¿no le sería posible abreviar y referirse a continuación al objeto de su visita? Dispongo de poco tiempo, tengo que salir...

—Con el mayor placer. Estoy decidido ahora a emprender cierto... viaje, y antes de hacerlo deseo arreglar algunos asuntos urgentes. Mis hijos quedaron a cargo de su tía; son ricos y para nada me necesitan. ¿Qué clase de padre soy para ellos? Sólo llevo conmigo la suma de dinero que Marta Petrovna me regaló hace un año; eso me basta. Perdóneme, ya llego al hecho. Antes de este viaje, que acaso no realice, deseo terminar con el señor Lujin. No es que lo aborrezca, pero, en resumidas cuentas, fue por él que nos peleamos Marta Petrovna y yo, cuando me enteré de que ella había sido la que lo instigó a solicitar la mano de Abdocia Romanovna. Deseo entrevistarme con su hermana por intermedio suyo, en su presencia si lo cree necesario, para expresarle de viva voz que no sólo no debe esperar la menor ventaja de ese enlace, sino que, por lo contrario, le acarreará los mayores disgustos. A renglón seguido, pidiéndole que me perdone los sinsabores que le he ocasionado, le solicitaría permiso para ofrecerle diez mil rublos, con el fin de facilitar de este modo la ruptura con el señor Lujin, ruptura que aceptaría de buen grado, estoy seguro, si entreviera la posibilidad de efectuarla sin desmedro para sus intereses y los de los suyos.

—¡A fe mía que usted está loco, positivamente loco! —exclamó Raskolnikov, menos irritado que estupefacto—. ¿Cómo se atreve a hablar de ese modo?

—Preveía que su reacción iba a ser violenta,

pero le ruego que no se incomode demasiado y me permita explicarle: sin ser muy rico, puedo disponer de esos diez mil rublos; quiero decir, no me son necesarios en forma alguna. Si Abdocia Romanovna no los acepta, es probable que los dilapide en tonterías. En segundo lugar, mi conciencia está más que tranquila; ofrezco esa suma sin el menor asomo de cálculo. Créalo o no, el tiempo justificará mi aserto. Obro de este modo porque considero que en verdad he causado disgustos y desazones a su abnegada hermana; como siento sinceros remordimientos, ansío con toda mi alma no comprar mi perdón ni ofrecerle una compensación pecuniaria, sino simplemente llevar a cabo una acción meritoria, puesto que, después de todo, no tengo el privilegio de causar nada más que daño. Si mi propuesta ocultara la más mínima parte de cualquier segunda intención, no la formularía tan abiertamente, ofreciendo hoy en todo y por todo esos diez mil rublos, cuando hace cinco semanas le ofrecí mucho más. Por otra parte, es posible que dentro de poco tiempo contraiga nuevas nupcias con una joven, lo que contribuiría a disipar la menor sospecha de que me propongo seducir a Abdocia Romanovna. Agregaré, para concluir, que al casarse con el señor Lujin, Abdocia Romanovna recibirá la misma cantidad, pero por otro conducto... Vamos, no se exalte usted, Rodion Romanovich; juzgue con calma, imparcialidad y sangre fría.

Al pronunciar estas palabras, Svidrigailov

daba muestras de tranquilidad y serenidad absolutas.

—¡No prosiga! —exclamó airado Raskolnikov—. De cualquier modo, todo lo que acaba de decir constituye una insolencia imperdonable.

—De ninguna manera. Si nos atuviéramos a su juicio, el hombre sólo está capacitado para hacer mal a sus semejantes, y, por lo contrario, no puede hacerles el menor bien..., todo por formalidades que están fuera de lugar. Es un absurdo. Veamos: si yo muriera y dejara esa suma en mi testamento a su hermana, ¿se negaría también a aceptarla?

—Es muy posible.

—No lo creo. Por lo demás, poco importa. Diez mil rublos constituyen una bonita cantidad. De cualquier modo, le agradeceré quiera poner esta conversación en conocimiento de Abdocia Romanovna.

—No, no le diré nada.

—En tal caso, Rodion Romanovich, me veré obligado a tratar de obtener una entrevista con ella, lo que, como es natural, no dejará de inquietarla.

—Y si le comunico nuestra conversación, ¿no tratará de verla en persona?

—En verdad, no sé qué decirle. Desearía hablar con ella siquiera una vez más.

—No lo espere.

—Tanto peor. Pero tiempo al tiempo. Usted

no me conoce. Tal vez nuestras relaciones se hagan más estrechas.

—¿Lo cree usted así?

—¿Por qué no? —pronunció Svidrigailov, levantándose y tomando su sombrero—. No es que desee incomodarlo hasta ese punto, y aun al venir aquí no contaba demasiado..., aunque su fisonomía me haya llamado la atención esta mañana...

—¿Dónde me vio usted esta mañana? —inquirió Raskolnikov con inquietud.

—Por casualidad. Creo que ambos nos parecemos en algo... Vamos, tranquilícese, no seré fastidioso. Siempre supe adaptarme a las circunstancias: no aburría al príncipe Svirbei, pariente lejano mío y gran señor si los hay; hice versos acerca de la Madonna de Rafael para el álbum de la señora Prilukov; viví siete años con Marta Petrovna sin efectuar la menor escapatoria; hace años viví en la casa Viazemski, frente al Mercado del Reno, y hasta puede ser que haga una ascensión en globo con Berg...

—Bien, bien. ¿Emprenderá pronto ese viaje?

—¿Qué viaje?

—¡Vamos! El famoso viaje de que habló hace unos instantes.

—¡Ah, sí! En efecto..., le hablé de un viaje... Es una cuestión un tanto complicada... ¡Si supiera lo que acaba de preguntarme en realidad! —agregó con una risotada sonora y breve—. Tal vez, en lugar de hacer ese viaje, me case; me ha salido una novia.

—¿Aquí?

—Sí.

—Pues no ha perdido el tiempo.

—No obstante, me complacería muchísimo ver antes a Abdocia Romanovna; le ruego no lo olvide. ¡Bueno, hasta la vista! ¡Ah, me olvidaba! Diga a su hermana, Rodion Romanovich, que Marta Petrovna le ha legado en su testamento tres mil rublos. Es la pura verdad. Mi esposa testó ocho días antes de su muerte, y lo hizo en mi presencia. Dentro de dos o tres semanas Abdocia Romanovna podrá cobrar ese dinero.

—¿Es cierto eso?

—Le doy mi palabra de honor. Soy su más seguro servidor. Vivo cerca de aquí.

Al salir, Svidrigailov se cruzó en la puerta con Razumikhin, que entraba.

2

Eran ya cerca de las ocho; los dos jóvenes se apresuraron a dirigirse al edificio Bakaleiev, para llegar antes que Lujin.

—¿Quién era ese que salía? —preguntó Razumikhin apenas estuvieron en la calle.

—Svidrigailov, el individuo en cuya casa estaba de gobernanta mi hermana, y que la perseguía con sus requerimientos, por lo que tuvo que abandonar el empleo. La esposa de este hombre,

Marta Petrovna, la despidió por creer que lo alentaba con su actitud, aunque más tarde, al reconocer su error, pidió perdón a Dunia. Marta Petrovna ha muerto hace pocos días. Estuvimos hablando de ella. No sé por qué, pero ese hombre me inquieta sobremanera. Vino a San Petersburgo inmediatamente después del sepelio de su mujer. Se conduce en forma extraña y parece decidido a intentar algo descabellado... Se diría que sabe alguna cosa... Es preciso que protejamos a Dunia de él... Esto es lo que quería decirte, ¿entiendes?

—¿Protegerla? ¿Qué puede hacer contra Abdocia Romanovna?... Te agradezco que me hayas hablado así. ¡La protegeremos, vaya si la protegeremos!... ¿Dónde vive?

—No lo sé.

—¿Por qué no le preguntaste? Es lamentable..., pero no importa, yo lo reconoceré.

—¿Lo has visto? —interrogó Raskolnikov después de un breve silencio.

—¡Claro que sí! Le miré muy bien y no se me despintará.

—¿Lo has visto bien? ¿No lo confundirás con otro? —insistió Raskolnikov.

—Descuida; lo fotografié en mi cerebro; lo reconocería entre mil... Poseo una memoria fantástica para las fisonomías.

Hubo una nueva pausa.

—¡Hum!... Es que... —murmuró Raskolnikov—, es que... me pareció. .., siempre me parece..., acaso no sea sino una ilusión.

—¿Qué quieres decir? No te comprendo bien.

—Mira, todos vosotros decís que estoy loco —prosiguió Raskolnikov con una extraña sonrisa—, pues bien, hace poco me pareció que tal vez era así en realidad, y que sólo había visto un fantasma.

—¿Qué majaderías son ésas?

—¡Quién sabe! Acaso estoy loco de veras, y todo cuanto ha ocurrido en estos últimos días no ha tenido lugar más que en mi imaginación extraviada.

—¡Eh, Rodia! No vayas tan de prisa con tus conclusiones. Parece que han perturbado de nuevo tu espíritu. ¿Qué vino a hacer ese hombre? ¿Qué te dijo?

Raskolnikov no respondió. Tras breve reflexión, Razumikhin agregó:

—Bien, escucha mi informe: estuve en tu casa; dormías como un bendito. Después de comer, fui a lo de Porfirio; Zamiotov aún estaba allí. Quise comenzar, pero no tuve éxito con mis primeras palabras; no podía hablar como hubiera sido necesario. No comprendían muy bien a dónde me proponía llegar; sin embargo, no mostraban confusión alguna. Llevé a Porfirio junto a la ventana y empecé a catequizarlo, sin resultado; él miraba para un lado, y yo para otro. Por fin le acerqué mi puño a las narices y le dije que le iba a romper la cara por más pariente que fuera. Se limitó a mirarme en silencio; escupí de despecho y me fui. Eso fue todo. Es bastante idiota. Con Zamiotov no crucé una sola frase. Creí haberlo echado todo a perder, pero mientras descendía la escalera se me ocurrió una idea que derramó un bálsamo consolador sobre mi corazón: ¿por qué tenemos que preocuparnos tanto tú y yo? Si corrieras un peligro cualquiera, si tuvieras algo que temer, se comprendería. Pero, ¿qué te importa todo, en resumidas cuentas? Nada tienes que ver con el asunto; desentiéndete, pues, de ellos; más tarde podremos burlarnos a gusto; si yo estuviera en tu lugar, me complacería en intrigarlos y hacerles perder la cabeza. Por ahora, escúpeles encima; cuando las cosas se aclaren, les diremos tantas y tan gordas que tendrán colores en la cara por un año seguido.

—Sí, tienes razón —respondió Raskolnikov.

"Pero, ¿qué dirás mañana?", pensó. Cosa extraña, hasta entonces no se le había ocurrido preguntarse:

"¿Qué dirá Razumikhin cuando lo sepa?"

Miró con fijeza a su amigo. Los detalles de su visita a Porfirio apenas le interesaban; habían surgido hechos nuevos, y algunos de los antiguos pasaban a segundo plano.

En el corredor se encontraron con Lujin; llegaba a las ocho en punto, aunque se había demorado un tanto por buscar dónde quedaba el departamento. Los tres entraron juntos, sin saludarse ni mirarse siquiera. Pedro Petrovich, deseoso de guardar las apariencias, se detuvo un momento en la antesala para sacarse el abrigo. Pulkeria Alejandrovna se adelantó para recibirlo, mientras Dunia cambiaba un afectuoso saludo con su hermano y daba la mano a Razumikhin. Pedro Petrovich entró y saludó a las damas con bastante amabilidad, pero muy serio y, al parecer, desconcertado. Pulkeria Alejandrovna, que también parecía aturdida, apresurose a hacer sentar a todos alrededor de la mesa redonda, sobre la cual hervía el samovar. Dunia y Lujin se colocaron uno enfrente de otro; Razumikhin y Raskolnikov lo hicieron frente a Pulkeria Alejandrovna, el primero junto a Lujin, y Raskolnikov al lado de su hermana.

Hubo un momento de silencio. Pedro Petrovich, con gesto reposado, extrajo un perfumado pañuelo de batista del bolsillo y se limpió las narices, conservando el aire de un hombre que, no obstante ser benévolo, ha sido ofendido en su dignidad y está firmemente resuelto a pedir explicaciones.

Mientras se hallaba en la antesala, se sintió tentado de retirarse sin más trámite, infligiendo de ese modo a las damas un castigo ejemplar, que seguramente las hubiera hecho recapacitar acerca de su forma de proceder. Pero quedaba un punto por aclarar, y Lujin no era hombre que gustara de las situaciones ambiguas; si sus órdenes habían sido desacatadas, por algo debía ser. Era mejor saberlo de inmediato; siempre quedaríale tiempo para hacer sentir el peso de su indignación, puesto que disponía del medio más adecuado...

—Espero que hayáis tenido un buen viaje —dijo como por fórmula a Pulkeria Alejandrovna.

—Sí, gracias a Dios, Pedro Petrovich.

—Mucho me alegro de que así sea. Y Abdocia Romanovna, ¿no se fatigó demasiado?

—No, yo soy joven y fuerte; no me fatigo con facilidad —respondió Dunia—. Pero para mamá el trayecto fue muy penoso.

—Lo comprendo. Los medios de comunicación nacionales se extienden sobre tan inmensas distancias... Nuestra madre Rusia, como se dice, es tan grande... A pesar de mi vivo deseo, no me fue posible esperaros ayer en la estación. Confío en que no os habréis visto en mayores dificultades.

—Por el contrario, Pedro Petrovich. Nos encontramos en una situación muy difícil —se apresuró a responder con singular entonación Pulkeria Alejandrovna—; y si Dios no hubiera acudido en nuestra ayuda enviándonos a Dimitri Prokofich, no sé lo que hubiera sido de nosotras. Es este joven, Dimitri Prokofich Razumikhin —agregó, presentándolo a Lujin.

—Ya, ya... Ayer tuve el placer... —murmuró Pedro Petrovich, dirigiendo una mirada oblicua y poco amable a Razumikhin; luego frunció el ceño, guardando silencio. Pertenecía a esa categoría de personas que se muestran amables en sociedad y no dejan escapar ocasión alguna de aparentar dones de gracia y espíritu, pero que, cuando no se trata de su interés personal, pierden pie y se asemejan más bien a muñecos bien vestidos que a caballeros nacidos para poner atención en sus semejantes y llevar la conversación en reuniones con sus iguales.

Raskolnikov guardaba un obstinado silencio, Abdocia Romanovna no quería pronunciar palabra antes de que hubiese llegado el momento oportuno, y Razumikhin nada tenía que decir, de suerte que Pulkeria Alejandrovna se sintió alarmada ante aquel silencio.

—Marta Petrovna ha muerto, ¿lo sabía? —comenzó, viéndose en la penosa necesidad de reanudar la conversación.

—Sí, me informaron enseguida; me anunciaron también que, apenas realizado el sepelio de su esposa, Arcadio Svidrigailov se apresuró a trasladarse a esta ciudad. Por lo menos, ésas son las noticias que han llegado a mi conocimiento.

—¿En San Petersburgo? ¿Aquí? —preguntó Dunia, angustiada, cambiando una mirada con su madre.

—En efecto, y, bien entendido, no sin ciertas intenciones, si se tiene en cuenta la precipitación de su partida y, en general, las circunstancias que la precedieron.

—¡Señor! ¿Es posible que hasta aquí venga a acosar a Dunia? —exclamó Pulkeria Alejandrovna.

—Creo que no existe motivo para que os inquietéis, siempre y cuando tanto vos como Abdocia Romanovna os abstengáis de la menor relación con él. Por mi parte, yo velaré y trataré de averiguar inmediatamente dónde se aloja.

—¡Ah, Pedro Petrovich! ¡No se figura usted hasta qué punto me ha asustado! —continuó Pulkeria Alejandrovna—. Sólo lo vi en dos oportunidades, pero me pareció espantoso, espantoso. Estoy segura de que ha sido él quien ha causado la muerte de Marta Petrovna.

—No es posible llegar a una conclusión precisa sobre ese punto. De acuerdo con los informes fidedignos que poseo, podría suponerse que Svidrigailov apresuró con su comportamiento el curso normal de las cosas, al infringir daño moral a su mujer. En cuanto a la conducta y las características generales del individuo, soy de vuestra opinión. Ignoro si es rico ahora y lo que le ha dejado Marta Petrovna; dentro de breve plazo lo sabré. Mas no creo necesario agregar que aquí en San Petersburgo, por poco dinero que tenga, retornará enseguida a su antiguo género de vida. ¡Es el hombre más disoluto y depravado de todos los de su especie! Tengo mis razones para suponer que Marta Petrovna, que tuvo la desgracia de enamorarse de él y que pagó sus deudas hace ocho años, le fue útil en varios otros asuntos. Únicamente a fuerza de empeños y sacrificios logró que se concluyese una causa criminal que podía haber enviado a Siberia a Svidrigailov.

Se trata de un asesinato cometido en condiciones particularmente espantosas, y por decirlo así, fantásticas. Ahí tienen lo que es ese hombre, si querían saberlo.

—¡Ah, Dios mío! —exclamó Pulkeria Alejandrovna.

Raskolnikov escuchaba con la mayor atención.

—¿Ha dicho usted la verdad al pretender que poseía informes fidedignos acerca de esto? —preguntó Dunia con gravedad y recalcando las palabras.

—Me he limitado a decir lo que he recogido de los propios labios de Marta Petrovna, bajo formal promesa de guardar el secreto. Conviene observar que, desde el punto de vista jurídico, este asunto no deja de ser muy oscuro. En esa época vivía aquí, y creo que vive todavía, una mujer llamada Resslich, una extranjera que practicaba la usura y se ocupaba de otros menesteres en pugna con la honestidad. Svidrigailov mantenía con ella relaciones de carácter más bien íntimo desde tiempo atrás. Esa mujer tenía en su casa a una muchacha de unos quince años, tal vez catorce, sordomuda; era algo parienta de ella, sobrina segunda o algo así. La Resslich la odiaba, le echaba en cara hasta los mendrugos que le daba como alimento y llegó a castigarla en forma inhumana. Una mañana encontraron a la muchacha ahorcada en el granero. La investigación realizada por la justicia llegó a la conclusión de que se trataba de un suicidio. Después de las formalidades de rigor, parecía que el asunto iba a terminar de ese modo, cuando se denunció que la menor había sido brutalmente violada por Svidrigailov. A decir verdad, todo era poco claro; la denuncia emanaba de otra alemana, mujer de mala vida, y, por lo tanto, no merecía mucha confianza. En resumen, se cerró el proceso sin tener en cuenta el nuevo testimonio: merced a las gestiones y al dinero de Marta Petrovna, todo quedó en estado de rumor. No obstante, ese rumor era bastante significativo. Creo que vos misma, Abdocia Romanovna, habréis oído hablar en casa de ellos de la historia del criado Felipe, que murió víctima de sus malos tratos, hace seis años, en la época en que aún había siervos.

—Oí decir, por el contrario, que Felipe habíase ahorcado.

—Precisamente, pero se vio impulsado, o, mejor dicho, obligado a poner fin a sus días por el despiadado sistema de persecuciones y vejámenes puesto en práctica por su amo, el señor Svidrigailov.

—Lo ignoraba —respondió Dunia con sequedad—. Sólo oí referir una historia muy extraña: ese Felipe era, según oí decir, un filósofo doméstico, un hipocondríaco, al que la desmedida afición a la lectura de las obras más diversas había trastornado el cerebro; afirman que se ahorcó para escapar, no a los golpes, sino a las burlas del señor Svidrigailov. Este último se comportó siempre bien con sus servidores, al menos en mi presencia, y todos lo querían, aun cuando no dejaban de imputarle también la muerte de Felipe.

—Observo, Abdocia Romanovna, que os sentís inclinada a excusarlo —insinuó Lujin esbozando una forzada sonrisa—. El hecho es que se trata de un hombre taimado, pero seductor a los ojos de las mujeres: la pobre Marta Petrovna, muerta de manera tan extraña, constituye una prueba deplorable de mi aserto. Quería sólo daros un consejo, a vos y también a vuestra madre, previendo las tentativas que no dudo no tardará en renovar. En cuanto a mí, estoy firmemente convencido de que no dejará de ir a parar a una prisión por deudas o por algo peor. Marta Petrovna jamás abrigó la intención de dejarle una parte de su fortuna, pues pensaba antes que nada en sus hijos, y, si le ha legado algo, será sólo lo indispensable para que viva con modestia, una suma de poca importancia, "efímera", que, dados los hábitos de ese buen señor, no le alcanzará para un año siquiera.

—Pedro Petrovich, dejemos de hablar del señor Svidrigailov si no tiene inconveniente —dijo Dunia—; esto me oprime el corazón.

—Estuvo en mi casa hace poco —exclamó bruscamente Raskolnikov, saliendo de su mutismo, por primera vez.

Se oyó un coro de exclamaciones, y todos los rostros se volvieron hacia él. El mismo Pedro Petrovich pareció agitado.

—Hace media hora, mientras yo dormía, entró en mi habitación y me despertó, haciendo su propia presentación —continuó Raskolnikov—. Se mostraba desenvuelto y alegre, decía que llegaríamos a ser amigos. Desea y solicita una entrevista contigo, Dunia, y me ha rogado le sirva de intermediario para obtenerla. Tiene que formularte una proposición, que ya me explicó en qué consiste. Además, anunciome que Marta Petrovna, ocho días antes de su muerte, quiso a toda costa legarte tres mil rublos en su testamento, dinero que podrás percibir dentro de poco tiempo.

—¡Dios sea loado! —exclamó Pulkeria Alejandrovna, persignándose al mismo tiempo—. Ruega por ella, Dunia.

—Es exacto —asistió Lujin aun sin quererlo.

—¿Y después, y después? —inquirió Dunia con vivo interés.

—Me dijo que no era muy rico y que toda la fortuna iría a parar a sus hijos, que se encuentran ahora con una tía, y por último agregó que vivía cerca de mi domicilio, aunque sin decir dónde. Tampoco se lo pregunté.

—Pero, ¿qué quiere proponer a Dunia? —preguntó Pulkeria Alejandrovna—. ¿No te adelantó nada?

—Sí, me lo dijo.

—¿De qué se trata?

—Más tarde lo sabrán.

Raskolnikov aparentó desinteresarse de cuanto le rodeaba, concentrando toda su atención en la taza de té.

Pedro Petrovich extrajo su reloj y miró la hora.

—Me reclama un asunto urgente y por lo tanto me veo en la obligación de retirarme. De ese modo podréis conversar con entera libertad —agregó un poco picado mientras se ponía de pie.

—Quédese un poco más, Pedro Petrovich —dijo Dunia—; vino con la intención de pasar la velada con nosotros y, además, nos comunicó por escrito que deseaba tener una explicación con mamá.

—En efecto, Abdocia Romanovna —respondió Pedro Petrovich malhumorado, sentándose de nuevo, sin abandonar el sombrero—. A decir verdad, deseaba aclarar ciertos puntos que revisten extremada gravedad. Pero como vuestro hermano no puede referirse en mi presencia a las proposiciones del señor Svidrigailov, con el mismo derecho no quiero ni puedo hablar en presencia... de terceros... acerca de determinados puntos de suma importancia. Por otra parte, no se ha tenido en cuenta un ruego insistente que formulé en términos categóricos en absoluto...

El rostro de Lujin se había tornado duro, y después de pronunciadas estas palabras encerróse en un mutismo impregnado de altanería y solemnidad.

—Solicitó usted que mi hermano no asistiera a esta entrevista, y si esa solicitud no fue atendida, ello se debe sólo a mi insistencia —replicó Dunia—. Nos decía en su carta que mi hermano lo insultó; creo que lo más indicado es poner las cosas en claro, para llegar a una reconciliación. Si en realidad Rodia le ofendió, *debe* presentarle sus excusas, y estoy segura de que no tendrá inconveniente en hacerlo.

Pedro Petrovich recobró de inmediato el aplomo.

—Hay injurias, Abdocia Romanovna, que no pueden olvidarse ni con la mejor buena voluntad del mundo. Existe un límite para todas las cosas que no puede franquearse impunemente, pues una vez que se ha rebasado ya no es posible volver atrás.

—No es precisamente de eso de lo que le hablaba, Pedro Petrovich —interrumpió Dunia no sin cierta impaciencia—; comprenda bien que toda nuestra felicidad futura depende ahora de esto: ¿será posible aclarar este punto y arreglar las cosas, sí o no? Le advierto con entera franqueza que no veo otro medio de salir de esta situación, y si usted me estima, por poco que sea, es preciso que hoy mismo terminemos con esta historia. Le reitero que si mi hermano ha procedido mal, se disculpará.

—Me extraña que planteéis la cuestión en estos términos, Abdocia Romanovna —repuso Lujin cada vez más irritado—. Que yo os estime, hasta que os adore, no significa que al mismo tiempo pueda no amar a un miembro de vuestra familia. Al aspirar a la felicidad de obtener vuestra mano, no puedo asumir obligaciones incompatibles…

—¡Ah, no sea tan susceptible, Pedro Petrovich! —interrumpió Dunia con voz emocionada—. Demuestre ser el hombre inteligente y noble que he visto y que quiero ver siempre en usted. Le formulé una promesa sincera; me considero su novia; fíe usted en mí en este asunto, y crea que sabré juzgar con imparcialidad. El hecho de que asuma este papel de árbitro no sorprende menos a mi hermano que a usted. Cuando hoy, después de haber recibido su carta, lo invité a venir sin falta para asistir a nuestra entrevista, no le revelé mis intenciones. Comprenda que, si no se reconcilian, tendré que optar por uno u otro: usted o él. Es así como se ha planteado la cuestión, tanto por su parte como por la de él. No quiero ni debo engañarme en esta elección. Por usted debo romper con mi hermano; por mi hermano debo romper con usted. Quiero saber en este momento, y lo sabré, si en realidad es un hermano para mí. En cuanto a usted, la pregunta es ésta: ¿me ama, me estima, es usted una persona digna de ser mi esposo?

—Abdocia Romanovna —exclamó Lujin con tono lastimero—, vuestras palabras ofrecen para mí un campo muy vasto de interpretaciones; diré más, las hallo ofensivas, con motivo de la situación que tengo el honor de ocupar a vuestro respecto. Sin referirme a lo que tiene de hiriente para mí que me coloquéis al mismo nivel de ese joven... presuntuoso, parecéis admitir la posibilidad de romper la promesa que me formulasteis.

Decís "usted o él", demostrando de esta manera cuán poco caso hacéis de mí... No lo puedo tolerar, dado el carácter de nuestras relaciones... y las obligaciones que existen entre nosotros.

—¡Cómo! —exclamó Dunia enrojeciendo de cólera—. Pongo su interés en la balanza contra todo lo que he tenido hasta ahora de más preciado en mi existencia, contra *todo* lo que ha constituido hasta el momento actual mi propia vida, ¿y se queja de que lo estimo *demasiado poco*?

Raskolnikov sonrió sarcásticamente. Razumikhin, inmóvil en su silla, parecía querer desaparecer.

Pedro Petrovich hizo oídos sordos a esta réplica; de instante en instante crecían su arrogancia y su irritación, como si se encontrara en su elemento.

—El amor por el futuro compañero de toda la vida, por el esposo, debe triunfar sobre el amor fraternal —pronunció sentenciosamente—. En todo caso, no puedo ser colocado en una misma línea... Aun cuando haya declarado no hace mucho que no quería ni podía explicar en presencia de vuestro hermano el motivo de mi visita, no dejo de estar dispuesto a dirigirme a vuestra honorable madre para suministrarle todos los esclarecimientos necesarios sobre el punto capital, y para mí ofensivo. Vuestro hijo —continuó dirigiéndose a Pulkeria Alejandrovna—, ayer, en presencia del señor Razsudkin... ¿Es así como os llamáis? Disculpadme, olvidé vuestro nombre...

—dijo a Razumikhin con una amable inclinación de cabeza—. Vuestro hijo me ofendió alterando sistemáticamente mi pensamiento, que yo os había manifestado en una oportunidad anterior en el curso de una conversación privada; a saber, que, a mi juicio, era más ventajoso, desde el punto de vista conyugal, casarse con una joven pobre y afectada ya por las desdichas de la existencia que con una persona que hubiese experimentado todas las satisfacciones, pues de este modo la moral se encontraría con seguridad más resguardada. Vuestro hijo exageró el alcance de mis palabras hasta lo absurdo, acusándome de abrigar los más negros designios, y apoyándose, en mi opinión, en vuestra propia correspondencia. Me consideraría feliz si os fuera posible, Pulkeria Alejandrovna, persuadirme de lo contrario; me procuraríais con ello verdadero alivio. Decidme, por lo tanto, cuáles fueron los términos que empleasteis para transmitir mis palabras en la carta que dirigisteis a Rodion Romanovich.

—No lo recuerdo con exactitud —respondió Pulkeria Alejandrovna perdiendo la serenidad—; las transmití como lo comprendía. No sé cómo las habrá repetido Rodia... Tal vez exageró un poco...

—No pudo hacerlo sin que se lo sugirierais.

—Pedro Petrovich —declaró con dignidad Pulkeria Alejandrovna—, la prueba de que tanto yo como Dunia no tomamos muy a mal sus palabras es que estamos aquí.

—¡Muy bien, mamá! —aprobó Dunia.

—¿Así, pues, el que no tiene razón soy yo? —exclamó, resentido, Lujin.

—Hasta ahora no ha hecho más que acusar a Rodia, Pedro Petrovich, olvidando que en su carta formulaba acusaciones falsas contra él —agregó Pulkeria Alejandrovna, que se sentía más animada.

—No recuerdo haber escrito nada falso.

—En su carta dice que entregué dinero, no a la viuda de un hombre víctima de un accidente, como ocurrió en realidad, sino a su hija, a la que jamás había visto antes de ese momento —declaró Raskolnikov con acritud—. Escribió esa falsedad para indisponerme con mi familia, y, como si no fuera suficiente, agregó innobles insinuaciones acerca de la conducta de una joven a la que ni siquiera conoce. ¡Todo esto no es más que calumnia y cobardía!

—Disculpadme —replicó Lujin temblando de ira—; si me extendí en mi carta acerca de vuestros actos y cualidades fue con el único propósito de acceder a los deseos de vuestra madre y vuestra hermana, que me rogaron les hiciera saber cómo os había encontrado y qué impresión me habíais producido. En lo que concierne a los hechos alegados, tratad de hallar una sola línea que no sea la expresión de la verdad exacta; para decirlo de otra manera, que no habéis derrochado vuestro dinero y que en esa familia, por desventurada que sea, no hay miembros que por su conducta son indignos del interés de las personas decentes.

—A mi juicio, con toda la dignidad de que usted hace gala, no vale lo que el dedo meñique de esa infeliz jovencita, a quien arroja usted la primera piedra.

—¿Queréis decir que no vacilaríais en presentarla a vuestra madre y a vuestra hermana?

—Si le interesa saberlo, le diré que ya lo hice. Hoy mismo le rogué que tomara asiento junto a mamá y Dunia.

—¡Rodia! —exclamó Pulkeria Alejandrovna.

Dunia ruborizose, Razumikhin miró con aire espantado y Lujin sonrió sarcástica y despectivamente.

—Como podéis apreciar, Abdocia Romanovna, no es muy posible que podamos llegar a un acuerdo —observó Pedro Petrovich—. Considero que este asunto ha quedado resuelto y aclarado de una vez por todas. Me retiraré para no echar a perder por más tiempo los placeres de esta reunión de familia y para no entorpecer la comunicación de secretos. Mas, al dejaros, me permitiré haceros observar que en el futuro desearía que se me ahorrara esta clase de encuentros, por no decir compromisos. Os formulo en especial esta demanda, Pulkeria Alejandrovna, tanto más cuanto que mi carta os fue dirigida sólo a vos y no a otras personas.

Pulkeria Alejandrovna sintiose un tanto ofendida.

—Sus palabras dan a entender que nos considera por entero a su merced, Pedro Petrovich. Dunia ya le explicó por qué no dimos satisfacción a su pedido; sus intenciones no podían ser mejores. ¿Será posible que atribuya usted a sus deseos el carácter de órdenes? Me veo en la necesidad de decirle que es ahora cuando le convendría mostrarse más delicado e indulgente, pues hemos depositado toda nuestra confianza en usted y todo lo hemos abandonado para venir aquí a ponernos a su disposición.

—Eso no es del todo exacto, Pulkeria Alejandrovna, en especial cuando acabáis de ser informada de que Marta Petrovna ha legado tres mil rublos a vuestra hija. Me parece que ese dinero llega muy oportunamente, a juzgar por el tono que adoptáis para dirigiros a mí —añadió Lujin con aspereza.

—Esta observación induce a pensar que contaba usted con nuestra miseria —agregó Dunia, irritada.

—Pero ahora, por lo menos, no puedo contar con ella, y, sobre todo, no quiero impedir que lleguen a vuestro conocimiento las proposiciones secretas que Arcadio Ivanovich Svidrigailov encargó a vuestro hermano que os transmitiera; por lo que puedo apreciar, esas proposiciones revisten capital importancia para vos, y hasta puede ser que os resulten muy agradables.

—¡Ah, Dios mío! —exclamó Pulkeria Alejandrovna.

Razumikhin no podía estarse quieto en su silla.

—¿No te avergüenzas, ahora, hermana mía? —preguntó Raskolnikov.

—Sí, me avergüenzo —dijo Dunia—. ¡Pedro Petrovich, tenga la gentileza de retirarse! —añadió, pálida de ira.

Al parecer, este último no aguardaba semejante desenlace. Había contado demasiado consigo mismo, con la fuerza que le confería su posición y con la impotencia de sus víctimas, y no podía dar crédito a sus oídos. Perdió el color y sus labios se crisparon.

—¡Abdocia Romanovna, si franqueo esa puerta, no volveré jamás! Reflexionadlo bien. Aún en este momento mantengo lo que os he prometido.

—¡Qué impudicia! —exlamó Dunia levantándose con brusquedad—. ¡Lo que quiero es que no vuelva más!

—¡Cómo! ¿Me rechazáis, entonces? —exclamó Lujin fuera de sí y perdiendo la cabeza—. ¿Me echáis de esta manera? ¡Que os conste, Abdocia Romanovna, que tengo pleno derecho para protestar!

—¿Cómo se atreve a hablar de ese modo? —intervino Pulkeria Alejandrovna con vehemencia—. ¿De qué puede protestar? ¿Cuáles son sus derechos? ¿Tengo, acaso, la obligación de dar a mi Dunia a un hombre como usted? ¡Váyase! ¡Váyase enseguida y déjenos en paz! Nos hemos equivocado consintiendo algo tan indigno, especialmente yo...

—Sin embargo, Pulkeria Alejandrovna —prosiguió Lujin exasperado—, no habéis vacilado en contraer un compromiso y darme una palabra que ahora desconocéis... y hasta... y hasta me habéis impulsado a ponerme en gastos...

Esta última recriminación encuadraba tan bien dentro del carácter de Pedro Petrovich que Raskolnikov, no obstante la cólera que hervía en él y los esfuerzos que hacía para dominarse, no logró evitar una sonora carcajada. Pero Pulkeria Alejandrovna estaba furiosa.

—¿Gastos? ¿Qué gastos son ésos? ¡Supongo que no se refiere al baúl! El conductor lo transportó gratuitamente. ¡Señor! ¡Habla de compromisos! ¡Recuerde, Pedro Petrovich, que fue usted quien nos ató de pies y manos, y no lo contrario!

—¡Basta, mamá, te lo ruego! —suplicó Dunia—. Pedro Petrovich, tenga la bondad de marcharse.

—Ya me voy; pero, antes, una última palabra: vuestra madre parece haber olvidado que me decidí a solicitar vuestra mano en un momento en que vuestra reputación era la comidilla de todos los habitantes de la región. Al desafiar por vos la opinión pública y al tratar de desmentir con mi actitud esos rumores, creo que por lo menos me hice acreedor a vuestro reconocimiento y que merecería una recompensa. Pero la venda ha caído de mis ojos y veo que, probablemente, he obrado en forma equivocada al despreciar los rumores públicos.

—¡Pero este hombre quiere que le partan la cabeza! —rugió Razumikhin, levantándose de un brinco y preparándose para embestir contra el insolente.

—¡Usted es un individuo vil y malvado! —dijo Dunia con lágrimas en los ojos.

—¡Ni un gesto! ¡Ni una palabra! —dijo Raskolnikov reteniendo a Razumikhin. Luego, acercándose a Lujin y hablándole casi en la cara, le dijo:

—Ésa es la puerta. Y ni una palabra más, o...

Pedro Petrovich, con el rostro pálido y contraído por la cólera, lo miró un instante; luego, girando sobre sus talones, salió de allí. Es muy difícil que alguien haya podido abrigar más odio en su corazón que el que aquel hombre experimentaba contra Raskolnikov, al que atribuía su fracaso. Es digno de tenerse en cuenta que mientras bajaba la escalera imaginábase que su causa no estaba definitivamente perdida, y que en lo concerniente a las damas... todo podía arreglarse todavía en forma satisfactoria.

3

Hasta el último minuto Pedro Petrovich estuvo lejos de esperar tal desenlace: ése era el punto capital. Se mostró descarado y agresivo al no entrever siquiera la posibilidad de que las dos pobres mujeres indefensas se le escurrieran de entre las manos. Lo que contribuyó en especial a fijar esa suposición en su mente era su vanidad y esa especie de aplomo del que hacía una cuestión de amor propio. Surgido de la nada, habituado a admirarse a sí mismo, Pedro Petrovich tenía la más elevada opinión de su inteligencia y su capacidad: cuando se hallaba solo, recurría con frecuencia al espejo para contemplar su imagen con íntima satisfacción. Pero lo que apreciaba por sobre todas las cosas del mundo era el dinero adquirido merced a su trabajo y sin desdeñar medio alguno: ese dinero permitíale tratar de igual a igual con todo lo que él consideraba superior.

Al recordarle con amargura a Dunia que se había decidido a tomarla por esposa a pesar de los rumores poco halagüeños para su reputación, habló con sinceridad, y hasta es de creerse que experimentaba vivo despecho ante tan "negra ingratitud".

Es preciso indicar, sin embargo, que cuando solicitó la mano de Dunia estaba perfectamente convencido de lo absurdo de esas calumnias, que por otra parte la misma Marta Petrovna se encargó de refutar: desde hacía tiempo no circulaban ya en la pequeña localidad donde la conducta de la joven era mencionada como ejemplo y con vivos elogios. Pedro Petrovich no habría negado en aquel momento que estaba bien enterado de estas circunstancias. No obstante, atribuíase el mérito de haberse resuelto a elevar a Dunia hasta su altura, considerando esa acción como una suerte de hazaña.

Cuando fue a visitar a Raskolnikov, entró con la actitud del benefactor que se apresta a coger los frutos de su buena acción y a oír los más halagadores cumplidos.

Al descender la escalera del edificio Bakaleiev se consideraba incomprendido y vejado en sus más nobles sentimientos.

Dunia le era indispensable desde todo punto de vista; renunciar a ella era algo inadmisible. Se había abandonado a sus sueños con verdadera embriaguez, en lo más íntimo de su corazón: una joven de excelentes prendas morales y pobre (tenía que ser pobre, condición indispensable), muy joven, muy bella, de buena familia y bien educada, muy tímida, que hubiera experimentado grandes infortunios y que no viera más que por sus ojos, que toda su vida le bendijera como su bienhechor, sumisa, que se confundiera de admiración ante él y que le perteneciera a él sólo. ¡Qué de escenas, qué de suaves idilios se presentaban a su imaginación sobre este tema a la vez seductor y engañoso, cuando se concedía un reposo entre sus asuntos! Aquel sueño acariciado por tantos años estuvo a punto de realizarse; la belleza y la educación de Abdocia Romanovna le habían cautivado, y la situación desesperada en que se hallaba le estimuló al más alto grado. La joven poseía, además, algo que no se esperaba: revelábase orgullosa, enérgica, virtuosa; en cuanto a su educación e instrucción, no dejaba de ser superior a él (se dio cuenta). ¡Pensar que una criatura de esas condiciones guardaríale toda su vida un reconocimiento servil por el beneficio con que la gratificara, que marcharía cabeza abajo para serle agradable, mientras que él no tendría más que mandar para ser obedecido!... Justamente, como hecho a la medida. Poco antes de encontrarse con ella, Pedro Petrovich había cambiado en definitiva de carrera, para entrar en un círculo más vasto de actividades, al mismo tiempo que para hacer poco a poco su camino en aquella alta sociedad que atraíale como un imán, haciéndole soñar con la gloria y el poderío...

Decidido a sondear el terreno en San Petersburgo, comprendió que la ayuda de una esposa dócil y bella sería de inapreciable valor. El encanto que emana de una mujer atractiva, virtuosa e instruida iba a embellecer su existencia, atrayéndole simpatías, formándole una aureola... ¡Y de improviso todo se derrumbaba! La brutal, la monstruosa ruptura le hizo el efecto de un rayo caído en su cabeza. ¡Era una farsa abominable, un absurdo! Pretendió mostrarse un poco impertinente, ¡y apenas le dieron tiempo para terminar!

Quiso dejar sentada su superioridad, se dejó ir un poco lejos, ¡y aquello por poco acababa a golpes! Amaba a Dunia a su manera y ya disponía de ella en sus sueños, cuando de pronto..., ¡el desastre!... ¡No! Al día siguiente habría que reparar la situación, recuperar el terreno perdido y, en especial, aniquilar al mequetrefe causante de todo.

Experimentaba a su pesar una sensación de desasosiego al recordar a Razumikhin, pero pronto se tranquilizó a ese respecto. "¡No faltaba más! ¡Colocar a ese imbécil a la misma altura que yo, Lujin!". El único que en realidad causábale alguna inquietud era Svidrigailov. En resumen, preveía una cantidad de inconvenientes y desazones.

....

—¡Fui yo, sobre todo, quien tuvo la culpa! —dijo Dunia besando a su madre—. Entreví una posibilidad de mejorar nuestra situación, pero te aseguro, hermano mío, que jamás hubiera creído que se tratara de un ser tan vil; si lo hubiera advertido, no me habría dejado tentar. ¡No me acuses, hermano!

—¡Dios vino en nuestra ayuda! ¡Él nos ha librado del mal! —murmuraba Pulkeria Alejandrovna con cierta vaguedad, como si aún no creyera en lo ocurrido.

Por espacio de cinco minutos el contento fue general, y las risas brotaron en forma espontánea. Sólo Dunia palidecía en ocasiones y su rostro ensombrecíase al recordar lo sucedido. Pulkeria Alejandrovna no se hubiera figurado jamás que pudiese regocijarse de un acontecimiento de tal naturaleza: esa misma mañana consideraba todavía una catástrofe la ruptura del compromiso de su hija con Lujin. Razumikhin sentíase en el paraíso; no osaba manifestar plenamente su placer, pero temblaba de dicha, aspirando el aire con verdadera fruición, como si le hubieran sacado de encima un peso agobiador. Desde este momento tendría el derecho de dedicarles toda su vida, de servirlas... ¿Qué no hacer por ellas? Trataba de alejar de su mente cualquier pensamiento relacionado con el porvenir temeroso de ceder al vuelo desorbitado de su imaginación.

Raskolnikov no se movió de su lugar; se mostraba melancólico y casi distraído. Después de haber insistido tanto en que se cortaran las relaciones con Lujin, parecía interesarse menos que nadie en lo sucedido. Dunia pensó que aún estaba enfadado con ella, y Pulkeria Alejandrovna lo contemplaba con inquietud.

—¿Qué te dijo Svidrigailov? —le preguntó Dunia acercándose a él.

—¡Ah, sí, sí! —exclamó Pulkeria Alejandrovna.

Raskolnikov levantó la cabeza.

—Tiene el firme propósito de regalarte diez mil rublos y, además, manifiesta vehementes deseos de verte una vez más, en mi presencia.

—¿Verlo? ¡Jamás! —exclamó Pulkeria Alejandrovna—. ¿Y cómo se atreve a ofrecerle dinero?

Raskolnikov dio cuenta, con evidente sequedad, de su conversación con Svidrigailov, omitiendo referirse a las apariciones de Marta Petrovna para no apartarse del tema principal y por repugnancia a pronunciar frases que no fuesen estrictamente indispensables.

—¿Qué le respondiste? —preguntó Dunia.

—Le declaré en un comienzo que no te diría una sola palabra de esto, pero me anunció su intención de hacer todo de su parte para tratar de obtener esa entrevista por sí mismo. Pretende que la pasión que albergó por ti era sólo una fantasía de su imaginación exaltada y que ahora no experimenta sentimiento alguno a ese respecto... No quiere que te cases con Lujin... Debo agregar que se expresó en forma confusa.

—¿Qué idea te has formado de ese hombre, Rodia? ¿Cómo lo juzgarías?

—Confieso que todo esto no me parece muy claro. Ofrece diez mil rublos, y al mismo tiempo asegura que no es rico. Declara que se propone salir de viaje, y a los diez minutos olvida lo que ha dicho. Luego anuncia que va a casarse, que ha encontrado novia... Sin duda, abriga ciertos designios que acaso no sea buenos o correctos; pero, por otra parte, no deja mucho campo a las suposiciones; puesto que no obraría tan torpemente si tuviera malas intenciones. Como podrás imaginarte, rehusé en tu nombre, de una vez por todas, sus ofrecimientos de dinero. En general, me pareció asaz extraño... y hasta pude notar en él ciertos indicios de locura. Quizá me haya equivocado, y todo sea simple ficción... La muerte de Marta Petrovna debe haberlo afectado.

—¡Que Dios conceda reposo a su alma! —dijo fervorosamente Pulkeria Alejandrovna—. Jamás dejaré de orar por ella. ¿Qué sería de nosotras,

Dunia, sin esos tres mil rublos? ¡En verdad puede decirse que caen del cielo! ¡Ah, Rodia! Piensa que esta mañana no nos quedaba por todo capital más que tres rublos. Dunia y yo nos proponíamos empeñar, lo antes posible, nuestros relojes para no pedir nada a Lujin, puesto que no adivinaba nuestra situación.

La oferta de Svidrigailov constituía algo inesperado en absoluto para Dunia, que permanecía pensativa.

—¡Debe haber concebido algo horrible! —dijo como si hablara consigo misma, temblando casi.

Ese temor excesivo no pasó inadvertido para Raskolnikov.

—Creo que tendré más de una ocasión de volver a verle —dijo a su hermana.

—¡Encontraremos sus huellas, yo me ocuparé de buscarlo! —exclamó con energía Razumikhin—. Y una vez que lo haya encontrado, no le perderé de vista. Rodia me ha autorizado; me dijo que velara por usted. ¿Me permitirá que lo haga, Abdocia Romanovna?

Dunia sonrió, tendiéndole la mano, mas la preocupación no se borró de su rostro. Pulkeria contemplábala con timidez; la perspectiva de los tres mil rublos parecía haberle devuelto la serenidad.

Un cuarto de hora más tarde todos conversaban con animación. El mismo Raskolnikov, aunque en silencio, escuchaba con interés. Razumikhin, cediendo a su costumbre, era el más charlatán.

—¿Por qué tienen que irse? —decía con pasión—. ¿Qué harán ustedes en aquel agujero de provincia? Aquí están todos juntos y necesitan unos de otros. Quédense por lo menos algún tiempo. Acéptenme como amigo, como asociado, y les aseguro que emprenderemos un negocio excelente. Escuchen; voy a explicarles mi proyecto en detalle: se me ocurrió esta mañana, cuando nada había pasado aún. Tengo un tío (pronto lo presentaré a ustedes: es un viejecito muy respetable) que dispone de un capital de mil rublos y goza, además, de una pensión. Desde hace dos años insiste en que acepte ese dinero y le pague seis por ciento de interés. Veo que lo que se propone es ayudarme en forma disimulada; el año anterior no tuve necesidad de esos mil rublos, pero este año no esperaba sino su llegada para aceptarlos. Ustedes pueden poner mil rublos de los tres mil que van a recibir, y con eso tendremos lo suficiente para iniciar las operaciones de nuestra sociedad.

A continuación Razumikhin extendiose en detalles acerca de su proyecto. Puntualizó que casi todos los libreros y editores conocen mal su oficio, y que las buenas ediciones son, en general, de fácil venta y proporcionan buenas ganancias. Añadió que desde hacía un par de años trabajaba por cuenta de otros y que soñaba con convertirse en editor. Conocía bastante bien tres idiomas extranjeros, aunque seis días antes hubiera declarado a Raskolnikov qué era *schwach* en alemán, para decidirlo a aceptar la mitad de una traducción y tres rublos adelantados. Su mentira no había engañado a Raskolnikov.

—¿Por qué vamos a permitir que se nos escape un buen negocio, si tenemos a nuestra disposición el mejor medio para realizarlo con éxito, quiero decir, un capital que nos pertenece? —prosiguió con empecinamiento Razumikhin—. Seguramente tendremos que trabajar mucho: pues bien, trabajaremos. Ciertas ediciones reportan ahora un margen de utilidad considerable. Y por lo menos, nosotros sabemos qué es lo que hay que traducir. Traduciremos, editaremos, prosiguiendo a la vez nuestros estudios. Mi experiencia nos será de gran utilidad. Conozco todos los detalles del negocio al dedillo. No pretendo pasar por hechicero, ni nada por el estilo, pero cuando se presenta la oportunidad de ganar dinero es una tontería no aprovecharla. Sé de dos o tres libros que sólo por presentarlos a la consideración de los editores para traducirlos y publicarlos me reportarían cien rublos de beneficio cada uno, y hay otro que no lo señalaría ni por quinientos rublos. ¡Y decir que, si se lo propusieran, serían capaces de vacilar! ¡Son tan imbéciles! En lo que concierne a la parte material, tipografía, papel, venta, pueden fiar en mí. Comenzaremos en pequeña escala, y poco a poco iremos ampliando el negocio; por lo menos, nos ganaremos la vida sin mayores tropiezos.

Los ojos de Dunia brillaban de entusiasmo.

—Lo que usted propone, Dimitri Prokofich, me agrada mucho —dijo.

—Yo, como es natural, no entiendo nada de esto —dijo Pulkeria Alejandrovna—; acaso sea lo que más convenga, sobre todo si tenemos que quedarnos aquí algún tiempo...

Miró a Rodia.

—¿Qué piensas, hermano mío? —preguntó Dunia.

—Creo que es una idea excelente; claro está que no hay que pensar en una gran editorial, pero es muy posible editar cinco o seis volúmenes cuyo éxito esté asegurado. También yo conozco una obra que con seguridad se vendería fácilmente. En cuanto a si Razumikhin está en condiciones de llevar adelante el negocio, no abriguen duda alguna al respecto. Por otra parte, tendremos tiempo de sobra para volver a ocuparnos de esto.

—¡Hurra! —exclamó Razumikhin—. Ahora, escuchen: en esta misma casa hay otro departamento que se alquila, con muebles, por un precio moderado. Consta de tres habitaciones. Pueden alquilarlo, mientras las cosas se arreglan. Mañana iré a empeñar el reloj y les traeré el dinero: todo saldrá a pedir de boca. Lo principal es que podrán vivir juntos; Rodia estará con ustedes... Pero, ¿a dónde vas, Rodia?

—¿Cómo, Rodia, ya nos dejas? —preguntó Pulkeria Alejandrovna, alarmada.

—¿En este momento? —agregó Razumikhin.

Dunia contempló a su hermano con sorpresa y desconfianza. Raskolnikov tenía el gorro en la mano y se aprestaba a partir.

—Se diría que van a enterrarme y que nos decimos adiós para siempre —refunfuñó con tono extraño, hosco y malhumorado. Sonreía, pero nada se parecía menos a una sonrisa que la expresión de su rostro—. Después de todo, ¿quién sabe? Tal vez sea la última vez que nos vemos —agregó.

Estas palabras, que a lo sumo respondían a su pensamiento íntimo, fueron pronunciadas espontáneamente en voz alta.

—Pero, ¿qué tienes? —exclamó la madre.

—¿A dónde vas, Rodia? —inquirió Dunia con rara entonación.

—Es preciso que salga —respondió evasivo, como si vacilara antes de pronunciar lo que quería decir, pero su pálido rostro evidenciaba una resolución firme e inquebrantable.

—Quería deciros... al venir aquí...; quería deciros, mamá, y a ti también, Dunia, que haríamos mejor en separarnos por algún tiempo. No me siento muy bien, no estoy tranquilo... Más tarde vendré, cuando sea posible. Os recordaré y amaré... ¡Dejadme! ¡Dejadme! Quiero estar solo...; es una decisión que ya había adoptado... Sí, ya lo había decidido... Ocurra lo que ocurra, qué parezca o no, quiero estar solo. ¡Olvidadme! Cuando sea necesario, yo vendré... y os haré llamar. ¡Tal vez todo resucite! Y ahora, si me amáis, renunciad a verme... De otro modo, os detestaré, lo presiento... ¡Adiós!

—¡Señor! —gimió Pulkeria Alejandrovna.

La madre y la hermana estaban aterradas. Razumikhin miraba como atontado.

—¡Rodia! ¡Rodia! ¡Reconcíliate con nosotras! ¡Seamos como en el pasado! —dijo sollozando Pulkeria Alejandrovna.

Raskolnikov dirigiose lentamente hacia la puerta y salió de la habitación. Dunia le siguió.

—¡Hermano mío! ¿Cómo puedes conducirte así con nuestra madre? —murmuró con la mirada llameante de indignación.

Raskolnikov la miró en silencio.

—¡No es nada, ya volveré! —balbuceó a media voz, como si no tuviera plena conciencia de lo que quería decir, y abandonó el departamento.

—¡Desalmado! ¡Egoísta sin entrañas! —vociferó Dunia.

—¡No es un desalmado, está loco! ¡Ha perdido la razón! ¿Es posible que no se dé cuenta, Dunia? —murmuró Razumikhin al oído de la joven, estrechándole la mano con fuerza.

—¡Vuelvo enseguida! —dijo a Pulkeria Alejandrovna, que estaba más muerta que viva, y se precipitó fuera del departamento.

Raskolnikov lo aguardaba en el extremo del corredor.

—Sabía que correrías detrás de mí —le dijo—. Vuelve y quédate con ellas. Acompáñalas también mañana... y siempre... Yo quizá vuelva..., si es posible. ¡Adiós!

Se alejó sin tender la mano a su amigo.

—Pero, ¿a dónde vas? ¿Qué te sucede? ¿A qué se debe tu actitud? ¿Cómo puedes comportarte de esta manera? —preguntó aturdido Razumikhin, sin saber qué pensar.

Raskolnikov se detuvo otra vez.

—Te pido encarecidamente que no me interrogues. Nada tengo que decirte... No vengas a mi casa... Déjame, pero *no las abandones*. ¿Me comprendes?

El corredor era muy oscuro, pero ambos se encontraban debajo de una lámpara. Por espacio de un minuto se contemplaron en silencio: Razumikhin se acordó toda su vida de aquel minuto. La mirada fija y ardiente de Raskolnikov parecía aumentar en intensidad de segundo en segundo, penetrando hasta el fondo de su alma. De pronto Razumikhin se estremeció: algo extraño se deslizaba de uno a otro. Se insinuaba una idea horrible, monstruosa; cobraba cuerpo, convirtiéndose en certidumbre... Razumikhin palideció como un muerto.

—¿Comprendes ahora? —musitó Raskolnikov, cuyo rostro se crispó en una mueca dolorosa—. Vuelve a ellas, no las dejes.

Se apartó con brusquedad y salió de la casa.

Imposible describir con exactitud lo que aconteció aquella noche en el departamento de las dos mujeres al regreso de Razumikhin, que trató de tranquilizarlas, asegurándoles que Rodia estaba enfermo y tenía absoluta necesidad de reposo. Les juró que no dejaría de ir a verlas, que iría todos los días, que se encontraba en un estado de extremada nerviosidad y que no había que contradecirle. Les dijo de mil maneras que velaría por Rodia, procurándole un buen médico, el mejor, recurriendo a los más afamados especialistas si era menester... En una palabra, a partir de aquella noche, Razumikhin fue para ellas un hijo y un hermano.

4

Raskolnikov se encaminó hacia el lado del canal, donde quedaba el domicilio de Sonia. Era un edificio de tres pisos, pintado de verde. Logró hallar al portero, no sin trabajo, y obtuvo de él vagas indicaciones acerca del departamento ocupado por el sastre Kapernaumov, y comenzó a subir por la escalera angosta y sombría que desembocaba en un rincón del patio. Llegado al segundo piso, tomó por un pasillo que contorneaba el patio, preguntándose con perplejidad cuál sería el departamento del sastre. De pronto abriose una puerta a dos pasos de él, y con gesto maquinal se asió a la hoja.

—¿Quién es? —preguntó una alarmada voz femenina.

—Soy yo..., ¡vengo a verla! —respondió Raskolnikov y entró en una minúscula antesala. Sobre una silla desfondada ardía una vela colocada en un estropeado candelero de cobre.

—¿Es usted? ¡Dios mío! —exclamó débilmente Sonia, permaneciendo como clavada en su sitio.

—¿Dónde queda su cuarto? ¿Por aquí?

Raskolnikov se introdujo en la habitación tratando de no mirar a la joven.

A los pocos segundos Sonia volvió con el candelero y lo colocó sobre la mesa, permaneciendo de pie delante de él, turbadísima, presa de gran agitación, atemorizada casi por la inesperada visita. De improviso, enrojeciendo como la grana, sus ojos se llenaron de lágrimas. Se ahogaba, experimentando un sentimiento de vergüenza mezclado de cierta dulzura...

Raskolnikov volviose con un brusco movimiento y tomó asiento en una silla colocada cerca de la mesa. Una ojeada le fue suficiente para inspeccionar todo el aposento.

Era una pieza grande pero sumamente baja, la única que alquilaban los Kapernaumov; en la pared de la izquierda veíase una puerta que daba acceso al piso que ellos ocupaban. Del lado opuesto, en el muro de la derecha, había otra puerta, herméticamente cerrada, que comunicaba con el piso de al lado. El cuarto de Sonia asemejábase más bien a un desván; formaba un cuadrilátero muy irregular. La pared lindera con el canal, con tres ventanas, lo cortaba oblicuamente, formando un ángulo muy agudo que se perdía, hundiéndose, en la profundidad, tanto que la débil luz de la vela no llegaba hasta el extremo; el otro ángulo, por lo contrario, era desmesuradamente obtuso.

Sólo había los muebles más indispensables: en el rincón de la derecha, la cama; junto a ella, cerca de la puerta, una silla. Contra la pared, próxima a la puerta que daba acceso al departamento contiguo, una mesa de pino blanco cubierta por un mantel azul; frente a la mesa, dos sillas de paja. Contra el muro opuesto, del lado del ángulo agudo, encontrábase una pequeña cómoda sin barnizar, que parecía perdida en el vacío. Éste era el contenido de la habitación.

El papel, amarillento, viejo y sucio, estaba ennegrecido en todos los rincones. La miseria era visible; ni siquiera había cortinas delante de la cama.

Sonia miraba en silencio a su huésped, que observaba el cuarto con tanta atención y desenfado que por fin la hizo temblar de terror, como si se hallara en presencia de un juez que fuera a decidir su suerte.

—He venido tarde..., son las once lo menos... —dijo Raskolnikov sin mirarla.

—Sí —murmuró Sonia—, son las once, es cierto —añadió con repentino apresuramiento, como si eso fuera un medio de salir de la situación—. Hace poco dieron las once en el reloj del encargado...; yo oí.

—Vengo a verla por última vez —prosiguió Raskolnikov con tristeza, aunque ésa era la primera visita que hacía a la joven—. Tal vez no la vuelva a ver.

—¿Tiene que... ausentarse?

—No sé...; mañana quedará decidido todo...

—Entonces, ¿no irá mañana a casa de Catalina Ivanovna? —inquirió Sonia con voz trémula.

—No sé aún... Mañana por la mañana será todo... No se trata de esto; vine para decirle unas palabras...

Al levantar la vista, notó que estaba sentado y que Sonia permanecía de pie frente a él.

—¿Por qué no se sienta? Hágame el favor... —dijo con tono dulce y suave.

La joven accedió. Raskolnikov la observó unos instantes con benevolencia, casi con compasión.

—¡Qué delgada está! Vea esa mano..., diáfana, casi transparente. Sus dedos parecen los de una muerta.

Le tomó la mano; Sonia sonreía débilmente.

—Siempre fui así —dijo.

—¿También cuando vivía en su casa?

—Sí...

—¡Bah, claro que así debía ser! —pronunció Raskolnikov. La expresión de su rostro y el tono de su voz cambiaron de improviso. Miró de nuevo en derredor y dijo:

—¿Los Kapernaumov le alquilan este cuarto?

—Sí.

—¿Viven ahí, detrás de esa puerta?

—Sí, tienen otra habitación como ésta.

—¿Una sola para todos?

—Una sola.

—Yo tendría miedo por la noche en este lugar, si fuera usted —observó con aire sombrío.

—Mis patrones son gente muy buena, muy amable —repuso Sonia, que parecía no haber recobrado la calma—. Todos los muebles..., todo es de ellos. Son muy buenos, y sus niños vienen a menudo a hacerme compañía...

—Son tartamudos... —dijo Raskolnikov.

—Sí... Kapernaumov es tartamudo y cojo. Y su mujer también... No es precisamente que tartamudee, pero tiene un defecto en la lengua. Es una mujer muy buena. Kapernaumov era siervo. Tienen siete hijos..., y sólo el mayorcito tartamudea, los otros no; son muy tímidos y enfermizos, pero no tartamudean... ¿Cómo sabe usted que son tartamudos? —agregó con cierto asombro Sonia.

—Su padre me lo dijo..., al relatarme toda la historia de ustedes... Hasta lo ocurrido el día que salió usted a las seis y media y volvió después de las ocho; cuando Catalina Ivanovna se arrodilló junto a su cama...

Sonia cambió de color, dando señales de enorme confusión.

—Creo que lo vi hoy —murmuró después de un rato.

—¿A quién?

—A mi padre. Iba por la calle, no lejos de aquí; serían las nueve o nueve y media; me pareció que caminaba delante de mí. Hubiera jurado que era él. Quise ir a decírselo a Catalina Ivanovna, pero...

—¿Paseaba usted?

—Sí —repuso Sonia con un hilo de voz, bajando la vista.

—¿Le pegaba Catalina Ivanovna cuando usted vivía en casa de su padre?

—¡Oh, no! ¿Qué dice usted? ¡De ninguna manera! —replicó Sonia con voz plañidera y juntando las manos en un ademán de protesta y sufrimiento—. ¡Ah, si la conociera! Es como una niña... Tiene el espíritu extraviado..., las desgracias, el pesar... Pero es muy inteligente..., generosa..., ¡y buena, muy buena! No lo sabe, no puede saberlo... ¡Oh!

Pronunció estas palabras con acento desesperado; la congoja sacudía su débil cuerpecillo y retorcíase las manos. Sus mejillas, pálidas y demacradas, recuperaron de pronto el color, y en los ojos se leía su tormento. Era evidente que Raskolnikov había tocado un punto sensible en extremo; ardía en deseos de decir algo, de hablar, de asumir la defensa de Catalina Ivanovna. Una compasión *insaciable,* si es permitido decir así, se manifestaba en todos los rasgos de su fisonomía.

—¿Pegarme? Pero, ¿qué dice? ¡Señor, pegarme ella! Y aunque me hubiera pegado, ¿qué? Usted no sabe nada... Es tan desdichada, tan desdichada... y enferma... Busca la justicia... Es pura... Cree que en todo debe haber justicia, y la exige... No puede comprender que la justicia sea un mito, y se irrita... ¡como un niño! ¡Como un niño! ¡Es justa, muy justa!

—¿Y qué será de usted?

Sonia le interrogó con la mirada.

—Han quedado a su cargo. Es cierto que antes ocurría lo mismo, y que el difunto gastaba todo el dinero en embriargarse. Pero ahora, ¿qué pasará?

—No sé —repuso Sonia con infinita tristeza.

—¿Se quedarán allí?

—No sé...; deben el alquiler; y creo que la patrona les dijo hoy que iba a desalojarlos. Catalina Ivanovna manifestó que no se quedaría un minuto más en esa casa.

—¿Cómo se permite adoptar esos aires? ¿Acaso se propone vivir a expensas de usted?

—¡Oh, no diga eso! Las dos nos consideramos una sola persona —balbuceó Sonia, que comenzaba a agitarse de nuevo irritándose, como lo hubiera hecho un canario u otro inofensivo pajarillo—. ¿Qué quiere que haga la pobre? ¡Cómo lloraba hoy! Tiene el espíritu perturbado, ¿no lo notó? Se inquieta como una criatura para que mañana nada desentone, se preocupa de que no falten los entremeses y todo lo necesario para la comida... De repente se retuerce las manos y escupe sangre, llora, se desespera y se golpea la cabeza contra la pared. Luego se consuela, cifra todas sus esperanzas en usted: dice que ahora usted es su sostén, que pedirá dinero prestado en alguna parte para volver a su pueblo natal conmigo, para fundar allí un pensionado de señoritas; que me nombrará inspectora, para empezar allí una nueva vida, cómoda y magnífica... Me abraza, me consuela..., se aferra a sus fantasías, y nada puede disuadirla de que todo esto es imposible... ¿Quién tendría valor para contradecirla? Hoy pasó todo el día limpiando, fregando, arreglando la casa, hasta que, rendida de fatiga, tuvo que echarse en la cama. Fuimos temprano a comprar zapatos para Polia y Lena, porque los que tienen están hechos pedazos, pero no nos alcanzó el dinero para adquirir los que había elegido. ¡Eran tan lindos! Tiene muy buen gusto, usted no se da una idea. Entonces comenzó a llorar en el negocio, ante los dueños, porque no tenía bastante... ¡Ah! ¡Daba pena verla!

—Vamos, después de esto es comprensible que usted viva así —dijo Raskolnikov con amarga sonrisa.

—¿Y usted no le tiene lástima? —exclamó Sonia—. ¡Sé muy bien que ayer le dio hasta el último kopek que poseía, y, sin embargo, no había visto nada! Pero si lo hubiera visto... ¡Oh Dios mío! ¡Y cuántas veces, cuántas veces le hice llorar! ¡Todavía la semana pasada, ocho días antes del fallecimiento de papá! ¡Oh, cómo le...! ¡Y cuántas veces, cuántas veces hice lo mismo! Todo el día me han estado atormentando los remordimientos...

Al hablar se retorcía las manos, de tal modo eran dolorosos para ella esos recuerdos.

—¿Entonces, la cruel es usted?

—¡Sí, soy yo, soy yo! Llegué a la casa, y mi padre me dijo: "Sonia, léeme algunas páginas de este libro; me duele un poco la cabeza". Era un libro que le había prestado Andrés Semionovich Lebeziatnikov, un vecino que siempre le facilitaba libros raros. Yo le respondí: "Es tarde; tengo que irme". No quise leer, porque había ido a propósito para mostrar un cuello y unos adornos a Catalina Ivanovna, casi nuevos, muy bonitos, que me había traído Isabel, la revendedora. Catalina Ivanovna se quedó prendada de esas cosas; se las probó, se miró al espejo... ¡Le parecían tan linndas! "Sonia —me dijo—, te lo ruego, regálamelas". Decía *te lo ruego* porque sentía unos deseos locos de poseerlas. ¿Qué habría hecho con ellas? Pero como no deja de recordar los bellos tiempos de antes... Se contempla en el espejo, se pavonea, se admira, y ni siquiera tiene un vestido decente para ponerse, ni uno, desde hace años... Jamás pide nada a nadie: es muy orgullosa; antes que pedir, preferiría dar cuanto tiene. Pero esa vez me pidió el cuello y los adornos, tanto era lo que le gustaban. No me pude decidir a regalárselos: "¿Para qué le servirían, Catalina Ivanovna?", le pregunté. Sí, eso fue lo que le dije. ¡No tendría que haberle hablado así jamás! Me miró con tristeza infinita... Sentí ganas de llorar. No eran los adornos: era mi negativa lo que la entristecía, lo vi bien claro. ¡Ah, si pudiera volverme atrás, hacer que esas palabras no hubieran sido pronunciadas! Pero..., ¿a qué le cuento todo esto? Son cosas que no le interesan...

—¿Conocía a Isabel, la revendedora?

—Sí, pero usted... ¿la conocía también? —preguntó asombrada Sonia.

—Catalina Ivanovna está tuberculosa en último grado; pronto morirá —dijo Raskolnikov después de una pausa, omitiendo responder.

—¡Oh, no, no!

Con un gesto inconsciente Sonia le tomó las manos, como si le suplicara que eso no sucediera.

—Casi será mejor; si muere...

—¡No, no será mejor! ¡No quiero que muera! —repitió Sonia como enloquecida.

—¿Y los niños? ¿Qué hará usted con ellos, puesto que no puede tenerlos a su lado?

—¡Oh, no sé! —exclamó Sonia con verdadera desesperación, perdiendo la cabeza. Era evidente que ese pensamiento no era nuevo en su imaginación, y que Raskolnikov no había hecho sino renovarlo.

—Pero, ¿si usted se enferma? Aun cuando Catalina Ivanovna viviese, si la llevan al hospital, ¿qué pasará? —prosiguió implacablemente Raskolnikov.

—¡Ah! ¿Qué dice? ¡No, por favor! ¡Es imposible!

El rostro de Sonia se contrajo de angustia y espanto.

—¿Cómo imposible? —insistió Raskolnikov con cruel sonrisa—. Usted no está asegurada contra las enfermedades. Y entonces..., ¿qué será de ellos? Se verán en la calle, la madre pedirá limosna tosiendo, se golpeará la cabeza contra los muros, como hoy, mientras los niños lloran... Caerá, la llevarán a la comisaría, al hospital, perecerá, y los niños...

—¡Oh, no! ¡Dios no permitirá eso! —dejó escapar Sonia con voz estrangulada. Había escuchado en silencio, con la mirada fija en el joven y las manos cruzadas como en una muda plegaria, como si todo dependiera de él.

Raskolnikov, levantándose, comenzó a pasearse por la habitación. Transcurrió un minuto. Sonia, con los brazos colgando y la cabeza inclinada, parecía presa de terrible sufrimiento.

—¿No hay forma de economizar algún dinero, de ahorrar para cuando lleguen los malos días? —preguntó Raskolnikov deteniéndose frente a Sonia.

—No —murmuró ella.

—Es natural que así sea. Pero, ¿lo ha intentado usted? —agregó casi con ironía.

—Sí, traté de hacerlo.

—¡Y no lo consiguió! ¡Claro, es natural! ¿Para qué preguntarlo?

Reanudó sus paseo por la habitación.

—Todos los días no gana dinero, ¿no es así?

Sonia turbose aún más, y su rostro se arreboló.

—No—dijo con un doloroso esfuerzo.

—Lo mismo le ocurrirá a Polia.

—¡No, no! ¡Es imposible, no! —gritó Sonia, como si esas palabras fueran un estilete que se le clavara en el corazón—. ¡Dios no permitirá esa abominación!

—Pues permite otras...

—¡No, no! ¡Dios la protegerá!... ¡Dios! —clamó, fuera de sí.

—Acaso no haya Dios —replicó Raskolnikov con una especie de morboso placer, riendo satánicamente mientras contemplaba a la pobre joven.

La fisonomía de Sonia se alteró, un temblor convulsivo recorrió todo su ser. Miró a Raskolnikov con expresión de indescriptible reproche, como si quisiera decir algo, pero sin lograr emitir una sola palabra, y estalló en sollozos, cubriéndose la faz con las manos.

—Usted dice que Catalina Ivanovna pierde la razón —dijo Raskolnikov después de una pausa— creo que usted misma la pierde también.

Hubo un prolongado silencio. Raskolnikov recorría la habitación de uno a otro extremo sin mirar a la joven. Por último acercose a ella con los ojos llameantes y la tomó por los hombros, mirando con extraña fijeza su rostro desolado.

Su mirada era dura, inflamada, vidriosa; sus labios se estremecían espasmódicamente. De pronto, con un gesto rápido, prosternose y la besó en los pies. Sonia retrocedió como lo hubiera hecho ante un demente. En efecto, Raskolnikov tenía toda la apariencia de un insano.

—¿Qué hace, qué hace usted? ¡A mí! —balbuceó palideciendo, en tanto que sentía oprimírsele el corazón.

El joven se incorporó enseguida.

—No me he prosternado ante ti, sino ante todo el sufrimiento humano —pronunció con extraña entonación, aproximándose a la ventana—. Oye —agregó volviendo hacia ella al cabo de un minuto—: hace un rato dije a un malvado que no valía lo que el extremo de tu dedo meñique..., y que hoy había hecho a mi hermana el honor de sentarla a tu lado...

—¡Oh! ¿Cómo le dijo eso? ¡Sentarse a mi lado un honor! ¡Si soy una mujer... deshonrada! ¿Por qué le dijo eso?

—No fue por tu deshonra ni por tus pecados que se lo dije, sino por tus padecimientos inenarrables. Es cierto que eres una gran pecadora —añadió casi en un éxtasis—, pero lo peor es que te has inmolado y vendido *en vano*. Debe ser horrible vivir entre ese fango que detestas, y saber al mismo tiempo que tu sacrificio de nada te sirve, que no puede salvar a nadie. ¿Cómo es posible —articuló en una especie de paroxismo— que este fango y este ludibrio puedan cohabitar en ti con los sentimientos más sagrados y más contrarios? ¡Sería más justo, mil veces más justo, terminar de una vez arrojándose de cabeza al agua!

—¿Y ellos? ¿Qué sería de ellos? —preguntó Sonia con un hilo de voz, levantando hacia él su triste mirada, sin asombrarse, al parecer, de aquella siniestra sugestión. Raskolnikov la contempló con aire singular. Aquella mirada de la joven lo decía todo: también a ella se le había ocurrido esa idea; en su desesperación, acaso había pensado muchas veces en acabar de una vez, tanto que entonces no se horrorizó ni se extrañó al oírla de otros labios. Ni siquiera notaba lo que tenían de cruel esas palabras. En cuanto al punto de vista particular desde el cual Raskolnikov encaraba su deshonor, no lo entendía. Pero el joven vio perfectamente con qué monstruosa tortura la desgarraba, desde tiempo atrás, su infamante situación.

"¿Cuál ha sido la razón que le ha impedido poner fin a su existencia?", preguntábase. La única respuesta plausible era su acendrado amor por los pobres huerfanitos y por la desdichada Catalina Ivanovna, tuberculosa y medio enloquecida. Sólo entonces comprendió todo lo que significaba para ella. No dejó de imaginar, sin embargo, que, con su carácter y sus condiciones, a la joven érale imposible permanecer indefinidamente en aquella situación.

Ya para él era un problema que Sonia hubiera sido capaz de resistir tanto tiempo en aquellas condiciones sin volverse loca en el caso de que hubiese carecido de la energía suficiente para suicidarse. Se daba cuenta de que la posición de la joven era un fenómeno accidental en la sociedad, aun cuando por desgracia estuviera lejos de ser único y excepcional. Mas aquel carácter adventicio, aquellos jirones de educación que recibiera y la honestidad de su pasado debían haber bastado para aniquilarla desde su primer paso en el repugnante sendero que recorría. ¿Qué misteriosa fuerza infundíale valor? Con seguridad, no era el gusto por la corrupción. Todo aquel oprobio no había hecho sino resbalar por su exterior; ni un átomo de verdadero vicio penetró en su corazón. Para Raskolnikov era visible; era la misma realidad que erguíase ante sus ojos.

"Le quedan tres caminos —pensó—: arrojarse al canal, ir a parar al manicomio o abandonarse a la corrupción, que embrutecerá su espíritu, convirtiendo su corazón en una piedra insensible." Esta última idea era la que más le repugnaba; pero, siendo ya un escéptico, desligado de ciertos prejuicios, era joven, indiferente, no podía evitar el pensamiento de que el último desenlace era el más probable.

"Pero, ¿es posible que sea de ese modo? —se preguntaba con íntimo desconsuelo—. ¿Es posible que esta criatura que aún conserve la pureza de su alma termine hundiéndose con plena conciencia en esa infame cloaca? ¿No habrá comenzado ya esa caída ineluctable? ¿Soportará esa vida porque el vicio no le parece tan repugnante? ¡No, no! ¡No es posible! —repitió como poco antes Sonia—. Lo que le ha impedido hasta ahora arrojarse al canal es el horror de cometer un pecado, y *ellos*... Si no se ha vuelto loca... Pero, ¿quién dice que no lo está? ¿Conserva su sano juicio? ¿Se puede hablar y razonar como ella lo hace estando en plena posesión de las facultades mentales? ¿Es posible permanecer ante el abismo, ante el inmundo estercolero en el que ya empieza a internarse, y hacer un ademán de impotencia, tapándose los oídos cuando se le señala el peligro? ¿Esperará un milagro? Sí, sin duda, eso es lo que aguarda. ¿Acaso todas éstas no son señales de demencia?"

Se detenía con empecinamiento en esta idea, considerándola preferible a las otras. Con la mente ocupada en estas reflexiones, examinó con detenimiento a la joven.

—¿Ruegas mucho a Dios, Sonia? —le preguntó.

La joven permaneció en silencio; de pie junto a ella, Raskolnikov esperaba la respuesta

—¿Qué sería de mí sin Dios? —murmuró por fin la joven con fervor, dirigiéndole una furtiva mirada.

"Lo que me imaginaba", pensó Raskolnikov.

—Pero, ¿qué hace Dios por ti? —volvió a interrogarla, deseoso de saber más.

Sonia lo miró sin despegar los labios, como si no pudiera hablar. Su emoción era visible.

—¡Cállese! ¡No me pregunte nada! ¡No merece que le conteste! —dijo por último con enojo y severidad.

"Lo que pensaba, lo que pensaba", se repetía con obstinación Raskolnikov.

—¡Él lo hace todo! —murmuró Sonia con rapidez, manteniendo los ojos fijos en el suelo.

"¡Ésta es la solución! ¡Y la solución explicada!", se dijo *in mente* el joven, observándola con extremada curiosidad.

Con un sentimiento nuevo, extraño, casi enfermizo, contemplaba aquel rostro macilento, irregular y anguloso, aquellos ojos tan azules y tan dulces que podían despedir tales relámpagos y brillar con una expresión austera tan enérgica; miraba aquel cuerpecillo frágil, trémulo de indignación y cólera, y todo le parecía cada vez más raro, casi fantástico.

"¡Está loca! ¡Está loca!", confirmábase a sí mismo.

Sobre la cómoda había un libro. Raskolnikov lo había notado en sus idas y venidas por la habitación. Lo tomó, examinándolo: era el Nuevo Testamento traducido al ruso. El ejemplar era viejo y estaba encuadernado en cuero.

—¡Es tuyo este libro? —preguntó a Sonia, que había quedado en el mismo lugar, a tres pasos de la mesa.

—Sí, me lo trajeron no hace mucho —respondió la joven como de mala gana y sin levantar la vista.

—¿Quién te lo trajo?

—Isabel; se lo pedí.

"¡Isabel! ¡Es extraño!", pensó Raskolnikov. De instante en instante, todo se tornaba más raro y maravilloso para él en casa de la muchacha. Se acercó a la luz y comenzó a hojear el libro.

—¿Dónde está la parte que se refiere a la resurrección de Lázaro? —preguntó de improviso.

Sonia mantuvo los ojos obstinadamente fijos en el piso y no contestó.

—Hazme el favor, Sonia, búscame el pasaje de la resurrección de Lázaro.

La joven le miró con el rabillo del ojo.

—No es ahí...; es en el cuarto Evangelio... —murmuró con aspereza, sin moverse.

—Búscalo tú misma y léemelo, te lo ruego —insistió Raskolnikov y, acercando una silla, se sentó, acodose en la mesa y, mirando de soslayo con aspecto sombrío, se dispuso a escuchar.

"Dentro de tres semanas creo que yo mismo estaré *allá*, a menos que no ocurra algo peor", pensó.

Sonia dio un paso hacia adelante con evidente vacilación, mereciéndole poca fe el extraño deseo expresado por Raskolnikov. Sin embargo, tomó el libro.

—¿Nunca lo ha leído? —preguntole con voz cada vez más áspera.

—Hace mucho tiempo..., cuando iba a la escuela. ¡Lee!

—¿No lo oyó en la iglesia?

—No... no voy a la iglesia. Y tú, ¿vas a menudo?

—No... —balbuceó Sonia.

Raskolnikov hizo una mueca irónica.

—Comprendo... Entonces, ¿no asistirás mañana al sepelio de tu padre?

—Sí, iré. La semana pasada también estuve en la iglesia...; hice decir una misa.

—¿Por quién?

—Por Isabel; la mataron a hachazos.

Los nervios de Raskolnikov estaban cada vez más excitados. La cabeza comenzó a darle vueltas.

—¿Eras amiga de Isabel?

—Sí...; era muy buena y amable...; venía a veces..., no muy seguido porque no podía. Leíamos juntas, conversábamos. Dios la tenga a su lado ahora.

Esas palabras resonaron de extraña manera para los oídos de Raskolnikov. ¿Cuáles habrían sido los coloquios entre Isabel y Sonia, embrutecidas por el excesivo misticismo?

"¡Hasta yo corro el peligro de hacer otro tanto! ¡La locura es contagiosa!", pensó.

—¡Lee! —casi gritó.

Sonia dudaba aún. Su corazón latía con violencia, y al parecer se animaba a leer. Raskolnikov miraba con expresión casi dolorosa a "la pobre insensata".

—¿En qué puede interesarle esto, puesto que no cree? —balbuceó la joven con voz ahogada.

—Lee, te lo suplico; le leías a Isabel...

Sonia abrió el libro, buscando el pasaje. Sus manos temblaban y faltábale la voz. Dos veces trató de comenzar, pero sin poder articular la primera palabra.

—"Había una vez un enfermo, Lázaro de Betania...” —pronunció por fin con un esfuerzo, pero bruscamente, desde la tercera palabra, su voz se hizo sibilante, rompiéndose como una cuerda demasiado tensa. Le faltaba la respiración y sentía el corazón oprimido.

Raskolnikov comprendía en parte por qué Sonia no podía decidirse a leer, y cuanto más lo comprendía, con más grosera insistencia reclamaba la lectura. Hacíase cargo del sufrimiento que debía experimentar la joven al revelarle en aquel momento cuanto poseía de más *íntimo*. Adivinaba que aquellos sentimientos constituían en cierto modo su verdadero *misterio*, quizá desde su adolescencia, cuando aún estaba con su familia, entre un padre embrutecido por el alcohol y una madrastra enloquecida de pesar, junto a unos niños famélicos, en aquel medio en que sólo oíanse clamores escandalosos y denuestos. Sabía al mismo tiempo, y esto a conciencia, que, no obstante el temor y la repugnancia que le causaba la perspectiva de aquella lectura, la joven sentía hasta el sufrimiento el deseo de leer, y que, a pesar de su congoja y su aflicción, quería leer para *él*, para que comprendiera, “pasara lo que pasara”... Leía ese deseo en los ojos de la joven, intuíalo en su agitación...

Sonia logró dominarse, reprimiendo el espasmo que, cerrándole la garganta, le impedía continuar el primer versículo, y siguió leyendo el undécimo capítulo del Evangelio, según San Juan. Así llegó al versículo 19:

—"Muchos judíos habían llegado junto a Marta y María para consolarlas por la muerte de su hermano. Al enterarse Marta de que llegaba Jesús, fue a su encuentro, mientras María estaba sentada en su casa. Marta dijo entonces a Jesús: 'Señor, si hubieras estado aquí, mi hermano no habría muerto. Pero aun ahora sé que todo lo que solicites a Dios, Dios te lo concederá'".

La joven interrumpió la lectura una vez más, avergonzada casi al ver que su voz temblaba y se iba quebrando de nuevo...

—"Jesús le dijo: 'Tu hermano resucitará'. 'Sé, le respondió Marta, que resucitará en el momento de la resurrección, en el día postrero'. Jesús le dijo: '*Yo soy la resurrección y la vida*; el que crea en mí, aunque esté muerto, vivirá, y quienquiera que crea en mí en vida no morirá para siempre'".

Aunque le costaba trabajo respirar, Sonia leyó distintamente y con energía, cual si hiciera su profesión de fe.

—"Sí, Señor, le dijo ella, creo que eres el Cristo, el Hijo de Dios que tenía que llegar a este mundo".

Estuvo a punto de detenerse, de dirigir una furtiva mirada hacia *él*, pero no lo hizo y prosiguió leyendo.

Raskolnikov la escuchaba en completa inmovilidad, sin dar vuelta la cabeza, siempre acodado en la mesa y mirando de reojo. Sonia llegó al versículo 32:

—"Cuando María hubo llegado al lugar donde

se hallaba Jesús, se arrojó a sus plantas al verlo y le dijo: 'Señor, si hubieras estado aquí, mi hermano no habría muerto'. Jesús, al verla llorar, al igual que los judíos que la acompañaban, sintió conmoverse su espíritu y se abandonó a su emoción. Y dijo: '¿Dónde lo han puesto?' 'Señor', le respondieron, venid y lo veréis'. Y Jesús lloró. Los judíos dijeron: 'Ved cómo lo amaba', pero algunos de ellos dijeron: '¿No hubiera podido *Él*, que devolvió la vista a los ojos de un ciego de nacimiento, hacer también que este hombre no muriera?'"

Raskolnikov miró emocionado a Sonia. ¡Sí, era eso! La joven temblaba como atacada de fiebre. Era lo que él había imaginado. Se acercaba al relato concerniente al milagro inaudito, y un sentimiento de triunfo apoderábase de ella. Su voz vibrante, con sonoridades metálicas, el acento del triunfo y de la alegría le prestaban resonancia y firmeza. Las letras bailoteaban ante sus ojos anegados en llanto, pero sabía de memoria lo que estaba leyendo. En el último versículo: "¿No hubiera podido Él, que devolvió la vista a los ojos de un ciego de nacimiento...", bajó la voz e interpretó con apasionado fervor la perturbación, el reproche y la invectiva de aquellos judíos ciegos e incrédulos, que un minuto más tarde iban a caer de rodillas, sollozando y creyendo, como alcanzados por un rayo de la Divina Providencia ..."¡Y *él, él,* que también es ciego y descreído, también comprenderá, dentro de un instante, también creerá, sí, sí! Enseguida, en este momento", pensaba Sonia, estremecida por la gozosa espera.

—"Entoces Jesús, conmovido en lo más íntimo de su ser, fue al sepulcro: era una cueva, cuya entrada estaba obturada por una piedra de gran tamaño. 'Sacad la piedra', dijo Jesús. Marta, la hermana del muerto, le dijo: 'Señor, ya despide mal olor, pues hace cuatro días que está aquí.'"

La joven subrayó con energía la palabra *cuatro*.

—"Jesús le dijo: '¿No os he dicho que el que crea verá la gloria de Dios?'. Sacaron la piedra, y Jesús elevó los ojos al cielo y dijo: 'Padre, te doy las gracias por lo que me habéis concedido. Sé que me escuchas siempre, pero hablé como lo hice por la multitud que me rodea, para que crean que me has enviado'. Después de decir esto, gritó con voz fuerte: '¡Lázaro, sal!' Y el muerto salió..." —Sonia leyó estas palabras con entonación triunfante y enérgica, temblorosa, agitada, como si viera la escena con sus propios ojos...— "con los pies y las manos envueltos en vendas, y el rostro cubierto por un sudario. Jesús les dijo: 'Sacadle las vendas y dejadle ir'. *Muchos de los judíos que habían acompañado a María y Marta, y que vieron lo que había hecho Jesús, creyeron en Él*".

La joven no leyó más: no hubiera podido. Cerrando el libro, se levantó con presteza.

—Esto es todo lo que concierne a la resurrección de Lázaro —balbuceó con voz quebrada y nerviosa. Luego quedó en silencio, sin atreverse a mirar a Raskolnikov, sacudida por incesante temblor.

El cabo de vela, a punto de consumirse en el candelero, alumbraba apenas con su luz mortecina en aquella miserable habitación al asesino y a la prostituta, que el azar había reunido para que leyeran juntos el libro eterno.

Pasaron unos minutos.

—Había venido para decirte una cosa —dijo con brusquedad Raskolnikov, frunciendo el ceño y acercándose a Sonia. La joven lo interrogó en silencio con la mirada. La expresión de Raskolnikov denotaba una resolución inquebrantable.

—Hoy abandoné a mi familia... A mi madre y a mi hermana —añadió—. Y no volveré jamás junto a ellas. He roto todos los lazos que nos unían.

—¿Por qué ha hecho eso? —preguntó Sonia aturdida. Su encuentro con la madre y la hermana de Raskolnikov le había causado una impresión extraordinaria, que no lograba definir. La noticia de la ruptura le produjo casi espanto.

—Ahora sólo te tengo a ti —agregó Raskolnikov—. Partamos juntos: vine a proponértelo. Ambos estamos malditos. ¡Y bien! Vayámonos juntos.

Sus ojos relampagueaban.

"¡Parece loco!", pensó Sonia.

—¿Y a dónde iremos? —preguntó con terror, retrocediendo involuntariamente.

—¿Acaso lo sé? Lo único que me consta es que nos toca recorrer el mismo camino; eso es todo... ¡Y nuestro fin también es el mismo!

La joven le miraba sin comprender el sentido de sus palabras. Sólo dábase cuenta de una cosa: que Raskolnikov era espantosamente desdichado.

—Ninguno de ellos te comprendería si le hablaras —continuó el joven—, pero yo te comprendo. Me eres necesaria; por eso vine a buscarte.

—No comprendo... —murmuró Sonia.

—Ya comprenderás más tarde. ¿Acaso no has procedido igual que yo? Tú también has infringido las reglas... te has visto obligada a hacerlo. Has alzado tu mano sobre ti misma, hasta arruinado tu vida, *la tuya*. Habrías podido vivir por el espíritu, por la razón, y has venido a parar en el Mercado del Heno, pero no podrás soportarlo, y si permaneces sola, perderás la razón como yo. Ahora ya experimentas los primeros síntomas de extravío mental; en consecuencia, nos conviene ir juntos; ¡seguir el mismo camino! ¡Partamos!

—¿Por qué? ¿Por qué dice eso? —balbuceó Sonia, extraña y violentamente emocionada por esas palabras.

—¿Por qué? ¡Porque es imposible seguir así, he aquí la razón! ¡Es preciso razonar y ver las cosas como son, en lugar de llorar y clamar que Dios no las permitirá! ¡Dime! ¿Qué acontecerá si mañana te llevan al hospital con una enfermedad grave? Catalina Ivanovna ha perdido la cabeza, está tísica, pronto dejará de existir..., ¿y qué será de los niños? ¿Acaso Polia se salvará de la perdición? ¿No has visto en la calle esos niños a los que sus madres envían a pedir limosna? ¡Me he enterado dónde y cómo viven esas madres! En tales lugares es imposible que los niños puedan seguir siendo niños. A los siete años se prostituyen y roban. Sin embargo, los niños son la imagen de Cristo: "A ellos pertenece el reino de Dios". Él ha ordenado respetarlos y amarlos; constituyen la humanidad futura...

—¿Qué hacer, qué hacer? —repetía Sonia retorciéndose las manos y sollozando convulsivamente.

—¿Qué hacer? Hay que romper lo que debe ser roto, de una vez para siempre; eso es todo, y tomar el sufrimiento sobre uno mismo. ¡Qué! ¿No comprendes? Ya comprenderás más tarde. ¡La libertad y el poder, ante todo el poder! ¡Dominar sobre todas las criaturas temblorosas, y sobre todo el hormiguero! Ése es el fin, recuérdalo. Éste es mi viático para ti. Tal vez te hable ahora por última vez. Si no vengo mañana, lo sabrás todo por ti misma, y entonces, acuérdate de mis palabras. Y más tarde, con el tiempo, dentro de un año, acaso comprendas lo que significaban. Si vengo mañana, te diré quién mató a Isabel. ¡Adiós!

Sonia se estremeció de espanto.

—¿Usted sabe quién la mató? —preguntó helada de terror, mirándolo con extravío.

—Lo sé y te lo diré. A ti, a ti sola. Te he elegido. No vendré a pedirte perdón; te lo diré, simplemente. Te he designado desde hace tiempo para decírtelo, desde el mismo instante en que tu padre me habló de ti, y cuando Isabel vivía aún, ya pensaba en esto. ¡Adiós! No me des la mano. Hasta mañana.

Raskolnikov abandonó la habitación. Sonia viole partir como si se tratara de un demente, pero ella misma se sentía trastornada. La cabeza le daba vueltas: "¡Señor! ¿Cómo sabe quién es el asesino de Isabel? ¿Qué significan sus palabras? ¡Es extraño!"

No obstante, *el pensamiento* no acudió a su espíritu en modo alguno... "¡Oh! ¡Cuán desgraciado debe ser! Ha abandonado a su madre y a su hermana. ¿Por qué? ¿Qué habrá sucedido? ¿Cuáles serán sus propósitos? ¿Qué me dijo? Me besó los pies y me dijo...; sí, ésas fueron sus palabras, me dijo que no puede vivir sin mí... ¡Dios mío!"

Sonia pasó la noche entera presa de la fiebre y del delirio. Por instantes se sobresaltaba y lloraba, retorciéndose las manos; otras veces caía en un sopor febril... En sueños se le aparecían Polia, Catalina Ivanovna, Isabel; se reproducía la escena de la lectura del Evangelio, y lo veía a él, con su rostro exangüe y sus ojos ardientes, que le besaba los pies y lloraba...

Detrás de la puerta de la derecha, la que daba al departamento contiguo, ocupado por Gertrudis Karlovna Resslich, se encontraba una pieza vacía desde tiempo atrás que la nombrada deseaba alquilar, como lo testimoniaban el cartel colocado en la puerta cochera de la casa y los papeles pegados en los vidrios de las ventanas que daban al canal.

Sonia sabía que esa habitación estaba desalquilada. Sin embargo, Svidrigailov había permanecido escuchando junto a la puerta durante todo ese tiempo. A la partida de Raskolnikov, volvió de puntitas a su propio cuarto, inmediato a la pieza deshabitada, tomó una silla y llevola junto a la puerta que comunicaba con el cuarto de Sonia, sin hacer el menor ruido. La conversación le pareció interesante y digna de ser recordada; había experimentado vivo placer, y aquella silla era para poder instalarse con toda comodidad en la primera ocasión que se presentara, al día siguiente, por ejemplo, con el fin de que el placer fuera esa vez completo desde todo punto de vista.

5

Cuando al día siguiente, a las once en punto, Raskolnikov se presentó en la comisaría, en el departamento reservado al juez de instrucción, y se hizo anunciar a Porfirio Petrovich, se extrañó de que se le hiciera esperar tanto tiempo. Pasaron por lo menos diez minutos antes de que vinieran a llamarle, y, según sus conjeturas, habrían debido hacerlo pasar enseguida.

Permaneció de pie en la sala de entrada, entre gente que iba y venía sin reparar en él. En la siguiente pieza, con aspecto de oficina, varios amanuenses estaban entregados a su labor, y era evidente que ninguno de ellos tenía la menor idea de qué era lo que iba a hacer allí.

El joven paseó una mirada inquieta y desconfiada a su alrededor; ¿no habría cerca de él algún espía, algún misterioso detective encargado de observarlo, y, llegado el caso, impedirle que huyera? No vio nada que confirmara sus presunciones: los empleados trabajaban sin ocuparse de él, y las demás personas parecían no prestarle atención alguna, dejándolo en plena libertad de ir a donde se le antojara.

Una idea repentina le paralizó, adentrándose cada vez con más fuerza en su mente: ¿Si el misterioso personaje de la víspera, aquel espectro surgido de quién sabe dónde, estaba enterado de todo, lo había visto todo? ¿Lo dejarían de aquella manera, permitiéndole esperar con tanta calma? ¿Habrían esperado que fuera cuando lo considerara conveniente a prestar declaración? Aquel hombre no lo había denunciado aún... o, simplemente, nada sabía, ni nada había visto... ¿Cómo pudo ver, por otra parte? En consecuencia, todo cuanto habíale ocurrido el día anterior era sólo una ilusión espectral, exagerada por su mente sobreexcitada y enfermiza. Esta explicación ocurriósele la víspera, en los momentos en que eran mayores su angustia y su desesperación. En estas reflexiones, y mientras preparábase para sostener la nueva lucha, sintió que temblaba, y se indignó al pensar que era por miedo a comparecer ante el odioso Porfirio Petrovich. Lo más terrible era encontrarse de nuevo con aquel hombre; odiábale más allá de lo concebible y temía traicionarse, en una u otra forma, a causa de aquel odio mortal.

Tan fuerte fue su despecho que cesó de temblar; aprestose a entrar con aire frío e indolente, y se juró hablar lo menos posible, mantenerse alerta, con los ojos y oídos bien atentos, y dominar aquella vez siquiera su temperamento de enfermiza irritabilidad, ocurriera lo que ocurriera...

En ese mismo instante lo introdujeron en el despacho de Porfirio Petrovich.

Éste se hallaba solo en la habitación, un gabinete ni grande ni pequeño, con un gran escritorio frente a un diván recubierto de hule, un armario en un rincón y algunas sillas, moblaje suministrado por el Estado, de madera amarilla, cuyo barniz comenzaba a resquebrajarse.

En la pared, o, mejor dicho, en el tabique del fondo, se veía una puerta cerrada, lo que indicaba la existencia de otras habitaciones posteriores.

Apenas Raskolnikov penetró en el gabinete, Porfirio Petrovich se apresuró a cerrar la puerta por la que había entrado, y los dos quedaron frente a frente. El juez de instrucción acogió a su visitante con aire risueño y afable, pero al cabo de contados segundos Raskolnikov notó, por ciertos indicios, que el magistrado experimentaba alguna contrariedad y embarazo, como si le hubieran hecho perder el hilo de sus pensamientos o lo hubieran interrumpido en mitad de una tarea absorbente.

—¡Ah!, mi estimado amigo, ya está usted aquí, en nuestros dominios —comenzó Porfirio tendiéndole ambas manos—. Vamos, siéntese usted, compañero. Pero quizá no le agrade que le llame "mi estimado amigo y compañero", así *tout court*... No lo considere, se lo ruego, como una familiaridad fuera de tono...; tome asiento aquí, en el diván.

Raskolnikov se sentó sin apartar su vista de él. "En nuestros dominios", las excusas acerca de su familiaridad, la expresión francesa *tout court*, etc... todo aquello constituía una serie de indicios característicos. "Me tendió las dos manos y no me dio ninguna: las retiró a tiempo", pensó Raskolnikov con desconfianza. Se examinaban uno a otro; pero, cuando sus miradas se encontraban, las desviaban con la rapidez del relámpago.

—Vine a traerle un escrito... por el asunto del reloj... Aquí lo tiene. ¿Está bien en esta forma o tendré que rehacerlo?

—¿Qué? ¿Qué escrito? ¡Ah, sí! Quede tranquilo, está bien... —dijo Porfirio como si estuviera apremiado por el tiempo, y sólo después de haber pronunciado estas palabras tomó el papel y lo recorrió de un vistazo—. Sí, está bien. Basta con esto —agregó con la misma precipitación y colocó el papel sobre el escritorio. Al cabo de un minuto, cuando habían cambiado ya de conversación, volvió a tomar el escrito, guardándolo en uno de los cajones.

—Ayer me expresó usted, me parece, sus deseos de interrogarme..., con las formalidades de rigor..., acerca de mis relaciones con la... mujer asesinada —dijo Raskolnikov.

"¿Por qué habré agregado *me parece*? —pensó de súbito—. ¡Bah! ¿Por qué inquietarme tanto por haberlo agregado?" Este segundo pensamiento sucedió rápidamente al primero, con la celeridad del rayo.

En ese mismo instante advirtió que sólo el hecho de hallarse frente a Porfirio y las escasas palabras y miradas que había cambiado habían bastado para desarrollar de golpe en él una desconfianza extraordinaria... Eso era peligrosísimo... "Mis nervios están sobreexcitados..., voy a traicionarme."

—Bien, bien..., no se altere. Tenemos tiempo —murmuró Porfirio Petrovich, yendo de un lado a otro, al parecer sin un propósito determinado, de la ventana al escritorio, luego hacia los rincones, de nuevo al escritorio. En ciertos momentos evitaba las recelosas miradas de Raskolnikov, o bien se detenía bruscamente para mirarlo con extraña fijeza.

Era curioso verlo, grueso y rechoncho como una pelota, rodando al parecer a una y otra parte, para rebotar luego en todos los muros y todos los rincones.

—Tenemos tiempo, tenemos tiempo... ¿Fuma usted? ¿No tiene tabaco? Sírvase un cigarrillo. Lo recibo aquí, pero mis habitaciones están ahí, detrás de ese tabique. El Estado me da alojamiento, pero en la actualidad vivo provisionalmente en otro lado. Era necesario efectuar algunas reparaciones, pero ahora están casi terminadas... Es una gran cosa que el Estado nos proporcione alojamiento, ¿no es cierto? ¿Qué le parece?

—Sí, es una gran cosa —respondió Raskolnikov, mirándolo casi con aspecto burlón.

—Una gran cosa, una gran cosa —repetía Porfirio Petrovich, cuya mente parecía ocupada por otros pensamientos—. ¡Sí, una gran cosa! —exclamó por fin, clavando su mirada en Raskolnikov y deteniéndose a dos pasos de él.

La monótona y estúpida repetición de que un alojamiento proporcionado por el Estado era una gran cosa contrastaba demasiado, por su insignificancia, con la mirada seria, enigmática, que el juez fijaba en su visitante. Eso no hizo sino excitar más la cólera de Raskolnikov, impulsándolo a lanzar un desafío asaz imprudente por sus visos de provocación.

—¿Sabe usted —preguntó de pronto, casi con insolencia, como si experimentara una especie de voluptuosidad al mostrarse impertinente— que existe una regla jurídica, una modalidad de procedimiento de todos los jueces de instrucción, que consiste en hablar en primer lugar de tonterías, o aun de cosas serias, pero fuera de cuestión, con el fin de alentar o de distraer al que se interroga, adormecer su prudencia, para formularle luego bruscamente la pregunta más fatal y peligrosa? ¿No es así? Parece que hasta ahora ha observado usted religiosamente ese precepto.

—De modo que... usted cree que si hablé del alojamiento provisto por el Estado fue para..., ¿eh?

Al decir esto, Porfirio Petrovich entrecerraba y guiñaba los ojos; una expresión de malicia, de alegría, se expandió por su rostro, borrando las leves arrugas de su frente. Sus párpados formaron casi una línea, sus rasgos se distendieron, y de pronto, sin apartar su mirada de Raskolnikov, prorrumpió en una risa nerviosa, prolongada, que sacudió todo su cuerpo. Raskolnikov iba a echarse a reír a su vez, haciendo un esfuerzo, mas al ver que Porfirio era presa de tal acceso de hilaridad que se congestionaba y se ponía escarlata, su ira fue tan inmensa que le hizo olvidar toda prudencia; frunció el entrecejo y contempló a su interlocutor con una mirada impregnada de odio, sin apartar sus ojos de él mientras duró aquella explosión de alegría, al parecer un tanto ficticia. Por lo demás, la imprudencia era manifiesta tanto de una como de otra parte: Porfirio se había echado a reír en las propias barbas de su visitante y parecía no preocuparse en absoluto del odio que reflejaba la mirada de éste.

Esta última circunstancia retuvo la atención de Raskolnikov; comprendió que su llegada no había interrumpido a Porfirio en tarea alguna, y que, por lo contrario, habíase dejado atrapar en una celada tendida por su astuto interlocutor. Era evidente la existencia de algo desconocido para él, y que todo aquello respondía a un designio preconcebido: tal vez estaba ya todo preparado, y de un momento a otro iba a producirse la escena culminante.

Resuelto a poner fin a la situación, tomó su gorro.

—Porfirio Petrovich —comenzó con sequedad, en un tono que transparentaba viva irritación—, ayer manifestó deseos de conversar conmigo para someterme a cierto interrogatorio —recalcó esta última palabra—. Aquí me tiene; si necesita interrogarme, estoy a su disposición. En caso contrario, permítame que me retire. No puedo perder tiempo..., tengo que hacer. Debo asistir al sepelio de ese funcionario que fue atropellado por un carruaje, del cual... ya habrá oído hablar —agregó fastidiado por haberse referido a ese asunto, y sintiendo que aumentaba su cólera—. Estoy cansado de todo esto, entiéndalo usted, desde hace mucho tiempo. Mi enfermedad ha sido causada en parte por este repugnante asunto. En una palabra —continuó, elevando la voz y sintiendo que la frase relativa a su enfermedad estaba fuera de lugar—, sírvase interrogarme o autoríceme a irme ahora mismo. Pero, si me interroga, hágalo en la forma establecida por los procedimientos legales; de otro modo, no se lo permitiré. Por el momento, nada tenemos que hacer juntos.

—¡Señor! Pero, ¿qué le sucede? ¿A propósito de qué voy a interrogarlo? —exclamó Porfirio Petrovich, cambiado de tono y de actitud y dejando de pronto de reír—. No se incomode usted, se lo ruego —añadió, mientras iba y venía de un lado a otro y trataba de lograr que el joven se sentara de nuevo—. Tenemos tiempo, nada nos apremia, y esto no es de importancia alguna. Me alegro mucho de que haya venido..., lo recibo en carácter de visita. En cuanto a mi maldita risa, discúlpeme, estimado Rodion Romanovich..., éstos son sus nombres, ¿no?... Soy muy nervioso, y la justeza de su observación me ha hecho verdadera gracia... A veces río como un loco por causas insignificantes. Pero siéntese, se lo ruego; de otro modo, creeré que me guarda rencor.

Raskolnikov escuchaba observando en silencio, con el ceño fruncido. Accedió a sentarse, sin abandonar el gorro.

—Voy a decirle otra cosa, mi estimado Rodion Romanovich, algo que me concierne y le hará comprender mejor mi carácter —continuó Porfirio Petrovich, paseándose por la habitación—: soy soltero y cultivo escasas amistades; además, me siento acabado, momificado casi, y... y... ¿Ha notado usted, Rodion Romanovich, que entre nosotros, es decir, en Rusia, y sobre todo en nuestros círculos petersburgueses, cuando se encuentran dos hombres inteligentes que no se conocen bien todavía, pero que en cierto modo se estiman recíprocamente, como es el caso entre usted y yo, no encuentran palabras que decirse durante media hora, y se miran uno a otro con embarazo? Todo el mundo tiene temas de conversación, las damas, por ejemplo..., las gentes de la sociedad que dan la pauta del buen tono, hasta los humildes. Para todos existe algo a que referirse, *c'est de rigueur,* mas los de la clase media, como nosotros, somos hoscos y taciturnos..., acaso miedosos. ¿De dónde proviene eso, mi estimado amigo? ¿Es que no tenemos intereses sociales, o somos demasiado honestos para engañarnos unos a otros? Lo ignoro. ¿Qué piensa usted? Pero deje ese gorro; se diría que ansía marcharse, y, en verdad, eso me apena. Siento tanto placer...

Raskolnikov dejó el gorro; persistía en su mutismo, escuchando con evidente malhumor la inacabable charla del juez de instrucción.

"¿Se propondrá distraer mi atención con ese incesante flujo de palabras huecas y tontas?"

—No le ofrezco café porque éste no es el lugar adecuado. Pero, ¿por qué no pasar cinco minutos con un amigo para distraerlo? Como usted sabrá, las obligaciones del servicio... Vamos, no tome a mal que vaya de un lado a otro, amigo mío; ahora siento verdadero temor de molestarlo, pero me es indispensable hacer un poco de ejercicio. Siempre estoy sentado y me causa verdadera satisfacción pasearme un rato...; sufro de hemorroides. Tengo el propósito de hacer un tratamiento de gimnasia; se dice que los ex consejeros de Estado, y hasta los consejeros secretos, no dejan de saltar a la cuerda cotidianamente. La ciencia moderna lo prescribe. En cuanto a mis obligaciones, los interrogatorios y todas estas formalidades...; usted mismo acaba de referirse a los interrogatorios... Y bien, sépalo usted, mi estimado Rodion Romanovich, que esos interrogatorios confunden más a menudo al juez que al interrogado, como lo hizo notar hace poco con tanta penetración como exactitud. —Raskolnikov nada había dicho en ese sentido—. Uno se aturde, se embrolla..., y siempre lo mismo, lo mismo, como un redoble de tambor. Menos mal que están por introducirse reformas, y se nos llamará de otra manera. En lo que respecta a nuestras costumbres jurídicas (para servirme de su espiritual expresión), estoy plenamente de acuerdo con usted. ¿Cuál es el acusado, aunque se trate del campesino más torpe e ignorante, que no se imagine que se comenzará por tratar de adormecer su desconfianza, formulándole preguntas en un todo ajenas al verdadero asunto, para asestarle luego como un mazazo en el cráneo la pregunta que reviste capital importancia para la justicia? ¡Je, je, je! De modo que ha creído que, al hablarle de mi alojamiento, pretendía... ¡Je, je, je! No carece usted de ironía. Pero le aseguro que no hay nada de eso, lejos de mí el pensarlo. ¡Ah, sí! A propósito..., una palabra trae la otra, una idea evoca otra idea: recién se refirió a usted a la forma, al tema del interrogatorio. ¿Qué es la forma? En la mayoría de los casos, no tiene sentido alguno. En ciertas ocasiones una conversación amistosa proporciona mejores resultados. La forma no desaparecerá jamás, ¿pero qué es, en resumen? Un juez de instrucción no debe sentirse coartado en su acción a cada paso por la preocupación de la forma. La función del magistrado es en su género un arte libre, o algo que se aproxima a esto... ¡Je, je, je!

Porfirio Petrovich se concedió un respiro. Hablaba sin interrupción, pronunciando frases desprovistas en absoluto de sentido, entre las cuales intercalaba vocablos enigmáticos, para volver luego a la charla insulsa y carente de objeto. Su caminata por el gabinete habíase acelerado hasta convertirse casi en carrera; sus gruesas extremidades inferiores se movían con suma rapidez; conservaba la mano derecha en la espalda, mientras que con la izquierda esbozaba de continuo diversos ademanes que contrastaban en forma sorprendente con sus palabras. Raskolnikov observó que en sus idas y venidas se detuvo dos o tres veces cerca de la puerta posterior como si tratara de oír algo.

"¿Esperará a alguien?", pensó.

—Tiene usted perfecta razón —prosiguió Porfirio, mirándolo con un aire de extraordinaria afabilidad, que hizo estremecer a Raskolnikov y lo puso en guardia—; reconozco que tiene toda la razón del mundo para mofarse con tanta espiritualidad de nuestras fórmulas jurídicas. ¡Je, je, je! Estos procedimientos (algunos de ellos, bien entendido), que pasan por ser de gran profundidad psicológica, son en extremo ridículos, hasta inútiles, cuando se siguen demasiado al pie de la letra. Pero, volviendo a la forma, supongamos que tengo a mi cargo la instrucción de un asunto, y que sé, o, mejor dicho, creo saber, que el criminal está aquí o allá... Usted seguía la carrera de jurisprudencia, ¿no es cierto, Rodion Romanovich?

—Sí, estudiaba Derecho.

—Bien; voy a presentarle un ejemplo que acaso pueda serle de utilidad más adelante. No crea que me permito erigirme en su maestro, sobre todo teniendo en cuenta que escribe usted artículos acerca de la criminalidad. No, de ninguna manera. Someto este ejemplo a su consideración. Como decía, juzgo que éste, aquél o el otro ha cometido un delito: ¿a qué conduciría inquietarlo antes de que hubiera llegado el momento, aun cuando poseyera pruebas de su culpabilidad? A determinados individuos no vacilaría en detenerlos; a otros, que difieren de los primeros por su carácter y sus condiciones, ¿por qué no dejarlos un tiempo en libertad? Veo que no me comprende del todo; voy a expresarme con mayor claridad. Si detengo a un presunto culpable cuya mentalidad está por sobre el nivel común, le proporciono con este simple hecho una especie de ayuda moral. ¡Je, je! ¿Le hace gracia, no es verdad? —sus palabras no causaban asomo de gracia a Raskolnikov, que apretaba los dientes, sin apartar su mirada llameante de los ojos de Porfirio Petrovich—. ¡Y, sin embargo, es así! Con ciertos individuos, en especial, pues los casos difieren; esto lo enseña la práctica. Me dirá usted: ¿y las pruebas? Admitamos que haya pruebas; pero, mi estimado amigo, las pruebas en la mayoría de los casos son armas de dos filos, y yo, juez de instrucción, me considero un hombre como los demás, sujeto a errar; por lo tanto, pretendo exponer los resultados de mi investigación con una evidencia matemática, si es permitido decirlo así, con pruebas que constituyan verdaderos axiomas, como dos y dos son cuatro, directas e incontrovertibles. Mas si hago detener al individuo antes de tiempo, aunque abrigara la seguridad de que es *él*, me privaría de los medios que podrían llevarlo a desenmascararse por completo. ¿Cómo? Colocándolo en una posición determinada, serenándolo y tranquilizándolo desde el punto de vista psicológico; entonces se me escapa de entre las manos y se repliega en su caparazón, comprende que todos sus esfuerzos deben concentrarse en una defensa adecuada. Se dice que en Sebastopol, inmediatamente después del asunto del Alma, las personas cultas e inteligentes experimentaron al principio grandes temores de que el enemigo atacara en seguida y se apoderara de la ciudad, mas cuando vieron que el enemigo prefería un sitio en regla y comenzaba a cavar trincheras, se tranquilizaron y se regocijaron. Eso significaba que era cuestión de un par de meses..., ¿Se ríe aún, no me cree? Es cierto, esto le da la razón. Pero se trata de casos particulares, estoy de acuerdo con usted, y ése es en verdad un caso particular. Debo hacerle notar, mi estimado Rodion Romanovich, que el caso general, al que se adaptan todas las formas y los reglamentos jurídicos, y según el cual se calculan y se inscriben en los registros estos últimos, no existe, por el simple hecho de que, cuando se produce en la realidad, se transforma instantáneamente en un caso particular en absoluto: hasta a veces en un caso que difiere de todo cuanto se ha visto. Pues bien, yo dejaría a mi hombre solo, sin molestarlo ni causarle inquietud; pero haciendo que en todo momento sepa, o por lo menos sospeche, que yo lo sé todo, que lo vigilo sin descanso ni tregua; y convirtiéndolo en una presa constante de la desazón, la desconfianza y el temor, estoy seguro de que se aturdirá, no podrá resistir, se pondrá por sí mismo a mi alcance, y hasta es posible que incurra en algún desliz que equivalga a aquel dos y dos son cuatro que tenga apariencia matemática. Esto puede producirse con un campesino rústico o con un bandido inteligente y culto. Por lo tanto, mi muy estimado amigo, no carece de importancia saber en qué sentido se ha desarrollado la inteligencia de un individuo. Además, están los nervios, un factor que parece usted olvidar. ¿No es ése el punto débil, enfermizo, sobreexcitado? ¿Y la bilis? En ciertas oportunidades puede constituir el filón. ¿Qué puede importarme entonces que el presunto culpable se pasee en libertad? ¡Que pasee cuanto le venga en gana, mientras tanto yo sé que es "mi pequeña víctima" y que no se me escapará! ¿Adónde podría ir? ¿Al extranjero? Un polaco podrá huir al extranjero, pero *él* no, tanto más cuanto que sabe que no lo pierdo de vista y he adoptado mis precauciones. ¿Internarse en el país? Allí sólo encontrará campesinos, rusos de verdad; y nuestro hombre, instruido y educado a la usanza moderna, tal vez prefiera la prisión a convivir con nuestros campesinos. ¡Je, je, je! Pero esto son tonterías al margen de la cuestión. No se alejará de mí, no sólo porque no sabrá a dónde ir, sino también por razones *psicológicas*. ¡Je, je, je! ¿No le agrada esta expresión? No huiría en virtud de las leyes de la naturaleza, aun cuando supiera a dónde ir. ¿Ha visto usted las mariposas en torno de la llama? Dará vueltas continuamente alrededor de mí como alrededor de una bujía encendida; su libertad comenzará a pesarle; se pondrá a reflexionar, se aturullará, se enredará cada vez más, la angustia y el miedo no le darán un instante de reposo. Más aún, preparará por sí mismo una pequeña farsa por el estilo de dos y dos son cuatro: bastará para ello que yo le facilite un pequeño entreacto. No cesará de revolotear, de debatirse a mi alrededor, estrechando el círculo cada vez más, hasta que ¡paf!, entrará solito en mi boca y me lo tragaré, lo que es muy agradable. ¡Je, je, je! ¿No le parece?

Raskolnikov no respondió; pálido, inmóvil, mantenía su mirada fija en el rostro de Porfirio.

"Excelente lección —se dijo helado de terror—. Ya no se trata como ayer del gato que juega con el ratón. Se guarda bien de mostrar en vano su fuerza y de hacer sugestiones; demasiado astuto para eso... Es indudable que persigue un fin, ¿pero cuál? ¡Vamos, buen hombre, es una idiotez, quieres engañarme con tus marrullerías! ¡No tienes pruebas, y el hombre de ayer no existe! Tratas simplemente de desazonarme, irritándome de antemano, para echarme la zarpa cuando esté en ese estado; pero te equivocas: pierdes el tiempo y la paciencia. ¿Para qué me hablará de esa manera? ¿Contará con influir en mis nervios? No, amigo mío, no será lo que tú quieres, a pesar de lo que puedas haber preparado... Y bien, vamos a ver qué lazo me has tendido".

Dispuesto a afrontar la terrible y desconocida catástrofe que intuía, hizo acopio de toda su energía y resolución.

Por momentos experimentaba un violento deseo de arrojarse sobre Porfirio Petrovich para estrangularlo allí mismo. Desde su entrada en el despacho temió aquel acceso de ira. Sentía los labios resecos, su corazón latía con redoblada violencia y se clavaba las uñas en las palmas de las manos. No obstante, resolvió guardar silencio, comprendiendo que ésa era la mejor táctica en su situación, puesto que no sólo no se traicionaría, sino que, por el contrario, irritaría a su enemigo con su mutismo, logrando que se trocaran los papeles. Por lo menos, así lo esperaba.

—No, no, ya veo que no me cree; piensa que todas mis ideas son insípidas divagaciones —prosiguió Porfirio sin dejar de reír ni abandonar sus incesantes idas y venidas—. Dios me ha dotado de una apariencia que inspira a los demás ideas risueñas; soy casi un bufón, lo reconozco. Disculpe a este viejo, Rodion Romanovich, usted es un hombre joven, en la flor de la edad y, como todos los jóvenes, aprecia por sobre todas las cosas la inteligencia humana. Le seducen la agudeza del espíritu y las deducciones abstractas de la razón. Eso es punto por punto como el antiguo *Hofkriegsrath* austríaco, por ejemplo, si se me permite juzgar acerca de cuestiones militares: en los planos y proyectos eran ellos los que aplastaban a Napoleón y lo hacían prisionero; en sus gabinetes establecían y proseguían sus cálculos de la manera más sutil, pero el general Mack se rindió con todo su ejército. ¡Je, je, je! Veo que se burla de mí, Rodion Romanovich, porque siendo civil recurro para mis comparaciones a la historia militar. ¿Qué voy a hacerle? Ésa es mi debilidad; siento inclinación por las cosas de la guerra y me agrada leer esos boletines de los ejércitos... Decididamente, erré la carrera. Mi vocación me llevaba al ejército; allí habría obtenido más éxito. Tal vez no llegara a la altura de un Napoleón, pero estoy seguro de que hubiera sido un aceptable mayor. ¡Je, je, je! Ya que estoy hablando en detalle respecto de *este caso particular*; le diré que la realidad y la naturaleza intervienen en forma asaz importante, y a menudo ocurre que echan por tierra el cálculo más sagaz. ¡Vamos! Crea a este viejo, se lo digo con seriedad, Rodion Romanovich —y, al hablar así, Porfirio Petrovich, de treinta y cinco años apenas, tenía todo el aspecto de un anciano, su voz cambió, y, al parecer, hasta se encorvaba—. Soy un hombre franco. ¿Soy o no soy un hombre franco? ¿Qué le parece? Nada más evidente, creo yo; le confío todas estas cosas sin exigir la más mínima remuneración. ¡Je, je, je! Bien, prosigo: la agudeza de ingenio es, en mi opinión, una brillante cualidad, un adorno de la naturaleza y un consuelo de la vida. ¡A cuántas simulaciones y engaños podrá entregarse el que la posea! Cabe preguntarse cómo se las arreglará el pobre juez de instrucción que tenga que vérselas con un hombre de esas condiciones. Mas la naturaleza acude en ayuda del juez, aunque la juventud, pagada de su ingenio e inteligencia y que "salta por sobre todos los obstáculos" (como usted lo dijo con tanto acierto como espiritualidad), no cuente con ella. Supongamos que salga del paso recurriendo a la mentira (se trata de un individuo cualquiera, de *un caso particular*, *incógnito*), y que miente con prodigiosa astucia; podría creerse que va a triunfar, a gozar por fin de los frutos de su ingenio, cuando de golpe, ¡paf!, se desvanece en el lugar más apropiado para dar mayor asidero al escándalo. Admitamos que exista una enfermedad, que otras veces ocurra que el ambiente sofocante de una habitación provoca un desmayo en una persona débil, pero de cualquier manera..., ¡de cualquier manera ha suministrado un indicio! Ha llevado todo el asunto con incomparable habilidad, pero no ha contado con la naturaleza. Todo su maquiavelismo se derrumba. Otra vez, arrastrado por la festiva vivacidad de su espíritu, comienza a mixtificar al hombre que sospecha de él, palidecerá como a propósito para divertirse, palidecerá hasta un poco demasiado naturalmente, demasiado como si fuese real, ¡y ha suministrado otro indicio! No importa que haya logrado salir airoso una primera vez; por la noche se preguntará angustiado si no ha cometido algún error. ¡Y así a cada paso! ¿Qué digo? Él mismo se encargará de adelantarse a los acontecimientos; comenzará a mezclarse en lo que no le incumbe, a charlar sin reparo acerca de lo que haría mejor en callar, se aventura a formular hipótesis. ¡Je, je, je! Se pregunta por qué razón no lo han detenido todavía. ¡Je, je, je! Esto les ocurre hasta a los más sagaces, a los psicólogos y a los hombres de letras. La naturaleza es un espejo, el más límpido y más fiel. No hay más que mirarla y admirarla. Pero, ¿por qué está tan pálido, Rodion Romanovich? Tal vez el ambiente de esta habitación sea demasiado sofocante... ¿Quiere que abra la ventana?

—¡Oh, no se moleste, se lo ruego! —exclamó Raskolnikov, y de repente se echó a reír—. No se incomode por mí...

Porfirio se sentó junto a él, aguardó unos instantes y luego comenzó a reír a su vez. Raskolnikov se levantó del diván, interrumpiendo de golpe su exteriorización de alegría.

—Porfirio Petrovich —dijo en voz alta y distinta, aunque apenas pudiera sostenerse sobre sus piernas temblorosas—, veo por fin con claridad que abriga la sospecha de que yo soy el asesino de esa vieja y de su hermana Isabel. Debo decirle que me siento aburrido y cansado de todo esto. Si le parece que tiene derecho a perseguirme legalmente, hágalo; si quiere detenerme, deténgame. Pero no voy a permitir que se burle de mí con el mayor descaro o que pretenda hacerme sufrir este suplicio.

Sus labios se movieron convulsivamente, sus ojos relampaguearon de furor y su voz, contenida hasta entonces, se hizo estridente.

—¡No lo toleraré! —gritó, al tiempo que asestaba un violento puñetazo sobre la mesa—. ¿Lo oye, Porfirio Petrovich? ¡No lo toleraré!

—¡Ah, Dios mío! ¿Qué le sucede? —dijo Porfirio Petrovich en un tono que pretendía ser de temor—. ¡Rodion Romanovich, amigo mío! ¿Qué le ocurre ahora?

—¡No lo toleraré! —gritó con más fuerza Raskolnikov.

—¡Vamos, vamos! No hable tan alto..., podrían oírlo..., venir. ¿Qué les diríamos entonces? Piense por un momento... —murmuró Porfirio Petrovich, dando muestras de nerviosidad con su rostro casi pegado al de Raskolnikov.

—¡No lo toleraré! ¡No lo toleraré! —repetía en forma maquinal el joven, hablando en voz baja casi a pesar suyo.

Porfirio irguiose con presteza y corrió a abrir la ventana.

—¡Un poco de aire fresco! Le convendría tomar un poco de agua, estimado amigo...

Iba a precipitarse hacia la puerta para pedir agua, pero en un rincón había una jarra llena.

—Beba unos sorbos, mi estimado amigo —musitó yendo hacia él con la jarra y un vaso—, esto le hará bien...

La alarma y hasta la simpatía de Porfirio estaban tan lejos de parecer fingidas que Raskolnikov experimentó verdadero asombro y lo observó con curiosidad, sin aceptar el vaso.

—Rodion Romanovich, mi buen amigo, si continúa de ese modo va a perder la cabeza, se lo aseguro... ¡Tome! Beba, beba aunque sólo sea un sorbo...

Logró colocarle el vaso en la mano, después de llenarlo. Raskolnikov iba a acercarlo a sus labios con un ademán maquinal, pero bruscamente lo dejó en la mesa.

—Sí, fuera de duda; ha sido una pequeña crisis nerviosa. Cuídese de no sufrir una recaída —prosiguió diciendo el juez de instrucción con afectuosa solicitud, aunque en apariencia un tanto desorientado—. Dios mío, ¿será posible que vele usted tan poco por su salud? Vea, Dimitri Prokofich estuvo anoche en casa. Convengo en que mi carácter es malo, horrible, ¡pero si supiera usted qué conclusiones ha sacado de esta circunstancia! Estábamos comiendo cuando vino, y habló, habló, sin que yo pudiera colocar una palabra... Mas, ahora que pienso, ¿no habrá ido a verme por indicación suya? Vamos, siéntese, amigo mío, hágame usted el favor...

—¡No, no fue de parte mía! Sin embargo, sabía que iría y sabía también por qué —repuso con sequedad Raskolnikov.

—¿Usted lo sabía?

—¡Sí! ¿Qué hay con eso?

—Vamos, mi estimado Rodion Romanovich, no se exalte... Al fin y al cabo estoy al corriente de todas sus andanzas. Puedo asegurar que lo sé todo... Sé que se presentó para *alquilar ese departamento* al anochecer, que tiró del cordón de la campanilla, que interrogó usted a los muchachos acerca de las manchas de sangre en el piso y que con sus gestos y palabras intrigó a los porteros y a los obreros. Me hago cargo de su estado de ánimo; pero, si sigue así, le aseguro que no podrá librarse de un trastorno mental. El vértigo hará presa en usted. Hierve en su interior una indignación demasiado fuerte, por noble y justificada que sea, a consecuencia de las malas pasadas que le ha jugado el destino y por las ofensas que ha debido sufrir por parte de los empleados policiales. Es por eso que va usted de un lado a otro refiriéndose sin cesar al mismo asunto, para obligar a los que sospechan de usted, y lo acusan, a terminar de una buena vez, porque está cansado de todas estas necedades y vejámenes injustificados. ¿No es así? ¿He interpretado bien su estado de ánimo? Mas, a pesar de usted mismo, hace perder también la cabeza a Razumikhin, enviándolo a mi casa; él es demasiado *sano* para eso, usted no lo ignora. Usted está enfermo, pero él está sano, y su enfermedad acabará por contagiársele... Volveremos a hablar de esto cuando usted se haya calmado... ¡Vamos, siéntese, por el amor de Dios! Le ruego que se serene; aún está agitado y nervioso, siéntese.

Raskolnikov se sentó; sentía su cuerpo recorrido por continuos estremecimientos y la fiebre lo invadía. Con profundo estupor escuchaba a Porfirio Petrovich, que lo colmaba de demostraciones de amistad, resistiéndose a creer en la sinceridad de sus palabras, aunque sentía una inexplicable inclinación a tenerlas por ciertas. La inesperada alusión a su visita al departamento habíale producido el efecto de un mazazo en el cráneo. "Sabe que estuve allí. ¿Qué hará ahora?"

—Sí, en nuestra historia judicial existe un caso muy parecido, un caso psicológico y morboso como éste —continuó Porfirio, hablando muy de prisa—. Un individuo se acusó de un asesinato: describió todo un estado de alucinación, presentó los hechos, relató las circunstancias y mixtificó a unos y otros. ¿A qué se debía su actitud? Sin la menor intención, aquel hombre había sido, en parte, la causa del asesinato, nada más que en parte; cuando se enteró de que era responsable en cierto grado del crimen, comenzó a hacer tonterías, se le aparecieron visiones, su mente se trastornó y concluyó por persuadirse de que el asesino era él. La Corte de Casación se hizo cargo por fin del asunto, y el desdichado fue absuelto, aunque hubo que internarlo en una casa de salud. De no haber sido por el fallo de la Corte..., ¿ve usted? Uno se arriesga a perder la razón cuando tiene los nervios sobreexcitados, y se le ocurre ir de noche a tirar de los cordones de las campanillas y a preguntar si han limpiado la sangre. Todas estas nociones psicológicas las debo a la práctica. A veces un hombre siente deseos de saltar desde una ventana o desde lo alto de un campanario, esta sensación llega a ofrecer un atractivo casi irresistible... Es eso, el campanilleo..., la enfermedad, Rodion Romanovich, la enfermedad... Usted la descuida demasiado. Habría debido consultar a un especialista, en lugar de hacerse atender por ese buen señor entrado en carnes. ¡Usted delira! Todo lo que experimenta no son más que los efectos del delirio.

Por un instante todo comenzó a girar en torno a Raskolnikov.

"¿Mentirá también ahora? —se preguntó—. No, no es posible. ¿No es posible", repitió mentalmente, previendo de antemano hasta dónde podrían llevarle el furor y la rabia que estaban a punto de hacerle perder la razón.

—No era delirio; estaba en plena posesión de mis facultades mentales —exclamó, poniendo en juego todos los recursos de su imaginación para percibir con claridad cuál era el juego de Porfirio—. Estaba completamente lúcido, ¿lo oye?

—Sí, sí, comprendo y oigo. Ya nos dijo ayer que no deliraba hasta insistió sobre este punto. Es todo lo que puede decir, lo comprendo. ¡Je, je! Pero permítame usted, mi estimado, mi buen Rodion Romanovich: si fuera usted culpable en realidad de esos asesinatos, o si estuviera complicado de alguna manera en ese maldito asunto, ¿insistiría usted en afirmar que no ha obrado hasta ahora bajo la influencia de un trastorno mental cualquiera, sino, por lo contrario, con plena conciencia? Y usted insiste, sí, insiste con firmeza. Creo que, si por casualidad se sintiera usted culpable, le convendría insistir en que había perdido la cabeza. ¿No es exacto?

En aquella pregunta se adivinaba algo capcioso y artero. Raskolnikov se recostó en el respaldar del diván, mirando con perplejidad a Porfirio, que se inclinaba hacia él.

—Ahora, con respecto a Razumikhin, es decir, acerca de si vino a mi casa por propia iniciativa o de acuerdo con sugestiones emanadas de usted, la línea de conducta que más le hubiera convenido seguir habría sido declarar que lo hizo por su cuenta, y no por instigación suya. Y usted no oculta que lo envió; pone de manifiesto que fue a verme siguiendo instrucciones suyas.

Raskolnikov no había hecho tal cosa; las últimas palabras lo hicieron estremecer de ira y despecho.

—Usted no hace más que mentir —articuló con débil y lenta voz, mientras sus labios esbozaban una dolorosa sonrisa—. Quiere inducirme a creer que adivina mis pensamientos y sabe de antemano cuáles serán mis respuestas —agregó, sintiendo que no lograba coordinar sus frases como era necesario— trata de amedrentarme… y se burla de mí…

Al hablar de este modo, Raskolnikov no apartaba su mirada de Porfirio; de pronto, una animosidad indescriptible hizo brillar sus pupilas con destellos de furor.

—¡Miente! ¡Miente siempre! Le consta que el mejor subterfugio a que puede recurrir un criminal es decir la verdad en la medida de lo posible…, confesar lo que no puede ocultarse. ¡No le creo ni una palabra!

—¡Qué individuo más raro es usted! —profirió Porfirio en tono de mofa—. En verdad no sabe uno por qué lado tomarlo; ésa es casi una monomanía en usted. ¿Así que no me cree? Pues bien, yo le digo que me cree, que ha creído cuanto le dije, y que haré que me crea en absoluto, porque lo estimo y deseo sinceramente su bien.

Los labios de Raskolnikov comenzaron a temblar.

—Sí, lo estimo y lo aprecio —continuó Porfirio, tomándolo del brazo, un poco más arriba del codo—, y se lo digo de una vez por todas: tenga cuidado con su enfermedad. Su familia ha llegado más que nada con el propósito de cuidarlo; piense en ella. Debería tranquilizar a su madre y a su hermana, demostrarles afecto, y no hace sino espantarlas.

—¿Qué le importa eso? ¿Qué sabe usted? ¿Por qué me demuestra tanto interés? ¿Acaso ha dispuesto usted que sigan mis pasos y quiere que yo esté enterado de esa circunstancia?

—No se ponga así, amigo mío; usted mismo me lo ha contado todo, todo lo sé por usted. No se da cuanta que en su agitación es el primero en referirse a cuanto le concierne, tanto conmigo como con los demás. Ayer supe por boca de Razumikhin una cantidad de detalles interesantes. Me ha interrumpido cuando le decía que por su desconfianza, cualquiera que sea la agudeza de su espíritu, ha dejado de contemplar las cosas desde el punto de vista lógico y natural. Vea, por ejemplo, volviendo a la historia de la campanilla: es un hecho de suma importancia, no puede negarse, y yo no tengo el menor reparo en revelárselo, yo, que soy el juez de instrucción. ¿No le dice nada mi actitud? Si yo sospechara de usted, ¿obraría de esta manera? De ningún modo; hubiera comenzado por mitigar sus aprensiones, haciendo ver que nada sabía, llevándolo con prudencia a otro extremo, para asestarle luego el golpe de maza, según su expresión. Pero dígame un poco, mi estimado Rodion Romanovich, ¿qué fue a hacer en el departamento de la víctima a las diez de la noche, y no lejos de las once? ¿Por qué tiró del cordón de la campanilla? ¿Por qué esas preguntas acerca de la sangre? ¿Por qué trató a continuación de intrigar a los porteros, y qué se proponía al decir que lo acompañaran a la comisaría? Éstas habrían sido mis preguntas si hubiera abrigado sospechas. Hubiera debido interrogarlo con las formalidades de práctica, ordenar que allanaran su domicilio y detenerlo enseguida. En consecuencia, no sospecho de usted, dado que he procedido de otro modo. Ha perdido la noción exacta de las cosas y está ciego, se lo repito.

Un temblor convulsivo recorrió el cuerpo de Raskolnikov, tanto que Porfirio Petrovich no dejó de advertirlo.

—¡Miente, miente! —exclamó—. Ignoro con qué oculto designio, pero miente... No era éste el sentido de sus frases, y no he podido engañarme. ¡Miente!

—¿Miento? —repitió Porfirio, que empezaba a amoscarse, aunque conservaba el mismo aire alegre y jovial, y, al parecer, no le impresionaba la opinión que Raskolnikov se pudiera formar de él.

—¿Que yo miento? ¿Cómo se explica, entonces, que yo, juez de instrucción, le haya sugerido hace poco los medios más apropiados de defensa, todos esos argumentos psicológicos: "la enfermedad, ni más ni menos; el delirio, el amor propio ofendido, las ofensas gratuitas, la policía", ¿eh? Cierto es, dicho sea de paso, que esos argumentos, esos pretextos y esas coartadas no son muy sólidos y hasta constituyen armas de doble filo: "la enfermedad, sí, el delirio, las alucinaciones, no recuerdo nada", todo esto está muy bien; pero, ¿por qué, en la enfermedad y en el delirio, son siempre ésos los sueños y las alucinaciones, y no otros? Bien podrían ser otros, ¿no le parece? ¿Qué opina? ¡Je, je, je!

Raskolnikov lo contempló con una mirada orgullosa y despreciativa.

—En una palabra —declaró con firmeza, levantándose y empujando levemente a Porfirio— quiero saber en definitiva si me considera o no libre de toda sospecha. Hable, explíquese en forma neta y sin circunloquios, y que todo termine ahora mismo, enseguida.

—Decididamente no es una canonjía tener que tratar con usted —exclamó Porfirio con aire regocijado, burlón y de ningún modo contrariado—. ¿Por qué quiere saberlo, al momento que ni siquiera hemos comenzado a inquietarle, por poco que sea? ¡Qué niño es usted! Parece decir: "¡Quiero jugar con el fuego!" ¿Por qué tiene tanto empeño en saber? ¿Podría decirme qué lo mueve a formular esas preguntas, eh? ¡Je, je, je!

—Le repito que ya no puedo tolerar —gritó

Raskolnikov en una repentina explosión de ira—, que no puedo soportar...

—¿Qúé cosa? ¿La incertidumbre? —interrumpió Porfirio.

—¡Concluya de exasperarme! ¡No quiero! ¡Le digo que no quiero! No puedo ni quiero soportar... ¿Me entiende? —gritó con voz estentórea Raskolnikov, asestando un puñetazo en la mesa.

—Más despacio, más despacio, van a oírle. Se lo prevengo con toda seriedad, vaya con cuidado. ¡No bromeo! —dijo Porfirio Petrovich en voz tan baja que era apenas un murmullo. Su rostro no tenía ya la expresión de buen hombre atemorizado; al contrario, en aquel momento *ordenaba* con tono severo, fruncido el ceño, y parecía a punto de revelar todos los secretos y todos los equívocos. Esa actitud sólo duró un instante.

Raskolnikov estaba a punto de abandonarse a un nuevo acceso de furor, pero esa vez también obedeció la indicación de bajar el diapasón, aunque estuviera frenético de rabia.

—¡No me dejaré torturar! —murmuró de pronto, comprendiendo con dolor mezclado de odio que no podía dejar de obedecer a Porfirio, pensamiento que acrecentó su cólera—. ¡Deténgame! Haga allanar mi domicilio, interrógueme, pero proceda como corresponde y no abuse de los derechos que le confiere su posición. No juegue conmigo, no siga, o...

—¡No se inquiete por las formas! —interrumpió de nuevo Porfirio, con la misma sonrisa sarcástica, mientras lo contemplaba como un gato que se relame ante el ratón indefenso—. Vea, estimado joven, lo invité a venir como amigo, sin otro propósito...

—¡No deseo ni me interesa la amistad de usted! ¡Lo desprecio! ¿Me oye? Y ahora tomo mi gorro y me voy. ¿Qué dirá ahora, si piensa detenerme?

Se encasquetó el gorro y se dirigió hacia la puerta.

—¿No quiere recibir una pequeña sorpresa? —exclamó con tono zumbón el juez, tomándolo del brazo en el momento en que iba a salir de la habitación. Cada vez demostraba mayor alegría y regocijo, lo que acabó de exasperar a Raskolnikov.

—¿Qué sorpresa? ¿Qué quiere decir? —preguntó deteniéndose de súbito y mirándolo con inquietud.

—Una pequeña sorpresa que tengo reservada para usted detrás de esa puerta. ¡Je, je, je! —manifestó Petrovich, señalando la puerta cerrada del tabique, que daba acceso a sus habitaciones—. Hasta cerré con llave por temor de que pudiera escaparse.

—¿Qué es? ¿Dónde? ¿Qué hay? —Raskolnikov se aproximó a la puerta y pretendió abrir, pero estaba cerrada con llave.

—Aquí tiene la llave... —dijo con suavidad Porfirio, enseñándole una que había sacado del bolsillo.

—¡No haces más que mentir! —rugió Raskolnikov como enloquecido—. ¡Mientes, maldito polichinela!...

Y se lanzó contra Porfirio, que se batió en retirada hacia la puerta, pero sin manifestar temor alguno.

—¡Lo comprendo todo! Mientes y me acosas para que me traicione...

—¿Por qué va a traicionarse, mi estimado Rodion Romanovich? Demasiado se traiciona con su exasperación... No grite o llamo a mi gente...

—¡Mientes! ¡Con seguridad que no hay nada! ¡Llama a tu gente! ¡Sabías que estaba enfermo y has querido sobreexcitarme, llevarme hasta el último extremo para que me vendiera, ése era tu fin! ¡Muestra tus pruebas! ¡No las tienes! ¡Sólo posees conjeturas infectas y miserables, que te han sido sugeridas por Zamiotov! ¡Ahora lo comprendo todo! Conocías mi carácter y has querido ponerme fuera de mí, enloquecerme... ¿Qué esperas? ¿Qué esperas? ¿La llegada de tus acólitos? ¡Que vengan, no les temo!

—¿Acólitos? ¡Vaya unas ideas, mi pobre amigo! Aunque sólo fuese por las formas, no me serviría de esos procedimientos..., pero le aseguro que todo se hará de acuerdo con las normas legales... —murmuró Porfirio, escuchando con atención junto a la puerta.

En esos momentos se oían ciertos rumores en la habitación contigua.

—¡Ah, ya vienen! —exclamó Raskolnikov—.

Los enviaste a buscar..., los esperabas..., habías contado... ¡Bien! ¡Hazlos entrar a todos, policías, testigos, todos los que quieras! ¡Estoy dispuesto! ¡Estoy dispuesto!

Pero entonces se produjo un extraño incidente, algo tan imprevisto, tan fuera de lo normal, que sin duda ni Raskolnikov ni Porfirio hubieran podido imaginar parecido desenlace.

6

He aquí cómo se representó más tarde Raskolnikov aquella escena, al rememorar lo ocurrido.

El rumor que se oía en la habitación contigua fue aumentando en intensidad, y de improviso se entreabrió la puerta.

—¿Qué pasa? —gritó despechado Porfirio Petrovich—. Di orden de que no...

Nadie respondió en un principio a sus palabras, pero era evidente que varias personas se hallaban detrás de la puerta y se esforzaban en impedir la entrada de alguien.

—¿Qué significa todo eso? —inquirió con energía el juez de instrucción.

—Han traído aquí al inculpado Nicolás —respondió una voz.

—¡No lo necesito para nada! ¡Váyanse! ¡Que se espere! ¿Por qué le han permitido llegar hasta aquí? ¡Qué desorden! —exclamó Porfirio Petrovich lanzándose hacia la puerta.

—Es que... —repuso la misma voz, deteniéndose de súbito.

Durante escasos segundos se oyó el rumor de una verdadera lucha; luego, como si alguien rechazara con violencia a otra persona, y, por último, un individuo jadeante penetró en el despacho. Su aspecto era impresionante: miraba con fijeza extraña, pero parecía no ver a nadie; en sus ojos vidriosos leíase una firme resolución, y su rostro palidísimo parecía el de un condenado al que conducen al cadalso. Sus labios descoloridos estaban agitados por nervioso temblor. Era un hombre joven, de talla mediana, delgado, con los cabellos cortados en forma de cepillo, de rasgos finos, más bien secos, vestido con ropas humildes. El que había tratado de impedirle la entrada, sin lograrlo, se lanzó en su seguimiento, tomándolo por un hombro: era un gendarme; con un movimiento brusco Nicolás consiguió desprenderse de nuevo.

Apareció en la puerta un grupo de curiosos, y hasta algunos trataron de colarse en la habitación. Toda la escena descrita se desarrolló en menos tiempo del necesario para contarla.

—¡Vete de aquí! Aún no te necesito. Espera que te llamen. ¿Por qué lo dejaron venir tan pronto? —refunfuñó Porfirio con muestras de viva contrariedad e irritación.

Sin que nada hiciera preverlo, Nicolás cayó de rodillas.

—¿Qué haces? —exclamó estupefacto Porfirio Petrovich.

—¡Soy culpable! ¡Perdón! ¡Soy un asesino! —profirió Nicolás con voz estrangulada y ronca, pero bastante fuerte.

Por espacio de diez segundos reinó tal silencio que se hubiera dicho que todo el mundo experimentaba los efectos de un ataque colectivo de catalepsia. El gendarme dejó caer las manos y, retirándose maquinalmente hacia la puerta, quedose inmóvil allí.

—¿Qué dices? —gritó Porfirio, cuando su estupefacción y aturdimiento le permitieron hablar.

—Soy... un asesino... —repitió Nicolás después de un instante.

—¡Cómo! Tú... ¿Cómo? ¿A quién has asesinado?

Porfirio Petrovich perdía la cabeza.

Nicolás demoró unos segundos en contestar.

—Aliona Ivanovna y su hermana Isabel..., las maté a hachazos..., perdí la razón... —agregó, siempre de rodillas.

El juez de instrucción pareció meditar por un momento; luego se sacudió con violencia y con un gesto indicó a los testigos inesperados que se retiraran. Éstos obedecieron enseguida; la puerta se cerró. Porfirio miró entonces a Raskolnikov, que, en un rincón, contemplaba a Nicolás con aire extraviado. Iba a dirigirse a él, cuando de pronto se detuvo, lo examinó con fijeza, llevó su mirada sobre Nicolás, luego sobre Raskolnikov, volvió a mirar a Nicolás y, de repente, con una vehemencia en la que se transparentaba su furor, increpó al recién llegado.

—¿Por qué me has dicho que habías perdido la razón? —exclamó con iracundo tono—. No te pregunté si la habías perdido o no. ¡Habla!... ¿Eres tú el asesino?

—Soy el asesino..., lo confieso —profirió Nicolás.

—¡Eh!... ¿Y con qué las mataste?

—Con un hacha..., la llevé para eso.

—No vayas tan aprisa... ¿Solo?

Nicolás no comprendió la pregunta.

—¿Cometiste solo el crimen?

—Solo. Dimitri es inocente; no tiene nada que ver...

—No tengas tanta prisa en hablar de Dimitri. ¡Eh, eh!... ¿Cómo hiciste, veamos, para bajar corriendo por las escaleras? Los porteros los vieron a los dos.

—Lo hice para que no sospecharan...; corrí detrás de Dimitri pensando que de esa manera nadie imaginaría que acababa de cometer un asesinato —respondió Nicolás con rapidez, como si quisiera terminar pronto.

—¡Vamos, lo que yo pensaba! —gritó Porfirio encolerizado—. Repite al pie de la letra lo que le han sugerido —murmuró como hablando consigo mismo. Su mirada se fijó de nuevo en Raskolnikov. Por un momento había olvidado su presencia, de tal manera se concentró su interés en Nicolás, y en cierto modo pareció confuso...

—Rodion Romanovich, mi estimado amigo, discúlpeme —le dijo haciéndole una señal con la cabeza—. Usted no puede permanecer aquí... Yo mismo...; ya ve qué sorpresa... Le ruego que me deje solo con este hombre.

Y, tomándolo por un brazo, lo acompañó hasta la puerta.

—Al parecer no esperaba esto —le dijo Raskolnikov, quien por su parte no acertaba a explicarse lo acaecido, pero que había recobrado el aplomo y la serenidad.

—En verdad que no..., aunque usted tampoco... ¡Vea cómo le tiemblan las manos! ¡Je, je!

—Usted también tiembla, Porfirio Petrovich.

—Sí, debo confesar que esto no entraba en mis cálculos.

Estaban cerca de la puerta. Porfirio esperaba, con impaciencia que Raskolnikov se retirara.

—¿Y su pequeña sorpresa? ¿No me la muestra?— inquirió con sorna el joven.

—¿Quiere burlarse? Y eso que todavía le castañetean los dientes... ¡Je, je! ¡Qué espíritu más irónico! Bien, bien, hasta la vista.

—Creo que más bien debemos decirnos adiós.

—Será lo que Dios quiera, lo que Dios quiera —refunfuñó Porfirio Petrovich con una especie de mueca.

Al pasar por las oficinas, Raskolnikov observó

que algunos de los empleados lo miraban con fijeza y mal disimulado interés. En la antesala pudo reconocer entre el público a los dos porteros de *aquella* casa, a los cuales había propuesto que lo acompañaran a la comisaría. Al parecer, esperaban algo allí.

Apenas llegado al rellano de la escalera, sintió detrás de sí la voz de Porfirio Petrovich. Giró sobre sus talones y vio que el juez de instrucción se apresuraba para alcanzarlo, resoplando a cada paso.

—Dos palabras, si me permite, Rodion Romanovich. Sólo Dios sabe lo que ocurrirá todavía en este asunto; sin embargo, en cumplimiento de ciertos requisitos legales tendré que interrogarlo de nuevo. Por lo tanto, nos volveremos a ver, con seguridad...

Sin terminar la frase, sonrió con amabilidad.

—Con seguridad... —repitió.

Podía suponerse que iba a decir algo más, pero no pronunció palabra.

—Disculpe mi actitud de hace poco, Porfirio Petrovich; me dejé llevar por la ira... —comenzó Raskolnikov, ya tranquilo por completo, experimentando un irresistible deseo de aparentar desenvoltura y despreocupación.

—No es nada, no es nada —dijo Porfirio en tono casi jovial—. Yo mismo estuve un poco... Tengo un carácter inaguantable, lo confieso. Ya nos volveremos a ver. Si Dios lo permite, nos veremos en más de una oportunidad.

—Y nos conoceremos mejor uno a otro —asintió Raskolnikov.

—Sí, mejor... —aprobó Porfirio Petrovich; hizo un guiño y lo miró con seriedad—. Ahora va a una comida, ¿no es cierto? Un aniversario...

—Una comida de funerales.

—¡Vaya, es verdad, de funerales!... Cuide su salud..., vea que la salud...

—Por mi parte no sé qué voto formular por usted —dijo Raskolnikov comenzando a descender la escalera—. Le desearía de todo corazón un gran éxito, pues, como no se le escapará, desempeña usted una función muy ridícula.

—¿Por qué ridícula? —exclamó Porfirio Petrovich, que ya le había vuelto la espalda, girando la cabeza con rapidez.

—Ahí tiene a ese pobre Nicolás... Sin duda lo ha torturado y desgarrado con sus nociones psicológicas hasta obtener su confesión. Día y noche le habrá demostrado de mil maneras diversas que el asesino era él..., y ahora que se reconoce por tal, comienza de nuevo con la eterna cantilena: "¡Mientes! ¡No eres el asesino! ¡No has podido cometer ese crimen! ¡Faltas a la verdad!" ¿Cómo no considerar ridículas sus funciones después de esto?

—¡Je, je, je! ¿Así que notó que dije a Nicolás que repetía "lo que le habían sugerido"?

—¿Cómo no advertirlo?

—¡Je, je, je! Es usted muy listo, nada se le escapa..., tiene un espíritu decididamente analítico y propenso a la ironía... Eso le permite dar siempre con la cuerda humorística... ¡Je, je! Según he oído decir, entre todos los escritores, Gógol poseía esa facultad en el más alto grado.

—En efecto.

—Sí, Gógol. ¡Hasta más ver, mi estimado amigo!

Raskolnikov fue en derechura a su casa. Sentíase tan abatido y desamparado que prestamente se arrojó en el diván y permaneció un cuarto de hora tratando de reponerse y de coordinar sus ideas. No pretendía explicarse la conducta de Nicolás, intuyendo que en su confesión había algo inexplicable, asombroso, cuyo sentido era en vano buscar en ese momento. Las consecuencias de ese hecho se le aparecieron con nitidez: no podía dejar de surgir la falsedad de la confesión, y entonces las sospechas volverían a recaer sobre él. Pero mientras tanto estaba libre y debía adoptar alguna medida, pues amenazábale un peligro inminente.

¿Cuál sería la extensión de ese peligro? La situación empezaba a esclarecerse. Al recordar de golpe, en conjunto, la escena de su entrevista con Porfirio, no pudo contener un estremecimiento de terror. Era imposible adivinar todas las intenciones del juez de instrucción, todos sus cálculos. Pero había descubierto en parte su juego, y nadie mejor que Raskolnikov podía comprender hasta qué punto era peligrosa para él la partida jugada por Porfirio Petrovich. Un poco más, y se hubiera perdido sin remedio, por completo, con el apoyo de pruebas materiales. Conocedor del enfermizo carácter impulsivo de Raskolnikov, leyendo en él como en un libro abierto desde la primera vez que lo viera, Porfirio había obrado casi sobre seguro, aun cuando era indudable que habíase precipitado un poco. Era incontrovertible que Raskolnikov estaba colocado en una situación desesperada, pero no se había llegado aún a las *pruebas*: sólo existían conjeturas más o menos fundadas.

Después de todo, en realidad, ¿eran así las cosas? ¿No se equivocaría? ¿Cuál era la finalidad perseguida por el juez de instrucción? ¿Habría combinado algo ese día? ¿Qué cosa? ¿Esperaba algo o sólo fingía? ¿Cómo habríanse separado de no haberse producido, merced a Nicolás, aquel inesperado suceso?

Si Porfirio Petrovich hubiera estado en posesión de pruebas abrumadoras, su conducta habría sido distinta en absoluto. ¿Cuál sería, pues, la "sorpresa" a que habíase referido? ¿Una superchería? ¿Qué habría de cierto en todo aquello? ¿Algún indicio positivo? ¿Sería acaso el hombre de la víspera? ¿Dónde estaba aquel hombre? ¿Habría desaparecido? Lo más lógico era que si Porfirio contaba con algo tangible, debía estar relacionado con aquel fantasmagórico individuo.

Raskolnikov se sentó en el diván, con los dos codos en las rodillas, y se cubrió la cara con las manos. Su cuerpo estremecíase agitado por un nervioso temblor. Por fin se levantó y, tomando el gorro, tras breve reflexión se encaminó hacia la puerta. Una especie de presentimiento le anunciaba que por aquel día, al menos, podía considerarse casi seguro. De pronto, experimentó una vaga sensación de contento al pensar que tenía que ir a la casa de Catalina Ivanovna. Era demasiado tarde para asistir al sepelio, pero buena hora para llegar a tiempo a la comida, y pronto volvería a ver a Sonia.

Se detuvo un instante, con una amarga sonrisa:

"¡Hoy! ¡Tiene que ser hoy! ¡Hoy mismo! Es preciso...", se dijo mentalmente.

Iba a abrir la puerta, cuando ésta se abrió por sí sola. Raskolnikov se estremeció y dio un paso atrás. La puerta se abría con lentitud, dejando ver una forma humana: era el misterioso personaje de la víspera, el hombre surgido de *bajo tierra*...

El desconocido se detuvo en el umbral, miró en silencio a Raskolnikov y dio un paso hacia adelante. Estaba vestido de idéntica manera que el día anterior, era el mismo individuo, pero su fisonomía denotaba un cambio profundo: parecía apenado y conmovido. Por unos segundos permaneció inmóvil; luego exhaló un profundo suspiro y de improviso inclinose ante el joven casi hasta el suelo. Por lo menos lo tocó con el anillo que llevaba en la diestra.

—¿Qué hace? —exclamó Raskolnikov.

—Le pido que me perdone —murmuró el hombre con voz casi imperceptible.

—¿Qué tengo que perdonarle?

—Mis malos pensamientos.

Ambos se miraron en silencio.

—Estaba enloquecido de rabia, no supe lo que hacía. El otro día, cuando usted, tal vez por haber bebido con exceso, interrogó a los porteros y se burló de ellos, me indigné al ver que no le daban importancia tomándolo por un borracho. Fue tanta mi cólera que no pude conciliar el sueño; como recordaba su dirección, vine aquí a preguntar por usted…

—Usted vino… —interrumpió Raskolnikov, que comenzaba a comprender.

—Sí…, lo he injuriado con mis necias sospechas.

—¿De modo que usted estaba en esa casa?

—Sí, en la puerta cochera, con los demás. ¿No se acuerda de mí? Tengo mi negocio allí desde hace tiempo; soy peletero… Lo que más me contrarió…

La escena de la antevíspera se reprodujo con claridad en la imaginación de Raskolnikov. En efecto, además de los porteros se encontraban allí varias personas, hombres y mujeres. Recordó que una voz propuso conducirlo sin más trámite a la comisaría. No podía recordar el rostro de aquella persona pero sí que le contestó algo y que habíase dado vuelta para mirarlo…

El espantoso misterio de la víspera quedaba

resuelto en forma simple. Lo más terrible era pensar que había estado a punto de perderse sólo por una circunstancia tan insignificante. Aquel individuo nada podía contar, excepto que Raskolnikov habíase conducido de modo raro, formulando preguntas sospechosas acerca de la sangre. Por consiguiente, Porfirio no poseía ningún indicio positivo, ningún hecho que pudiera considerarse una evidencia palpable, salvo aquel *delirio* y aquella psicología de *doble filo*.

En resumen, de no surgir otros hechos, ¿qué podían hacerle? ¿Cómo demostrar su culpabilidad, aun cuando lo detuvieran? Era evidente, además, que hacía muy poco tiempo que Porfirio habíase enterado de su visita al departamento.

—¿Hoy le dijo usted a Porfirio que yo había estado allí? —preguntó de repente a su visitante, asaltado por una súbita idea.

—¿A qué Porfirio?

—Al juez de instrucción.

—Sí, se lo dije. Como los porteros no fueron el otro día a verlo, lo hice yo.

—¿Hoy?

—Sí, antes de que llegara usted, unos minutos apenas. Lo oí todo, todo, mientras lo torturaba con ese infame interrogatorio.

—¿Dónde estaba? Cuando...

—En la habitación contigua al despacho, detrás de la puerta cerrada..., estuve allí todo el tiempo.

—¿Así que la sorpresa era usted? ¿Cómo ha sido eso? Dígamelo todo, se lo ruego.

—Cuando vi que los porteros no me hacían caso y se negaban a ir a la comisaría so protexto de que era muy tarde y que el juez les reprocharía no haber ido enseguida llevándolo a usted, me puse frenético de rabia y resolví obrar por mi cuenta. Traté de conseguir los datos que creía necesarios, y esta mañana me presenté en el despacho del juez. La primera vez no lo encontré. Volví al cabo de una hora, y no me quiso recibir. Insistí, y por último pude verlo. Le conté las cosas como habían pasado, y entonces se puso a saltar como un loco, golpeándose el pecho con los puños y gritando: "¡Bribones, estúpidos! ¿Es así como cumplen sus deberes de honrados ciudadanos? ¡Mal rayo los parta! ¡Si hubiese sabido esto, lo habría hecho buscar por los gendarmes!" Luego salió como una bala, llamó a un empleado y habló con él en voz baja. Volvió a interrogarme a gritos y me llenó de insultos. Las cosas que dijo no son para repetirlas. Le conté todo; le dije que ayer no se había atrevido usted a responder a mis palabras y que no me había reconocido. Empezó a saltar y a golpearse el pecho de nuevo, y en ese preciso momento lo anunciaron a usted. "¡Ocúltate en esa habitación, detrás del tabique! —me dijo—. ¡Espera ahí, no te muevas ni digas una palabra, oigas lo que oigas!" Me hizo sentar en la pieza contigua y agregó: "Tal vez te necesite". Pero, cuando llegó Nicolás, me despidió poco después que a usted, manifestando que en breve me sometería a otro interrogatorio.

—¿Interrogó a Nicolás en su presencia?

—No; después de haberlo acompañado a usted, me hizo salir a mí también.

Finalizado su relato, el hombre hizo una nueva reverencia, tocando casi el piso con la mano.

—Le ruego me perdone la delación y el mal que le he causado.

—¡Que Dios te perdone! —respondió Raskolnikov. Apenas oyó estas palabras, el hombre saludó con otra reverencia, no tan pronunciada como las anteriores, volviose con lentitud y abandonó el cuarto.

"Solamente pruebas de dos filos", se dijo para sí Raskolnikov, con más aplomo y seguridad que nunca. Salió de la habitación y, ya en la escalera, pensó: "Ahora estoy en condiciones de luchar todavía". Una sonrisa de despecho se dibujó en sus labios. Sentíase encolerizado contra sí mismo: recordaba con vergüenza y desprecio la "pusilanimidad" de que había dado muestras.

Quinta parte

1

Al día siguiente de aquel otro en que había tenido lugar la explicación, fatal para Pedro Petrovich, con Dunia y Pulkeria Alejandrovna, el presuntuoso y fatuo ex novio se despertó con una sensación de malestar. Poco a poco veíase obligado a reconocer, con sumo disgusto, que lo que la víspera había considerado un acontecimiento casi fantástico, pero que a pesar de todo parecíale imposible, era un hecho consumado e irrevocable.

La venenosa sierpe del amor propio herido no había cesado de morderle el corazón durante toda la noche. Al abandonar el lecho se miró prestamente en el espejo, temiendo haber sufrido un derrame de bilis durante el sueño.

Con gran satisfacción vio que por ese lado el peligro parecía conjurado, por el momento, y al contemplar su noble faz, pálida y un tanto mofletuda, halló cierto consuelo, persuadido de que le sería fácil hallar otra novia en cualquier parte, hasta quizá con ciertas ventajas. Mas no tardó en desechar ese pensamiento halagador, y lanzó una escupida de despecho, lo que hizo aparecer una sarcástica sonrisa en los labios de su joven amigo y compañero de habitación: Andrés Semionovich Lebeziatnikov. Pedro Petrovich notó esa sonrisa y la inscribió enseguida en el débito de su joven compañero. Desde hacía algún tiempo ese débito era bastante abultado. Su ira se redobló al reflexionar que hubiera hecho mejor al no informar a Andrés Semionovich de lo acontecido la víspera. Era la segunda falta que había cometido el día anterior; llevado por la exasperación, habíase mostrado en exceso expansivo...

Durante toda la mañana, como hecho a propósito, sólo tuvo disgustos y contrariedades. En el Senado experimentó un fracaso en el asunto en que se ocupaba. Además, el propietario del departamento que había alquilado con miras a su próximo enlace, un obrero alemán enriquecido, exigía el cumplimiento del contrato de locación y no aceptaba cambio alguno en los términos del mismo, a pesar de que Pedro Petrovich había hecho efectuar varias reparaciones y arreglos por su cuenta, restaurándolo casi por completo. Igual cosa sucediole con el mueblero, que se negó a devolverle un solo rublo de la señal entregada por la compra de un moblaje aún no recibido.

"¡No voy a casarme con el único fin de utilizar esos muebles!", se decía rechinando los dientes Pedro Petrovich. Un pensamiento desesperado acudió a su mente: "¿Será posible que todo esté irremisiblemente perdido? ¿No podría intentar algo aún?"

La seductora imagen de Dunia le desgarró el

corazón una vez más. El martirio era insoportable; si con un simple deseo hubiera podido hacer morir a Raskolnikov, la existencia de éste habría sido brevísima.

"He cometido un error irreparable al no darles dinero —meditaba con melancolía mientras retornaba a los lares de Lebeziatnikov—. ¿Por qué habré sido tan judío? Ni siquiera se trataba de una cuestión de interés. Pensaba mantenerlas en la estrechez para que me consideraran como su providencia, y ahora..., ¡bah! Si durante ese tiempo les hubiera facilitado mil quinientos rublos, digamos, para que Dunia se comprara el ajuar; si les hubiera hecho algunos regalos, alhajas de escaso valor y esas insignificancias a que tan afectas son las mujeres, adquiridas en Knop o en la Tienda Inglesa..., ¡ ah!..., el asunto habría sido más fácil y... más sólido. No habrían deshecho el compromiso con tanta facilidad. Esa clase de gente se cree obligada en absoluto, en caso de ruptura, a devolver dinero y regalos; eso les habría resultado difícil y penoso. Hubiera sido para ellas una cuestión de conciencia: '¿Cómo vamos a despedir sin miramientos a un hombre que se ha mostrado tan generoso y delicado?' Ésta habría sido su reflexión. ¡Hum! He cometido una torpeza incalificable."

Rechinó de nuevo los dientes y tratose de imbécil en su fuero interno.

Embargado por estas mortificantes reflexiones, llegó a su casa doblemente irritado y colérco que cuando saliera. Los preparativos del ágape de funerales en el cuarto de Catalina Ivanovna despertaron hasta cierto punto su curiosidad. La víspera había oído hablar acerca de esa comida; hasta creía recordar que habíanle invitado, pero sus propias preocupaciones impidieron que prestara mayor atención al asunto en general.

La señora Lippewechsel, en ausencia de Catalina Ivanovna, que se encontraba entonces en el cementerio, tomó a su cargo la tarea de disponer la mesa. Por ella se enteró Pedro Petrovich de que se trataba de una comida de gran solemnidad, a la que estaban invitados casi todos los vecinos de la casa, aun algunos que no habían conocido al extinto. Andrés Semionovich Lebeziatnikov figuraba entre ellos, no obstante su reciente disputa con Catalina Ivanovna, y él mismo, Pedro Petrovich, no sólo era uno de los invitados, sino que se esperaba que honrase la mesa con su presencia, puesto que era la persona de más categoría y figuración entre todos los inquilinos.

Amelia Ivanovna Lippewechsel había sido invitada con suma cordialidad y cortesía por la viuda, echando en olvido los desagradables incidentes anteriores, y eso explicaba que desempeñara las funciones de dueña de casa, lo que le causaba evidente placer; para la circunstancia habíase ataviado con un vestido de seda lleno de adornos y sobrecargado de encajes, que lucía con infinita vanidad y orgullo.

Todos estos hechos y los informes obtenidos

inspiraron cierto proyecto a Pedro Petrovich, que volvió caviloso a su habitación, o, mejor dicho, a la de Andrés Semionovich Lebeziatnikov. Acababa de saber que entre los invitados se contaba Raskolnikov.

Por una u otra razón, Andrés Semionovich se quedó esa mañana en su cuarto. Pedro Petrovich tenía con él extrañas relaciones, por otra parte bastante naturales: despreciábale y le odiaba más allá de toda medida, casi desde el mismo día en que fue a vivir con él, pero al mismo tiempo parecía temerle un poco. Al llegar a San Petersburgo le solicitó alojamiento, no sólo por espíritu de sórdida economía, aunque éste fuera en verdad el principal motivo, sino asimismo por otra razón. Mientras estuvo en provincia había oído hablar de Andrés Semionovich, su antiguo pupilo, como de un joven progresista de los más avanzados, que desempeñaba un papel importante en ciertos círculos de características un tanto raras y casi legendarias, lo cual no dejó de impresionarlo. Esas esferas poderosas que estaban al tanto de todo, que despreciaban al mundo y sus prejuicios, que no tenían reparos en llegar a la acción cuando lo creían necesario, inspiraban desde tiempo atrás singular temor a Pedro Petrovich. La distancia no le había permitido formarse una idea exacta o siquiera aproximada de las cosas. Oía decir, como todos, que existían en San Petersburgo organizaciones de progresistas, de nihilistas, *desfacedores de entuertos*; pero, como infinidad de personas, exageraba la significación de estas palabras, deformándolas hasta lo absurdo. Lo que más le amedrentaba desde hacía algunos años eran las denuncias públicas; ése era el fundamento principal de sus constantes inquietudes, que fueron creciendo, en especial cuando formó el proyecto de trasladar sus actividades a San Petersburgo. En este sentido se sentía *atemorizado*. Algunos años atrás, en los comienzos de su carrera, en provincias, se le presentaron dos casos en que personajes influyentes quedaron malparados por denuncias de esa naturaleza: puso todas sus energías y su empeño en la defensa de los mismos, y de este modo logró que le dispensaran su protección. Uno de los asuntos terminó en forma bastante escandalosa para el interesado, y el otro provocó comentarios poco favorables, pero al final se logró echar tierra sobre ellos.

He aquí la razón por la cual Pedro Petrovich, desde su arribo a San Petersburgo, trató de congraciarse con las "jóvenes generaciones", para lo que contaba con los buenos oficios de Andrés Semionovich. En su visita a Raskolnikov puso de manifiesto que recordaba, mal o bien, las frases que oyera con respecto al nuevo orden social.

No es menester decir que desde el primer momento consideró a Andrés Semionovich como un hombre sin mayores relieves y hasta ingenuo y simple, pero esta circunstancia no le hizo variar de opinión y no contribuyó a devolverle la calma.

Todos esos informes, ideas y sistemas a que se refería su ex pupilo no le interesaban, y hasta iban contra sus inclinaciones personales. Lo que deseaba saber sin dilación era el cómo y el porqué de tales y tales hechos, si esas *gentes* constituían o no una fuerza, y si tenía algo que temer de ellas. Por ejemplo, ¿lo desenmascararían si se dedicaba a cierta empresa? ¿Y cuáles eran los puntos sobre los que podrían basar sus denuncias? ¿No debería fingir ante esos individuos y tratar de engañarlos si eran decididamente fuertes? ¿No podría utilizarlos para progresar en su carrera? En resumen, planteábase centenares de preguntas por el estilo.

Andrés Semionovich era un hombrecillo delgaducho y escrofuloso, empleado en alguna parte como funcionario, muy rubio, con unas patillas de las que se enorgullecía. Casi de continuo estaba enfermo de los ojos. De temperamento más bien tímido, mostraba en su conversación gran presunción y un ardor que llegaba a veces a la violencia, lo que contrastaba en forma cómica con su aparente abulia.

Amelia Lippewechsel lo consideraba uno de los mejores inquilinos porque no bebía y pagaba con puntualidad su alquiler.

Fuera de estos méritos, Andrés Semionovich era en realidad bastante mediocre. Habíase afiliado al partido progresista de "las jóvenes generaciones", dejándose llevar por un impulso irreflexivo. Era uno de los innumerables incautos, uno de los tantos fracasados que jamás dejan de plegarse a los movimientos en boga, que envilecen y caricaturizan todo cuanto tocan, aun cuando les guíe un convencimiento sincero.

Por mucha que fuera su placidez en la vida diaria, Lebeziatnikov comenzaba también a no poder sufrir a su compañero de habitación y ex tutor, Pedro Petrovich. La antipatía recíproca iba, pues, en aumento de una y otra parte. A pesar de su simpleza, el joven diose pronto cuenta de los propósitos de Pedro Petrovich y del desprecio que sentía por su persona. Trató de exponerle el sistema de Fourier y las teorías de Darwin, pero Lujin, en los últimos tiempos sobre todo, le escuchaba con aire por demás sarcástico y hasta llegó a proferir frases hirientes. Comenzaba a comprender que Lebeziatnikov era un necio engreído y un charlatán desprovisto de relaciones importantes aun en las esferas que frecuentaba. Además, sus conocimientos eran una simple repetición de lo que oyera decir a otros y no debía ser muy avezado en la cuestión *propaganda*, ya que vacilaba y se contradecía a menudo, lo que no invitaba a dar crédito a su capacidad de reformador social.

Es preciso hacer notar de paso que Pedro Petrovich aceptó complacido en los primeros días los extraños cumplimientos que le dirigía Andrés Semionovich, o, por lo menos, guardábase de protestar al respecto, observando silencioso cuando por ejemplo su huésped le atribuía la iniciativa de participar en el establecimiento futuro y próximo de una nueva *comuna* en algún sitio de la calle de los Burgueses, o de no incomodarse con Dunia si desde el primer mes de su matrimonio le venía en gana darse a un amante, o de no hacer bautizar a los hijos que pudiera tener...

Pedro Petrovich no formulaba objeción alguna a estas cualidades que le eran otorgadas con tanta liberalidad, permitiendo que el otro se hiciera lenguas de él, a tal punto le eran agradables los elogios, fuesen los que fuesen.

Aquella mañana había negociado algunos títulos y, sentándose frente a la mesa, comenzó a recontar los billetes y los valores obtenidos a cambio de los mismos.

Andrés Semionovich, que casi nunca tenía dinero, paseábase por la habitación aparentando mirar con indiferencia los fajos de billetes.

Pedro Petrovich abrigaba el convencimiento de que aquel desdén era ficticio, y su regocijo era grande al poder molestar a su ex pupilo, recordándole con esa exhibición de fortuna su insignificancia y la diferencia que había entre uno y otro.

Andrés Semionovich, por su parte, adivinaba con íntima amargura ese propósito y, para alejar de su mente las penosas consideraciones provocadas por la actitud de Lujin, inició una disertación acerca de su tema favorito: el establecimiento de una nueva *comuna*, de un género particular.

Pedro Petrovich prestábale poca atención y sólo de tanto en tanto formulaba alguna observación burlona, descortés y descomedida, sin abandonar su agradable tarea.

Como buen "humanitario", Andrés Semionovich atribuía aquel malhumor a la impresión que le causara la ruptura con Dunia, y ardía en deseos de abordar lo antes posible ese tema, con la intención de formular algunas opiniones progresistas y al propio tiempo de propaganda que sirvieran para consolar a su respetable amigo y "sin duda alguna" serle útiles para su desarrollo ulterior.

—¿Qué es esa comida de duelo que están preparando en lo de... esa viuda? —preguntó de súbito Pedro Petrovich, interrumpiendo a su amigo en el punto culminante de su perorata.

—¡Cómo! ¿No lo sabe? Ayer le hablé de eso y le expuse mis ideas acerca de todas esas ceremonias... También le invitaron a usted, según oí decir. Creo que usted mismo habló con ella ayer...

—Jamás hubiera creído que, reducida a tal miseria, esa estúpida gastara en una comida todo el dinero que recibió de ese otro imbécil... Raskolnikov. Me extrañó mucho, hace un rato, ver esos preparativos: hay hasta vinos... Han invitado a muchas personas..., el diablo sabe por qué... —continuó Pedro Petrovich, que parecía haber iniciado aquella conversación con alguna finalidad determinada.

Después de permanecer algunos segundos en silencio, preguntó:

—¿Dice usted que me han invitado? ¿Cuándo? No recuerdo... De cualquier manera, no pienso asistir. ¿Qué tengo que hacer allí? Sólo dije a esa mujer, de pasada, que como viuda indigente de un funcionario podía aspirar a una indemnización inmediata, equivalente a un año de sueldo. ¿Será por eso que me invitó? ¡Je, je!

—Yo tampoco iré —dijo Lebeziatnikov.

—¡Sólo faltaría eso! Después de haberla golpeado, se comprende que tenga escrúpulos en asistir a esa comida. ¡Je, je, je!

—¿A quién he golpeado? ¿De qué está hablando? —pronunció Lebeziatnikov turbado y rojo como un tomate.

—A Catalina Ivanovna..., hace cosa de un mes. ¡Vamos! Ayer me enteré. ¡Vaya con sus convicciones! ¡Qué forma de resolver la cuestión feminista! ¡Je, je, je!

Más calmado después de este exabrupto, Pedro Petrovich volvió a sus cálculos y cuentas.

—¡Eso es una calumnia infame y vil! —replicó furioso Lebeziatnikov, que perdía los estribos cuando le recordaban aquella historia—. Las cosas no ocurrieron de esa manera..., de ningún modo... Ha comprendido mal. ¡Ésos son puros chismes! No hice más que defenderme. Ella fue la que se arrojó sobre mí, dispuesta a arañarme, y me arrancó un mechón de las patillas. Creo que un hombre tiene derecho a defenderse...; además, por principio, no permito jamás que usen la violencia contra mí, porque ella emana del despotismo. ¿Debía permitir que se desahogara en detrimento de mi persona, sin levantar un dedo? Me limité a rechazarla...

—¡Ta, ta, ta! —exclamó Lujin en tono zumbón.

—Ya veo que trata de aliviar su malhumor a mis expensas... Insisto, sin embargo, en que ésas son estupideces que nada tienen que ver con la cuestión del feminismo. Ha comprendido mal. Yo me hago este razonamiento: si se admite que la mujer es igual en todo al hombre, aun en el capítulo de la fuerza física como ya se afirma, debe mantenerse la teoría de la igualdad también en este punto. Como es natural, he reflexionado enseguida que, en el fondo, esta cuestión no puede plantearse, dado que las querellas no deben existir, y en la sociedad futura serán inconcebibles..., y, por lo tanto, no puede buscarse la igualdad en las peleas. No soy tan torpe que no reconozca..., aunque las peleas existan ahora, quiero decir que en el futuro no las habrá..., pero que existen hoy en día... ¡Demonios! ¡Siempre que hablo con usted me hago un lío formidable! Tiene la facultad de sacarme de mis casillas. No es por ese incidente que me abstendré de participar en la comida. Es por principio, para no verme mezclado en esos innobles prejuicios..., en la estúpida costumbre de las colaciones fúnebres. ¡Ahí tiene por qué! Podría hacerlo, aunque sólo fuera para burlarme. Si hubiera sacerdotes, no dejaría de asistir.

—¿Quiere decir que se sentaría a la mesa

para mofarse de los presentes y de los que lo invitaron?

—No se trata de mofarse, sino de protestar. Lo haría con una finalidad útil, aprovechando la ocasión para servir indirectamente a la propaganda civilizadora, cuanto más cruda y realista, mejor. Puedo sembrar la idea, arrojar la simiente...; el grano hará germinar un hecho. Al principio se sentirán ofendidos, luego comprobarán que les he prestado un servicio inapreciable. Voy a citar un hecho concreto, el de la Terebiev, esa mujer que hace poco se ha adherido a la "comuna": abandonó la casa de sus padres dejándoles una carta en la que les manifestaba que no quería seguir viviendo en una atmósfera cargada de prejuicios, y se entregó a quien le vino en gana. Criticaron acerbamente su proceder, diciendo que era de una desvergüenza y una grosería incalificables, que hubiera podido emplear términos menos crudos y que los autores de sus días merecían otra consideración. Por mi parte, creo que procedió bien; toda esa mojigatería está fuera de lugar, desde el momento que lo que se persigue es dejar sentada una protesta enérgica contra las ridiculeces actuales. Otra mujer, la señora Verentz, abandonó a su esposo después de ocho años de matrimonio, dejándole dos hijos de corta edad y una carta en la que decía, poco más o menos: "He comprendido que jamás podré ser feliz a tu lado. No te perdonaré nunca haberme ocultado que existe otra organización de la sociedad basada en la comuna. Acabo de saberlo por intermedio de un hombre magnánimo, al que me he entregado en cuerpo y alma y con el cual fundaré una institución comunista. Te lo digo con franqueza, pues no sería honesto engañarte. Arréglate como puedas, pero no cuentes con que regrese a tu lado; eres demasiado atrasado. Anhelo ser feliz". Así es como hay que escribir este género de cartas. Lo demás son zarandajas.

—¿Esa Terebiev no es la que, según usted me dijo, está ya en su tercera unión libre?

—En la segunda, si se consideran las cosas en su verdadero aspecto. Y aun cuando fuera la cuarta, la quinta, no importa; eso no tiene interés alguno. ¡Si supiera cómo lamento que mis padres hayan fallecido! Más de una vez he pensado que si vivieran todavía, les endilgaría una protesta que daría que hablar. Sí, haríalo con pleno conocimiento de causa..., para demostrarles quién era yo... ¡Iban a quedar con la boca abierta! Créame que lamento no tener a nadie...

—¿Para dejarle con la boca abierta? ¡Bah! Haga lo que se le ocurra —interrumpió Pedro Petrovich—. ¿Conoce a la hija del finado Marmeladov, a esa muchacha flacucha? —preguntó cambiando de tema—. ¿Es cierto lo que se dice de ella?

—Sí..., ¿qué tiene de particular? De acuerdo con mi opinión, es decir, con mi... convicción personal, la situación de esa joven es la normal de la mujer. ¿Por qué no? Es decir, *distingons*.

En la sociedad actual, ese estado es a todas luces anormal, puesto que se debe a una obligación impuesta por la necesidad; en la sociedad futura será normal, dado que será libre. Aun ahora mismo le asiste el derecho de dedicarse a esa actividad: estaba en una situación desesperada, y ése era su fondo de reserva, su capital, del que tenía derecho a disponer como se le antojara. Debo hacer notar que en la sociedad futura los capitales no tendrán razón alguna para subsistir, pero el papel de la mujer pública será distinto y establecido de manera racional. En lo que concierne a Sonia Semionovna en persona, considero sus actos como una protesta enérgica y personificada contra la organización de la sociedad, y la aprecio y estimo por eso; ¡más todavía: me congratulo de verla así!

—No obstante, me contaron que la hizo poner en la calle...

Lebeziatnikov se enfureció al oír estas palabras.

—¡Otra calumnia! —rugió—. ¡La cosa no sucedió así, de ningún modo! ¡Catalina Ivanovna hizo correr ese falso rumor porque no entendió nada! Jamás pretendí obtener los favores de Sonia Semionovna. Me limitaba pura y simplemente a cultivarla de una manera en absoluto desinteresada, esforzándome en despertar en ella el espíritu de rebelión... Sólo me proponía lograr que también ella protestara, y Sonia Semionovna comprendió por sí sola que no podía continuar viviendo en esta casa.

—¿La invitó a formar parte de la comuna?

—Observo que pretende burlarse, pero le prevengo que su sarcasmo no me afecta. Usted no entiende estas cosas. En la comuna no existen esos papeles; la comuna está hecha precisamente para hacerlos desaparecer. Ese papel cambiará por completo con el advenimiento del comunismo: lo que ahora es estúpido, será inteligente entonces; lo que en las circunstancias actuales parece antinatural, será natural entonces. Todo depende del ambiente y del medio en que el hombre está situado. Estoy en los mejores términos con Sonia Semionovna, lo que le demuestra que nunca me ha considerado como enemigo o detractor. ¡Sí! Trato de atraerla hacia la comuna, pero lo hago impulsado por mis principios, y no por razones bastardas. ¿De qué se ríe? Queremos instituir una comuna establecida sobre bases más amplias que las precedentes. Llevamos nuestras convicciones mucho más lejos, negamos más, mucho más que nuestros predecesores. ¡Si Dobroliubov saliera de su tumba, encontraría con quién hablar! En cuanto a Bielinski, hasta yo me siento capaz de superarlo. Mientras tanto, continúo desarrollando a Sonia Semionovna. Es una naturaleza muy bella.

—Y usted aprovecha de esa bella naturaleza, ¿no es verdad? ¡Je, je, je!

—¡No, no! ¡Oh, no! ¡Todo lo contrario!

—Todo lo contrario... ¡Je, je, je! Si usted lo dice...

—¡Puede creerme! ¿Por qué razones iba a disimular en presencia de usted? ¿Le parece razonable eso? Por lo demás, he podido observar un fenómeno extraño: cuando se halla conmigo parece cohibida, como si experimentara una especie de tímido pudor, y...

—Y, como es lógico, usted disipa sus temores, la convence... ¡Je, je, je! Le demuestra que ese pudor es una tontería...

—¡De ninguna manera! ¡De ninguna manera! ¡Oh, qué grosera, qué estúpida forma de interpretar lo que yo llamo "desarrollo"! ¡Usted no entiende nada de nada! ¡Qué poco preparado está todavía! Buscamos la libertad de la mujer, y se imagina que... Dejando aparte la cuestión de la castidad, cosa en sí misma inútil y hasta absurda, admito perfectamente su reserva a mi respecto, puesto que ésa es su voluntad y tiene pleno derecho a obrar como lo crea conveniente. No negaré que si me dijera: "Quiero que seas mío", lo consideraría una suerte muy grande, porque esa joven me agrada mucho; pero, por el momento, es indudable que nadie se ha dirigido a ella con más cortesía y respeto que yo; nadie la ha tratado con mayores miramientos... Me limito a esperar, eso es todo.

—Hágale algún regalito. Apuesto a que no se le ocurrió tal cosa.

—¡Usted no entiende nada, ya se lo dije! Sin lugar a dudas, esa joven se halla colocada en una situación especial; pero hay otra cuestión, una cuestión distinta en absoluto. Usted la desprecia lisa y llanamente por un hecho que conceptúa deshonroso, y se niega a considerar con humanidad a un ser humano. No comprende cuál es su carácter y la naturaleza de sus sentimientos. Lo único que lamento es que desde hace algún tiempo ha dejado de leer, y ya no me pide que le preste libros como antes. Es una lástima que, con toda su energía y decidida como está a protestar —ya lo demostró una vez—, sea tan poco independiente y afecte una actitud tan poco negativa para desembarazarse de una buena vez de todos esos prejuicios... y tonterías. A pesar de esto comprende muy bien ciertas cuestiones, por ejemplo la del besamanos, o sea que el hombre hiere moralmente a la mujer al besarle la mano. Este asunto fue debatido por nosotros, y lo puse en su conocimiento. Escuchó con la mayor atención y se expresó con suma sensatez, igual que cuando le hablé de los sindicatos obreros en Francia. Hace poco comenté también con ella la cuestión de la entrada libre en los departamentos, tal como se plantea para la sociedad futura.

—¿De qué se trata?

—Es muy simple: ¿tiene derecho un miembro de la comuna, hombre o mujer, a penetrar en el departamento de otro miembro en cualquier momento? Deliberamos acerca de este asunto y terminamos pronunciándonos por la afirmativa.

—¿Pero si en ese momento el inquilino del departamento está ocupado en alguna necesidad impostergable?

Andrés Semionovich montó en cólera.

—¡Sólo piensa en esas cosas! ¡Para usted no hay más que esas malditas "necesidades"! —exclamó con violencia y despecho—. ¡Puah! ¡Cuánto deploro haber aludido prematuramente ante usted a esas malditas necesidades! ¡Que el diablo se lo lleve! Ésta es la piedra de toque para todos los individuos de su condición, y lo peor del caso es que la arrojan a la cara de uno antes de saber de lo que se trata. ¡Como si tuviera derecho para proceder así! Ya una vez afirmé que esta cuestión no debía ser expuesta a los novicios sino en último término, cuando están convencidos de las excelencias del sistema: sólo un hombre desarrollado en suficiente medida, y ya iniciado, está en condiciones de abordarla. Dígame: ¿qué encuentra de vergonzoso y despreciable en los pozos ciegos y las cloacas? Soy el primero en sentirme dispuesto a convertirme en el limpiador de los lugares más infectos y hediondos, y no demuestro abnegación alguna con esta actitud. Es un trabajo como otro cualquiera, y hasta mucho más sublime que la carrera de un Rafael o de un Pushkin, desde el momento que es más útil.

—¡Y más noble, más noble, a fe mía!

—¿Qué significa "noble"? No comprendo esta palabra cuando se trata de calificar una tarea humana. "Más noble, más magnánimo"... Tonterías, prejuicios pasados de moda que recuso con firmeza. Todo lo que es *útil* a la humanidad, es noble. Sólo comprendo una palabra: *útil*. ¡Búrlese cuanto se le antoje, es como le digo!

Pedro Petrovich no hacía el menor esfuerzo para contener su risa. Había terminado de recontar el dinero y lo guardó, dejando una cantidad de billetes sobre la mesa.

La cuestión de los pozos ciegos y las cloacas, no obstante su vulgaridad, había dado motivo a más de un desacuerdo entre él y su joven amigo. Andrés Semionovich se enfadaba de veras, en tanto que, para Lujin, aquello constituía un medio de desahogarse mortificando al otro. A pesar de su espíritu de "protesta" y de su "independencia", Lebeziatnikov no osaba de ordinario oponerse abiertamente a Pedro Petrovich y continuaba observando con respecto a él la cortés deferencia a que se habituara en sus días juveniles.

—Desearía que me dijera —dijo Lujin al cabo de unos instantes, con aire de desdeñosa superioridad— si le es posible o, mejor dicho, si sus relaciones con la joven a que nos referíamos le permiten solicitarle que venga aquí ahora mismo, a esta habitación. Ya deben haber regresado del cementerio... Me parece oír rumor de pasos. Quisiera conversar con ella un momento.

—¿Qué se propone? —inquirió Lebeziatnikov asombrado.

—Lo que le he dicho: hablar con ella. Partiré hoy o mañana, y antes quiero comunicarle... Puede estar presente en la entrevista, si lo desea, y hasta sería mejor que lo hiciera. De otro modo, sabe Dios lo que se podría imaginar.

—No imaginaría nada. Le hice esa pregunta sin concederle mayor importancia; si quiere hablar con ella, nada más fácil. Voy a buscarla. En cuanto a mí, esté seguro de que no lo incomodaré...

Cinco minutos después Lebeziatnikov volvía con Sonia. La joven daba muestras de hallarse sorprendida y turbada. En tales circunstancias aumentaban su timidez y su confusión; sentía temor por los rostros y los nuevos encuentros: esa característica, puesta de manifiesto en su infancia, habíase acrecentado con el correr de los años. Pedro Petrovich le dispensó una acogida amable y cortés, con un matiz de jovial familiaridad que en su opinión convenía a un hombre tan serio y respetable como él, al dirigirse a una criatura tan joven y en cierto sentido tan *interesante*. Se apresuró a *tranquilizarla*, y la hizo sentar cerca de la mesa, frente a él. Sonia paseó una mirada a su alrededor, deteniéndose escasos segundos en Lebeziatnikov y en el dinero colocado sobre la mesa, y por último miró a Pedro Petrovich. A partir de ese instante su mirada no se apartó del rostro de éste, como si algo inexplicable le impidiera desviarla.

Lebeziatnikov se dirigió hacia la puerta. Pedro Petrovich se levantó, invitó con un ademán a Sonia a que se quedara sentada y detuvo a su amigo en el umbral.

—¿Está Raskolnikov ahí? ¿Ha llegado ya? —le preguntó en voz baja.

—¿Raskolnikov? Sí, está...; recién llegó.

—En ese caso, le ruego que permanezca aquí y no me deje solo con esta joven. Se trata de un asunto desprovisto de importancia, pero Dios sabe a qué conjeturas podría dar lugar. No quiero que Raskolnikov piense que... Podría comentar esto con su familia... ¿Comprende lo que quiero decir?

—Comprendo, comprendo —asintió Lebeziatnikov—. Según mis convicciones personales, exagera usted el peligro, pero no importa. Me quedaré cerca de la ventana para no molestarlos. Está usted en su derecho...

Pedro Petrovich volvió a sentarse frente a Sonia. Contemplola con atención, y de pronto su rostro adoptó una expresión grave, casi severa, como para indicarle que no debía interpretar torcidamente su actitud al llamarla. Sonia perdió la poca serenidad que le restaba.

—Ante todo, le ruego quiera presentar mis excusas a su muy honorable mamá... No me equivoco al suponer que Catalina Ivanovna hace las veces de madre para usted, ¿no es así? —comenzó Lujin con entonación solemne pero bastante amable, que parecía indicar que sus intenciones eran por entero amistosas.

—Sí, en efecto, hace las veces de madre para mí —respondió Sonia con apresuramiento. Su voz era apenas un murmullo.

ANAHEIM PUBLIC LIBRARY

MATERIALS DONATION RECEIPT

Date: 7/5/11

Staff: VP

DONATION: Please indicate quantity

Hardcovers ______________ Paperbacks ______________ Magazines ______________

Other ____

DONOR'S NAME ____

ADDRESS ____

CITY ______________________________ ZIP CODE ______________

is form is both a thank you and a receipt for tax purposes. Library staff members are unable to assess value of donated materials. All donated materials become property of the Library.

Anaheim City Tax ID# 95-6000-666

CIRC0411.2000(100)

—Bien; entonces, preséntele mis disculpas, dado que por ciertas circunstancias ajenas a mi voluntad me veo impedido de aceptar la amable invitación que me formuló, y no puedo asistir a la comida..., quiero decir, a la comida de duelo.

—Sí, voy a decírselo —dijo Sonia levantándose como si creyera terminada la conversación.

—Esto no es todo —agregó Pedro Petrovich, sonriendo ante la candidez de la joven y su ignorancia de las reglas sociales—; demuestra usted conocerme poco, mi estimada Sonia Semionovna, si cree que por un motivo tan fútil, y que sólo a mí concierne, me habría permitido molestar a una persona como usted. Me guía otro objeto.

Sonia se apresuró a sentarse. Los billetes de banco multicolores que estaban sobre la mesa se ofrecieron de nuevo a su vista, pero levantó los ojos, fijándolos en Pedro Petrovich: le parecía una terrible incorrección mirar el dinero de otro, sobre todo tratándose de una persona *como ella*.

Contempló los lentes de armazón de oro que Lujin tenía en la mano izquierda y el anillo de oro macizo con una piedra amarilla que brillaba en el dedo mayor de la misma mano, pero de pronto desvió su mirada y, no sabiendo dónde posarla, la clavó en el rostro de su interlocutor.

Tras una breve pausa, este último prosiguió con tono aún más solemne que la primera vez:

—Ayer, de pasada, tuve oportunidad de conversar unas palabras con Catalina Ivanovna. Las breves frases que cambié con ella me bastaron para advertir que se halla en un estado... anormal, por decirlo así.

—Sí, anormal —aprobó Sonia con timidez.

—O, para hablar más simple e inteligiblemente, en un estado enfermizo.

—Sí, más simple e intel...; sí, está enferma.

—Eso es. Impulsado por un sentimiento de humanidad, y..., y..., digamos de compasión, desearía serle útil, previendo la triste suerte que el destino le depara. Al parecer, toda esa pobre familia dependerá ahora nada más que de usted.

—Permítame que le pregunte —dijo de súbito Sonia poniéndose de pie—: ¿usted le habló ayer de la posibilidad de obtener una pensión? Me dijo que usted se ocuparía para que se la concedieran. ¿Es cierto eso?

—De ningún modo; en cierto sentido, es un absurdo. Hice alusión a la ayuda que se otorga en ocasiones a las viudas de los funcionarios muertos mientras se hallan en servicio, y eso por medio de recomendaciones. Pero, según tengo entendido, su señor padre no trabajó el tiempo necesario para aspirar a ese beneficio, y ni siquiera estaba en funciones cuando falleció. En una palabra, podría haber una lejana y precaria esperanza, mas en realidad no existe derecho alguno para pretender la ayuda oficial; al contrario... Catalina Ivanovna soñaba ya con una pensión... ¡Je, je! ¡Qué ligero va en asuntos de intereses esa buena señora!

—Sí, creía eso..., es crédula y buena; su misma bondad hace que esté siempre dispuesta a creer..., y su espíritu es así... Sí..., discúlpeme —dijo Sonia, disponiéndose a retirarse.

—Permítame, todavía no he concluido.

—No ha concluido... —balbuceó Sonia.

—Tenga la bondad de sentarse.

Presa de enorme confusión, la joven volvió a sentarse.

—Al verla en esa situación tan lastimosa, con tres niños pequeños, desearía, como ya le dije, serle útil dentro de lo que mis medios me permiten, nada más. Se podría, por ejemplo, organizar una suscripción en su beneficio, una rifa o algo por el estilo, como se hace en estos casos entre los allegados, y hasta entre los extraños que desean ayudar a alguno. De esto quería hablarle. Es una cosa factible.

—Sí, estaría bien... Dios misericordioso se lo... —balbuceó la joven mirando con fijeza a Pedro Petrovich.

—Sí, se podría hacer. Ya hablaremos luego de esto... Hoy mismo podríamos comenzar. Nos veremos esta noche, nos pondremos de acuerdo y echaremos las bases. Venga aquí a las siete; Andrés Semionovich asistirá a nuestra entrevista, según espero... Mas hay una circunstancia que conviene puntualizar previamente: por ese motivo me permití molestarla, Sonia Semionovna. En mi opinión, no es conveniente entregar el dinero en propias manos a Catalina Ivanovna; más aún, sería peligroso hacerlo: la comida de hoy constituye una prueba de lo fundado de mi aserto. Carece de un mendrugo para mañana, no tiene zapatos que ponerse, y compra ron de Jamaica, y hasta creo que vino de Madera y café. Lo vi de pasada. Mañana recaerá todo sobre usted, hasta la preocupación de proporcionarles el pan cotidiano: ¡vamos, es absurdo! Por lo tanto, estimo que la suscripción debe ser organizada de manera que esa desdichada viuda no vea el color del dinero, y que usted sola sea la depositaria. ¿Estamos de acuerdo?

—No sé...; sólo hoy Catalina Ivanovna ha... Esto ocurre únicamente una vez en la vida... Deseaba tanto honrar la memoria del difunto...; es muy inteligente. Por lo demás, haga usted como le plazca, le quedaré muy..., muy..., todos le estarán... Y Dios le... y los huerfanitos...

Sin poder terminar sus frases incoherentes, Sonia rompió a llorar.

—Piense bien en lo que le he dicho; ahora, dígnese aceptar, mientras tanto, para su madre, esta suma, que representa mi contribución personal a esta suscripción. Deseo encarecidamente que no se mencione mi nombre en esta ocasión. Aquí tiene...; lamento que ciertas dificultades de orden financiero no me permitan hacer más.

Con estas palabras tendió a Sonia un billete de diez rublos bien desplegado. La joven lo tomó ruborizándose hasta la raíz de los cabellos, se levantó presa de enorme confusión y, después de murmurar algunas palabras ininteligibles, se apresuró a despedirse. Salió de la habitación emocionadísima y temblorosa, penetrando en el cuarto de Catalina Ivanovna sin poder contener el llanto...

Durante toda esta escena Andrés Semionovich, deseoso de no interrumpir la conversación, había permanecido cerca de la ventana, dando de cuando en cuando breves paseos. Al retirarse Sonia, aproximose a Pedro Petrovich y le tendió la diestra con ademán solemne:

—He visto y oído todo —dijo pronunciando con énfasis la última palabra—. ¡Es muy noble, quiero decir, es humano! Ha querido evitar el reconocimiento, he podido observarlo; y aunque confieso que por principio soy opuesto a la beneficencia privada, que lejos de extirpar el mal no hace más que conservarlo, no puedo dejar de reconocer que he visto complacido su gesto. Sí, complacido.

—¡Bah! ¡Es poca cosa! —murmuró Pedro Petrovich un tanto conmovido, mirando con cierta desconfianza a Lebeziatnikov.

—¡No, no es poca cosa! Un hombre herido en lo más vivo como usted lo ha sido por la afrenta de ayer, y que es capaz al mismo tiempo de condolerse de la desgracia de su prójimo..., aunque cometa un error social al obrar de esa manera, no es por ello menos digno de estima. No esperaba esto de usted, Pedro Petrovich, máxime conociendo su forma particular de apreciar las cosas. ¡Oh, cómo lo traban aún esos puntos de vista ridículos! El asunto de ayer lo ha afectado sobremanera —exclamó el buen Andrés Semionovich, sintiendo que aumentaba su simpatía por su ex tutor—. ¿Por qué se empeña tanto en contraer ese enlace, esa unión legítima, mi digno y estimado Pedro Petrovich? ¿Qué le importa esa *legalidad*? Vamos, cúbrame de injurias, pégueme si quiere, pero le aseguro que me siento feliz al pensar que ese matrimonio no se ha realizado, que es libre, que todavía no está muerto y enterrado para el género humano... Ya ve, le he dicho lo que tenía en mi corazón...

—Si soy partidario del matrimonio, es porque no quiero llevar adornos en la frente como sucede en las uniones libres, ni mantener y educar a los hijos de otros —respondió Lujin por decir algo. Parecía preocupado y pensativo.

—¿Los hijos? ¿Ha hecho alusión a los hijos? —piafó Andrés Semionovich como un caballo de guerra cuando oye el sonido del clarín—. Convengo en que los niños constituyen una cuestión social de primordial importancia, pero será resuelta de distinta manera. Algunos llegan hasta a negarlos, al igual que todo cuanto concierne a la familia. Más tarde hablaremos de los hijos; por ahora ocupémonos de esos "adornos en la frente". Le confieso que ése es mi punto débil. Esa expresión grosera, digna de un húsar, tan estimada por Pushkin, que el diccionario del porvenir rechazará... ¿Qué son los cuernos? ¡Qué grosero extravío! ¿De qué cuernos se trata? ¿Por qué cuernos? ¡Qué insignificante es todo esto! En la unión libre no existirán, porque en realidad constituyen la consecuencia natural del matrimonio; son, por decirlo así, el correctivo, la protesta, de suerte que este punto de vista nada tiene de humillante. Y si alguna vez (absurda suposición) contrajera enlace legal, me sentiría encantado de llevar esos endemoniados "adornos" a que usted alude. Diría a mi esposa: "Querida mía, hasta ahora no hacía más que amarte; desde este momento te estimo, puesto que has sabido formular una protesta". ¿Se ríe? ¡Es porque no tiene el valor necesario para romper con los prejuicios! ¡Que el diablo me lleve! Comprendo la desagradable impresión que debe causar el sentirse engañado en la unión legítima; pero eso es la miserable consecuencia de un hecho igualmente envilecedor para ambas partes. Cuando los cuernos se llevan abiertamente, como ocurre en la unión libre, cesan de existir, no pueden ser concebidos y pierden esa denominación. Al contrario, la mujer demuestra a su compañero cuánto lo aprecia, al creerlo incapaz de constituirse en un obstáculo para su felicidad, y lo bastante avanzado para no vengarse de su unión con el nuevo esposo. ¡Que el diablo cargue conmigo! A veces pienso que si me casara, libre o legalmente, poco importa, presentaría yo mismo un amante a mi esposa si tardaba demasiado en procurarse uno por su propia cuenta. "Querida mía —le diría—, te amo, y además, deseo que me estimes, lo exijo." ¿No tengo razón?

Pedro Petrovich hizo un gesto de burla, pero parecía distraído. Apenas había prestado atención al vehemente discurso de su joven compañero. Daba muestras evidentes de hallarse preocupado por otros pensamientos, y hasta el mismo Lebeziatnikov terminó por advertirlo. Se restregaba las manos en forma maquinal, y sus ojos inmóviles parecían no ver lo que le rodeaba.

Andrés Semionovich tuvo oportunidad más tarde de recordar esa preocupación y ese aspecto abstraído de Lujin...

2

Hubiera sido difícil decir con exactitud a consecuencia de qué motivos germinó en el cerebro trastornado de Catalina Ivanovna la idea insensata de aquella comida. Había gastado para la misma más de diez rublos de los veinte que recibiera de Raskolnikov para las exequias de su esposo. Tal vez Catalina Ivanovna se consideraba obligada a honrar "convenientemente" la memoria del difunto, con el fin de que todos los inquilinos, y Amelia Ivanovna en especial, supiesen que el extinto no valía menos que ellos, sino mucho más, y para que nadie se creyera con derecho a fruncir el ceño o a mostrar desprecio cuando se hablara de él. Acaso cedía a la influencia de ese *orgullo de los pobres*, que en ciertas circunstancias de la vida, a las que resulta muy difícil sustraerse, impulsa a tantos desdichados a realizar los mayores esfuerzos y a gastar sus últimas monedas con el único fin de "no ser menos que los otros". Es muy probable que en aquella circunstancia, en el momento en que parecía abandonada por todos, hubiera querido demostrar a "toda aquella ralea" que no sólo "sabía vivir y hacer como las personas", sino que había sido educada para un género de vida muy distinto, en "una casa noble, aristocrática casi, en la de un coronel", y que no estaba hecha para fregar el piso y lavar por la noche las ropas de sus hijos. Ocurre a veces que estas ráfagas de orgullo y vanidad pasan por la mente de las personas más pobres y desvalidas, y no es raro que estos excesos se transformen en verdaderas necesidades, tan susceptibles como irrefrenables. Por otra parte, Catalina Ivanovna no era de las que se dejan abatir por el infortunio; podía sentirse profundamente afectada en determinados momentos, pero su entereza moral no se quebrantaba jamás. El juicio de Sonia era acertado al decir que el cerebro de su madrastra estaba trastornado. A decir verdad, no era un hecho definitivo, pero desde tiempo atrás, un año más o menos, aquella pobre cabeza se había visto sometida a pruebas demasiado rudas para no resentirse. El estado avanzado de tuberculosis, según declaran los médicos, predispone a la perturbación de las facultades mentales.

Los vinos no eran muy numerosos ni de marcas muy variadas; no había Madera, como asegurara Pedro Petrovich. No obstante, había vino, aguardiente, ron y algunas botellas de Oporto, de calidad inferior, pero en cantidad suficiente. El menú comprendía, además del tradicional pastel de arroz, dos o tres platos, en especial pasteles de hojaldre, preparado todo en la cocina de Amelia Ivanovna; además estaban a punto dos samovares para los que quisieran tomar té o ponche después de la comida.

Catalina Ivanovna se ocupó en persona de las compras, ayudada por un pobre diablo, un infeliz polaco que Dios sabe por qué circunstancias vivía en la casa de la señora Lippewechsel. Desde el primer momento se puso a disposición de la viuda, y durante toda la jornada de la víspera y toda esa mañana no hizo más que correr de un lado a otro, desempeñando toda clase de comisiones con un celo extraordinario, que se esforzaba en poner en evidencia. A cada instante, por la menor cosa, corría a pedir instrucciones a Catalina Ivanovna, a la que prodigaba los títulos más honoríficos. Aunque al principio la viuda declaró que sin la ayuda de "aquel hombre servicial y magnánimo" se hubiera encontrado perdida, terminó por fastidiarla con su excesiva obsequiosidad. Tal era su carácter: atribuía toda clase de cualidades a la primera persona que encontraba, la cubría de elogios hasta punto de turbarla y confundirla, le adjudicaba méritos que no existían en realidad, pero en los que creía con ingenua y enfermiza sinceridad, y luego, en forma brusca, se desencantaba, desatándose en improperios y poniendo en la puerta al individuo que pocas horas antes había cubierto literalmente de alabanzas.

La naturaleza habíala dotado de un carácter alegre, jovial, más bien optimista, pero tantas desgracias y contrariedades hicieron que anhelara, que *exigiera* casi, que todo el mundo viviera en paz y alegría, que nadie se permitiera vivir de otro modo, tanto que la más leve disonancia, el menor contratiempo, la ponían fuera de sí, y en un momento, después de acunar las más bellas esperanzas y las ilusiones más brillantes, blasfemaba contra el destino, arrojando al suelo con violencia lo que estuviera al alcance de su mano, y golpeábase la cabeza contra la pared.

Amelia Ivanovna había adquirido de pronto extraordinaria importancia a los ojos de Catalina Ivanovna: su estima por ella creció en proporciones extraordinarias, tal vez sólo porque se celebraba esa comida y la patrona se ofreció de todo corazón para participar en los preparativos de la misma; encargose de poner la mesa, proporcionando los manteles, las servilletas y la vajilla, y de cocinar las vituallas. Al trasladarse al cementerio, la viuda le delegó todos sus poderes, dejándola hacer y deshacer a su antojo. A la hora anunciada todo estaba dispuesto de la mejor manera posible, y la mesa puesta con aceptable limpieza. La vajilla, los cubiertos, los vasos, copas y tazas eran dispares y de procedencia y formas diversas, pues había sido preciso pedirlos prestados a los diferentes vecinos.

Consciente de haber desempeñado bien su cometido, Amelia Ivanovna acogió orgullosa a los invitados a su regreso, pavoneándose con su vestido de seda y su sombrero adornado con cintas y lazos. Aquella vanidad disculpable disgustó sin razón aparente a Catalina Ivanovna: "¡Parecería que no hubiéramos podido tender la mesa sin ella!" El sombrero lleno de cintas nuevas aumentó su irritación: "¿Qué se habrá creído esta alemana idiota? ¡Ella, la patrona, se ha dignado condescender a ayudar a los pobres inquilinos! ¡Por caridad! ¡En la mansión de mi padre, coronel y casi gobernador, se servían banquetes de hasta cuarenta cubiertos, y una Amelia Ivanovna, por no decir Ludwigovna, ni siquiera habría sido admitida en la cocina!"

La viuda resolvió no manifestar entonces sus sentimientos, pero se hizo el firme propósito de colocar de nuevo en su lugar a Amelia Ivanovna aquel mismo día. "¡Si no, Dios sabe lo que puede llegar a imaginarse!" Reconfortada con este pensamiento, se limitó a exteriorizar altanera frialdad.

Otra circunstancia desagradable contribuyó en parte a acrecentar el malhumor y la mortificación de Catalina Ivanovna: de todos los inquilinos invitados a las exequias, casi ninguno acompañó los despojos mortales de Marmeladov hasta el cementerio, con excepción del polaco; por el contrario, cuando se trató de sentarse a la mesa, los más pobres e insignificantes no dejaron de hacerse presentes, algunos con ropas rotas, que clamaban agua y jabón en abundancia. Los vecinos más serios, los que podían considerarse de condición un tanto superior, parecían haberse confabulado para no asistir. Pedro Petrovich Lujin, el más destacado de la casa, brillaba por su ausencia, a pesar de que la noche anterior Catalina Ivanovna había proclamado a voz en cuello ante todo el mundo, es decir, ante Amelia Ivanovna, Polia, Sonia y el polaco, que era un hombre muy noble, de los más magnánimos, que contaba con vastas relaciones y era inmensamente rico; que había sido amigo de su primer esposo, y que en otras épocas frecuentaba la casa de su padre, para terminar afirmando que pondría en juego todos sus recursos y su influencia para lograr que le concedieran una importante pensión.

Debe hacerse notar que cuando Catalina Ivanovna se alababa de alguna cosa, se tratase de relaciones o de fortuna, lo hacía siempre sin el menor interés, sin ningún cálculo personal, sólo por un desborde de generosidad, por el único placer de alabar y de conferir de este modo mayor valor al objeto de sus entusiastas loas.

Igual que Pedro Petrovich, y acaso "para seguir su ejemplo", Lebeziatnikov, "aquel crápula sin principios", absteníase asimismo de comparecer. ¿Qué se creería? Lo habían invitado por lástima, y porque vivía con Pedro Petrovich en la misma habitación. Tampoco estaban cierta dama "de la sociedad" y su hija que, no obstante llevar sólo quince días en la casa de Amelia Ivanovna, habían formulado ya en varias oportunidades repetidas quejas de los desórdenes y los gritos en el cuarto de los Marmeladov, en especial cuando el extinto regresaba ebrio; como es natural, esas quejas habían llegado a oídos de Catalina Ivanovna cuando la patrona peleaba con ella y la amenazaba con desalojarla, rugiendo que molestaban a inquilinos de los más respetables, cuyos pies valían más que ellos.

Catalina Ivanovna decidió invitar a dicha señora y a su hija, tanto más cuanto que hasta entonces, cuando se encontraban por casualidad, daban vuelta la cabeza con aire desdeñoso. Ella les haría ver, por lo menos, "que llevaba su nobleza hasta olvidar las injurias", y que no estaba habituada a vivir en esas condiciones. Proponíase explicarles aquello en la mesa, hablándoles de su papá el gobernador, y al mismo tiempo les insinuaría de alguna manera que no era correcto volver la cabeza cuando la encontraban.

Un teniente coronel (en realidad simple capitán retirado) se excusó asimismo de asistir, pero se supo que sufría desde la víspera un ataque de gota.

En resumen, los únicos asistentes eran el polaco, un funcionario delgado como un huso y con el rostro cubierto de granos, vestido con un frac grasiento y maloliente, un viejecillo sordo y casi ciego, ex empleado de correos y al que alguien pagaba el alquiler en casa de Amelia Ivanovna desde tiempo inmemorial, un "teniente retirado", en realidad cabo o sargento, a lo sumo, que reía a carcajadas, y dos compatriotas del polaco que jamás habían vivido allí, traídos por él. Un individuo fue directamente a sentarse a la mesa, sin saludar siquiera a Catalina Ivanovna, y otro llegó en bata a falta de traje. Esa inconveniencia pasaba ya del límite, y merced a los esfuerzos de Amelia Ivanovna y el polaco, se logró bien o mal que se retirara.

Todo aquello contribuyó a exacerbar la ira de Catalina Ivanovna. "¡Para esto hicimos tantos preparativos y gastamos tanto dinero!"

Con el fin de ganar espacio se había renunciado a hacer sentar los niños a la mesa, que apenas dejaba lugar en la reducida habitación; se les improvisó una mesa sobre un baúl, en un rincón; Polia, la de más edad, estaba encargada de darles de comer y de limpiarles las narices "como a niños de buena familia".

Catalina Ivanovna se vio obligada a cumplir sus deberes de dueña de casa, pero lo hizo con tanta altanería y de una manera tan desdeñosa que logró cohibir hasta a los más impertinentes. Consideraba por una u otra razón que Amelia

Ivanovna era la responsable de la ausencia de los principales invitados, y adoptó para con ella una actitud y un tono tan hirientes que la pobre mujer se puso roja como la grana.

Por último todos los comensales tomaron asiento. Raskolnikov había llegado en el momento en que regresaban del cementerio, proporcionando gran satisfacción a Catalina Ivanovna, primero, porque era el único hombre educado de aquella reunión y, "como todos saben, ocupará dentro de dos años una cátedra de profesor en la Universidad de San Petersburgo", y luego, porque en cuanto llegó se excusó respetuosamente de no haber podido asistir a las exequias a pesar de sus deseos. Lo hizo sentar a su derecha (Amelia Ivanovna estaba a su izquierda), y no obstante sus preocupaciones incesantes de dueña de casa y la horrible tos que en los dos últimos días parecía haberse agravado, entabló con él una animada conversación, confiándole en un semimurmullo toda la amargura y la indignación que experimentaba ante el inaudito fracaso de aquel "banquete". Por otra parte, su despecho cedía el lugar a veces a súbitas e inopinadas explosiones de alegría que le resultaba imposible refrenar, a expensas de sus convidados y en especial de la misma patrona.

—Todo ha sido por culpa de esa estúpida; ya sabe a quién me refiero. Sí, por su culpa exclusiva —dijo casi en voz alta, designando con un movimiento de cabeza a Amelia Ivanovna—. Mírela un poco cómo abre los ojos; adivina que hablamos de ella, pero no alcanza a oír lo que decimos. ¡Uf! ¡Parece una lechuza! ¡Ja, ja, ja! ¡Ji, ji, ji! ¿Para qué se habrá puesto ese ridículo sombrero? ¡Ji, ji, ji! Tal vez se propone hacer creer a todos que es mi protectora y que me colma de honor asistiendo a esta comida. Le rogué que invitara en mi nombre a las personas distinguidas, y en especial a los que conocían al difunto, y vea lo que ha hecho: ¡qué colección de desarrapados y de pobretones! Observe a ese individuo; ni siquiera se ha lavado las manos... ¡Qué asco! ¿Y esos inmundos polacos? ¡Ja, ja, ja! ¡Ji, ji, ji! Nadie los ha visto jamás en esta casa, y ni siquiera sé quiénes son. ¿Por qué vinieron? ¡Mire qué serios están! ¡Eh! —gritó dirigiéndose a uno de ellos—: ¡Sírvase más pastel! No hagan cumplidos; tomen cerveza..., ¿o prefieren aguardiente? Mire —dijo bajando un poco la voz a Raskolnikov—, se levanta y saluda; ¡debían estar muertos de hambre, pobres diablos! ¡Bueno, que coman! Por lo menos no hacen escándalo..., pero no le ocultaré que temo por los cubiertos de plata de la patrona. ¡Amelia Ivanovna! —añadió en un tono más fuerte—. Le prevengo de antemano que si le roban las cucharas, no me hago responsable. ¡Ja, ja, ja!

Encantada con su salida, reanudó su charla con Raskolnikov.

—¡No ha comprendido! ¡Tampoco comprendió esta vez! ¡Se queda con la boca abierta y hace rodar los ojos como una lechuza! ¡Sí, es una lechuza con un sombrero cargado de cintajos! ¡Ja, ja, ja!

De pronto su risa convirtiose en una tos intolerable que duró cinco minutos. Su pañuelo quedó enrojecido y gruesas gotas de sudor corrieron por su frente. Respirando con agitación, murmuró casi al oído de Raskolnikov:

—Le había confiado la misión más delicada, la de invitar a esa dama y a su hija..., ya sabrá de quiénes hablo. En ese caso era necesario proceder con sumo tacto, con delicadeza y discreción; pues bien, se ha comportado en tal forma que esa extranjera idiota, esa provinciana engreída, pues al fin de cuentas es sólo la viuda de un mayor venida a esta ciudad para solicitar una pensión, que barre las antesalas con la cola de su vestido y que a pesar de sus cincuenta y cinco años se tiñe, se empolva y se pinta, no se ha dignado venir y ni siquiera me hizo llegar una palabra de disculpa, como lo exige en estos casos la más elemental cortesía. Tampoco puedo comprender por qué no ha venido Pedro Petrovich. Pero, ¿dónde está Sonia? ¿A dónde ha ido? ¡Ah, aquí está! ¿Dónde estabas, Sonia? ¡Es extraño que el día del sepelio de tu padre demuestres tan poca puntualidad! Rodion Romanovich, permítale que tome asiento a su lado. Ése es tu lugar, Sonia; sírvete tú misma. Prueba ese pescado, está muy sabroso; ahora te traerán pasteles de hojaldre. ¿Comieron ya los niños? ¿Polia, les dieron de todo? ¡Ji, ji, ji! Está bien... Muéstrate juiciosa, Lenia, y tú, Kolia, no muevas las piernas así, quédate sentadito como corresponde a un niño de buena familia. ¿Qué cuentas de bueno, Sonia?

La joven se apresuró a transmitirle las excusas de Pedro Petrovich, tratando de hablar alto para que todos los contertulios pudieran oírla, y expresándose dentro de lo que le era posible con las mismas frases rebuscadas que oyera a Lujin. Agregó que el nombrado le había rogado anunciar a su madre que acudiría tan pronto le fuera permitido, para conversar de *negocios* en forma privada y ponerse de acuerdo acerca de lo que harían más adelante.

Sonia sabía que sus palabras tranquilizarían a Catalina Ivanovna, halagando su amor propio y dejándola más que satisfecha. Se sentó junto a Raskolnikov, saludándolo con su habitual timidez y mirándolo con cierta curiosidad, pero luego pareció que esquivaba sus miradas, procurando no dirigirle la palabra. Contemplaba en cambio con fijeza a Catalina Ivanovna para tratar de adelantarse a sus deseos. Ni una ni otra vestían de luto, por carecer de ropas negras: Sonia llevaba un vestidito castaño oscuro, y Catalina Ivanovna un vestido estampado, también oscuro, el único que poseía.

Al oír las excusas transmitidas por Sonia, la pobre viuda parecía alcanzar el cielo con las manos. Cuando la joven hubo terminado, inquirió con aire solemne por la salud de Pedro Petrovich, y casi sin esperar la respuesta manifestó en voz alta a Raskolnikov que hubiera sido extraño que un hombre tan distinguido y educado como aquél consintiera en mezclarse con "aquella patulea maloliente", por aprecio que tuviese a la familia y por estrechos que fuesen los lazos de amistad que lo habían unido a su padre.

—Esto hace que le agradezca más particularmente, Rodion Romanovich, no haber desdeñado mi hospitalidad, aun en este medio; por lo demás, estoy convencida de que sólo su amistad con mi pobre difunto lo ha inducido a mantener su promesa de asistir.

Paseó una mirada altanera y desdeñosa por todos los comensales, y levantando la voz preguntó al viejo sordo que se hallaba en el otro extremo de la mesa:

—¿Quiere más asado? ¿Le sirvieron Oporto?

El viejo no respondió, por no oír lo que se le preguntaba, aunque sus vecinos, para mofarse de él, le repetían a gritos las frases de Catalina Ivanovna. Miraba a todos con la boca abierta, lo que desencadenó general hilaridad.

—¡Mire a ese alcornoque! ¿Por qué lo habrán traído?... En lo que concierne a Pedro Petrovich, siempre estuve segura de su magnanimidad —prosiguió la viuda dirigiéndose a Raskolnikov—. Claro está que en nada se parece a las presuntuosas endomingadas —añadió volviéndose hacia Amelia Ivanovna— que en casa de papá no habrían sido admitidas ni en la cocina. Mi difunto esposo les hubiera hecho un honor al recibirlas, y eso todavía a causa de su infinita bondad de alma.

—¡El pobre difunto sí que sabía beber! —exclamó el ex sargento, apurando el duodécimo vaso de aguardiente—. ¡Ah, cómo le gustaba acariciar las botellas!

—Mi finado esposo tenía esa debilidad, todo el mundo lo sabe —repuso Catalina Ivanovna—. Pero era un hombre bueno y noble que amaba y respetaba a su familia; su único defecto consistía en que su inagotable bondad lo llevaba a confraternizar en las tabernas con infinidad de crapulosos. ¡Dios sabe con qué clase de gentes ha trincado! Figúrese, Rodion Romanovich, que en uno de sus bolsillos encontramos un gallito hecho con miga de pan. ¡Hasta ebrio pensaba en sus hijos!

—¿Un gallito? ¿Un gallito, dice? —exclamó el ex sargento.

Catalina Ivanovna no se dignó contestarle. Quedó sumida en una especie de ensueño y exhaló un profundo suspiro.

—Acaso crea usted, como la mayoría, que he sido demasiado dura con él —prosiguió dirigiéndose a Raskolnikov—. Es un error. Me estimaba mucho; era un alma de Dios. ¡Cuánta piedad experimentaba a veces por él! Se sentaba en un rincón y me miraba... Me daba tanta pena que hubiera querido acariciarlo, pero yo me decía: "Si te enterneces, jamás abandonará su funesta inclinación por la bebida". Únicamente a fuerza de severidad era posible retenerlo un poco.

—¡Claro! Era mejor atarlo corto —exclamó el ex sargento echándose el contenido de otro vaso entre pecho y espalda.

—¡Ciertos imbéciles merecerían no sólo que se les atara corto, sino que se les echara a escobazos! Conste que no me refiero al difunto en este momento —replicó en tono tajante Catalina Ivanovna.

Las manchas rojas de sus pómulos parecían arder y su respiración era sibilante. Un poco más y provocaba una escena tragicómica. Algunos de los presentes se regocijaban ante esa perspectiva y comenzaron a excitar al ex sargento, cuchicheándole al oído. Era visible que echaban más leña a la hoguera.

—¡Eh! Per..., permítame..., ¿de quién está hablando? —comenzó el ex sargento—. ¿Qué quiso decir con...? Una dama no debe..., pero no importa...; una viuda, una pobre viuda... Comprendo y perdono...

Vació otro vaso.

Raskolnikov escuchaba en silencio, con una impresión de profundo disgusto. Comía sin voluntad, sólo por cortesía, probando apenas los manjares que Catalina Ivanovna no cesaba de colocarle en el plato. Tenía los ojos fijos en Sonia, que cada vez parecía más inquieta y preocupada, al presentir también que aquella comida no terminaría bien. Observaba con temor la creciente exasperación de su madrastra y pensaba con angustia y vergüenza que ella era el principal motivo de que las dos damas extranjeras hubiesen declinado con tanto desdén la invitación de Catalina Ivanovna.

Amelia Ivanovna le había hecho saber que la madre de la joven ofendiose muchísimo al ser invitada y preguntó cómo podría permitir que su hija se sentara a lado de "esa persona".

Sonia presentía que Catalina Ivanovna estaba al tanto de aquel insulto, y para su madrastra, una afrenta hecha a Sonia era peor que cualquier injuria dirigida a ella misma, a sus hijos, a su esposo; en definitiva, un ultraje mortal. Sabía, asimismo, que Catalina Ivanovna no conocería paz ni reposo hasta que hubiera "demostrado a esas arrastradas que eran unas..."

Para colmo de males, uno de los invitados, sentado en el otro extremo de la mesa, hizo pasar a Sonia un plato en el que había colocado dos corazones hechos de miga de pan, atravesados por una flecha improvisada con un mondadientes.

Catalina Ivanovna, con el rostro casi escarlata de cólera, manifestó con voz tonante que el autor de la broma debía estar "borracho como un cerdo".

Amelia Ivanovna presentía también que todo aquello daría lugar a algún incidente enojoso, y cada vez se sentía más mortificada por la despreciativa actitud de la viuda. Con el propósito de desviar hacia otro tema la atención de los convidados, desagradablemente impresionados, y para darse importancia, comenzó a relatar que uno de sus conocidos, "Karl, ayudante de farmacéutico, iba una noche en coche y que el cochero quiso matarlo. Karl le rogó entonces que no lo matara, y lloró juntando las manos, pero se asustó tanto que murió de un ataque al corazón".

Catalina Ivanovna declaró con una sarcástica risita que Amelia Ivanovna carecía de talento para narrar anécdotas rusas. La patrona se irritó más aún y replicó que su "*Vater aus Berlin* era un hombre muy, muy importante, que siempre iba con las manos metidas en los bolsillos".

La viuda rió a carcajadas, tanto y tan bien que Amelia Ivanovna, agotada la paciencia, pareció a punto de estallar.

—¡Ah, qué bestia! —murmuró Catalina Ivanovna con los ojos brillantes de regocijo—. Quiere decir que su padre se paseaba con las manos en los bolsillos, y da a entender que metía las manos en los bolsillos de los otros. ¡Ji, ji, ji! ¿Ha notado usted, Rodion Romanovich, que todos los extranjeros que viven en San Petersburgo, sobre todo los alemanes que acuden de todos lados, son más brutos que nosotros, sin excepción alguna? ¡Vamos! ¿Es posible expresarse de esa manera tan zafia? En cuanto a ese Karl, el farmacéutico, ¿no le parece estúpido que en lugar de defenderse juntara las manos y se pusiera a lloriquear? ¡Qué bestia! ¡Y se cree que su historia es muy emocionante, sin pensar siquiera un segundo en lo tonta que resulta! En mi opinión, ese ex sargento borracho es mucho más despierto que ella; por lo menos se advierte que sus inconveniencias son el resultado del alcohol y que ha dejado su inteligencia en el fondo del vaso... Mírela cómo revuelve los ojos...; se enoja, se enoja... ¡Ja, ja, ja! ¡Ji, ji, ji!

Después de haber dado libre curso a su incontenible hilaridad, Catalina Ivanovna se explayó en una serie de detalles acerca de su situación y anunció que con la pensión que iba a obtener, se proponía abrir un internado de señoritas en T..., su ciudad natal. Hasta ese momento no había dicho palabra a Raskolnikov de este asunto, por lo que a continuación empezó a describir su futura existencia con un lujo de detalles, unos más seductores que otros. De pronto apareció en sus manos, sin saber cómo, el "diploma" del que el extinto Marmeladov había hablado a Raskolnikov en ocasión de su encuentro en la taberna, explicándole al mismo tiempo que su esposa, al salir del colegio, había bailado la danza de los velos "en presencia del gobernador y otros personajes de la provincia".

El diploma de referencia constituía una especie de certificado de que Catalina Ivanovna tenía derecho a abrir un pensionado; la viuda lo exhibía con el fin de "cerrar el pico a esas dos arrastradas", probándoles de manera luminosa que era de noble familia, "casi aristocrática, que era hija de un coronel y que, en consecuencia, valía mucho más que las buscadoras de aventuras, cuyo número ha aumentado en forma tan considerable en los últimos tiempos".

El diploma circuló de mano en mano entre los invitados ya ebrios, sin que Catalina Ivanovna opusiera la menor objeción, pues el documento mencionaba *en toutes lettres* que era, en efecto, la hija de un consejero de Justicia condecorado, lo que en cierto modo la autorizaba a decir que era la hija de algo así como un coronel.

La viuda no cesaba de describir los imaginarios halagos de la existencia plácida y bella que llevaría en T... Solicitaría a los profesores del liceo que fuesen a dar clase a su establecimiento; había allí un venerable anciano, M. Mangot, que le enseñara el francés en los días de su infancia, y que residía en esa ciudad, ya retirado. Seguramente llegarían a un acuerdo acerca de sus estipendios. Luego habló de Sonia, "a la que llevaría a T... con ella" y que le sería de gran ayuda. Al oír las últimas palabras, uno de los comensales soltó una carcajada. Catalina Ivanovna fingió no haber oído y alzó la voz para enumerar los méritos de Sonia Semionovna, agregando que era digna de ser su asociada. Dijo que era dulce, paciente y abnegada, que poseía nobles sentimientos y una educación excelente, después de lo cual le dio unas cariñosas palmaditas en las mejillas y la besó con gran efusión.

Sonia se puso colorada, y de súbito Catalina Ivanovna se deshizo en lágrimas, haciendo observar que era "una tonta, que sus nervios estaban excitados y que no podía más". Agregó que la comida había terminado y que era tiempo de servir el té.

En ese momento Amelia Ivanovna, disgustada por no haber podido tomar parte en la conversación, y al ver que nadie la escuchaba, se arriesgó a una suprema tentativa, y con el alma secretamente lacerada se permitió formular a Catalina Ivanovna una observación acerca de la atención que debería prestarse en el futuro establecimiento a la ropa blanca de las jóvenes *(die Wäsche)*, diciendo que sería indispensable designar una dama educada y entendida para esas funciones. Añadió que también habría que velar por que esas señoritas no leyeran novelas a escondidas durante la noche.

La viuda, que en realidad se sentía enervada y fatigada, aparte de la mortificación que experimentara durante la comida, repuso de mal talante que el cuidado de la ropa blanca incumbía a la encargada de esos menesteres y no a la directora del pensionado; en lo referente a la lectura de novelas, esa observación era desatinada e inconveniente, por lo que le rogaba que no "abriera la boca para decir sandeces".

Roja como un tomate, la patrona exclamó que había hablado "por su *fien*", que había demostrado ser muy considerada, y que desde mucho tiempo atrás no percibía su *Geld* correspondiente al alquiler de aquella habitación.

Catalina Ivanovna replicó que mentía al pretender que se mostraba considerada con respecto a ella, y que la misma víspera, cuando el difunto estaba aún de cuerpo presente, habíala atormentado con sus exigencias relativas al pago de los alquileres atrasados.

Amelia Ivanovna, no sabiendo a qué recurrir para confundir a la viuda, declaró con aspereza que había invitado a "esas damas, pero que esas damas no habían venido porque eran personas distinguidas y no podían ir a la casa de una dama que no era distinguida".

Catalina Ivanovna repuso rápidamente que "una chismosa mal educada no estaba autorizada para juzgar lo que significaba ser *de buena familia*".

La patrona, fuera de sí, repitió con énfasis que su *Vater aus Berlin* era un hombre muy, muy importante, que caminaba siempre con las manos en los bolsillos haciendo ¡puf!, ¡puf! Para dar una imagen más exacta de su *Vater*, Amelia Ivanovna metió las manos en sus bolsillos, infló los carrillos y comenzó a hacer con la boca ciertos ruidos indistintos, algo así como ¡puf!, ¡puf!, con gran algazara de todos los inquilinos, que se complacían en excitarla con su aprobación, imaginándose una refriega con todas las de la ley entre ambas mujeres.

Eso era ya demasiado para Catalina Ivanovna, que declaró con voz tonante que Amelia Ivanovna quizá no había conocido jamás a su padre, que era una fregona y que antaño debía haber sido cocinera o algo peor aún.

La patrona, con voz entrecortada por la ira, dijo entre ruidos que "tal vez era Catalina Ivanovna la que no había conocido a su padre. Que ella tenía *Vater* en Berlín, que usaba unas levitas muy largas y hacía siempre ¡puf!, ¡puf!".

En tono despreciativo, la viuda manifestó que su origen era de todos conocido y que ese mismo certificado honorífico mencionaba en caracteres de imprenta que era hija de un coronel. En cuanto al padre de Amelia Ivanovna (suponiendo que lo tuviera), debía ser algún finlandés de San Petersburgo, un lechero, sin duda; pero, según todo inducía a creer, carecía de padre, dado que no se sabía a ciencia cierta si su nombre patronímico era Ivanovna o Ludwigovna.

Amelia Ivanovna, enloquecida de rabia, asestó un puñetazo sobre la mesa y se puso a gritar que su nombre era Amelia Ivanovna y no Ludwigovna, que su padre se llamaba Johan y que era burgomaestre, mientras que Catalina Ivanovna no podía decir eso del suyo.

La viuda se levantó de su silla y con entonación severa, tranquila en apariencia a pesar de su palidez y la agitación de su pecho, afirmó que si Amelia Ivanovna se atrevía "a colocar en un mismo plano al cochino de su padre con su propio papá, le arrancaría el sombrero y se lo pisotearía".

Ante tal amenaza, la patrona comenzó a correr por la habitación, gritando con todas sus fuerzas que era la propietaria y que Catalina Ivanovna tendría que irse sin perder un minuto. Luego corrió hacia la mesa, apresurándose a recoger sus cucharas de plata. Los niños empezaron a llorar, Sonia se precipitó sobre su madrastra para contenerla, y el escándalo se hizo indescriptible.

Como sintiera que Amelia Ivanovna gritaba algo relativo a la "libreta amarilla", Catalina Ivanovna rechazó a Sonia y se arrojó sobre la patrona para dar cumplimiento a su amenaza de pisotearle el sombrero.

En ese momento se abrió la puerta que daba al departamento y apareció Pedro Petrovich. De pie en el umbral, paseó por toda la asamblea una mirada inquisidora y severa. Catalina Ivanovna corrió hacia él.

3

—¡Pedro Petrovich! —exclamó—. ¡Venga usted por lo menos en nuestra ayuda! Haga entender a esta estúpida que no tiene derecho para hablar de ese modo a una dama de buena familia que ha caído en desgracia…, que hay jueces para esto… Me quejaré al gobernador general en persona…; tendrá que responder de lo que ha dicho… En recuerdo de la hospitalidad que recibió usted de mi padre, proteja a estos huérfanos.

—Permitidme, señora..., permitidme... —dijo Lujin, apartándola con un ademán—; jamás tuve el honor, lo sabéis bien, de conocer a vuestro padre... Permitidme... —alguien soltó una estrepitosa carcajada—. En cuanto a vuestras incesantes reyertas con Amelia Ivanovna, de ninguna manera estoy dispuesto a inmiscuirme en ellas... Vine por un asunto personal..., deseo una explicación inmediata con vuestra hijastra, Sonia Semionovna... ¿no es así como se llama? Permitidme pasar...

Y haciendo a un lado a Catalina Ivanovna, se dirigió hacia el otro extremo de la habitación, donde se encontraba Sonia.

Catalina Ivanovna quedó como clavada en su sitio, cual si hubiera sido fulminada por un rayo. No alcanzaba a comprender cómo Pedro Petrovich podía renegar de la hospitalidad que le fuera dispensada por su padre. Desde el momento en que su imaginación forjó la idea de aquella pretendida hospitalidad, creía en ella como en un artículo de fe. El tono de Lujin, frío, seco e impregnado de amenazador desprecio, contribuía a aumentar su confusión.

Aparte de que aquel severo hombre de negocios contrastaba con el aspecto de los demás presentes, se advertía que algo insólito y grave lo llevaba allí, algún motivo extraordinario. Era evidente que ocurriría algo inesperado.

Raskolnikov, que estaba junto a Sonia, se

apartó para dejarlo pasar: Pedro Petrovich aparentó no verle.

Un instante después Lebeziatnikov apareció en la puerta, deteniéndose en el umbral sin entrar en el cuarto; también él demostraba una curiosidad particular; limitábase a ser testigo de la escena, y en los primeros momentos pareció no comprender de lo que se trataba.

—Dispensen si los molesto, pero el asunto que me trae es muy grave —declaró Pedro Petrovich de manera general, sin dirigirse en especial a nadie—. Y hasta diré que me congratulo de que esto suceda en público. Amelia Ivanovna, le ruego que, en su condición de propietaria de este departamento, tome buena nota de la conversación que voy a mantener con Sonia Semionovna.

Dirigiéndose a la joven, añadió:

—Sonia Semionovna, inmediatamente después de su partida de la habitación de mi amigo, noté la falta de un billete de cien rublos que me pertenecía y que se encontraba sobre la mesa. Si de una manera o de otra sabe dónde está ese billete y me lo dice, le doy mi palabra, y pongo a todos los presentes por testigos, de que echaré en olvido este asunto. En caso contrario, me veré en la necesidad de recurrir a medidas de más grave carácter, y tendrá que atenerse sin remedio a las consecuencias.

Se hizo un silencio absoluto. Hasta los niños cesaron de llorar.

Pálida como un cadáver, Sonia miraba a Lujin sin atinar a decir palabra. Parecía no comprender de qué se trataba. Transcurrieron algunos segundos.

—¿Y bien? ¿Qué dice usted? —interrógó Lujin mirándola con fijeza.

—No sé..., no sé nada... —pronunció por fin Sonia con voz débil.

—¿No? ¿No sabe nada? —repitió Lujin. Guardó silencio como para permitirle que reflexionara, y añadió:

—Piense bien, señorita; le concedo unos minutos para que lo haga. Si no estuviera seguro de lo que afirmo, me guardaría muy bien de arriesgarme a formular una acusación directa contra usted en público; mi experiencia es mucha, y si esta acusación fuese falsa, tendría que responder de ella, no lo ignoro; esta mañana negocié unos títulos de venta que representaban un valor nominal de tres mil rublos. Ésta es la cifra inscrita en mi memorándum. Al volver aquí, como Andrés Semionovich puede atestiguarlo, reconté ese dinero y separé dos mil trescientos rublos, que coloqué en la cartera que guardo en el bolsillo interior de mi levita. Quedaron sobre la mesa alrededor de quinientos rublos en billetes, entre ellos tres de cien rublos. En ese momento entró usted, llamada por mí, y durante todo el tiempo que duró nuestra conversación dio muestras de hallarse agitada; en tres ocasiones se levantó como deseosa de salir por una razón cualquiera, aun cuando la entrevista no había terminado.

Andrés Semionovich puede dar fe de la verdad de mis palabras. Tal vez alegue, afirme y declare que la hice llamar por Andrés Semionovich con el único fin de conversar con usted acerca de la desgraciada situación de su madrastra Catalina Ivanovna, a cuya comida no pude asistir, y de que la mejor forma de ayudarla fuera organizando una suscripción, o bien una tómbola, o algo por el estilo. Me dio las gracias con lágrimas en los ojos. Cuento las cosas tales como acontecieron para recordárselas y para demostrarle que ninguna circunstancia se ha borrado de mi memoria. Luego tomé un billete de diez rublos y se lo entregué, manifestándole que constituía mi contribución personal, como primer socorro. Andrés Semionovich lo vio todo. Por último la acompañé hasta la puerta, y usted se retiró, presa siempre de gran agitación. Cuando quedé solo con Andrés Semionovich, conversé con él por espacio de cinco minutos. Mi amigo salió por unos instantes, y entonces me acerqué a la mesa, con el propósito de poner aparte el resto del dinero, después de haberlo recontado. Con imaginable sorpresa noté la falta de un billete de cien rublos. Colóquese en mi lugar: no puedo sospechar de Andrés Semionovich; me sentiría avergonzado de una suposición de tal especie, conociéndole como le conozco. Tampoco puedo admitir un error en mis cálculos, puesto que un minuto antes de su llegada había verificado que el total era exacto. Convendrá conmigo en que, recordando su turbación manifiesta, su apresuramiento por marcharse y el hecho de que por algunos instantes usted tuvo las manos sobre la mesa, en fin, considerando su posición social y los hábitos que la misma trae aparejados, me he visto obligado, con horror y muy a pesar mío, *obligado,* digo, a concebir una sospecha cruel pero justificada. Agrego y reitero que, a despecho de mi certidumbre *evidente,* comprendo que mi acusación no deja de comportar ciertos riesgos. Mas, como puede ver, no he vacilado un minuto: mis sentimientos se han sublevado, y voy a decirle por qué: ¡únicamente, señorita, a causa de su negra ingratitud! La invito a conversar conmigo en interés de su infeliz madrastra, le ofrezco para ella diez rublos, ¿y me retribuye usted de este modo? No, en verdad eso no está bien. Es indispensable una lección. ¡Reflexione! Le suplico como su mejor amigo, pues en este momento no puede tener mejor amigo que yo; recapacite sobre lo que ha hecho y obre en consecuencia. Si no lo hace, me mostraré inflexible. Y bien, ¿confiesa?

—Yo no he sido —murmuró espantada Sonia—. Usted me dio diez rublos: aquí los tiene, tómelos.

Sacó el pañuelo del bolsillo, deshizo el nudo que había hecho para guardar el billete y tendió éste a Lujin.

—¿De modo que no reconoce haberse apoderado de los cien rublos? —articuló Lujin con severidad, sin tomar el billete.

Sonia dirigió una desesperada mirada a su alrededor. Todo el mundo la contemplaba con idéntica expresión de angustia y horror, de severidad, de sarcasmo y hasta de odio. Fijó su vista en Raskolnikov... De pie contra la pared, el joven la miraba con ojos brillantes.

—¡Oh Dios mío! —musitó la infeliz como en una plegaria.

—Amelia Ivanovna, será preciso dar parte a la policía; le ruego que mientras tanto haga llamar al portero —dijo Lujin con voz suave, casi acariciadora.

—*Gott der barmherzige!* ¡Yo sabía bien que era una ladrona! —exclamó la patrona dando una palmada.

—¿Lo sabía? —inquirió Lujin—. Entonces, eso quiere decir que tiene algún motivo anterior para llegar a esa conclusión. Le ruego, muy honorable Amelia Ivanovna, que recuerde las palabras que acaba de pronunciar en presencia de testigos.

De pronto todos los presentes comenzaron a hablar a la vez en forma ruidosa y agitada.

—¿Cómo? —exclamó Catalina Ivanovna, saliendo de su estupor. Como impulsada por un resorte, saltó sobre Lujin—. ¿Cómo? ¿La acusa de robo? ¿Ella, Sonia? ¡Ah, cobarde, cobarde! —tomó a Sonia entre sus brazos descarnados y la apretó con fuerza contra su pecho.

—¡Sonia! ¿Cómo has podido aceptar diez rublos de este hombre? ¡Oh tonta! ¡Dámelos enseguida! ¡Devuélvele esos diez rublos!

Arrancó el billete de las manos de Sonia, lo estrujó entre sus dedos y lo arrojó a la cara de Pedro Petrovich. La bolita de papel alcanzó en un ojo a Lujin y rodó por el suelo. Amelia Ivanovna se precipitó para levantarla.

—¡Sujeten a esta loca! —gritó exasperado Pedro Petrovich.

En la puerta de entrada, al lado de Lujin, aparecieron varias personas, entre las cuales podía verse a las dos damas provincianas.

—¿Cómo? ¿Loca yo? ¡Imbécil! —rugió Catalina Ivanovna—. ¡Imbécil, bribón, canalla, maldito! ¿Sonia robarte dinero? ¿Sonia una ladrona?

Soltó una carcajada histérica.

—¿Han visto a este imbécil? —gritó yendo de uno a otro y designando a Lujin—. ¿Cómo? ¿Tú también pretendes que es una ladrona, infame deslenguada, prusiana asquerosa? ¿Será posible? ¡Vean ustedes! ¡Si no ha salido de este cuarto! Después de conversar contigo, personaje rastrero y vil, se sentó al lado de Rodion Romanovich. ¡Regístrenla! Desde el momento que no ha ido a ninguna parte, debe tener el dinero encima. ¡Busca entonces, miserable, busca, busca! Pero, si no encuentras tu sucio dinero, tendrás que responder de tus calumnias. ¡Ante el emperador! ¡Iré a quejarme al emperador, al zar misericordioso; me arrojaré a sus plantas, ahora mismo, ahora mismo! Soy huérfana y me dejarán pasar... ¿Crees que no me dejarán pasar? ¡Te engañas! ¿Contabas con la timidez de Sonia? ¿Creías que podrías atropellarla impunemente? ¡Si ella es tímida, yo no lo soy! ¡Ya verás quién soy yo! ¡Busca, busca, infame!

Lo sacudía con verdadero frenesí, arrastrándolo casi hacia Sonia.

—¡Estoy dispuesto a responder de lo que afirmo, pero calmaos, señora, calmaos! Ya veo que no tenéis miedo... Es la policía la que debe... Por lo demás, hay aquí un número suficiente de testigos... estoy dispuesto... Mas en todo caso es muy delicado para un hombre..., en razón de su sexo... —tartamudeaba Pedro Petrovich—; si Amelia Ivanovna fuera tan amable que se prestara a..., aunque las cosas no se hacen así... ¿Qué hacer?

—¡Designe a quien se le ocurra! ¡Que la registre quien quiera! —gritó Catalina Ivanovna—. ¡Sonia, da vuelta tus bolsillos delante de todos! ¡Vean! ¡Vean! Mira, monstruo, no tiene nada..., aquí había un pañuelo, ya ves que este bolsillo está vacío... ¡Al otro bolsillo ahora! ¡Mira! ¿Ves, ves?

No contenta con vaciar los bolsillos de Sonia, Catalina Ivanovna los volvió del revés, exhibiéndolos uno después del otro. Pero al volver el forro del segundo bolsillo, el de la derecha, saltó un papelito que, después de describir una parábola en el aire, cayó a los pies de Lujin.

Todos lo vieron; se oyeron exclamaciones ahogadas.

Pedro Petrovich se inclinó, levantó el papel con dos dedos y lo desplegó a la vista de todos.

Era un billete de cien rublos cuidadosamente doblado. Lujin alzó la mano y lo mostró a todos los circunstantes.

—¡Ladrona! ¡Fuera de aquí! ¡Policía! —chilló Amelia Ivanovna—. ¡Hay que llevarlas a Siberia! ¡Fuera, fuera de esta casa!

De todas partes brotaban exclamaciones. Raskolnikov permanecía silencioso, sin apartar la vista de Sonia, excepto para mirar a Lujin. La joven, demudada e inmóvil, parecía atacada de parálisis general; ni siquiera daba muestras de asombro o emoción. De pronto, sus mejillas se arrebolaron, exhaló un gemido y ocultó el rostro entre las manos.

—¡No, no he sido yo! ¡Yo no robé nada! ¡No sé nada! —exclamó con voz entrecortada por convulsivos sollozos que conmovieron hasta a los más insensibles, y se precipitó hacia Catalina Ivanovna, que la recibió entre sus brazos y la apretó con fuerza, como si quisiera proporcionarle un asilo seguro en su pecho.

—¡Sonia!... ¡Sonia! ¡No creo nada de eso! ¡Ya ves que no lo creo! —gritó con exaltación Catalina Ivanovna, despreciando la evidencia, mientras la acunaba en sus brazos como a una criatura y la cubría de besos—. ¡Haber robado tú! ¡No, mil veces no! ¡Esta gente está loca! ¡Señor! ¡Qué hato de imbéciles! ¿No saben que esta muchacha es puro corazón? ¿Que daría hasta lo que lleva puesto para remediar una necesidad? Se ha inmolado por nosotros..., se inscribió en el Registro porque mis hijos se morían de hambre, se vendió por nosotros... ¡Ah, mi pobre finado! ¡Mi pobre finado! ¿Ves esto? ¿Lo ves? ¡Qué comida de funerales te estaba reservada! ¡Señor! Pero, ¿qué hacen que no la defienden en vez de quedarse parados como idiotas? Rodion Romanovich, ¿por qué no la defiende? ¿Creen que eso es cierto? ¡Todos, todos ustedes no valen lo que su dedo meñique! ¡Dios mío! ¡Protégela Tú, ya que éstos no lo hacen!

Los sollozos y los ruegos de la desdichada tuberculosa movían a compasión y causaron considerable efecto en los presentes. Había algo tan punzante y desgarrador en aquel triste rostro demacrado y doliente de tísica, en aquellos labios marchitos y sanguinolentos, en aquella voz ronca y sibilante, en aquellos sollozos convulsivos y en aquella ferviente y pueril plegaria, que todos sintieron piedad sincera. Pedro Petrovich *se compadeció* también.

—¡Señora, señora —exclamó con tono imponente—, este hecho no os concierne en absoluto! Nadie piensa en acusaros de malos designios o de connivencia, tanto más cuanto que vos misma habéis propuesto registrar los bolsillos; esto aleja cualquier sospecha que pudiera abrigarse. Estoy dispuesto a mostrarme indulgente si ha sido la miseria la que ha impulsado a obrar a Sonia Semionovna. Mas, ¿por qué se obstina en no confesar? ¿Teme el deshonor? ¿Acaso ha sido éste el primer paso en el sendero del delito? ¿Perdió la cabeza al ver el dinero? Es comprensible... ¿Por qué se ha colocado en esta situación? ¡Señor! —agregó tomando a los presentes por testigo—. Por piedad, por compasión, estoy dispuesto a perdonar aún, a pesar de las injurias personales que me han sido dirigidas. Sí, señorita, que la vergüenza que ahora se le inflige le sirva de escarmiento y lección. No daré parte a las autoridades: deseo que las cosas terminen aquí. Con esto basta.

Pedro Petrovich miró de soslayo a Raskolnikov, y sus miradas se encontraron. Los ojos del joven lanzaban relámpagos, como si quisieran pulverizar a Lujin.

Catalina Ivanovna parecía no haber oído; estrechaba a Sonia contra su pecho y la besaba como una insensata; las criaturas abrazaban también a su hermana con sus débiles bracitos. Polia, sin comprender lo que sucedía, estaba deshecha en llanto y reclinaba su carita llena de lágrimas en el hombro de Sonia.

—¡Qué bajo es todo esto! —dijo de pronto una voz grave cerca de la puerta.

Pedro Petrovich miró con presteza en derredor.

—¡Qué bajeza! ¡Qué ruindad! —repitió Lebeziatnikov clavando su vista en los ojos de Lujin, que se estremeció en forma ostensible.

Lebeziatnikov se adelantó unos pasos.

—¿Cómo ha osado invocar mi testimonio? —dijo acercándose a Pedro Petrovich.

—¿Qué significa esto, Andrés Semionovich? ¿Qué quiere decir? —tartajeó Lujin.

—¡Significa que usted es un... calumniador! ¡Eso es lo que quieren decir mis palabras! —replicó Lebeziatnikov con vehemencia, clavándole la mirada de sus ojillos medio ciegos.

Hubo un silencio.

Pedro Petrovich perdió la serenidad, sobre todo en el primer momento.

—Si es a mí a quien... —comenzó—. Pero, ¿qué le ocurre? ¿Está en su sano juicio?

—Sí, estoy en mi sano juicio. Lo he visto y oído todo, y repito que usted es un... ¡miserable! ¡Qué bajeza! Esperé hasta ahora para comprenderlo todo, pues no lo creía posible y lógico. ¿Por qué razón ha procedido así?

—Pero, ¿qué hice yo? ¿Acabará de hablar en estúpidos enigmas? ¿O es que ha bebido más de la cuenta?

—¡Hombre cobarde y rastrero! ¡Si alguno de los dos ha bebido con exceso, será usted, sin duda! Jamás pruebo el aguardiente; eso es contrario a mis convicciones. ¡Figúrense ustedes que ha sido él quien con su propia mano ha dado ese billete de cien rublos a Sonia Semionovna! ¡Yo lo vi, fui testigo, y no vacilaré en declararlo ante cualquier tribunal! ¡Fue él..., fue él! —repitió Lebeziatnikov, dirigiéndose a todos y a cada uno de los presentes.

—¡Pero usted está loco! ¿Qué se propone, canalla? —aulló Lujin—. Esta joven ha reconocido hace un instante delante de todos que, excepción hecha de los diez rublos, no recibió otra cosa de mí. ¿Cómo habría podido entregarle esos cien rublos?

—¡Yo lo vi! ¡Yo lo vi! —reiteró con firmeza Andrés Semionovich—. Y aunque sea contrario a mis convicciones, estoy dispuesto a declararlo bajo juramento cuantas veces sea necesario; vi cómo deslizaba furtivamente ese billete en su bolsillo, y fui tan necio que creí que lo hacía por caridad. Cerca de la puerta, cuando se despedía de ella tendiéndole la diestra, le introdujo el billete en el bolsillo con la otra mano sin que lo advirtiera. ¡Lo vi! ¡Lo vi!

Lujin palideció horriblemente.

—¿Qué fábulas son ésas? —exclamó con insolencia, aun cuando su voz temblaba—. Usted se encontraba junto a la ventana..., ¿cómo pudo ver lo que pretende? Le habrá parecido..., el estado calamitoso de sus ojos no le permite advertir lo que ocurre a dos pasos de distancia... ¡Usted delira!

—No, no fue una ilusión...; a pesar de la distancia vi todo perfectamente. Desde la ventana, en efecto, no pude ver qué era lo que le introducía en el bolsillo, en esto tiene razón; mas por una circunstancia particular sabía que se trataba de un billete de cien rublos. En el momento en que entregó diez rublos a Sonia Semionovna, observé que tomaba usted de la mesa un billete de cien rublos. Entonces yo estaba muy cerca: se me ocurrió que pretendía dar esa cantidad a esta joven sin que yo me enterara, con alguna finalidad poco clara. Usted plegó el billete con disimulo y lo conservó en la mano. Cuando se levantó, lo hizo pasar de la diestra a la siniestra, y estuvo a punto de dejarlo caer. ¡Vea si lo observaba! Por fin, como ya dije, vi cuando se lo metía en el bolsillo. ¡Lo vi y no vacilaré en afirmarlo bajo juramento!

Lebeziatnikov estaba sofocado casi por la ira. De todas partes surgían exclamaciones diversas, unas de sorpresa, otras casi de amenaza. Alrededor de Pedro Petrovich el círculo se hizo más estrecho. Catalina Ivanovna se precipitó hacia Lebeziatnikov.

—¡Andrés Semionovich! ¡Qué mal le he juzgado hasta ahora! ¡Usted la defiende! ¡Sólo usted se pone de su parte! ¡Es una pobre huérfana! ¡Dios lo ha enviado para protegerla! ¡Andrés Semionovich, qué bueno y qué noble es usted!

Casi sin tener conciencia de lo que hacía, se prosternó ante él.

—¡Eso es una infamia! —rugió Lujin encolerizado—. No hace más que decir sandeces: "yo vi, no vacilaré, afirmo, juro..." Su imaginación extraviada le impulsa a mentir en forma estúpida y grosera. ¿Qué se propone? ¿Qué puede haber de común entre yo y esa...?

—Eso es lo que no acierto a explicarme; pero en cuanto a lo que afirmo, es la pura verdad. Tanto es así, villano, que cuando lo felicité por su actitud, me preguntaba por qué razón le había introducido ese billete en el bolsillo en forma subrepticia y por qué lo hizo de ese modo. Pensé que era para ocultarme esa acción, sabiendo que mis principios son adversos a la caridad privada, que jamás remedia radicalmente la necesidad. Imaginé que le era molesto regalar esa cantidad en mi presencia y hasta llegué a creer que se proponía darle una agradable sorpresa cuando encontrara el billete. Sé que algunos benefactores se complacen en dejar en un relativo anonimato sus actos de generosidad. Luego se me ocurrió que pretendía probarla, saber si cuando hubiese encontrado los cien rublos iría a agradecérselos..., que obraba en virtud del principio según el cual la mano derecha debe ignorar lo que hace la izquierda... Me prometí reflexionar más tarde con mayor detenimiento sobre todo esto y me pareció poco delicado hacerle ver que conocía su secreto. Por un momento llegué a temer que Sonia Semionovna perdiera el dinero antes de encontrarlo, y entonces decidí venir aquí para llamarla y darle cuenta de que usted le había introducido un billete de cien rublos en el bolsillo. Me detuve un instante en la habitación de las señoras Kobyliatnikov para entregarles un *Tratado general del método positivo* y recomendarles la lectura del artículo de Piderit, a mi entender superior al de Wagner, y llegué a tiempo para presenciar toda esta historia. ¡Vamos! ¿Cómo hubiera podido pensar tantas cosas y cavilar de ese modo si no hubiese visto en realidad que deslizaba los cien rublos en el bolsillo de Sonia Semionovna?

Una vez expuestas estas consideraciones y finalizado su discurso con una conclusión tan lógica, Lebeziatnikov guardó silencio. Estaba extenuado, y gruesas gotas de sudor rodaban por su frente. Le resultaba difícil expresarse con corrección aun en ruso, sin que esto quiera decir que dominaba otro idioma cualquiera, de suerte que semejante esfuerzo oratorio lo dejó agotado.

No obstante, su intervención produjo un efecto extraordinario. Había hablado con tanta sinceridad, con tanto convencimiento, que el auditorio no puso en duda sus palabras; era evidente que todos lo creían.

Pedro Petrovich comprendió que el asunto asumía un cariz desfavorable para él.

—¿Qué me importan las tonterías que se le han ocurrido? —exclamó—. ¡Eso no constituye una prueba! ¡Muy bien puede haberlo soñado! ¡Le digo que miente! ¡Miente y me calumnia porque me detestaba al ver que no comparto sus ideas socialistas y librepensadoras!

Lejos de favorecer a Pedro Petrovich, estas palabras provocaron un murmullo amenazador que no auguraba nada bueno.

—¿Ah, con que ésas tenemos? —gritó Lebeziatnikov—. ¡Tú eres el que miente, canalla! ¡Llama a la policía, que prestaré juramento! ¡Lo único que no acierto a explicarme es con qué finalidad ha cometido un acto tan ruin! ¡Miserable cobarde!

Raskolnikov se adelantó, por fin, y dijo con voz sonora:

—Yo puedo explicar por qué lo ha hecho, y, si es preciso, prestaré declaración ante la justicia.

Parecía tranquilo y seguro de lo que afirmaba. Su aspecto hizo comprender a todos que estaba al tanto de los entretelones del asunto, y que se aproximaba al desenlace.

—Ahora veo claro —prosiguió Raskolnikov encarándose con Lebeziatnikov—. Desde el primer momento sospeché que detrás de todo esto se fraguaba una inicua intriga; lo sospeché por ciertas circunstancias especiales, que yo sólo conozco y que revelaré a ustedes porque constituyen la clave de esta farsa innoble. Sus palabras, Andrés Semionovich, me han abierto los ojos. Ruego a ustedes me escuchen: este señor —designó a Lujin— solicitó hace poco la mano de una joven, mi hermana, Abdocia Romanovna Raskolnikov. Llegó anteayer a San Petersburgo, y en nuestro primer encuentro tuvimos un altercado al que puse término despidiéndolo sin miramientos en presencia de dos testigos. Este hombre es perverso... Yo ignoraba que vivía con usted, Andrés Semionovich. El mismo día en que disputamos, es decir, anteayer, se enteró de que, en mi calidad de amigo del extinto señor Marmeladov, proporcioné algún dinero a la viuda Catalina Ivanovna, para que pudiera hacer frente a los gastos del sepelio. Enseguida envió una carta a mi madre, expresándole que yo había entregado todo mi dinero, no a Catalina Ivanovna, sino a Sonia Semionovna, sirviéndose de expresiones innobles para calificar a esta joven y dando a entender que mis relaciones con ella eran de carácter íntimo e inconfesable. Todo esto con la intención de indisponerme con mi familia, insinuando que despilfarraba de manera vergonzosa hasta el último kopek de que mi madre y mi hermana se privan para subvenir a mis necesidades.

Anoche, en una entrevista a la que él asistió, restablecí la verdad de los hechos y demostré que había entregado el dinero a Catalina Ivanovna para sufragar los gastos de las exequias, y no a Sonia Semionovna, a la que tres días antes ni siquiera conocía de vista. Agregué que Pedro Petrovich Lujin, con todos sus méritos, no llegaba a la altura del tobillo de esta joven, a la que osaba calificar con tanta impudicia. Me preguntó si me atrevería a poner a Sonia Semionovna en presencia de mi hermana, y le contesté que ya lo había hecho ese mismo día. Furioso al ver que mi madre y mi hermana no daban crédito a sus embustes y calumnias, comenzó a decir groserías. Ello dio por resultado una ruptura definitiva, y lo pusimos en la puerta. Ahora bien, si en este momento hubiera logrado demostrar en forma palpable que Sonia Semionovna era una ladrona, habría podido convencer a mi madre y a mi hermana de lo fundado de sus aseveraciones;

hubiera conseguido probar que estaba en lo cierto al indignarse de que yo colocara en un mismo plano a Sonia Semionovna y a mi hermana, y que él, al atacarme, defendía y preservaba el honor de mi hermana, su futura esposa. En resumen, vio una oportunidad de enemistarme con los míos y de reconciliarse con mi hermana. No creo necesario agregar que de paso se vengaba de mí, comprendiendo que el honor y la tranquilidad de Sonia me son muy caros. ¡He aquí cuál era su plan! Éstos son los motivos que lo han impulsado a proceder como lo ha hecho. No puede ser de otro modo.

En estos o parecidos términos habló Raskolnikov, interrumpido con frecuencia por las exclamaciones del público, que lo había escuchado con suma atención. No obstante las interrupciones, habíase expresado en un tono neto, calmo, con una precisión y una claridad imperturbable. Su voz vibrante, su acento firme y su rostro severo llevaron el convencimiento al ánimo de todo el auditorio.

—¡Sí, sí! ¡Así es! —apoyó Lebeziatnikov muy excitado—. Debe ser como usted dice, pues apenas Sonia Semionovna entró en nuestra habitación, me preguntó si había llegado usted, si lo había visto entre los invitados de Catalina Ivanovna. Me llevó junto a la ventana para formularme estas preguntas en voz baja. ¡Es claro! ¡Necesitaba que usted estuviera presente! ¡Sí, eso es!

Lujin no dijo palabra; en sus labios se veía

una sonrisa desdeñosa, pero estaba pálido como un muerto. Al parecer, trataba de hallar la forma de salir airoso de ese trance. Acaso hubiera optado por retirarse, pero en aquel momento no era posible; su actitud hubiese demostrado que reconocía la exactitud de las acusaciones formuladas contra él, es decir, que en realidad había calumniado a Sonia Semionovna.

Además, la actitud de los invitados era poco tranquilizadora. El ex sargento, aun cuando no comprendía muy bien de qué se trataba, gritaba con voz destemplada y proponía ciertas medidas poco agradables para Pedro Petrovich. Los otros, excitados por las libaciones, hacíanle coro. La concurrencia aumentó con la llegada de otros vecinos. Los tres polacos, furiosos y atiborrados de aguardiente, proferían en su idioma insultos y amenazas contra el malparado calumniador.

Sonia escuchaba dando muestras de no haber entendido bien; se hubiera dicho que despertaba después de una horrorosa pesadilla. No apartaba su mirada de Raskolnikov, como si adivinara que en él estaba todo su apoyo.

Catalina Ivanovna respiraba con dificultad, dejando escapar un sonido ronco por sus labios entreabiertos, y parecía a punto de desplomarse bajo el peso de tantas y tan encontradas emociones.

La cara más estúpida era la de Amelia Ivanovna, que con la boca abierta parecía no comprender; sólo veía que Pedro Petrovich estaba colocado en una situación nada agradable. Raskolnikov intentó hablar de nuevo, pero no logró terminar; todos los presentes, agrupados en derredor de Lujin, gritaban y amenazaban a la vez. Al ver que la partida estaba perdida, éste optó por recurrir al descaro.

—Permítanme, señores, no me rodeen de esta manera —dijo mientras trataba de abrirse paso a través del cerco— y absténganse de injuriarme y amenazarme. Les aseguro que es inútil; con esto no adelantarán nada. No soy una criatura, y si recurren a la violencia para encubrir un delito tendrán que responder ante la justicia. El robo está más que probado, y haré la denuncia correspondiente. Los jueces no son ciegos ni borrachos y no creerán las patrañas que puedan decir dos manifiestos impíos revolucionarios y librepensadores, que me acusan con fines de venganza personal, como ellos mismos acaban de reconocer... ¡Vamos! ¡Apártense!

—¡Que no quede ni su sombra en mi habitación! —replicó iracundo Lebeziatnikov—. Hágame el señalado servicio de retirarse inmediatamente de esta casa. Todo ha terminado entre nosotros. ¡Pensar que desde hace quince días me desgañito para exponerle mis principios!

—Sus palabras están de más, Andrés Semionovich; ya le anuncié mi propósito de marcharme, y usted insistió en que me quedara. Sólo me resta agregar que usted es un imbécil. Hago votos por que se cure del espíritu y porque sus ojos, que se hallan en un estado lastimoso, recobren la vista. ¡Permítanme, señores!

Consiguió deslizarse entre los que lo rodeaban; mas el ex sargento no se dio por satisfecho y, considerando que las injurias no bastaban, tomó un vaso y lo arrojó con todas sus fuerzas contra Pedro Petrovich; el proyectil, mal dirigido, se estrelló a escasos centímetros de la cabeza de Amelia Ivanovna, que dejó escapar una serie de agudos chillidos; el ex sargento, perdido el equilibrio, se desplomó pesadamente sobre la mesa.

Pedro Petrovich entró en la habitación de Lebeziatnikov, y media hora más tarde abandonaba la casa.

Tímida por naturaleza, Sonia no ignoraba que, dada la situación especial en que se hallaba colocada, a cualquiera le hubiera resultado fácil atacarla. En cuanto a las afrentas, el primero que llegaba podía insultarla casi impunemente. No obstante, hasta ese momento, creyó que le sería posible evitar de una u otra forma cualquier calamidad, a fuerza de prudencia y humildad y de obediencia hacia todos y cada uno. La desilusión que experimentaba era muy penosa. Habría podido soportar hasta aquello con resignación y sin protestar, pero, en verdad, era demasiado. A pesar de su triunfo y su reivindicación, una vez disipados sus temores y cuando vuelta de su estupor pudo darse cuenta exacta de las cosas, el sentimiento de abandono y la ofensa que le fuera inferida le oprimió el corazón como una mano de hierro. Sin poder resistir más, huyó de allí y corrió a buscar refugio en su casa. Esto ocurrió casi inmediatamente después de la partida de Lujin.

Amelia Ivanovna, que se salvó por milagro de recibir el vaso en la cabeza, dio rienda suelta a su indignación, y, enloquecida de rabia, la emprendió contra Catalina Ivanovna, a la que hacía responsable de todo.

—¡Fuera de aquí! ¡Ahora mismo! ¡A la calle, a la calle!

Mientras decía estas palabras, comenzó a tomar todo lo que encontraba al alcance de la mano y a colocarlo en el suelo.

Catalina Ivanovna se levantó de un salto del diván, donde había caído casi aniquilada, y se precipitó sobre ella. Pero la lucha era muy desigual, y Amelia Ivanovna la sacudió como un pelele.

—¿No le basta con haber calumniado a Sonia? —sollozó la infeliz viuda—. Ahora abusa de mí... ¿Cómo quiere expulsarme el mismo día en que he dado sepultura a mi esposo? Después de haber aceptado mi hospitalidad, pretende arrojarme a la calle con mis pobres huérfanos... ¿A dónde quiere que vaya? ¿Es posible que no haya justicia, Dios mío? ¿A quién defenderás si no nos defiendes a nosotros?

Una súbita reacción hizo relampaguear sus ojos, y, desasiéndose de las manos de la patrona, rugió:

—¡Ah, no! ¡Todavía quedan jueces y tribunales en la tierra! ¡Recurriré a ellos! ¡Ahora mismo! ¡Ya verás, infame, espera un poco! ¡Polia, cuida a los niños! ¡Espérame en la calle si es necesario! ¡Ya veremos si hay justicia o no!

Cubrió su cabeza con el pañuelo verde al que Marmeladov se había referido en su relato, y abriéndose paso entre la multitud ebria y alborotadora, llorando a lágrima viva, bajó a la calle con la vaga idea de ir a pedir justicia dondequiera que fuese.

Helada de terror, Polia se acurrucó en un rincón con los pequeños para esperar el regreso de su madre.

Amelia Ivanovna, hecha una furia, gritaba, rugía y arrojaba al suelo lo que encontraba. Los inquilinos comentaban el suceso en diversos sentidos; unos discutían, otros entonaban canciones.

"Éste es el momento oportuno —pensó Raskolnikov—. Bien, Sonia Semionovna, ahora veremos lo que dices."

Y se dirigió en derechura al domicilio de la joven.

4

Raskolnikov se había constituido en ardiente y valeroso defensor de Sonia contra Pedro Petrovich Lujin no obstante albergar en su corazón tanto espanto y sufrimiento. Mas, después de las torturas de aquella mañana, experimentaba verdadero alivio al cambiar las impresiones que se le hacían insoportables, sin hablar del sentimiento que impulsábale a intervenir en favor de la joven.

Por otra parte, ante la inminencia de su entrevista con Sonia, sentíase presa de atroz inquietud. *Tenía* que confesarle aquel crimen presintiendo la tortura que eso significaba para él y tratando, por lo mismo, de apartar ese pensamiento de su mente.

Al exclamar en casa de Catalina Ivanovna: "Bien, Sonia Semionovna, ahora veremos lo que dices", se encontraba bajo la influencia de la excitación causada por su victoria sobre Lujin. Mas, al llegar al departamento de Kapernaumov, sintió que sus fuerzas lo abandonaban para dar lugar al miedo. Se detuvo indeciso ante la puerta, preguntándose: "¿Será necesario decir que maté a Isabel?" Esta pregunta era extraña, porque en ese mismo instante sintió que no sólo le estaba vedado no decirlo, sino que le sería imposible diferir, por poco que fuera, tal confesión. Ignoraba por qué era imposible, pero lo *sentía*, y esa vaga intuición de su impotencia ante la necesidad pesaba sobre él hasta el punto de doblegarlo.

Para poner fin a sus reflexiones y a su angustia, abrió bruscamente la puerta, mirando desde el umbral a Sonia. Estaba sentada, con los codos apoyados en la mesa y el rostro oculto entre las manos. Al ver a Raskolnikov se puso de pie y fue a su encuentro, como si lo hubiese estado esperando.

—¿Qué habría sido de mí sin usted? —pronunció con voz débil, haciéndolo pasar. Veíase que aquello era lo que deseaba decir sin tardanza. Luego quedó en silencio.

Raskolnikov acercose a la mesa y se sentó en la silla que la joven había abandonado. Sonia quedó de pie frente a él, a dos pasos, exactamente como la víspera.

—Bien, Sonia —dijo Raskolnikov, sintiendo que su voz temblaba—, como habrá podido ver, todo el asunto tenía por base su "posición social" y los hábitos que la misma implica. ¿Lo ha comprendido?

La fisonomía de Sonia tomó una expresión de sufrimiento.

—No me hable como ayer, se lo ruego, no vuelva a empezar. No me torture...

Se apresuró a sonreír, temiendo que el reproche disgustara a su amigo.

—Estaba tan trastornada que cometí la tontería de marcharme. ¿Qué pasa allí ahora? Quise volver, pero supuse que usted vendría.

Raskolnikov le manifestó que Amelia Ivanovna desalojaba a su madrastra y a sus hermanitos, y que Catalina Ivanovna había salido con el propósito de "buscar justicia" en alguna parte.

—¡Ah, Dios mío! —gimió Sonia—. ¡Vamos, vamos enseguida! —agregó tomando su mantilla.

—¡Siempre lo mismo! —exclamó Raskolnikov

irritado—. ¡No hace más que pensar en ellos! Quédese un poco conmigo.

—Pero... ¿y Catalina Ivanovna?

—Catalina Ivanovna no podría prescindir de usted; si salió de su casa, será para venir aquí —repuso el joven con brusquedad—. Si no la encuentra, usted tendrá la culpa.

Presa de dolorosa incertidumbre, Sonia se sentó en otra silla. Raskolnikov, con la vista clavada en el suelo, reflexionaba.

—Supongamos que Lujin no haya tenido el propósito de llevar el asunto a mayores —comenzó a decir sin mirar a Sonia—, pero si lo hubiera querido, si eso hubiera entrado en sus cálculos, es indudable que habría podido hacerla detener, de no mediar la intervención de Lebeziatnikov y la mía, ¿no es cierto?

—Sí —asintió la joven con voz débil, llena de angustia.

—Yo podía muy bien no haber estado allí, y en cuanto a Lebeziatnikov, asumió su defensa por pura casualidad.

Sonia permaneció en silencio.

—Y bien, si la hubieran encerrado en una prisión, ¿qué habría ocurrido? ¿Recuerda lo que le dije ayer?

La joven no despegó los labios. Raskolnikov esperó en vano una respuesta.

—¡Vaya! Por un momento creí que iba a exclamar otra vez: "¡Ah, no me hable de eso!" —añadió Raskolnikov con una sonrisa un tanto forzada—. ¿No me contesta? —inquirió al cabo de un minuto—. Es preciso hablar de algo. Tengo curiosidad por saber cómo resolvería una "cuestión", como dice Lebeziatnikov. Le hablo en serio. Figúrese por un momento, Sonia, que conociera de antemano todas las intenciones de Lujin, que supiera con exactitud que por su culpa Catalina Ivanovna iba a verse perdida sin remedio, al igual que sus hijos; que usted misma se vería en una situación desesperada (aunque esto no cuente para usted)... Y Polia también, pues el camino que se le ofrece no es otro... Si dependiera de usted sola la vida o la muerte de Lujin o de los suyos, es decir, que Lujin continuase viviendo y cometiendo infamias, o que Catalina Ivanovna pereciera, ¿en qué sentido se decidiría usted? ¿Por la muerte de quién optaría?

Sonia lo miró con inquietud; detrás de aquellas palabras pronunciadas con vacilación adivinaba alguna lejana segunda intención que le recordaba algo.

—Presentía que me iba a hacer una pregunta por el estilo —dijo mirándolo con ávida curiosidad.

—Bien, pero contésteme: ¿por quién optaría?

—¿Por qué me interroga acerca de lo que no puede producirse? —respondió Sonia con repugnancia.

—¿Permitiría que un Lujin continuase viviendo y cometiendo infamias? ¿Acaso no tiene el valor de sostener una opinión?

—No puedo conocer los secretos de la Divina Providencia. ¿Para qué interrogarme entonces acerca de lo que está prohibido preguntarse? ¿Qué se propone con esas vanas preguntas? ¿Cómo puede ser que tal cosa dependa de mi decisión? ¿Quién me ha erigido en juez para dictaminar sobre los que deben vivir y los que deben morir?

—Desde el momento en que se mezcla la Divina Providencia en esto, nada hay que hacer —refunfuñó Raskolnikov visiblemente contrariado.

—¡Dígame más bien con franqueza lo que tenga que decirme! —exclamó Sonia angustiada—. ¿Es posible que sólo haya venido para atormentarme?

Sin poder contenerse, se puso a llorar con amargura. Raskolnikov la contempló triste y sombrío. Pasaron escasos minutos.

—Tienes razón, Sonia —dijo por fin el joven con infinita dulzura. Su expresión había cambiado; el tono cínico y burlón que afectara al principio había desaparecido—. Ayer te dije que no vendría para solicitar tu perdón, y, sin embargo, he comenzado casi con excusas... Me he excusado con respecto a Lujin y a la Providencia...

Quiso sonreír, pero en su rostro se reveló una expresión de impotencia y de fatiga. Bajó la cabeza, cubriéndose la cara con las manos.

De improviso, una sensación extraña, inesperada, de odio hacia Sonia, apoderose de él. Asombrado, aterrado casi por ese descubrimiento, levantó la cabeza y la miró; sus ojos se encontraron con los de la joven, que le miraba inquieta y preocupada hasta la ansiedad, en la que se leía el amor. ¡Todo su odio se desvaneció como el humo disipado por el viento! ¡No era eso!... Había confundido un sentimiento por otro. Aquello significaba simplemente que había llegado *el momento*.

Otra vez bajó la cabeza, ocultando el rostro entre las manos. De pronto palideció, levantose de su silla, con los ojos puestos en Sonia, y sin proferir una sola palabra se sentó en la cama. Tuvo la sensación de que aquel minuto era idéntico en absoluto al transcurrido cuando de pie detrás de la vieja vuelta de espaldas, descolgó el hacha del nudo corredizo, sintiendo "que no había que perder un instante".

—¿Qué le sucede? —preguntó Sonia intimidada.

El joven no pudo responder. No, no era así como había pensado *explicarse,* y no pudo comprender qué era lo que pasaba en su interior. Sonia acercose lentamente, sentándose a su lado en el lecho, y esperó sin apartar su mirada de él. Su corazón latía como si fuera a estallar. Aquella situación era insostenible para Raskolnikov: levantó hacia ella su rostro palidísimo, y sus labios se agitaron en un vano esfuerzo por decir algo. Un miedo cerval heló el corazón de Sonia.

—¿Qué tiene? —repitió separándose un poco.

—Nada, Sonia, no te asustes...; tonterías, si se

piensa un poco —balbuceó como un hombre que no comprende que está delirando—. ¿Por qué se me habrá ocurrido venir a atormentarte? —añadió—. No hago más que preguntármelo.

Se hallaba en un estado de completa debilidad; apenas tenía conciencia de sí mismo y su cuerpo estremecíase con un incesante temblor.

—¡Oh, cómo sufre! —dijo la joven con inmensa conmiseración y ternura.

—Tonterías, sí... ¿Recuerdas lo que quería decirte ayer, Sonia?

La joven lo miró, presa de gran zozobra.

—Te dije, al despedirme, que tal vez no volvieras a verme, pero que, si venía hoy, te diría... quién mató a Isabel.

Sonia se estremeció.

—Pues bien: vine para decírtelo.

—Sí, ayer me dijo... —balbuceó la joven con un esfuerzo—. ¿Cómo lo sabe? —preguntó con vivacidad, como si recobrara la presencia de ánimo. Sin embargo, respiraba con dificultad, y su rostro palidecía cada vez más.

—Lo sé muy bien.

—¿Lo han descubierto? —preguntó la joven con timidez.

—No, no lo han descubierto.

—¿Entonces, cómo sabe *eso*? —inquirió Sonia con voz apagada, después de un minuto de silencio.

Raskolnikov se volvió hacia ella y la miró con fijeza.

—Adivina —dijo con una mueca que pretendía ser una sonrisa.

Sonia se estremeció convulsivamente.

—Pero usted me... ¿Por qué... me asusta de esta manera? —murmuró.

—Si lo sé es porque lo conozco muy bien —prosiguió Raskolnikov sin dejar de mirarla de frente, como si no pudiera desviar la vista de su rostro—. Me consta que no quería asesinar a Isabel..., la mató por casualidad, obligado por las circunstancias... Se proponía matar sólo a la vieja..., mientras estaba sola..., y cuando lo hubo hecho, entró Isabel... y la mató también.

Transcurrió un minuto de lúgubre silencio. Ambos se miraron sin pronunciar palabra.

—¿De modo que no puedes adivinar? —preguntó Raskolnikov bruscamente, experimentando la sensación de que se arrojaba desde lo alto de un campanario.

—No, no... —balbuceó Sonia con voz apenas inteligible.

—Piensa bien.

Al decir estas palabras sintió que un frío mortal penetraba hasta lo más íntimo de su ser. Miró a Sonia, creyendo por un momento ver en su rostro los rasgos de Isabel. Recordó con la mayor nitidez su expresión cuando se acercó a ella blandiendo el hacha y vio que retrocedía hasta la pared, levantando la mano igual que las criaturas cuando se asustan, prontas a romper a llorar. De igual modo la fisonomía de Sonia reflejaba un terror indescriptible, el mismo horror. De pronto levantó la mano izquierda, tocándole levemente en el pecho con la punta de los dedos; después, alzándose con lentitud, se apartó poco a poco de él, sin dejar de mirarlo cada vez con mayor fijeza. El terror que sentía se comunicó a él: idéntico pavor se pintó en su semblante; levantose también y, mirándola casi con la misma sonrisa *infantil*, murmuró:

—Has adivinado…

—¡Dios mío! —pronunció Sonia con un hilo de voz, cortado por un sollozo desgarrador. Cayó sin fuerzas en el lecho, hundiendo el rostro en la almohada. Un instante después se incorporó con presteza, aproximose a él y, tomándole ambas manos con sus deditos y apretándolas muy fuerte, volvió a mirarlo con fijeza, como si con esa desesperada mirada tratara de hallar justificativo para alguna esperanza. Era en vano, no quedaba la menor duda, las cosas eran tales como las había oído. Más tarde, al recordar aquel instante, se preguntó con estupor cómo pudo advertir enseguida que no era posible dudar. Ni siquiera el más remoto pensamiento de que *aquello* había pasado por su imaginación: mas, apenas lo oyó de labios de Raskolnikov, le pareció que en realidad había presentido *aquella misma cosa*.

—¡Basta, Sonia, por caridad! ¡No aumentes mi tortura! —imploró el desdichado.

No, no era de aquella manera que había pensado hacerle la terrible confesión.

Sonia parecía fuera de sí; fue hasta el centro de la habitación retorciéndose las manos y luego volvió junto á él, sentándose a su lado, con los hombros tocándose casi. De pronto, como enloquecida, se estremeció, lanzando un grito y, sin saber por qué, arrodillose frente al joven, besándole las manos.

—¿Qué ha hecho? ¿Qué ha hecho contra sí mismo?

Raskolnikov, echándose un poco hacia atrás, sonrió con infinita tristeza.

—Qué rara eres, Sonia..., ¡me besas las manos después de haberte dicho *eso*! No tienes conciencia de lo que haces.

—¡No, no existe nadie en el universo más desdichado que tú! —exclamó la joven con apasionado acento, sin prestar oídos a su observación. Luego prorrumpió en amargo llanto.

Un sentimiento que desde hacía tiempo le era extraño inundó el corazón de Raskolnikov, sin que tratara de refrenarlo: de sus ojos brotaron dos gruesas lágrimas que surcaron sus pálidas mejillas.

—¿Así que no me abandonarás, Sonia? —dijo mirándola con ansiedad.

—¡No, no! ¡Jamás! ¡Te seguiré a donde vayas! ¡Siempre! ¡Oh Dios mío! ¡Qué miserable soy! ¿Por qué, por qué no te habré conocido antes? ¿Por qué no viniste antes? ¡Señor!

—Ya ves que he venido.

—¡Ahora! ¡Oh! ¿Qué podemos hacer ahora?

¡Juntos! ¡Juntos! —repitió Sonia entre sollozos, besándolo y acariciándolo—. ¡Iré contigo al presidio!

Estas palabras se clavaron como un dardo en el corazón de Raskolnikov; la misma sonrisa amarga y casi altanera de antes reapareció en sus labios.

—Tal vez no tenga ganas aún de ir a presidio, Sonia.

La joven lo miró con sorpresa.

Después del primer sentimiento de ardiente y dolorosa piedad hacia el desgraciado, el atroz pensamiento de que se trataba de un criminal le desgarró el corazón. El cambio de tono hacíale recordar que era un asesino. Aún no sabía porqué ni cómo habían ocurrido las cosas, y estas preguntas se plantearon en su espíritu. "¡Él, un asesino! ¿Será posible? ¡No! ¡No!"

—¡No, no es posible! ¿Dónde estoy? —preguntó de pronto, como si despertara de una pesadilla y no hubiera recobrado por completo el uso de los sentidos—. ¿Cómo? Usted..., usted, que es tan..., ¿cómo ha podido hacerlo? ¿Por qué?

—Para robar... ¡Basta, Sonia! —respondió Raskolnikov como aniquilado y casi con despecho.

La joven lo miró aterrada; pero, sacando fuerzas de flaqueza, exclamó:

—¿Tenías hambre? ¿Fue... para socorrer a tu madre? Sí, eso es...

—No, Sonia, no —balbuceó Raskolnikov, dándose vuelta y bajando la cabeza—: no tenía hambre hasta ese extremo; quería, en efecto, ayudar a mi madre, pero...; no, tampoco esto es cierto del todo... No me atormentes, Sonia.

—No, no puedo creerlo... ¿Cómo es posible? ¡Dios misericordioso! ¿Cómo se explica que usted, que se desprende de todo su dinero para socorrer a los demás, haya matado para robar? ¡Ah! —exclamó de súbito—. ¿Ese dinero que entregó a Catalina Ivanovna...? Ese dinero... ¡Señor! Es posible que también ese dinero...

—No, Sonia —interrumpió Raskolnikov con vivacidad—. El dinero que di a Catalina Ivanovna no procedía de allí, tranquilízate. Me lo envió mi madre por intermedio de un comerciante y lo recibí mientras me encontraba enfermo, el mismo día que lo entregué... Razumikhin lo sabe..., él lo cobró por mí..., era de mi exclusiva propiedad.

Sonia lo escuchaba sin saber qué pensar, esforzándose en coordinar sus ideas.

—Concerniente al *otro* dinero..., ni siquiera sé si lo había —agregó el joven con calma, cual si su mente estuviera en otra parte—. Arranqué del cuello de la vieja un portamonedas de piel de camello..., una bolsita repleta..., pero no miré su contenido..., acaso por falta de tiempo... Había además otros objetos, gemelos de camisa, cadenas...; me apoderé de todo y lo fui a esconder en un terreno baldío de la avenida V... Allí estarán todavía.

Sonia escuchaba con avidez.

—Pero, ¿cómo se entiende que... haya dicho

"para robar", y que no se quedara con nada? —preguntó como si tratara de asirse a una postrera esperanza.

—No lo sé: aún no he decidido si tomaré o no ese dinero —pronunció con cierta vaguedad Raskolnikov. Luego, como si se arrepintiera de haber sido tan explícito, exclamó—: ¡Qué tonterías acabo de decir! ¿No es verdad?

Un pensamiento fugaz pasó por el espíritu de Sonia: "¿Estará loco?" Pero lo rechazó rápidamente. No, allí había alguna otra cosa que escapaba a su entendimiento.

—Quiero que sepas una cosa, Sonia —dijo Raskolnikov como en una especie de inspiración—: si hubiese matado impulsado por el hambre, ahora me sentiría *feliz* —añadió, apoyando sus palabras con una mirada enigmática, pero franca.

Después de un momento prosiguió:

—¿Qué te importa? ¿Qué te importa que haya reconocido que obré mal? ¿Para qué sirve ese estúpido triunfo sobre mí? ¡Ah, Sonia! ¿Para esto he venido a verte?

La joven hubiera querido decir algo, pero permaneció en silencio.

—Si ayer quise llevarte conmigo, es porque eres lo único que me queda.

—¿Llevarme a dónde? —preguntó Sonia con timidez.

—No a robar ni a matar, no te inquietes, no para eso —repuso Raskolnikov con amarga sonrisa—; somos dos seres distintos..., ¿sabes, Sonia? Ahora comprendo *por qué* quería llevarte. Ayer, cuando te lo propuse, lo ignoraba. Te busqué para una sola cosa, y para una sola cosa viniste: para no abandonarme. ¿No es cierto que no me abandonarás, Sonia?

La joven le estrechó la mano.

—¿Por qué te habré confesado eso? —exclamó de pronto Raskolnikov, desesperado, contemplándola con indescriptible angustia—. Ahora esperas explicaciones de mí, las esperas, lo veo. ¿Qué podría decirte? No comprenderás, no harás más que sufrir... por culpa mía... Lloras y me besas..., ¿por qué me besas? Porque no he podido soportar solo el peso de mis remordimientos y he querido descargarme de él sobre otra persona, diciéndome: "¡Sufre tú también! Eso me aliviará!" ¿Y puedes amar a semejante cobarde?

—¿Acaso no sufres tú también? —exclamó Sonia.

Un sentimiento de indefinible ternura embargó a Raskolnikov.

—Sonia, tengo muy mal corazón, piénsalo bien; esto explica un sinnúmero de cosas. Vine porque soy un perverso. Otros no habrían venido, pero yo soy un miserable y un cobarde. Por lo demás..., ¿qué importa? No se trata de esto. Tengo que hablar y no sé cómo empezar.

Se dejó caer en una silla y quedó sumido en tristes reflexiones.

—Somos dos seres diferentes —repitió una

vez más—; es imposible que lleguemos a entendernos. ¿Por qué habré venido? ¡Nunca me lo perdonaré!

—¡No, no! ¡Has hecho muy bien en venir! —exclamó Sonia con apasionado acento—. ¡Es mejor que yo lo sepa todo! ¡Mucho mejor!

Raskolnikov la miró con dolorosa expresión.

—Sí, fue por eso —dijo como si hablara consigo mismo—; ése fue el móvil que me indujo a obrar de ese modo. Mira, quería convertirme en un Napoleón, y por eso maté... ¿Me comprendes ahora?

—No, no... —murmuró cándidamente Sonia—; pero habla, habla, yo te entenderé —agregó en tono de súplica.

—¿Me entenderás? Bien, vamos a ver.

Se detuvo y recapacitó un instante.

—Toda la historia puede resumirse de esta manera: un día me formulé esta pregunta: si Napoleón se hubiese encontrado en mi lugar y no hubiera contado al principio de su carrera con Tolón, Egipto o el paso del Monte Blanco; si en lugar de estas cosas monumentales se hubiera encontrado con una vieja ridícula y malvada, una usurera a la que hubiese tenido que matar para robar el dinero que guardaba en su cofre (con miras a su carrera, ¿me entiendes?), ¿qué habría sucedido? Llegué a la convicción de que no habría vacilado en eliminarla si no había otro recurso. ¿Hubiera sentido vergüenza ante ese acto nada grandioso, y sí demasiado criminal? Esta "cuestión" me hizo devanar los sesos mucho tiempo, tanto que me avergoncé infinitamente cuando me vi obligado a reconocer que no habría tenido el menor escrúpulo en hacerlo, y que ni aun hubiera pasado por su imaginación el pensamiento de que ese acto carecía de grandiosidad. De no haber existido otro camino, habría asesinado sin vacilar, sin reflexionar. Bien, yo también salí del dilema..., maté como él lo hubiera hecho. Todo pasó de este modo. ¿Te parece raro? Sí, Sonia; lo más raro es que ocurrió exactamente tal como te cuento.

La joven escuchaba con angustiado rostro.

—Háblame más bien... sin ejemplos —dijo con voz aún más tímida y apenas perceptible.

Raskolnikov se volvió hacia ella, la miró a los ojos y, tomándole las manos, dijo:

—Tienes razón, Sonia. Todo esto es absurdo, vano e inútil palabrerío. Mi madre, como lo sabes, no posee casi nada. Mi hermana, a la que se dio una educación esmerada, está condenada a rodar de un lado a otro como institutriz. Todas sus esperanzas se cifraban en mí. Comencé mis estudios en la universidad, pero tuve que interrumpirlos por falta de recursos. Aun suponiendo que hubiese podido continuarlos, lo máximo a que habría podido aspirar, yendo bien las cosas, hubiera sido una cátedra de profesor o un puesto como funcionario dentro de diez o doce años, con un sueldo de mil rublos anuales —parecía recitar una lección aprendida de memoria—. Para ese entonces mi madre se habría consumido a causa de los pesares y las preocupaciones, sin que yo pudiera remediarlo; en cuanto a mi hermana..., su destino habría sido quizá peor. Por lo tanto, ¿para qué malgastar mi existencia, privándome de todo, sacrificando a mi madre y permitiendo que mi hermana se arrastrara por el fango? ¿Para que más tarde, inmoladas las dos, pudiera constituir una nueva familia, fundar un hogar, tener mujer e hijos, a los que al morir dejaría sin un kopek y sin un mendrugo? Esto me decidió; en posesión del dinero de la vieja, lo consagraría a mis estudios y a labrarme una posición al salir de la universidad. Esperaba subsanar todos los inconvenientes en forma amplia, radical, asegurándome la terminación de mi carrera y una situación independiente. Esto fue todo. Como es natural, hice mal en asesinar a la vieja... ¡Pero basta, basta!

Daba muestras de hallarse agotado.

—¡No, no es eso! ¡No es eso! —gimió Sonia con infinita desesperación—. ¡No, no es posible! ¡No es eso!

—¿No me crees? Te he dicho la verdad...

—¡Y qué verdad! ¡Oh, Dios mío!

—Después de todo, no maté sino a un piojo, Sonia, un piojo asqueroso, inútil y perverso.

—Ese piojo era un ser humano.

—A mí me consta que sólo era un insecto repugnante —replicó Raskolnikov, mirándola con extraña expresión—. Sin embargo, estoy mintiendo, Sonia —agregó—: hace tiempo que miento. Tampoco es eso..., tienes razón. Fue por otros motivos, por completo distintos... Hace mucho que no hablo con nadie, Sonia...; en este momento me duele mucho la cabeza.

Sus ojos brillaban con ardor febril; el delirio se apoderaba casi de él, y por sus labios erraba una inquieta sonrisa. Su agitación dejaba transparentar un cansancio horrible.

Sonia comprendía su sufrimiento; el vértigo se enseñoreaba también en ella.

Raskolnikov hablaba de una manera tan extraña..., se intuía algo en sus palabras, pero, ¿qué era? La joven se retorció las manos en un ademán desesperado.

—¡No, Sonia, no es eso! —repitió Raskolnikov, levantando la cabeza como si sus pensamientos tomaran otro rumbo, que a él mismo sorprendía—. Figúrate que soy susceptible, envidioso, malo, ruin, vengativo..., y digamos..., propenso a la locura, como se ha podido notar. Te dije hace poco que carecía de recursos para seguir en la universidad, pero hubiera podido continuar mis estudios. Mi madre me habría enviado lo necesario para hacerlo, y yo hubiera podido ganar con mi trabajo lo suficiente para subvenir a mis gastos: las lecciones dejan bastante. Razumikhin se gana la vida con ellas. Pero yo me ensoberbecí, ésta es la palabra: me encerré en mi cuarto como la araña en su tela... Tú viniste allí, conoces aquel cuchitril... ¿Sabes, Sonia, que los techos bajos y las paredes estrechas oprimen el espíritu y el corazón? ¡Oh, cómo he maldecido esa madriguera infame! ¡Y, sin embargo, no quería abandonarla! Permanecía en ella a propósito. Pasé días enteros sin trabajar, negándome hasta a probar bocado, siempre tumbado en mi diván; cuando Anastasia me traía algo, comía; cuando no, me quedaba en ayunas. Tenía a orgullo no pedir nada. Por las noches, por carecer de luz, prefería estar en la oscuridad antes que trabajar para adquirir una vela. En vez de estudiar, vendí mis libros; dejé amontonar el polvo sobre mis cuadernos. No hacía más que soñar y cavilar... No creo necesario decirte cuáles eran mis pensamientos y mis divagaciones... Entonces fue cuando empecé a pensar... No, tampoco es. No refiero las cosas con exactitud... Una idea fija ocupaba mi mente: "¿Por qué soy tan tonto que sabiendo que los demás son unos imbéciles, no me esfuerzo en ser más inteligente que ellos?" Me dije que si esperaba el momento en que todos fuesen inteligentes, corría el riesgo de esperar demasiado. Más tarde comprendí que eso no ocurrirá jamás, que los hombres no cambiarán, que nada ni nadie puede transformarlos, y que no vale la pena aguardar en vano. ¡Sí, es así! Es una ley ineludible..., ¡una ley, Sonia! Ahora sé que el que es más fuerte por su inteligencia y por su alma es el amo de todos. Quien a todo se atreve tiene razón. El que todo lo desprecia se impone, y el más audaz y desvergonzado tiene siempre la última palabra. ¡Así ha sido y seguirá siendo siempre! ¡Unicamente los ciegos no lo ven!

Al hablar de este modo Raskolnikov miraba a Sonia, pero al parecer no le preocupaba ya que ella lo entendiera o no. Hallábase en un estado de sombría exaltación. En verdad hacía mucho tiempo que no hablaba tanto. La joven comprendió que aquella feroz doctrina era para él un artículo de fe.

—Entonces me convencí, Sonia —continuó con solemne entonación—, de que el poder pertenece a quien se atreve a bajarse para obtenerlo. Basta con atreverse, eso es todo. Por primera vez en mi vida se me ocurrió una idea, una idea que nadie tuvo hasta entonces. ¡Nadie! Comprendí de pronto, con repentina clarividencia, que nadie había osado tomar simplemente a ese monstruo por la cola y arrojarlo al demonio. ¡Yo..., yo lo haría! Traté de realizar un acto de audacia..., y maté... Sólo me proponía *intentar el golpe*, Sonia..., eso fue todo.

—¡Oh, cállese, cállese! —imploró Sonia, castañeteando los dientes—. Se ha apartado de Dios, y Dios lo ha castigado entregándolo al diablo.

—A propósito, Sonia: ¿cuando permanecía acostado en mi cuarto, en plena oscuridad, y pasaba las horas cavilando, era el diablo quien me tentaba?

—¡Cállese! ¡No se ría, blasfemo! No comprende nada de nada.

—No, Sonia, no me río. Sé muy bien que es el

demonio el que me ha arrastrado. Lo pensé muchas veces cuando dejaba errar mi imaginación, sumido en tinieblas. Lo discutí conmigo mismo y llegué a considerarlo posible. ¡Qué insoportables me resultaban esas reflexiones! Hubiera querido olvidar todo y comenzar una nueva vida. ¿Crees acaso que procedí como un imbécil, embistiendo con la cabeza gacha? ¡Obré después de madura reflexión, y esto es lo que me ha perdido! ¿Imaginas que ignoraba, por ejemplo, que si comenzaba por preguntarme: "¿Tengo o no derecho al poder?", era porque no me asistía ese derecho? Cuando me preguntaba si un ser humano es un gusano, comprendía que ese ser ya no era un gusano *para mí*, sino solamente para aquellos que jamás lo hubiesen pensado, y que marcharan sin vacilación alguna para lograr sus fines sin formularse necias preguntas. En fin, cuando durante largos días sentíame asediado por este problema: "¿Habría asesinado Napoleón, sí o no?", advertía en forma neta, créeme, que estaba lejos de ser un Napoleón. Éste es el tormento que he soportado, Sonia, y del que quise desembarazarme de golpe; quise matar sin casuística, para mí, para mí solo. No quiero mentir en esto, ni aun a ti. No maté para socorrer a mi madre, no, ni tampoco para erigirme en benefactor de la humanidad, después de haber logrado los medios para hacerlo. No, maté con toda simplicidad, maté para mí, para mí solo, y en ese momento no me inquietaba saber si me convertiría en un benefactor cualquiera o si pasaría el resto de mi vida, como una araña en su tela, capturando víctimas para nutrirme con sus fuerzas vivas. Para nada entró en mis cálculos el dinero; era lo que menos necesitaba, ahora lo sé... Entiéndeme: si tuviera que volverlo a hacer, quizá no me atrevería. Necesitaba saber otra cosa, otra cosa impulsó mi brazo; tenía que saber lo antes posible si era un gusano como los demás o un hombre. ¿Podría o no franquear el obstáculo? ¿Me atrevería a bajarme para recoger el poder? ¿Era una criatura pusilánime, o *tenía el derecho...*?

—¿De matar? ¿Se preguntaba si tenía el derecho de matar? —exclamó Sonia uniendo las manos en un gesto desesperado.

—¡Bah, Sonia! —repuso con desdén Raskolnikov. Hubiera querido decir algo más, pero guardó silencio. Al cabo de unos segundos, añadió:

—¡No me desprecies! Sólo quería probarte una cosa: que el diablo me arrastró y luego me hizo comprender que yo no tenía derecho a hacer lo que hice, dado que soy un gusano como los demás. ¡El diablo se burló de mí! Por eso vine a tu casa. ¡Vaya una visita! Si yo no fuera un gusano, ¿habría venido? Escucha, mientras me dirigía a casa de la vieja, me proponía *hacer un ensayo*...

—¡Y mató..., mató!

—Pero, ¿cómo maté? ¿Acaso se mata así? ¿Se procede como yo lo hice? Algún día te lo contaré... ¿Maté a esa vieja infame? ¡No, me maté yo mismo, no a la vieja! ¡Me exterminé irremisiblemente! En cuanto a la vieja, la asesinó el demonio, y no yo... ¡Basta, Sonia! ¡Basta, basta, basta! ¡Déjame! —exclamó de pronto con acento desgarrador—. ¡Déjame!

Apoyó los codos sobre las rodillas, oprimiéndose la cabeza entre las manos.

—¡Cómo sufres! —gimió Sonia.

—Y bien..., ¿qué hacer ahora? Habla... —pronunció Raskolnikov, levantando la cabeza y mirándola con el rostro descompuesto por la desesperación.

—¿Qué hacer? —repitió la joven lanzándose hacia él. Sus ojos llenos de lágrimas brillaron con extraño fulgor—. Levántate —lo tomó por un hombro; Raskolnikov se levantó, mirándola con estupor—, ve ahora mismo, enseguida, a una encrucijada, prostérnate, besa primero el suelo que has manchado y luego inclínate hacia los cuatro puntos del mundo, clamando muy alto ante todos: "¡He matado!" Entonces Dios te devolverá la vida. ¿Irás? ¿Irás? —preguntó temblorosa, tomándole las manos entre las suyas y apretándoselas muy fuerte, mientras lo envolvía en una ardiente mirada.

Raskolnikov pareció estupefacto, aterrado casi por aquella súbita exaltación.

—¿Quieres, entonces, que vaya a presidio, Sonia? Es necesario que me denuncie, ¿no es así? —inquirió con aspecto sombrío.

—Tienes que aceptar la expiación y redimirte por ella.

—No, no iré a la policía, Sonia.

—Pero, ¿cómo harás para vivir? ¿Cómo vivirás? —exclamó la joven—. ¿Acaso lo crees posible? ¿Cómo harás para afrontar la mirada de tu madre y cómo podrás dirigirle la palabra? ¿Qué será de ellas ahora? Pero, ¿qué digo? ¡Si ya las has abandonado! ¡Oh, Señor! ¡Él mismo lo comprende! ¿Cómo vivir alejado de toda presencia humana? ¿Qué será de ti?

—Concluye con esas niñerías, Sonia —dijo Raskolnikov con dulzura—. ¿De qué soy culpable ante esa gente? ¿Por qué tengo que denunciarme a ellos? ¿Qué les diría? Todo esto no es sino ilusión y espejismo... Ellos mismos degüellan a millones de hombres y lo consideran un honor y un mérito. Miserables y cobardes, eso es lo que son. No, no iré. ¿Qué podría decirles? ¿Que asesiné, pero que, careciendo de valor para utilizar el dinero, lo oculté debajo de una piedra? —agregó con cáustica sonrisa—. Se reirán de mí y dirán que soy un imbécil por no haber aprovechado los frutos de mi crimen..., un imbécil y un cobarde. No comprenderán, Sonia; son incapaces de comprender, son seres indignos... ¿Por qué debo entregarme? No iré. Sé razonable, Sonia.

—Tu vida no será más que una interminable tortura —repitió ella suplicante, con las manos tendidas hacia él en un gesto de imploración.

—Tal vez me haya juzgado demasiado mal —observó Raskolnikov con aspecto sombrío, como si pensara en él—; después de todo, quizá sea todavía un hombre y no un gusano, como me apresuré a calificarme... Lucharé...

En sus labios apareció una altanera sonrisa.

—¡Soportar semejante peso! ¡Y toda la vida, toda la vida! —dijo Sonia.

—Ya me habituaré... —replicó Raskolnikov, triste y pensativo—. Escucha, seca tus lágrimas; es tiempo de volver a los hechos; vine a decirte que en la actualidad me persiguen, me acosan y van a detenerme.

—¡Ah! —exclamó Sonia, aterrada.

—¡Y bien! ¿Por qué te asustas? ¿No quieres, acaso, que vaya a presidio? Pero no me vencerán. Lucharé contra ellos, y nada podrán hacerme. Carecen de indicios reales. Ayer corrí un grave peligro, y por un momento me creí perdido. Hoy las cosas han mejorado. Todas las pruebas son de doble filo; dicho de otro modo, puedo volver en mi favor todos los cargos que se me formulan, ¿entiendes? Y lo haré; ahora tengo experiencia en esos asuntos. De cualquier manera, no podré evitar que me encarcelen. De no haber sido por un incidente que se produjo en forma inesperada, es probable que ya lo hubieran hecho, y no estoy muy seguro de que eso no ocurra hoy mismo. Pero no es nada, Sonia; me pondrán preso, pero se verán obligados a dejarme en libertad, porque no disponen de una sola prueba verdadera, ni la tendrán, te doy mi palabra. Con lo que saben no basta para condenar a un hombre. ¡Bueno, basta ya! Quería sólo que supieras... A lo que parece, mi hermana está al abrigo de la necesidad y, por lo tanto, mi madre también... Esto es todo. Te recomiendo que seas prudente. ¿Vendrás a verme cuando esté preso?

—¡Oh, sí! Puedes estar seguro.

Estaban sentados uno junto al otro, tristes y abatidos como dos náufragos que se encuentran solos, arrojados por la tempestad sobre alguna playa desierta. Raskolnikov contemplaba a Sonia, pensando cuánto lo amaba, y, cosa extraña, le resultó penoso y doloroso que lo amara de ese modo. Era una sensación rara y terrible. Al ir a la casa de la joven había sentido que ella era su única esperanza, su solo refugio; creyó librarse, por lo menos, de parte del peso que lo agobiaba, mas de pronto advertía que era infinitamente más desgraciado que antes.

—Sonia —le dijo—, será mejor que no vayas a visitarme mientras esté en la cárcel.

La joven no respondió; lloraba en silencio. Pasaron escasos minutos.

—¿Tienes una cruz contigo? —preguntó inopinadamente, como si recordara algo.

Raskolnikov no entendió la pregunta.

—¿No? ¿No llevas una cruz? Toma ésta; es de madera de ciprés. Me queda otra de cobre que me dio Isabel. Hicimos un cambio; ella me dio la cruz, y yo le di una imagen. Ahora yo llevaré la cruz de Isabel, y tú llevarás ésta. Tómala..., es la mía —insistió—. Puesto que vamos a sufrir juntos, también juntos llevaremos la cruz.

—¡Dámela! —dijo Raskolnikov para no causarle pena, pero enseguida retiró la mano extendida para recibirla.

—Ahora no, Sonia. Más tarde... será mejor —agregó para tranquilizarla.

—Sí, sí..., será mejor —repitió la joven exaltada—. Cuando emprendas el camino de la expiación te la daré. Vendrás a mi casa, te la colgaré del cuello, recitaremos una plegaria y partiremos.

En ese momento alguien dio tres golpecitos en la puerta.

—¿Se puede pasar, Sonia Semionovna? —dijo una voz afable y bien conocida.

Presa de agitación y temor, Sonia fue hacia la puerta y abrió. El inesperado visitante era Lebeziatnikov.

5

—Venía a buscarla, Sonia Semionovna. Dispénseme, esperaba encontrarla aquí —dijo de súbito a Raskolnikov—. Es decir, no pensaba nada de... de lo que se podría suponer..., sino que, justamente, pensaba... Catalina Ivanovna se ha vuelto loca —concluyó, dirigiéndose con brusquedad a Sonia y plantando al joven.

Sonia lanzó un grito.

—Por lo menos, así parece. No sabemos qué hacer con ella. Todo induce a suponer que la despidieron del sitio a donde fue, maltratándola tal vez... Corrió a casa del jefe de su finado esposo y no lo encontró; comía en casa de uno de sus colegas. Rápidamente dirigiose al domicilio donde se realizaba la comida, y allí insistió en ver al jefe de Semione Zakharich, pretendiendo que abandonara la mesa para recibirla. Pueden imaginarse lo sucedido: la echaron a la calle. Dice que fue insultada y que le arrojaron algo a la cabeza. Es muy posible. ¡Lo que me sorprende es que no la hayan detenido! Ahora cuenta esta historia a todo el que quiera oírla, incluso a Amelia Ivanovna, aunque resulta difícil comprender sus palabras, de tal modo grita y se debate como una verdadera enajenada... Dice que, ya que todos la abandonan, tomará a sus hijos y se dedicará a tocar el organillo por las calles; que los niños cantarán y bailarán, y ella también, para implorar la caridad pública; y que todos los días irá a colocarse bajo las ventanas del palacio del general para que vea cómo los hijos de un respetable funcionario mendigan una limosna. Castiga a las criaturas, que lloran a lágrima viva. Enseña *La pequeña granja* a Lenia, y hace bailar al más chico... Deshace la poca ropa que tiene para confeccionar atavíos de saltimbanquis, y quiere llevar una cubeta para golpear en ella a guisa de instrumento musical... No permite que se le diga nada. ¡Imagínense ustedes! De cualquier manera, no es posible abandonarla...

Lebeziatnikov habría continuado, pero Sonia, que lo escuchaba respirando apenas, tomó el sombrero y la mantilla y precipitose fuera de la habitación, colocándose estas prendas mientras corría. Raskolnikov salió tras de ella, seguido por Andrés Semionovich.

—¡Está loca de remate! —dijo Lebeziatnikov a Raskolnikov cuando estuvieron en la calle—. No quise asustar a Sonia Semionovna, y por eso dije que "parecía loca", pero no hay duda. Creo que en el cerebro de los tísicos se forman tubérculos; es una lástima que yo ignore medicina. Traté de calmarla, pero en vano...

—¿Le habló de tubérculos?

—No, no le dije una palabra de eso; de cualquier manera, no habría comprendido. Pienso que si con la ayuda de la lógica se puede convencer a alguien de que no hay razón para llorar, dejará de llorar de inmediato. Está claro. ¿No le parece que estoy en lo cierto?

—En ese caso, la vida sería demasiado fácil —replicó Raskolnikov.

—Permítame, permítame... Como es natural, resultaría que una Catalina Ivanovna comprendiera esto, pero sepa que en París se han realizado serios experimentos acerca de la posibilidad de curar a los dementes sirviéndose sólo de la persuasión. Un profesor francés recientemente fallecido, un verdadero sabio, emitió la opinión de que era posible curar con ese sistema. Su idea fundamental consistía en que en los desequilibrados no existe una lesión orgánica especial y que la locura es, por decirlo así, un error de lógica, un error de juicio, un punto de vista erróneo. ¡Se dedicó a refutar los asertos de los pacientes, y figúrese que, según parece, tuvo éxito! Mas, como se sirvió de argumentos psicológicos, los resultados de sus curaciones están sujetos a discusión... Por lo menos, hay apariencias...

Hacía rato que Raskolnikov no lo escuchaba. Al llegar frente a su casa, saludó a Lebeziatnikov con una leve inclinación de cabeza, y sin decir palabra franqueó la puerta cochera. Andrés Semionovich lo vio alejarse con gran estupefacción, prosiguiendo su camino.

Una vez en su cuarto, Raskolnikov preguntose por qué había ido allí. Paseó la mirada por el empapelado descolorido y desgarrado, contempló el polvo amontonado en casi todos los lugares y el desvencijado diván...

Llegaba del patio un ruido seco, persistente, como si alguien estuviera clavando en alguna parte. Se aproximó a la ventana, se puso de puntitas y miró con gran atención. El patio estaba desierto y no se veía a nadie que golpeara. Hacia la izquierda había algunas ventanas abiertas, con macetas de geranios en los alféizares. Afuera, ropa blanca tendida en alambres... Conocía de memoria todo aquello. Se dio vuelta y fue a sentarse en el diván.

Jamás se había sentido tan solo. Parecíale de nuevo que tal vez, en efecto, aborrecía a Sonia, sobre todo después de haberla hecho más desdichada. "¿Por qué habré ido a solicitar la limosna de sus lágrimas? ¿Qué necesidad tenía de envenenar su vida? ¡Qué cobarde soy!", se decía.

"¡Me quedaré solo —pensó de pronto con resolución— y no permitiré que vaya a visitarme en la cárcel!"

Al cabo de cinco minutos alzó la cabeza, sonriendo en forma extraña. Se le ocurría una idea rara: "Quizá sea mejor estar en el presidio".

Nunca pudo recordar cuánto tiempo permaneció entregado a sus divagaciones. En un momento dado se abrió la puerta, y una mujer, Abdocia Romanovna, penetró en la habitación, después de haberse detenido un instante en el umbral para observarlo; como él mismo hiciera poco antes en casa de Sonia. Luego se sentó en una silla, en el mismo lugar que ocupara la víspera. Raskolnikov la miró en silencio, con una mirada en la que no se reflejaba pensamiento alguno.

—No te enfades, hermano mío. Sólo estaré un minuto contigo —dijo la joven. Su rostro tenía una expresión grave pero carente de severidad. Su mirada era límpida y calma. Se notaba que había ido allí impulsada por su afecto fraternal.

—Hermano mío, ahora lo sé todo, todo. Dimitri Prokofich me lo ha contado y explicado todo. Te persiguen y te atormentan a causa de una sospecha estúpida y odiosa. Dimitri Prokofich me aseguró que no corres peligro alguno y que te alteras por una insignificancia. No soy de su opinión, y comprendo perfectamente que eso te subleve y que la indignación que experimentas puede dejar rastros profundos en tu existencia. Eso es lo que temo. Nos has abandonado; no te juzgo, no me atrevo a juzgarte, y te ruego me perdones los reproches que te he dirigido. Creo que si yo misma estuviera en tu lugar, haría lo que tú, alejándome de todo el mundo. Trataré de que mamá no se entere de esto, pero le hablaré sin cesar de ti y le aseguraré de tu parte que no tardarás en volver. No te inquietes por ella: la tranquilizaré, pero no la hagas sufrir; ven a verla una vez siquiera, recuerda que es tu madre. Vine nada más que para decirte que si necesitas de mí para lo que sea... puedes disponer de mi vida... Llámame y vendré. ¡Adiós!

Volviéndose con brusquedad, se dirigió a la puerta.

—¡Dunia! —exclamó Raskolnikov, levantándose de un salto y lanzándose hacia ella—. Razumikhin, Dimitri Prokofich es un hombre excelente.

Dunia se ruborizó

—¿Y bien? —inquirió después de una breve pausa.

—Es un hombre activo, laborioso, honesto y capaz de grandes y profundos afectos... ¡Adiós, Dunia!

La joven se puso roja como la grana, mas de pronto se sintió alarmada.

—Vamos, hermano..., ¿acaso nos separamos para siempre para que me hagas... semejante testamento?

—Poco importa... ¡Adiós!

Se apartó de ella, dirigiéndose hacia la ventana. La joven le miró por un instante con inquietud y salió angustiada.

No, no era frialdad lo que sentía Raskolnikov con respecto a Dunia. En cierto momento, el último había sentido un enorme deseo de estrecharla entre sus brazos y de *despedirse* de ella, de confesarle *todo*; mas no pudo resolverse ni aun a tenderle la mano.

"Más tarde tal vez se estremezca al recordar que la he abrazado; acaso piense que le he robado un beso. Y además, ¿soportaría o no una confesión de esta naturaleza? —se dijo algunos minutos después—. No, no la soportaría. Pertenece a esa clase de mujeres que jamás soportan cosas parecidas..."

Su pensamiento fue hacia Sonia.

De la ventana llegaba un airecillo fresco. Afuera, la luz comenzaba a hacerse menos viva. Tomó su gorro con un gesto brusco y abandonó el cuarto.

Era indudable que no podía ni quería ocuparse de su estado enfermizo. Mas aquellas alarmas incesantes, todo aquel horror moral, no podían dejar de tener repercusiones en su organismo. Si la fiebre no lo había abatido era tal vez en razón de su estado de perpetua angustia, que lo mantenía y le prestaba ánimo, aunque de manera artificial y momentánea.

Comenzó a caminar sin rumbo fijo. El sol se

había puesto ya. Desde tiempo atrás experimentaba una tristeza singular, que sin ser aguda le hacía presentir, con una especie de ritmo eterno y constante, largos años de una ansiedad espantosa, mortal, algo así como "la eternidad en el espacio de un pie cuadrado". Por lo general, ese pensamiento acudía a su mente en las horas de la noche.

"¿Cómo no cometer tonterías con este estúpido malestar, puramente físico, que depende de la puesta de sol? —se dijo—. ¡Corro el riesgo de ir no sólo a casa de Sonia, sino también a ver a Dunia!", refunfuñó con irritación.

Sintió que alguien lo llamaba; se volvió y pudo ver a Lebeziatnikov que corría hacia él.

—Vengo de su casa —le dijo cuando estuvo a su lado—; lo estaba buscando. Figúrese que Catalina Ivanovna ha puesto en práctica su descabellado proyecto, llevándose a los niños con ella. Nos costó mucho trabajo encontrarla... Golpea en una sartén, obligando a bailar a las criaturas, que lloran de una manera que parte el alma. Se detienen en todas las esquinas, frente a las tiendas, seguidos por una cantidad de curiosos. ¡Vamos!

—¿Y Sonia? —preguntó angustiado Raskolnikov, siguiendo a Andrés Semionovich.

—Ha perdido la cabeza..., quiero decir, Catalina Ivanovna, no Sonia. Pero la pobre muchacha está trastornada también. Le aseguro que la viuda está loca de remate. La llevarán a la comisaría, y calcule el efecto que le producirá eso. Ahora se hallan en el muelle, cerca del puente X..., no muy lejos del domicilio de Sonia Semionovna, a dos pasos de aquí.

En el muelle, a poca distancia del puente, casi frente a la casa donde vivía Sonia, veíase un numeroso grupo de personas, en especial chiquillos. Desde el puente se oía ya la voz ronca y destemplada de Catalina Ivanovna. Era un espectáculo extraño que no podía dejar de interesar a los curiosos y papanatas. Vestida con ropas harapientas, con el pañuelo verde alrededor del cuello y un estrafalario sombrero de paja en la cabeza, la infeliz viuda no permitía abrigar la menor duda acerca de su estado mental: era indudable su falta de juicio. Estaba agotada, jadeante. Su rostro demacrado por la tisis impresionaba penosamente, ya que, como se sabe, los tuberculosos, vistos al aire y al sol, tienen peor aspecto que en sus casas. Su agitación crecía de minuto en minuto. Se arrojaba sobre sus hijos, gritando contra ellos, y en presencia de todos les enseñaba a cantar y bailar, explicándoles que era indispensable hacerlo, puesto que de lo contrario se morirían de hambre; luego, considerando que no querían seguir sus instrucciones, les pegaba y, sin terminar las lecciones, corría a dirigirse al público. Al ver entre la multitud a un hombre vestido con cierta decencia, se apresuraba a explicarle a lo que estaban reducidos "los hijos de una familia noble, casi aristocrática".

Si oía una risotada o algún despropósito, se

arrojaba sobre los insolentes y entablaba acaloradas discusiones, reprochándoles su conducta. Unos reían, en efecto; otros movían la cabeza con aire compasivo, pero en general todos contemplaban con curiosidad a la pobre demente y a las aterrorizadas criaturas. La sartén de que había hablado Lebeziatnikov no existía, por lo menos. Raskolnikov no lo vio. A guisa de acompañamiento, Catalina Ivanovna daba repetidas palmadas, obligando a cantar a Polia mientras Lenia y Kolia bailaban. En ciertos momentos pretendía cantar ella también, pero los accesos de tos se lo impedían; entonces se desesperaba, maldiciendo su enfermedad y llorando con gran desconsuelo. Lo que más la ponía fuera de sí eran las lágrimas y el espanto de Kolia y Lenia, a los que había tratado de ataviar como los cantores callejeros. El niñito llevaba en la cabeza una especie de turbante rojo y blanco, para representar a un turco. Al carecer de tela para hacer un vestido a Lenia, la madre habíale encasquetado un birrete tejido color rojo (el gorro de dormir del extinto Semione Zakharich), adornándolo con un resto de pluma de avestruz que perteneciera a la abuela de Catalina Ivanovna, y que ésta había conservado hasta entonces en su cofre a título de reliquia familiar. Polia llevaba el vestido de siempre. Miraba a su madre con aire desolado y temeroso y no se apartaba de ella, esforzándose por ocultarle sus lágrimas, y, adivinando que estaba loca, parecía implorar la protección de los presentes con sus grandes ojazos tristes, horrorizada de verse en la calle de aquella manera. Sonia no dejaba ni un momento a su madrastra, suplicándole entre sollozos que volviera a su casa, mas la viuda se mostraba inflexible.

—¡Déjame, Sonia, déjame! —gritaba cuando la tos se lo permitía—. No sabes lo que dices; eres igual que una niña. Ya te dije que no voy a volver a la casa de esa alemana borracha. Quiero que todo el mundo, que todo San Petersburgo vea reducidos a la mendicidad a los hijos de un noble padre que sirvió con lealtad toda su vida, y del que se puede decir que ha muerto en el cumplimiento de sus funciones —Catalina Ivanovna se había forjado esa idea fantástica y creía en ella ciegamente—. ¡Que ese inservible y desalmado general vea este cuadro! ¡Qué necia eres, Sonia! ¿Cómo haremos para comer? ¡Ya te hemos explotado bastante, y no quiero hacerlo más! ¡Ah! ¡Rodion Romanovich, es usted! —exclamó al ver al joven, lanzándose hacia él—. Los tocadores de organillo obtienen muchas limosnas; nosotros nos haremos más populares y sacaremos más que ellos. ¡Se sabrá que somos una pobre familia noble caída en la miseria, y ese bribón del general perderá el puesto! ¡Ya verá! Todos los días iremos a colocarnos debajo de sus ventanas. Cuando pase el emperador me arrodillaré y le mostraré a mis hijos, diciéndole: "¡Padre, protégenos!..." ¡Él es el padre de los huérfanos, es misericordioso y nos amparará, ya verá! En cuanto a ese infame general... Lenia, *tenez-vous droite*, y tú, Kolia, empieza de nuevo esa danza. ¡Vamos, no lloriquees! ¡Termina de una vez! ¿Tienes miedo, estúpido? ¡Señor! ¿Qué hacer con ellos, Rodion Romanovich? ¡Si supiera qué tontos son! ¿Qué hacer con criaturas como éstas?

Estaba a punto de romper a llorar, lo cual no impedía que hablara sin descanso, mostrando a los niños deshechos en lágrimas. Raskolnikov trató de persuadirla de que volviera a su casa, y hasta le sugirió, haciendo un llamado a su amor propio, que no era decoroso vagar por las calles como los organilleros, cuando aspiraba a ser la directora de un pensionado de señoritas.

—¡Un pensionado! ¡Ja, ja, ja! ¡Tiene gracia! —exclamó Catalina Ivanovna sacudida por un violento acceso de tos después de haber reído—. ¡No, Rodion Romanovich, ese sueño se ha disipado! ¡todo el mundo nos ha abandonado! ¡Y ese canalla de general!... ¿Sabe una cosa? Le arrojé un tintero a la cara; estaba en la mesa de la antesala, al lado de la hoja donde los visitantes escriben sus nombres. Yo también había inscrito el mío, y cuando se lo tiré, huí corriendo. ¡Oh, cobardes, cobardes! ¡Pero no me importa! ¡Ahora seré yo la que mantenga a mis hijos, y no tendré que humillarme ante nadie! Bastante la hemos atormentado —designaba a Sonia—. Polia, ¿cuánto hemos recaudado? Muéstrame... ¡Cómo! ¿Nada más que dos kopeks? ¡Canallas! Se resisten a darnos siquiera unas monedas..., se contentan con seguirnos para divertirse a costa nuestra. Mire a ese cretino, ¿de qué se reirá? —mostraba a un individuo—. Ya lo sé... Se ríe de Kolia... Es tan poco inteligente que por causa de él se burlan de nosotros... ¿Qué te ocurre, Polia? *Parlez-moi français*. Vamos, te he enseñado y sabes algunas frases. Tienes que hacerlo, para que la gente sepa que ustedes pertenecen a una familia noble, que son niños bien educados, de ningún modo como los otros músicos ambulantes. No vamos a representar espectáculos de guiñol en las calles, sino que cantaremos romanzas de buen tono. ¡Ah, sí! ¿Qué vamos a cantar? Siempre me interrumpen, y... vea, Rodion Romanovich, nos habíamos detenido aquí para decidir qué cantaríamos; algo que Kolia pueda acompañar bailando, pues, como puede imaginarse, todo esto nos ha tomado de sorpresa. Tenemos que ensayar y luego nos dirigiremos a la avenida Nevski, donde abundan más los paseantes de calidad, y nos haremos notar muy pronto. Lenia sabe *La pequeña granja*, pero esta canción es demasiado conocida y ya aburre; todo el mundo la canta. Tenemos que cantar algo más distinguido... Y bien, Polia..., ¿se te ha ocurrido algo? ¡Si ayudaras un poco a tu madre! La memoria me abandona... Si me ayudara un poco, todo iría como sobre ruedas... Podríamos cantar *El húsar apoyado en su sable*... No, mejor, cantemos en francés *Cinq sous*... La saben; se la enseñé a los tres. Como es una canción francesa, se verá enseguida que son niños nobles y será más conmovedor... También podríamos cantar *Mambrú se fue a la guerra*, tanto más cuanto que es una romanza infantil que se canta en todas las casas aristocráticas para hacer dormir a los niños.

Mambrú se fue a la guerra,
no sé cuándo vendrá...

—comenzó a cantar—. Pero no, es mejor *Cinq sous*... Vamos, Kolia, las manos en las caderas..., más rápido... Y tú, Lenia, da vuelta en sentido contrario... Polia y yo los acompañaremos golpeando las manos.

Cinq sous, cinq sous
pour monter notre ménage...

Un ataque de tos la doblegó por unos instantes.

—Arréglate el vestido, Polia, que se te escapa de los hombros —observó mientras seguía tosiendo—. Ahora es más necesario que nunca cuidar los menores detalles, para que se advierta que son niños de la nobleza. Dije que me parecía mejor que ese vestido fuera más largo, y tú, Sonia, me aconsejaste que lo cortara... Mira ahora cómo le queda de mal a esa chica... ¡Vamos! ¡No empiecen a lloriquear otra vez! ¿Qué les sucede? ¡Qué idiotas son estas criaturas! Vamos, Kolia, más rápido, canta..., canta... ¡Oh, qué niño insoportable!

Cinq sous, cinq sous...

—¡Ahora un soldado! ¡Bien! ¿Qué quieres?

En efecto, un gendarme se abría paso entre la multitud. Pero en el mismo momento se aproximó un caballero de uniforme, con abrigo de reglamento, de cuyo cuello pendía una condecoración. Era, sin duda, un alto funcionario.

Sin decir palabra tendió a Catalina Ivanovna un billete de tres rublos. Su rostro expresaba sincera compasión. La infeliz viuda tomó el billete y agradeció con una cortés reverencia.

—Doy a usted mis más expresivas gracias, caballero —comenzó a decir con toda ceremonia—. Las causas que nos han impulsado... toma este dinero, Polia. Como puedes ver, hay hombres generosos y magnánimos dispuestos a socorrer a una pobre dama noble caída en desgracia. Estos huérfanos, caballero, son de noble cuna, y hasta puede decirse que están emparentados con las familias más aristocráticas... Y ese desalmado general estaba sentado a la mesa, comiendo exquisitos manjares...; dio con el pie en el suelo porque me atreví a molestarlo. "Excelencia —le dije—, usted, que tanto conoció al extinto Semione Zakharich, proteja a sus huérfanos; el mismo día de su muerte, su hija ha sido calumniada por el más infame de los malvados." ¡Otra vez ese soldado! ¡Defiéndame usted! —dijo al funcionario—. ¿Por qué no me dejan en paz? Ya tuvimos que escapar de otro en la calle de los Burgueses. Y bien, ¿qué quieres, imbécil?

—Está prohibido hacer escándalo en las calles. Compórtese con mayor corrección.

—¡Tú sí que no te comportas como es debido! Hago como si tocara el organillo... ¿A qué tienes que venir a molestarme? ¿Qué te importa?

—Para tocar el organillo por las calles se necesita un permiso especial; usted lo único que hace es provocar una aglomeración y perturbar el orden. ¿Dónde vive usted?

—¿Cómo, un permiso? —vociferó Catalina Ivanovna—. Hoy di sepultura a mi esposo, creo que eso es suficiente permiso.

—Señora, señora, tranquilícese —dijo el funcionario—; venga conmigo, yo la acompañaré. No está bien entre toda esta gente..., se encuentra enferma...

—¡Señor, señor! Usted no se figura cuál es mi situación... —dijo entre sollozos Catalina Ivanovna—. Tenemos que ir a la avenida Nevski. ¡Sonia! ¡Sonia! ¿Dónde estás? Ella también llora... Pero, ¿qué les pasa a todos ustedes? ¡Kolia, Lenia! ¿Dónde se han metido? —gritó de pronto, llena de temor—. ¡Oh, qué criaturas más tontas! ¡Kolia, Lenia! ¡Vengan aquí!

Al ver llegar al gendarme que pretendía detenerlos, los dos niños, ya espantados por la multitud y por las insensatas excentricidades de la madre, habían huido tomados de la mano. La pobre Catalina Ivanovna, gimiendo y sollozando, se lanzó en su persecución. Era un espectáculo conmovedor y lastimoso verla correr con el rostro inundado de lágrimas y sin aliento.

Sonia y Polia se precipitaron tras ella.

—¡Alcánzalos, Sonia! ¡Hazlos volver! ¡Oh, qué hijos más tontos e ingratos! Polia, corre... Es por ustedes que...

De pronto dio un traspié y cayó al suelo.

—¡Está cubierta de sangre! ¡Oh Dios mío! —gritó Sonia, arrodillándose junto a ella.

Todos acudieron, y no tardó en formarse un grupo de curiosos alrededor de las dos mujeres. Raskolnikov y Lebeziatnikov habían sido de los primeros en llegar; el funcionario y el agente de policía no tardaron en hacerse presentes.

—Vamos, vamos, circulen, despejen la acera —comenzó a decir este último.

—¡Se está muriendo! —gritó alguien.

—¡Es una pobre loca! —añadió otro.

—¡Señor! ¡Salva a esta pobre infeliz! —murmuró una vieja haciendo la señal de la cruz—. ¿Han traído a la chiquilla y al muchacho?

—Sí..., la mayorcita los alcanzó... Aquí están estos pobrecitos...

Un breve examen permitió advertir que Catalina Ivanovna no estaba herida, como había temido Sonia. La sangre que enrojecía el pavimento manaba de su boca.

—Conozco estos síntomas, los he visto en otras ocasiones —murmuró el funcionario a Raskolnikov y Lebeziatnikov—. Es un caso de tuberculosis ya muy avanzada: la sangre brota de los pulmones y ahoga al paciente. No hace mucho fui testigo de los últimos momentos de una parienta mía atacada de esta enfermedad; arrojó mucha sangre también... No podemos hacer nada, esta pobre mujer se muere...

—Llévela a mi casa —suplicó Sonia—; vivo aquí, en el segundo edificio... Llévenla pronto, por favor —repetía yendo de uno a otro—; avisen a un médico... ¡Dios mío!

Merced a la intervención del funcionario, el asunto pudo resolverse. El mismo policía ayudó a transportar a Catalina Ivanovna, ya moribunda cuando la dejaron en el lecho de Sonia. Continuaba la hemorragia, pero la enferma pareció recuperar el conocimiento. En la habitación se encontraba, aparte de Sonia, Raskolnikov y Lebeziatnikov, el caballero condecorado y el policía, que previamente había dispersado a los curiosos, algunos de los cuales habían prestado su colaboración para conducir a la infeliz. Polia llegó trayendo de la mano a Kolia y Lenia, que temblaban y lloraban. Acudieron también los Kapernaumov: el sastre, un individuo cojo y tuerto, cuyos cabellos y patillas erizadas le daban un extraño aspecto; su mujer, siempre con cara de asustada, y algunos de sus hijos, cuyos rostros parecían de madera y cuyas bocas abiertas manifestaban sempiterna sorpresa.

Entre los presentes apareció de pronto Svidrigailov. Raskolnikov lo contempló estupefacto, sin comprender de dónde había salido y cómo se encontraba allí.

Se habló de hacer llamar a un sacerdote y a un médico. El funcionario murmuró al oído de Raskolnikov que consideraba inútil la presencia del facultativo; sin embargo, dio orden de que fueran a buscarlo. Kapernaumov se encargó de hacerlo.

Mientras tanto, Catalina Ivanovna daba muestras de estar más tranquila, y la hemorragia decreció hasta cesar casi por completo. La desdichada enferma miró con expresión de dolor a Sonia, que pálida y trémula le enjugaba la frente, y pidió que le ayudaran a incorporarse. La sentaron en el lecho, sosteniéndola por ambos lados.

—Los niños... ¿dónde están! —preguntó con voz débil—. ¿Los has traído, Sonia? ¡Oh, imbéciles! ¿Por qué se escaparon?... ¡Oh!...

Sus labios estaban cubiertos de sangre coagulada. Miró con lentitud a su alrededor.

—¿Así que ésta es tu casa? Nunca había venido aquí..., ha sido necesario que...

La contempló con aire de piedad.

—Te hemos explotado, Sonia... Polia, Lenia, Kolia, vengan aquí. Los dejo a tu cargo, Sonia, quedan en tus manos... Yo ya he terminado..., el baile ha concluido... ¡Suéltenme! Déjenme morir tranquila...

La acostaron de nuevo.

—¿Qué? ¿Un sacerdote? No hay necesidad... ¿Les sobra un rublo, acaso? No tengo pecados que pesen sobre mi conciencia... De cualquier manera, Dios tiene que perdonarme..., sabe cuánto he sufrido... ¡Y si no me perdona, tanto peor!

El delirio se apoderaba de ella. Por momentos se sobresaltaba, miraba a los presentes y parecía reconocerlos por escasos segundos; luego perdía la lucidez.

Su respiración era ronca y penosa; por momentos se ahogaba.

—¡Le dije "Excelencia"...! —exclamó de pronto—. ¡Ah! Esa Amelia Ludwigovna... Lenia, Kolia..., las manos en las caderas, más rápido, más rápido, deslícense..., a ver ese paso..., hagan sonar los talones..., con gracia, con gracia.

Du hast Diamanten und Perlen...

—¿Cómo sigue? Esto es lo que tenemos que cantar...

Du hast die schönsten Augen!
Mädchen was willst du mehr?

—¿No es así? *Was willst du mehr...* dice bien el imbécil que hizo estos versos... ¡Ah! Esta otra canción también sirve: *Bajo los rayos del sol del mediodía, en el valle del Daghestán...* ¡Ah, cómo me gusta esta romanza; siento casi adoración por ella...! Polia, tu padre la cantaba cuando aún éramos novios... ¡Oh, aquellos días de felicidad! Esto es lo que tendríamos que cantar... Pero, ¿cómo?... ¿La he olvidado? Decidme pronto cómo sigue...

Presa de extraordinaria agitación, trataba de levantarse. Por fin, con una voz ronca, aterradora, quebrada, empezó a cantar, ahogada por la tos, mientras su rostro expresaba infinito sufrimiento:

—*Bajo los rayos del sol del mediodía, en el valle del Daghestán, con el pecho lleno de plomo...* ¡Excelencia! —aulló con un sollozo desgarrador, deshecha en lágrimas—. Proteja a mis pobres huérfanos..., en recuerdo de la hospitalidad que recibió en casa del finado Semione Zakharich... una familia casi aristocrática... ¡Ah! —dijo con un brusco movimiento, como si tratara de recordar. Miró con asombro a todos los presentes, y al reconocer a Sonia, exclamó con acento dulce y tierno:

—Sonia, Sonia querida..., ¿también estás aquí?

La incorporaron de nuevo.

—Basta, basta..., ya es hora... Adiós..., la bestia está ahogada..., ¡va a reventar! —exclamó con voz llena de odio y desesperación, y su cabeza cayó sobre la almohada.

Quedó sumida en una especie de sopor, pero este último eclipse de conciencia no fue muy prolongado. Su rostro amarillento y apergaminado se echó hacia atrás, abrió la boca, sus piernas se extendieron en un movimiento espasmódico, exhaló un profundo suspiro y dejó de existir.

Sonia se precipitó sobre el cadáver, estrechándolo entre sus brazos y apoyando su cabeza en el pecho de la muerta. Polia se arrodilló a los pies de su madre y los besó entre sollozos. Kolia y Lenia, que no comprendían aún lo que había pasado, pero que intuían algo terrible, se abrazaron estrechamente y comenzaron a gritar. Ambos conservaban sus atavíos de saltimbanquis, uno con su turbante y el otro con el gorro de dormir adornado con la pluma de avestruz.

Sin que pudiera saberse de qué manera, el diploma de honor apareció en el lecho, sobre la almohada, junto a la cabeza de Catalina Ivanovna.

Raskolnikov se retiró discretamente hacia la ventana, seguido por Lebeziatnikov.

—¡Ha muerto! —musitó.

Svidrigailov fue a su encuentro.

—Rodion Romanovich, tengo urgente necesidad de conversar unas palabras con usted.

Lebeziatnikov se apartó discretamente, cediéndole el lugar.

—Tomaré a mi cargo todas estas cuestiones, es decir, las exequias y los funerales. Como usted sabe, se requiere dinero, y ya le he dicho que dispongo de más del que necesito. Haré entrar a estas dos criaturas y a Polia en un orfanato donde no carecerán de nada, y depositaré mil quinientos rublos a nombre de cada uno de ellos para cuando lleguen a la mayoría de edad, con el objeto de que Sonia Semionovna pueda estar tranquila. En cuanto a ella, la retiraré del lodo infame en que se halla a pesar suyo. Es una excelente muchacha, ¿no es cierto? Bien, puede decir ahora a Abdocia Romanovna qué destino he dado al dinero que me proponía entregarle.

—¿Qué propósitos lo inducen a mostrarse tan generoso? —preguntó Raskolnikov.

—¡Eh, qué desconfianza la suya! —dijo Svidrigailov con una leve sonrisa—. Ya le aseguré que ese dinero no me era necesario. ¿No admite que obre como hombre, simplemente? Después de todo, ésa no era un "gusano" —añadió indicando con un ademán el rincón donde reposaba la difunta—, como cierta vieja usurera. Vamos, dígame: ¿es mejor acaso que sea "un Lujin quien viva para cometer sus canalladas, o que sea ella la que muera"? Y sin mi ayuda, "Polia, por ejemplo, se vería obligada a seguir las huellas de su hermana".

Había pronunciado estas palabras con una entonación levemente maliciosa, sin apartar su mirada de los ojos de Raskolnikov. Éste palideció y sintió un escalofrío al oír las mismas frases que había empleado para dirigirse a Sonia. Retrocedió un paso, contemplando a Svidrigailov con extravío.

—¿Cómo sabe usted eso? —murmuró Raskolnikov con voz apenas perceptible.

—Vivo en la habitación de al lado, detrás de esa pared, en lo de la señora Resslich, una vieja amiga que me profesa gran afecto y devoción.

—¿Usted?

—Yo —asintió Svidrigailov, sofocando su risa—. Puedo darle mi palabra de honor, estimado Rodion Romanovich, que me ha interesado muchísimo su persona y su forma de ser. Ya le dije que terminaríamos por entendernos; y bien: nos hemos entendido. Como puede ver, todavía es posible vivir junto a mí...

Sexta parte

1

Fue aquélla una época singular para Raskolnikov; se hubiera dicho que una especie de bruma caída sobre él lo mantenía en una soledad agobiadora y desesperante, cuyo fin no podía preverse. Cuando mucho tiempo después recordó esos días, adivinó que su conciencia habíase eclipsado a veces, y que eso debió haber sucedido, salvo raros intervalos de lucidez, hasta que se produjo la catástrofe final. Estaba positivamente convencido de haberse engañado acerca de varios puntos, en especial la fecha y duración de ciertos acontecimientos.

Por lo menos, al recapacitar más tarde, tratando de explicarse los hechos que recordaba, se vio en la necesidad de recurrir al testimonio ajeno para reconstituir sucesos que concernían a él en persona; en ocasiones llegó a considerarlos como la consecuencia de otros que sólo existían en su imaginación. A veces se sentía dominado por una angustia que llegaba a transformarse en pánico. Pero recordó con nitidez que hubo minutos, horas y hasta quizá días en los que permaneció sumido en una apatía análoga a la triste indiferencia de ciertos moribundos. En general, en los últimos días trataba de no pensar en su situación para evitar el tener que darse cuenta exacta de la misma. Ciertos hechos de la vida corriente que hubiesen requerido ser tratados con urgencia no dejaban de preocuparle, pero experimentaba una especie de placer en descuidar precauciones cuyo olvido podía ser para él de funestas consecuencias.

Svidrigailov era lo que más le alarmaba, y hasta puede decirse que toda su atención concentrábase en su persona. Desde el día en que Svidrigailov le repitió las palabras demasiado claras y amenazadoras para él en la habitación de Sonia, frente al lecho de muerte de Catalina Ivanovna, el curso habitual de los pensamientos de Raskolnikov se encontraba perturbado. Mas aun cuando ese nuevo factor le inquietara sobremanera, no se apresuraba demasiado a poner las cosas en claro.

A veces, al encontrarse de pronto en alguno de los arrabales de la ciudad, sentado ante la mesa de una taberna miserable, solo, perdido en sus reflexiones y recordando apenas cómo había llegado hasta aquel lugar, pensaba en Svidrigailov y sentía con punzante lucidez que le era necesario entrevistarse lo antes posible con aquel hombre para terminar en forma definitiva.

En una ocasión, cuando deambulaba más allá de las barreras, se figuró que esperaba a Svidrigailov, que lo había citado en aquel lugar. Otra vez se despertó antes del amanecer en un sitio desconocido, acostado sobre la hierba en medio de un bosquecillo, sin recordar casi cómo había llegado hasta allí.

Durante los días que siguieron al fallecimiento de Catalina Ivanovna, encontrose en dos oportunidades con Svidrigailov en las inmediaciones del domicilio de Sonia, al cual se dirigía sin otro propósito que pasar algunos instantes en compañía de la joven. Ambos cambiaron breves frases, absteniéndose de hacer referencia al punto esencial, cual si existiera entre ellos un acuerdo tácito para no tocarlo hasta que llegara el momento propicio.

Eso ocurrió mientras el cadáver de Catalina Ivanovna estaba allí todavía. Svidrigailov ocupábase en las cuestiones relativas al sepelio, y Sonia estaba también muy atareada.

En la última ocasión en que se vieron, Svidrigailov explicó a Raskolnikov que las gestiones por él realizadas en favor de los hijos de la muerta habían tenido éxito: merced a sus relaciones no le resultó difícil llegar hasta ciertos personajes, por intermedio de los cuales pudo colocar muy pronto a los tres huerfanitos en asilos donde de nada carecían. El dinero depositado a nombre de los mismos no dejó de contribuir a ello, pues se aceptaba más fácilmente a niños dotados de pequeño capital que a los indigentes en absoluto, aun cuando esto pudiera parecer un contrasentido.

Habló, asimismo, de Sonia; prometió pasar

uno de aquellos días por la casa de Raskolnikov, y dio a entender "que deseaba pedirle consejos y tenía urgente necesidad de conversar con él acerca de ciertos asuntos".

Esta conversación tuvo lugar en la antesala. Svidrigailov miraba a Raskolnikov con extraña fijeza. De súbito, bajando la voz, le preguntó:

—¿Qué le sucede, Rodion Romanovich? No parece el mismo de siempre... Mira y escucha como si no comprendiera lo que se le dice... Vaya, será preciso que charlemos un rato; lamento de veras estar tan ocupado con los asuntos de los demás y los míos. ¡Ea, Rodion Romanovich! —agregó en forma brusca—. Todos los hombres necesitan aire..., aire, aire, antes que nada.

Se hizo a un lado para permitir pasar al sacerdote y al sacristán que subían por la escalera para entonar el *réquiem*. Svidrigailov había tomado disposiciones para que esa ceremonia se realizara regularmente dos veces por día.

Después de reflexionar un instante, Raskolnikov siguió al sacerdote, pero no penetró en la habitación, quedándose en el umbral. El ofició religioso comenzó, triste y solemne. Desde su más tierna infancia, Raskolnikov había experimentado siempre una especie de terror místico ante la presencia de la muerte; hacía mucho tiempo que no asistía a una ceremonia fúnebre. A todo esto se agregaba una sensación de perturbación y espanto, más dolorosa aún.

Miró a las criaturas: las tres estaban arrodilladas junto al féretro. Polia lloraba en silencio. Detrás de ellas, Sonia oraba en voz baja, tratando de ocultar sus lágrimas.

"En todo este tiempo no me ha mirado ni una vez, ni me ha dirigido una palabra", pensó Raskolnikov.

El sol inundaba la habitación de viva claridad, y el humo del incensario elevábase en densas espirales. El sacerdote salmodiaba el *Requiem aeternam*. Raskolnikov permaneció allí hasta el final. Al dar la bendición y despedirse, el sacerdote miró en derredor suyo con aire extraño. Después del oficio, Raskolnikov avanzó hacia Sonia. La joven le tomó las dos manos y reclinó la cabeza en su hombro. Ese dulce gesto de amistad causó profundo asombro a Raskolnikov. ¡Sonia no le demostraba la más mínima repulsión, ni una sombra de horror; sus manos no temblaban! Era, en cierto modo, el colmo de la abnegación personal. Por lo menos, él lo entendió así.

La joven no pronunció palabra. Raskolnikov le estrechó las manos con fuerza y salió presa de inmenso malestar. Si le hubiese sido posible partir a cualquier sitio que fuese enseguida, o hallar en algún sitio una soledad absoluta, aun para toda la vida, se habría considerado feliz.

Pero desde hacía algún tiempo, aun cuando casi siempre estuviera solo, jamás conseguía sentirse solo. Salía de la ciudad, marchaba por las carreteras, una vez se internó en un bosque..., pero cuanto más solitarios eran los lugares tanto más sentía junto a sí una presencia inquietante que lo molestaba más que atemorizaba, de suerte que se apresuraba a volver a la ciudad para mezclarse con la multitud, penetrar en las tabernas y cervecerías o vagar por los mercados y las plazas. Allí se sentía mejor y hasta más solo.

Al caer la tarde se encontró en una especie de teatrucho en el que servían bebidas a los espectadores. Pasó una hora entera escuchando las canciones con cierto placer, pero por último la inquietud se adueñó de nuevo de su ánimo y sintió casi remordimientos de conciencia: "Estoy sentado aquí oyendo canciones..., ¿acaso es esto lo que me conviene hacer?", pensó. No tardó en advertir que había una cuestión que resolver sin demora, pero por más que se devanó los sesos no pudo concretarla en palabras. Sus pensamientos se enredaban.

"¡No, más vale luchar! —se dijo por fin—. Prefiero vérmelas de nuevo con Porfirio..., o con Svidrigailov, es mejor desafiarlos o hacer frente a sus ataques... ¡Sí, fuera de duda!"

Abandonó el teatrucho. El pensamiento de Dunia y de su madre le causó terror sin que supiera por qué razón.

Aquella noche se despertó antes del alba en los bosquecillos de la isla Krestovski, temblando de fiebre, y volvió a su casa ya entrada la mañana. Tras algunas horas de reposo la fiebre desapareció, pero levantose muy tarde.

Recordó que las exequias de Catalina Ivanovna habían sido fijadas para ese día, y se felicitó por no haber asistido a la ceremonia.

Anastasia le llevó el almuerzo; comió y bebió con buen apetito, casi con avidez. Su cabeza estaba desepejada, y sintiose más fresco y tranquilo que en los tres días anteriores, y se asombró de los insensatos terrores que lo habían asediado.

Eran las dos pasadas. De pronto se abrió la puerta, apareciendo Razumikhin:

—¡Vaya! Si comes, es que no estás enfermo —dijo tomando una silla y sentándose frente a él.

Hallábase muy excitado y no trataba de disimularlo, y en sus palabras se traslucía gran indignación, aun cuando hablaba con calma y sin levantar la voz. Al parecer, su visita era motivada por algún grave acontecimiento.

—Escucha —comenzó a decir en tono resuelto—: veo con la mayor claridad ahora que no comprendo un rábano de lo que pasa. ¡Que el diablo cargue con todos vosotros! No vayas a suponer que vine para interrogarte. Me cuidaré muy bien de meterme en lo que no me importa. Aunque quisieras confiarme todos tus secretos, me taparía los oídos para no escucharte, escupiría y me iría. He venido nada más que para saber personalmente y de manera definitiva si en verdad estás loco. Hay mucha gente, poco importa quiénes son, que creen que lo estás, o, por lo menos, que tienes enorme propensión a la demencia. Te confieso que estoy muy dispuesto a compartir esa opinión, en primer lugar a causa de tu comportamiento ridículo y si se quiere innoble (tanto más cuanto que nada lo explica), y luego en vista de tu reciente conducta hacia tu madre y tu hermana. Sólo un monstruo y un cobarde, de no ser un loco, puede obrar como tú lo has hecho; por consiguiente, estás loco...

—¿Hace mucho que no las ves?

—Recién acabo de verlas. ¿Y tú no has vuelto por allá? ¿Qué te pasa? ¿Por dónde has andado? Desde ayer tu madre se halla enferma de algún cuidado. Quiso venir aquí; Abdocia Romanovna se esforzó en vano en retenerla. "Si está enfermo —decía—, si tiene el espíritu perturbado, ¿quién lo cuidará si no lo hace su madre?" Vinimos todos para no dejarla sola, haciendo lo posible para que se calmara. Entramos, y no estabas; tu madre se sentó ahí, y quedó unos diez minutos embargada en profundas reflexiones, mientras nosotros permanecíamos en silencio. De pronto se levantó y nos dijo: "Si sale, es señal de que se encuentra sano y que olvida a su madre; por lo tanto, es inconveniente y vergonzoso para mí aguardarlo y mendigar sus caricias como si le pidiera una limosna". Volvió a su casa y se acostó. Ahora tiene bastante fiebre. "Veo muy bien que tiene tiempo para dedicarlo a su amiga", dice, suponiendo que Sonia Semionovna es tu novia, tu amante o lo que sea. Fui a casa de Sonia Semionovna, antes de venir aquí, porque quería hacer bien las cosas. Entro, ¿y qué es lo que veo? Un féretro y unos chicos que lloran mientras esa joven les prueba unos vestidos de luto. Tú no estabas. Me excusé y salí para comunicar lo que había visto a tu hermana. La suposición de tu madre, por lo tanto, es absurda: no se trata de novia o amante, entonces, sino de locura. Llego y te encuentro engullendo trozos de carne cocida como si hiciera dos días que no pruebas bocado. Cierto es que los locos también comen, pero aunque no me hayas dicho una palabra al respecto, comprendo que no estás loco, no, no lo estás... ¡Pondría mis manos en el fuego! Por lo tanto, los mando a todos al diablo, ya que hay un misterio, un secreto, y no estoy dispuesto a romperme la cabeza para descifrarlo. Vine con el único propósito de decirte cuatro frescas y desahogarme. ¡Ahora ya sé lo que debo hacer!

—¿Qué quieres hacer?

—¿Qué te importa?

—¿Vas a dedicarte a la bebida?

—¿Cómo lo has adivinado?

—No se requiere mucha perspicacia.

Razumikhin permaneció un instante silencioso.

—Siempre has dado muestras de buen sentido, y nunca, nunca has estado loco —observó con énfasis—. Sí, es cierto, voy a embriagarme. ¡Adiós!

Después de haber dicho esto, se dirigió hacia la puerta.

—Anteayer creo haber hablado de ti a mi hermana, Razumikhin —dijo Raskolnikov.

—¿De mí? ¿Dónde la viste anteayer? —preguntó Razumikhin deteniéndose, un tanto pálido. Se podía adivinar que su corazón latía con fuerza dentro de su pecho.

—Vino aquí, sola. Se sentó en ese lugar y estuvo hablando conmigo.

—¿Ella?

—Sí, ella.

—¿Qué le dijiste? Quiero decir..., de mí.

—Que eras un muchacho excelente, honesto y laborioso. No le dije que la amabas, pues eso ya lo sabe.

—¿Lo sabe?

—¡Qué pregunta! En cambio, le manifesté que, vaya yo donde vaya, me suceda lo que me suceda, deben considerarte como su providencia. Las dejo a tu cargo, Razumikhin. Te hablo de este modo porque sé cuánto la amas, y estoy convencido de la pureza de tus sentimientos. Creo adivinar también que ella puede amarte, si es que no te ama ya. Ahora decide si es mejor darte a la bebida.

—Rodia... Ya ves... Y bien... ¡Ah, que el diablo...! Pero tú, ¿a dónde quieres ir? Aunque todo esto sea un secreto, terminaré por saberlo... Estoy seguro de que se trata de una estupidez más, de alguna espantosa majadería forjada por tu imaginación. Por lo demás, eres un tipo excelente, ¡el mejor de todos!

—Quería agregar, pero me has interrumpido, que hacías bien al no tratar de conocer esos misterios y esos secretos. No te preocupes por el momento, quédate tranquilo. Todo se aclarará a su debido tiempo. Ayer alguien me dijo que el hombre necesita aire. Me propongo ir ahora mismo a su casa para saber qué entiende por eso.

De pie ante su amigo, Razumikhin reflexionaba, presa de cierta inquietud... "¡Es un conspirador político! ¡Sí, eso es! Debe estar en vísperas de dar algún paso decisivo... No puede ser de otro modo..., y Dunia lo sabe", se dijo por último.

—Así que Abdocia Romanovna viene a verte —articuló pensando cada una de sus palabras—; y tú quieres ver al hombre que dice que hace falta más aire..., y por lo tanto esa carta... procede también de él.

—¿Qué carta?

—Una que recibió hoy y que le causó gran inquietud. Hasta demasiada. Hice alusión a ti, y me rogó que me callara. Luego me dijo que acaso tuviéramos que separarnos por mucho tiempo, y me agradeció con gran efusión lo poco que he podido hacer por ella. Finalmente se encerró en su habitación.

—¿Abdocia Romanovna ha recibido una carta? —inquirió de nuevo Raskolnikov con aire pensativo.

—Sí..., ¿no lo sabías? ¡Hum!

Los dos guardaron silencio.

—Adiós, Rodion. Yo, querido amigo..., hubo un tiempo... ¡Bah! ¡Adiós! También tengo que irme. Te aseguro que no beberé. ¿Para qué?

Se apresuró a salir de la habitación, pero apenas hubo cerrado la puerta tras de sí, la abrió de golpe y dijo mirando de soslayo con aire furtivo:

—A propósito: ¿recuerdas aquel crimen que tanto daba que hacer a Porfirio, el asesinato de la vieja? Han descubierto al asesino; él mismo se confesó culpable y presentó pruebas de su delito. Figúrate que era uno de los obreros, esos pintores, cuya defensa asumí espontáneamente. Aquella escena de la pelea con su camarada, sus gritos, sus carreras y sus carcajadas mientras subían el portero y los dos testigos estaban destinados a proporcionarle una coartada. Había preparado todo aquello con infernal astucia, y lo puso en práctica con inaudita presencia de ánimo. Cuesta trabajo admitirlo, pero no puede ponerse en duda desde el momento que es él mismo quien lo confiesa, suministrando pruebas irrefutables en apoyo de sus afirmaciones. ¡Cómo me engañó ese individuo! Lo considero el genio máximo del disimulo y la astucia, el mejor inventor de coartadas. Por lo demás, no cabe exteriorizar demasiado asombro. ¿Por qué no han de existir seres dotados de tanta sagacidad? Comprendo asimismo que no haya sido capaz de desempeñar su papel hasta el fin; pero, de cualquier manera, reconozco que me dejé embaucar por sus protestas de inocencia, hasta el punto de dejarme arrastrar por la cólera y el apasionamiento en su defensa.

—Dime, te lo ruego, ¿cómo te has enterado de esto y por qué te interesa tanto este asunto? —inquirió Raskolnikov presa de visible agitación.

—¿Que cómo me he enterado? ¡Vaya una pregunta! Lo supe por varias personas; el mismo Porfirio me lo contó casi todo.

—¿Porfirio?

—Sí.

—¿Qué te ha dicho? ¿Qué te ha dicho? —interrogó Raskolnikov con inquietud.

—Me lo explicó todo por medio de la psicología, según su costumbre.

—¿Te lo explicó él mismo?

—Sí, él en persona. ¡Adiós! Más tarde te contaré otras cosas; ahora tengo prisa. En cierto momento llegué a pensar..., ya te lo diré en otra ocasión. ¿Para qué embriagarme ahora? Ya me has embriagado sin necesidad de alcohol. Porque estoy ebrio, ebrio, Rodia, sin haber bebido... Bien, adiós. No tardaré en volver.

"¡Es un conspirador político, no me cabe la menor duda! —se decía Razumikhin mientras descendía la escalera con lentitud—. Con toda seguridad ha logrado complicar a su hermana en sus maquinaciones, cosa muy posible dado el carácter de Abdocia Romanovna. Los dos se ven... Ella misma me lo dio a entender...; esas palabras veladas, esas alusiones confirman lo que sospecho. ¿Cómo explicar de otra manera todo este embrollo? ¡Hum! Y yo que había pensado... ¡Oh, Señor! ¿Cómo pude imaginar eso? Formé un juicio temerario. Esa alucinación me fue sugerida por la mortecina luz de aquella lámpara en el corredor. ¡Puah! ¡Qué infame y cobarde idea de mi parte! ¡La confesión de Nicolás viene a punto! ¡Y todo lo que precedió, cómo se explica ahora! La enfermedad que lo aquejaba, su proceder extraño, y antes de esa época, mucho antes, cuando iba todavía a la universidad, su carácter siempre tan sombrío y taciturno... Pero, ¿qué significará esa carta? Hay algo oscuro aún... ¿De dónde procede? Sospecho que... ¡Hum! No descansaré hasta dar con la clave de este asunto."

Todos sus recuerdos y reflexiones giraban en torno de Dunia, y se sentía invadido por gran emoción. Logró serenarse haciendo un esfuerzo y prosiguió caminando.

Apenas partió su amigo, Raskolnikov se levantó y aproximose a la ventana. Luego comenzó a pasearse de un lado a otro, a pesar de las reducidas dimensiones del cuarto, y por último volvió a sentarse en el diván. Su rostro denotaba decisión y firmeza; parecía otro ser, dispuesto a luchar aún. ¡Había descubierto una salida!

"¡Sí, todavía no me han derrotado por completo!", pensó.

En verdad, su situación nada tenía de halagüeña; estaba acorralado, con las espaldas pegadas a la pared, y experimentaba una sensación de verdadera angustia. Un maleficio parecía pesar sobre él desde la escena en el despacho del juez de instrucción. Después del dramático incidente del que Nicolás fue protagonista, había tenido lugar la escena con Sonia, que estuvo lejos de realizarse conforme a lo que él se proponía. Se había mostrado débil, y todos sus cálculos y previsiones se derrumbaron de golpe. Tuvo que reconocer que no le sería posible soportar solo semejante peso durante toda su existencia. ¿Y Svidrigailov? Aquel hombre constituía un enigma que lo inquietaba, es cierto, pero desde otro punto de vista. Tal vez tendría que luchar también con él. O quizá le proporcionara una solución. En cuanto a Porfirio, era otra cosa.

"¿De modo que el mismo Porfirio le ha explicado todo a Razumikhin, valiéndose de sus *nociones psicológicas*? ¡Siempre su maldita psicología! Pero, ¿cómo ha podido creer, aunque fuese por un minuto, que Nicolás sea culpable después de la escena que se ha producido entre nosotros, a la que sólo puede darse *una* explicación?"

Durante aquellos días Raskolnikov había recordado infinidad de veces los diversos aspectos de su conversación con Porfirio, las palabras, los gestos, las miradas. Ciertas cosas habían sido dichas en un tono tal que la confesión de Nicolás, puesta en tela de juicio por el juez de instrucción desde el primer momento, no bastaba, indudablemente, para quebrantar la convicción que abrigaba Porfirio Petrovich acerca de la culpabilidad de Raskolnikov.

"El mismo Razumikhin empezaba a sospechar...; la escena del corredor, debajo de la lámpara, no escapó a su penetración. Enseguida se precipitó a la casa de Porfirio. Pero, ¿por qué lo habrá engañado éste? ¿Qué fin persigue al hacer que Razumikhin crea en la culpabilidad de Nicolás? Seguramente abriga algún propósito oculto; pero, ¿cuál? Desde esa mañana ha transcurrido bastante tiempo, y Porfirio no ha dado señales de vida. Como es natural, esto no presagia nada bueno...”

Tomó su gorro y, tras un breve instante de reflexión, salió de su cuarto. Por primera vez desde hacía mucho tiempo encontrábase en un estado de ánimo satisfactorio. “Es preciso terminar con Svidrigailov —pensó—, cueste lo que cueste y lo antes posible. Además, parece que espera que sea yo el que vaya a verlo.”

En aquel momento su martirizado corazón abrigaba tanto odio que no habría vacilado en matar a cualquiera de los dos: Svidrigailov o Porfirio. Por lo menos, sentía que podía hacerlo si se le presentaba la oportunidad. “Ya veremos, ya veremos”, se dijo. Pero, apenas hubo cerrado la puerta tras sí, vio a Porfirio Petrovich en persona.

Raskolnikov quedó estupefacto, pero rápidamente se recobró, y hasta puede decirse que la inesperada visita no le asombró demasiado ni lo atemorizó.

Un pensamiento acudió a su mente con la rapidez del rayo: “Acaso éste sea el desenlace. ¿Cómo se explica que no lo haya oído llegar? ¿Habrá estado escuchando junto a la puerta?"

—¿No esperaba usted mi visita, Rodion Romanovich? —preguntó Porfirio Petrovich con mal disimulada ironía—. Hace tiempo que tenía deseos de venir a visitarlo. Pasaba por casualidad delante de esta casa, y me dije: ¿Por qué no aprovechar esta oportunidad para hacerle una breve visita? ¿Iba a salir? No lo retengo, entonces. ¿Un cigarrillo?

—Pase, tenga la gentileza, siéntese aquí, Porfirio Petrovich —repuso Raskolnikov ofreciéndole una silla con un aire tan afable y satisfecho que él mismo se habría sorprendido de haber podido verse. Sus impresiones anteriores se habían borrado sin dejar la menor huella.

Ocurre a veces que un hombre experimenta mortales terrores al pensar que puede ser víctima de un atraco; mas cuando siente en realidad la punta de un cuchillo dirigido a su garganta, esos terrores se disipan para dar lugar a una extraña serenidad.

Raskolnikov sentose frente a Porfirio y le miró sin pestañear. El juez de instrucción hizo uno de sus acostumbrados guiños y encendió un cigarrillo con la mayor parsimonia.

"¡Vamos, habla de una vez! —habría querido gritar Raskolnikov—. ¿Por qué no hablas, imbécil? ¿Qué esperas?"

2

—¡Ah, estos cigarrillos! —dijo por fin Porfirio Petrovich, después de arrojar una bocanada de humo—. Son un veneno, un verdadero veneno, pero no puedo pasar sin ellos. Toso de continuo, tengo la garganta destrozada y sufro ahogos y palpitaciones. No hace mucho me asusté de tal manera que fui a consultar al doctor B..., un especialista que examina a cada paciente por lo menos durante media hora. Al principio se burló de mí, calificándome de aprensivo, pero después de auscultarme y revisarme varió de opinión: "El tabaco le hace un daño inmenso —me dijo entre otras cosas—. Tiene una dilatación pulmonar que puede ser de graves consecuencias". Me recomendó que dejara de fumar, pero, ¿cómo hacer? ¿Con qué podría reemplazar al cigarrillo? No bebo...; en mi caso eso es casi una desgracia. ¡Je, je, je! Sí, una verdadera desgracia. Todo es relativo, ¿no es cierto, mi estimado Rodion Romanovich?

"¿Se propone comenzar de nuevo sus majaderías?", pensó Raskolnikov experimentando una sensación de disgusto. Volvían a su memoria los detalles de la entrevista anterior, y la cólera que sintiera entonces se apoderó nuevamente de él.

—Anteayer por la noche estuve aquí..., ¿no lo sabía? —continuó Porfirio paseando una mirada por el cuarto—. Sí, aquí mismo, en esta habitación. Pasaba como hoy, por casualidad, y subí para saludarlo. Llegué y encontré la puerta abierta de par en par; después de esperar un rato, me fui sin dejar mi nombre a la sirvienta. ¿No acostumbra cerrar la puerta con llave?

El rostro de Raskolnikov se ensombrecía cada vez más. Porfirio Petrovich pareció adivinar lo que pasaba por su mente.

—Vine con el propósito de explicarme, mi estimado Rodion Romanovich. Le debo una serie de explicaciones, y no quiero dejar de dárselas —continuó con una leve sonrisa, dando una palmadita familiar en la rodilla del joven; pero casi en el mismo instante su fisonomía adoptó una expresión seria y preocupada, hasta triste.

Raskolnikov quedó asombrado. Hasta entonces no había visto semejante expresión en la faz de su interlocutor, y ni siquiera imaginaba que le fuera posible asumirla.

—La última vez que nos vimos ocurrió entre nosotros una escena extraña, Rodion Romanovich. También en nuestra primera entrevista pasaron cosas raras, pero entonces... ¡Bah! ¡Lo hecho, hecho está! Tengo la sensación de que me considera culpable; recordará cómo nos separamos, usted con los nervios de punta y con las piernas temblorosas, y yo en el mismo estado. A decir verdad, la forma en que se desarrollaron las cosas entre nosotros llegó casi a la incorrección y careció de cortesía. Sin embargo, somos caballeros, es decir, caballeros ante todo, y no deberíamos haberlo olvidado. Las cosas llegaron a un extremo..., en verdad, lo acontecido fue inconveniente en absoluto.

"¿Qué es esto? ¿A dónde quiere ir a parar?", se preguntó Raskolnikov, mirando con curiosidad al juez de instrucción.

—Estimo que ahora haríamos mejor en obrar con entera franqueza —prosiguió Porfirio Petrovich, volviendo un poco la cabeza y desviando la vista como si le repugnara turbar más con su mirada a su antigua víctima y no quisiera recurrir de nuevo a sus procedimientos y celadas habituales—. No, tenemos que evitar que se reproduzcan sospechas y escenas de esa clase —añadió—. La otra vez, de no haber sido por la inopinada aparición de Nicolás, quién sabe cómo hubiésemos terminado. Usted es de temperamento fácilmente irritable, Rodion Romanovich, hasta demasiado irritable, no obstante las demás particularidades que constituyen el fondo de su carácter y que me precio de conocer en parte. No dejaba de reconocer que es difícil que un individuo suelte cuanto encierra en el corazón. Esto se registra en algunas oportunidades, pero no con frecuencia. "Sin embargo —me decía—, ¡si pudiera obtener una prueba concreta, por pequeña que fuera, un hecho tangible que nada tuviera que ver con toda esa maraña psicológica!" Esperaba que, si usted era culpable, podría lograr algo positivo y concreto: es permitido creer en los resultados más inesperados. Contaba entonces con su carácter,

Rodion Romanovich, en especial con su carácter. Fundaba mis esperanzas en él.

—Pero... ¿a santo de qué me dice ahora todo esto, de esa manera? —balbuceó Raskolnikov.

"¿Qué querrá decir? —se preguntaba, perdido en conjeturas—. ¿Es posible que en realidad me considere inocente?"

—¿Por qué digo esto? Vine para explicarle mi proceder, lo que en cierto modo considero un deber sagrado. Voy a exponerle de la *a* a la *z* toda la historia de nuestra... pelotera, tal como ocurrió. Lo he sometido a pruebas crueles, Rodion Romanovich; después de todo, no soy un monstruo, y sé cuán duro habrá sido de soportar todo esto para un hombre golpeado por la vida, pero orgulloso, autoritario e impaciente, en especial impaciente. Lo considero un hombre de corazón magnánimo y nobles sentimientos, aun cuando disienta con algunas de sus opiniones; me apresuro a decírselo con la mayor franqueza, para que vea que no pretendo engañarlo. Desde el primer día que lo vi me sentí atraído hacia usted. Tal vez le causen gracia mis palabras, pero es así. Me consta, en cambio, que la impresión que le causé no ha sido favorable. Mas, a pesar de esta circunstancia, trataré de demostrarle que, después de todo, también yo soy un hombre de corazón y de conciencia. Le hablo con entera sinceridad.

Porfirio Petrovich hizo una pausa y adoptó un aire solemne.

Raskolnikov se sintió invadido por una nueva

sensación de temor. El pensamiento de que el juez de instrucción lo creía inocente comenzaba de pronto a espantarlo.

—Considero que no viene al caso referirle en forma detallada cómo comenzó el asunto, y hasta creo que sería inútil —prosiguió Porfirio Petrovich—. Además, no estoy en condiciones de hacerlo. ¿Cómo explicar todas las cosas de una manera circunstanciada? En un principio circularon rumores. Estimo también superfluo decirle cuál era la naturaleza de los mismos, de dónde procedían, cuándo empezaron a circular y en qué oportunidad terminaron por tocarle a usted de cerca. En lo que a mí respecta, mis sospechas tuvieron origen a causa de una verdadera casualidad, una casualidad que hubiera podido no producirse. ¿Cuál fue? ¡Hum! Creo que más vale que la calle. Esos rumores y la casualidad a que me he referido despertaron idéntica idea en mi mente. Confieso con entera franqueza que fui yo el primero en atacarla. Las anotaciones de la vieja en los papeles que envolvían los objetos empeñados y todo lo demás son puras tonterías. Esa clase de indicios, como muchos otros, carecen de valor. Mientras tanto, tuve ocasión de conocer en detalle la escena ocurrida en la comisaría, también por casualidad, pero no de manera accidental, sino de labios de un testigo capital, que había retenido todos los detalles en forma notable. ¿Cómo no inclinarme hacia cierto lado? Cien conejos no hacen un caballo; cien sospechas no forman una prueba, dice un proverbio inglés. Muy atinada observación; pero, ¿cómo luchar contra las pasiones? Antes que juez de instrucción soy hombre, y, por lo tanto, sujeto a ellas. Vino a mi memoria el artículo que usted publicó en una revista, del cual, como recordará, hablamos en nuestra primera entrevista. Si lo hostigué entonces, fue con el propósito de provocar confesiones más amplias. Usted, repito, es impaciente e irritable, Rodion Romanovich. Además, es temerario, fogoso, taciturno, y... ha sufrido mucho. Conozco bien esa clase de sensaciones, y cuando leí su artículo, me pareció adivinar que había sido concebido y escrito en noches de insomnio y de fiebre, mientras que su corazón, al expandirse, latía con fuerza, y usted sentíase presa de un entusiasmo obligado a refrenarse. Ahora bien: ese entusiasmo de un joven es peligroso y no se deja abatir. Llegué a mofarme de usted entonces, pero puedo asegurarle que me agradó mucho, como aficionado, se entiende, ese primer ensayo juvenil y ardiente de su pluma. Es un tanto oscuro, pero en su misma oscuridad no deja de vibrar una fibra sensible. Artículo absurdo y fantástico, en el que, sin embargo, se trasluce la sinceridad, en el que se siente una especie de orgullo puramente gratuito, una audacia desesperada, la de un espíritu que está inundado de desesperación, tiene un mérito particular. Lo había leído y lo retuve, pensando: "Un hombre de esta clase no se limitará a esto solo". Por lo tanto, después de estas premisas, ¿cómo no augurar la continuación? ¡Ah, Señor! ¿He dicho algo? ¿Afirmo alguna cosa en este momento? No he hecho más que anotar una observación que se me ocurrió entonces. Por consiguiente no debo estar orgulloso de mis deducciones; tengo ahora a Nicolás entre mis manos, y hasta con ciertos hechos, que, admítase o no, son pruebas contra él. No obstante, no abandono la psicología; tengo que ocuparme del autor del artículo, porque éste es un asunto de vida o muerte. ¿Por qué le explico todo esto? Para que lo sepa todo, para que en su alma y en su conciencia no me condene por el hecho de haberme conducido con tanta crueldad el otro día. No fue por maldad, se lo digo sinceramente. ¡Je, je! ¿Se pregunta, sin duda, por qué no vine a efectuar un registro en su domicilio? Perdón, vine aquí cuando estaba enfermo y postrado en el lecho. No de manera oficial, como juez de instrucción, pero vine. Este cuarto fue registrado minuciosamente, hasta en los menores y más secretos recovecos, apenas surgieron las primeras sospechas: pero... ¡*umsonst*! Entonces me dije: "Este hombre vendrá por sí mismo, y dentro de muy poco tiempo; si es culpable no dejará de venir. Otro se guardaría muy bien de hacerlo, pero éste vendrá". ¿Recuerda la forma en que Razumikhin comenzó a reprenderlo? Nos arreglamos de manera que nuestras sospechas llegaran a su conocimiento para perturbarlo, ingeniándonos para hacerle comprender que debía amonestarlo y reprocharle su conducta. Razumikhin es uno de esos hombres que no pueden contener su indignación. En cuanto a Zamiotov, lo que más le chocó fue su cólera y su deliberada audacia al gritar en pleno café: "¡Yo he asesinado!" ¡Eso es de una temeridad única! "Si este hombre es culpable —me dije—, demuestra una osadía extraordinaria". Decidí esperar. Lo esperaba después que aterró y confundió a Zamiotov. ¡Siempre a causa de esta maldita psicología! Lo esperaba, y sin defraudar mis esperanzas, llegó... ¡Cómo latía mi corazón! A fe mía, ¿qué necesidad tenía usted de venir? Y aquella risa, aquella risa con que entró... ¿recuerda? Todo aquello era para mí tan claro como el agua de un manantial, y si no lo hubiera esperado por un motivo tan singular, sus carcajadas me habrían permitido adivinarlo todo. ¡Lo que es hallarse en cierta disposición de espíritu! ¿Y Razumikhin? ¡Ah! ¿Y la piedra? ¿Recuerda? ¿La piedra debajo de la cual están ocultos los objetos? Me parece que la veo en alguna parte, en el fondo de un huerto: ¿no fue de un huerto que habló usted a Zamiotov, y lo repitió en mi casa? Luego, cuando comenzamos a discutir acerca de su artículo, cuando trató de explicarme su alcance verdadero, cada una de sus palabras podía tomarse en doble sentido, y detrás de ellas se intuía una segunda intención. He aquí, Rodion Romanovich, cómo llegué a mi conclusión, aun cuando no se me ocultaba que, por poco que se quiera, todas estas explicaciones significarían exactamente lo contrario, y hasta parecerían más plausibles. Una prueba pequeña, casi insignificante, me hubiera convenido mucho más. Cuando conocí la historia de la campanilla creí desfallecer; un estremecimiento recorrió todo mi cuerpo. ¡Por fin! Ésa era la pequeña prueba que me faltaba. Traté de no reflexionar; no quise hacerlo. En ese momento habría dado gustoso mil rublos para verlo con mis propios ojos caminar cien pasos junto al artesano que lo había calificado de asesino, sin atreverse a pronunciar palabra ni formularle la menor pregunta. ¿Podía imaginarme que había tirado del cordón de esa campanilla bajo los efectos de la enfermedad, del delirio? ¿Cómo extrañarse entonces, Rodion Romanovich, de que me haya dedicado a ese jueguito con usted? ¿Por qué venía a mi casa justo en ese momento? Algo lo impulsaba, sin lugar a dudas, y si Nicolás no hubiera interrumpido nuestra entrevista... ¿Recuerda la llegada de Nicolás? Fue como si hubiese caído un rayo. ¡Y de qué manera lo recibí! Me trastornó por completo, como usted mismo pudo observar. Después de su partida me respondió en una forma tan clara y precisa ciertos puntos que me hizo vacilar y me dejó asombrado; sin embargo, sus declaraciones no me convencieron. ¡Lo que es tener una idea fija! "No, no —me dije—, este hombre es ajeno por completo a este asunto."

—Razumikhin me ha asegurado hace poco que usted abrigaba el convencimiento de que Nicolás era culpable, y que llegó a decirle...

Le faltó la respiración y no pudo proseguir. Presa de indecible agitación, había oído la palinodia del hombre que lo acusaba en forma indirecta. Tenía miedo de creer y se resistía a dar crédito a sus oídos. A través de esas palabras, en las que subsistían aún tantos equívocos, trataba con avidez de discernir algo concreto y definitivo.

—¡Razumikhin! —exclamó Porfirio Petrovich, como si se regocijara de oír al fin que Raskolnikov decía algo—. ¡Je, je, je! Traté de desembarazarme de él. Donde sólo hay lugar para dos, un tercero está de más. Razumikhin es de otra pasta; es extraño al asunto. Vino a verme pálido como un muerto... Dejémosle de lado, si no tiene inconveniente. En cuanto a Nicolás, ¿le agradaría saber qué clase de tipo es, quiero decir, la idea que me he formado de él? Ante todo, es un niño, que no ha llegado aún a la mayoría de edad. Sin ser precisamente un cobarde, tiene algo de la sensibilidad de los artistas. No sería si lo defino de esta manera. Es cándido, impresionable y dado a las fantasías. Siente inclinación por los cantos y las danzas, y narra tan bien las historias y los cuentos que, según se dice, hay personas que no vacilan en hacer un largo trayecto para escucharlo. Cuando iba a la escuela le costaba mucho trabajo permanecer serio en clase, y en la actualidad su carácter no se ha modificado gran cosa; bebe a veces con exceso, no por vicio, sino para hacer como los demás, para no ser menos que ellos. No comprende que ha cometido un robo al apropiarse del estuche que encontró: "Estaba en el suelo —dice— y no hice más que levantarlo; no he robado". Es un *raskolnik* o algo por el estilo; varios miembros de su familia pertenecieron a la secta de los *errantes*, y él mismo pasó dos años enteros con un *starets*, en el campo. Todo esto lo he sabido por sus propias declaraciones y por las gentes de Zaraisk, sus paisanos. Como si esto no fuera bastante, en un momento dado quiso huir al desierto. Es de un fervor increíble, y ha pasado noches enteras orando y leyendo libros santos, los viejos, los "verdaderos". San Petersburgo ha causado en él una influencia desastrosa; se ha dejado arrastrar por el vicio, las mujeres y el alcohol. Dada su naturaleza esencialmente receptiva, no tardó en olvidar a su *starets*. Sé que un artista se interesó por él, tomándolo bajo su protección. Ocurrió entonces este enojoso asunto. El muchacho se aterrorizó hasta el punto de pensar seriamente en el suicidio. El pueblo se ha forjado ideas muy raras acerca de la justicia y la magistratura. La palabra "tribunal" causa verdadero espanto a casi todos. ¿De quién es la culpa? Esperemos que la nueva jurisprudencia coloque las cosas en su debido lugar. Una vez en la prisión, Nicolás habrá debido recordar a su buen *starets*; la Biblia habrá intervenido también. ¿Sabe usted, Rodion Romanovich, lo que significa para mucha gente de esa clase "la aceptación del sufrimiento"? No se trata de sufrir por alguno, sino de sufrir pura y simplemente porque es necesario para lavarse de pecados, aceptar un castigo impuesto, de preferencia por las autoridades. Conocí a un prisionero de carácter apacible y tranquilo que permaneció encerrado un año entero; todas las noches leía la Biblia acurrucado junto a la estufa; tanto leyó que un día, sin motivo alguno, procurose un ladrillo y lo arrojó contra el director de la prisión, del que no tenía razón para quejarse. Lo hizo de manera que el ladrillo cayera a cierta distancia de él, para no lastimarlo. Puede imaginarse cuáles son para un prisionero los resultados de llegar a la violencia contra un superior. Pero, ¿qué importaba el castigo a ese hombre? Lo había buscado como "expiación". Supongo que Nicolás ha querido hacer otro tanto, aunque él no sospecha cuáles son mis pensamientos. ¿No admite que puedan existir individuos fantásticos hasta ese extremo? Sin embargo, nada más frecuente. La influencia del *starets* se hace sentir de nuevo en Nicolás con mayor fuerza que antes, sobre todo cuando piensa que estuvo a punto de poner fin a su existencia ahorcándose. Él mismo lo cuenta... ¿Cree, acaso, que mantendrá lo que ha confesado? Ya verá cómo se retracta. De un momento a otro declarará que todo ha sido una farsa lucubrada por su imaginación exaltada. Le he tomado afecto y lo estoy estudiando a fondo. En ciertos puntos presta un carácter muy verosímil a sus declaraciones, al dar toda clase de detalles; se ve que habíase preparado de antemano; en otros, por lo contrario, demuestra un desconocimiento absoluto de los hechos, carece de bases y se limita a divagar. Estoy convencido, Rodion Romanovich, de que Nicolás nada tiene que ver en este asunto. Se trata de un hecho fantástico, tenebroso, un verdadero caso de actualidad, propio de una época en la cual se registra una innegable perturbación de la moral y la conciencia, en la que se oye citar frases de este jaez: "la sangre refresca", en la que se predica como único fin de la vida la comodidad. Lo que surge de este asunto son ideas sugeridas por los libros; se advierte en él la marca de fábrica de un cerebro ardiente de teoría; parece evidente la resolución desde el primer paso, mas es una resolución de un género especial: el culpable se ha decidido como si cayera de lo alto de una montaña o de un campanario; parece haber sido llevado al crimen por otros pies que los propios. Olvidó cerrar la puerta tras sí y mató a dos personas obedeciendo a su teoría. Asesinó y no supo robar; ocultó el magro producto de su hazaña debajo de una piedra. No fue bastante para él la angustia experimentada mientras se encontraba agazapado junto a la puerta, sintiendo los golpes dados en ella por los inesperados visitantes, y el estridente sonido de la campanilla... No, más tarde, presa de una semialucinación, recordó la escena y fue al piso vacío..., quiso sentir el mismo escalofrío glacial entre los omoplatos... Admitamos que sea un efecto de la enfermedad, pero además hay esto: ha matado, y no obstante se considera hombre honrado; desprecia a los demás, se hace la víctima. No, no se trata de Nicolás, mi muy estimado Rodion Romanovich, de ningún modo se trata de Nicolás.

Después de todo lo que acababa de decir, que hubiera podido tomarse como una retractación, las últimas frases eran demasiado inesperadas. Raskolnikov se estremeció de pies a cabeza como si le hubiesen clavado un puñal en el corazón.

—Entonces... ¿quién... ha matado? —balbuceó con voz entrecortada y apenas perceptible.

Porfirio Petrovich se echó hacia atrás, como estupefacto al oír semejante pregunta.

—¡Cómo! ¿Quién ha matado? —repitió como negándose a dar crédito a sus oídos—. ¡Pues *usted*! Usted es el asesino, Rodion Romanovich, usted... —agregó casi en un murmullo, en tono de absoluta convicción.

Raskolnikov se levantó bruscamente del diván, permaneció de pie algunos segundos y luego volvió a sentarse sin proferir una sola palabra, con el rostro recorrido por leves movimientos convulsivos.

—Sus labios tiemblan como el otro día —añadió Porfirio Petrovich demostrando cierto interés—. Me parece, Rodion Romanovich, que no ha comprendido bien mis razones. Por eso está tan estupefacto. Vine a verlo precisamente para decirle todo y poner las cosas en claro.

—¡Yo no he matado! —tartamudeó Raskolnikov, con el aire de un niño sorprendido al cometer una falta.

—Sí, fue usted, Rodion Romanovich; usted, y nadie más que usted —replicó Porfirio en tono grave y convencido.

Ambos callaron, y se registró un extraño silencio, que se prolongó por espacio de varios minutos. Acodado en la mesa, Raskolnikov hundía los dedos en su cabellera erizada. Porfirio Petrovich aguardaba sin dar señales de impaciencia. De pronto el joven miró con desprecio al juez:

—¡Vuelve a insistir en lo mismo, Porfirio Petrovich! ¡Siempre igual procedimiento! ¿Cómo es posible que no se aburra por fin?

—¡Bah, no se preocupe! Poco importan mis procedimientos. Otra cosa sería si hubiera testigos aquí, pero nos encontramos solos. Como puede ver, no vine para cazarlo como si se tratara de una liebre. Que usted haga o no confesiones en este momento, me da lo mismo. Mi convicción está ya formada, independientemente de usted.

—Si es así, ¿para qué ha venido? —preguntó Raskolnikov exasperado—. Le repito una pregunta que ya le formulé: si me considera culpable, ¿por qué no me encarcela?

—¡Vaya una pregunta! Le contestaré punto por punto: en primer lugar no me conviene proceder a su detención sin más ni más.

—¿Cómo no le conviene? Si está convencido de mi culpabilidad, debe…

—¿Qué importa mi convicción? Hasta ahora

está fundada sólo sobre mis pensamientos. ¿Para qué voy a ponerlo allá *en reposo*? Usted mismo lo comprende, puesto que lo solicita casi. Si lo careara con el artesano, usted diría: "Estás borracho. ¿Quién me ha visto contigo? Te tomé por un borracho, porque estabas borracho". ¿Qué podría objetar yo en ese caso? Sus palabras serían más verosímiles que las de él, dado que sus declaraciones se fundarían en una mera presunción psicológica. Además, todo el mundo sabe que ese hombre es un charlatán y que se embriaga como un verdadero cerdo. Más de una vez le he confesado con sinceridad que esta psicología es un arma de doble aplicación, y que la segunda puede ofrecer más verosimilitud que la primera; fuera de eso, no tengo por el momento nada positivo contra usted. Sin duda lo haré detener, y, aunque contrariando todos los usos haya venido a prevenírselo, le declaro, sin embargo, siempre contra todo lo acostumbrado, que su detención no me servirá de nada. En segundo lugar, vine para...

—¿Para qué?

Raskolnikov jadeaba al respirar.

—Se lo dije antes: le debía una explicación. No quiero que me tome por un monstruo, tanto más cuanto que me siento inclinado sinceramente hacia usted, créalo o no. En consecuencia, y éste es el tercer punto, vine para formularle una proposición franca y sin doble intención: haga reventar el absceso yendo a denunciarse. Será mucho más ventajoso para usted, y también para mí, que me veré libre de esta carga. ¿Qué le parece? ¿Soy o no soy franco?

Raskolnikov reflexionó un minuto.

—Oiga, Porfirio Petrovich, como usted mismo lo dijo, sólo posee pruebas psicológicas; sin embargo, pretende demostrar que su evidencia es matemática. ¿Quién le dice que no puede estar equivocado en este momento?

—No, Rodion Romanovich, no me equivoco. Cuento con un pequeño hecho que descubrí el otro día. Dios me lo envió.

—¿Qué pequeño hecho?

—No se lo diré, Rodion Romanovich. Pase lo que pase no tendré en lo sucesivo el derecho de contemporizar, y lo haré detener. Le doy la alternativa de ser árbitro de su suerte; en este momento poco me importa su actitud. Me dirijo a usted sólo por su propio interés. Pongo a Dios por testigo, Rodion Romanovich, que lo que más le conviene es confesarse autor del crimen.

Raskolnikov sonrió con expresión burlona, pero en forma puramente mecánica.

—En verdad, esto pasa de lo ridículo para llegar a lo impúdico. Aun cuando fuera culpable, lo que de ningún modo reconozco, ¿por qué tengo que denunciarme, si, como usted mismo dice, en la prisión estaría *en reposo*?

—¡Eh, Rodion Romanovich, no tome mis palabras tan al pie de la letra! Tal vez no sea del todo *en reposo*. Se trata de una teoría personal mía. ¿Qué autoridad soy yo para usted? En este momento quizá le oculto algo. No puede pretender que le confíe todos mis secretos para que haga de ellos el uso que más le plazca. En cuanto a las desventajas que le reportaría su confesión, ¿tiene idea de la disminución de pena que puede significarle la misma? Reflexione en qué circunstancias lo haría: cuando otro individuo se ha declarado culpable, haciendo desviar la causa en otro sentido. En lo que a mí respecta, juro ante Dios proceder de manera que salga usted lo más beneficiado que sea posible. Demoleremos todo ese andamiaje psicológico, y reduciré a la nada las sospechas que recayeron en usted, de suerte que su crimen aparecerá como el resultado de un momentáneo trastorno mental, puesto que en realidad se trata de eso. Soy un hombre honrado, Rodion Romanovich, y cumpliré mi palabra.

Triste y silencioso, Raskolnikov bajó la cabeza; reflexionó largo rato, y por último sonrió de nuevo, pero con una sonrisa dulce y melancólica.

—No me hace falta —dijo sin tratar de fingir ante Porfirio—. No vale la pena, ¡no necesito su indulgencia!

—¡Eso es lo que temía! —exclamó Porfirio con involuntario ardor—. Temía que no quisiera nuestra indulgencia.

Raskolnikov fijó en él una mirada triste y penetrante.

—No muestre desprecio y disgusto por la vida —prosiguió Porfirio Petrovich—. Aún le quedan muchos años por delante. ¿Cómo se explica que pretenda no necesitar de nuestra indulgencia? ¡Qué difícil de conformar es usted!

—¿Qué puedo esperar ahora? ¿Qué me queda?

—La vida. ¿Acaso es profeta para saber lo que puede depararle? Busque y tal vez encuentre. Dios lo esperaba quizá. La prisión no será perpetua.

—Habrá una disminución de pena... —dijo sonriendo Raskolnikov.

—¿Acaso es una falsa vergüenza de burgués lo que lo retiene? Tal vez es ese temor, en efecto, sin que usted se dé cuenta, porque es joven. Sin embargo, no debería abrigar temor ni vergüenza para confesar el mal que lo corroe.

—¡Bah! ¡Me importa un comino! —murmuró en tono despectivo Raskolnikov, que no parecía decidido a hablar. Hizo un gesto como para levantarse, pero permaneció sentado presa de visible desesperación.

—¡No le importa! Es desconfiado y piensa que trato de engañarlo en forma grosera. ¿Acaso ha vivido tanto? ¿Qué sabe de todas estas cosas? Ha imaginado una teoría y está confundido al ver que se ha deshecho como el humo, que su resultado carece en absoluto de originalidad. El resultado fue malo, pero no obstante usted no debe considerarse un canalla perdido sin remedio. ¡Usted no es un canalla, no, de ninguna manera! ¿Sabe lo que opino de usted? Lo considero uno de esos hombres que se dejaría hacer pedazos antes que declararse vencidos, y que mirarían sonriendo a sus verdugos con tal que hubieran hallado una fe o un Dios. Trate de encontrar esa fe o ese Dios, y vivirá. Hace mucho tiempo que tiene usted necesidad de cambiar de aire. El sufrimiento también es una cosa buena. Sufra usted. Tal vez Nicolás tenga razón al querer sufrir. Sé que no cree en nada, pero no trate de ir contra la corriente: abandónese a ella, sin razonar; no tema, que lo dejará en alguna playa donde podrá hacer pie. ¿Cuál será esa playa? Lo ignoro. Sé que considera cuanto le digo en este momento como un sermón aprendido de antemano, pero acaso más tarde recuerde usted estas palabras, y es posible que le sea de alguna utilidad. Es una suerte, en medio de todo, que haya matado a una vieja malvada. Si se le hubiera ocurrido otra teoría, tal vez cometiera un acto cien millones de veces peor. Puede dar gracias al cielo; quizá Dios lo reserva para alguna cosa. Eleve su corazón y sea menos cobarde. ¿Tiene miedo de cumplir la gran tarea que le incumbe? ¡Lo vergonzoso sería tener miedo ahora! Puesto que ha dado ese paso, guárdese de retroceder. Es una cuestión de justicia: cumpla con lo que la justicia exige. Me consta que no me cree, pero pongo a Dios por testigo de que la vida concluirá por triunfar. Aprenderá usted a amarla de nuevo. Hoy le falta aire solamente, aire, aire.

Raskolnikov se estremeció.

—Pero, ¿quién es usted para asumir esos aires de profeta? —gritó—. ¿De lo alto de qué monte Sinaí me profetiza usted estas sentencias?

—¿Quién soy? Un hombre acabado, nada más. Un hombre sensible y compasivo, no del todo desprovisto de saber, pero acabado por completo. En cuanto a usted, es otro asunto. Dios lo ha reservado para vivir, y tal vez todo esto se disipe como una nube de humo, sin dejar rastros en su persona. ¿Qué importa que ahora pase a formar parte de otra categoría de gente? ¿Lamentará la pérdida de la comodidad, con un corazón como el suyo? ¿O le aflige permanecer confinado mucho tiempo, lejos de toda mirada? El tiempo no es nada; lo que importa en esto es usted mismo. Conviértase en un sol, y todo el mundo lo verá. El sol debe ser sol ante todo. ¿Por qué sonríe de nuevo? ¿Imagina que me estoy haciendo el Schiller? ¿O supone que trato todavía de tenderle una celada? A fe mía que es muy posible. ¡Je, je, je! Bien, Rodion Romanovich, no crea mi palabra; no crea cuanto le digo. Desempeño mis funciones, de acuerdo. Sólo agregaré esto: el tiempo le dirá si soy un hombre honrado o un bribón.

—¿Cuándo se propone detenerme?

—Puedo dejarle todavía un día y medio o dos en libertad para que se pasee. Reflexione, amigo mío, ruegue a Dios para que lo inspire, y saldrá ganando, se lo aseguro, saldrá ganando.

—¿Y si huyo? —inquirió Raskolnikov sonriendo con aire extraño.

—No, no huirá. Un mujik lo haría; un partidario de las ideas que están de moda, lacayo del pensamiento ajeno, también, porque ha sido suficiente catequizarlo una sola vez para que el resto de su vida siga creyendo en lo que se le ha inculcado. Pero usted ya no cree en sus propias teorías. ¿Con qué huiría usted? Y fugitivo, ¿cuál sería su existencia? La vida del fugitivo es innoble y penosa, y usted necesita ante todo una existencia tranquila, ordenada, una atmósfera que le sea propia. Fuera de aquí, no estaría en su ambiente. Si huye, volverá. *Usted no puede prescindir de nosotros.* Cuando yo lo haya hecho encerrar en una prisión, al cabo de un mes, dos, digamos tres meses, recordará mis palabras y lo confesará todo, tal vez en el momento que menos lo imagine. Una hora antes ignorará todavía que está maduro para esa confesión. Estoy persuadido de que llegará a querer aceptar la expiación. En este momento no lo cree, pero ya lo verá. El sufrimiento es una gran cosa, Rodion Romanovich. No se fije en mi aspecto, no tenga en cuenta el hecho de que no me privo de nada; sé muy bien que esto puede mover a risa dicho por mí. Mas en el sufrimiento existe una idea, y Nicolás tiene razón. Usted no huirá, Rodion Romanovich.

Raskolnikov se levantó y tomó su gorro. Porfirio Petrovich imitó su gesto.

—¿Tiene la intención de salir a dar un paseo? La noche está buena, aunque sería mejor que viniese una tormenta. Sería conveniente; de esa manera se refrescaría un poco la atmósfera.

—Porfirio Petrovich —insistió Raskolnikov

con dureza—, que no se le ponga en la cabeza que hoy le he hecho confesiones. Usted es tan raro, que lo escuché simplemente por curiosidad. Nada le he confesado... No lo olvide.

—Lo sé, lo sé...; no lo olvidaré. Vamos, no tiemble de esa manera. No se inquiete, mi estimado amigo. Su voluntad será respetada. Vaya a dar un paseíto, pero no se aleje demasiado. De cualquier modo, voy a permitirme formularle un ruego —agregó bajando la voz—, es un tanto delicado, pero no carece de importancia: en el caso que abrigue el propósito de terminar con su existencia en estas cuarenta y ocho horas, lo que no creo, pero todo hay que preverlo, en ese caso, perdóneme esta absurda suposición, deje una notita suficientemente explícita. Nada más que dos líneas, dos simples líneas, indicando el lugar donde se halla la piedra; ya sabe a cuál me refiero. Será más caballeresco. Bien, ¡hasta la vista! Que los pensamientos que acudan a su mente sean buenos, y que sea capaz de ponerlos en ejecución.

Porfirio se retiró. Se hubiera dicho que sus espaldas se encorvaban, evitando mirar a Raskolnikov.

El joven fue hacia la ventana y esperó con febril impaciencia a que el juez de instrucción, según sus cálculos, se hubiera alejado lo suficiente. Luego abandonó la habitación a su vez, con gran apresuramiento.

3

Sentía un imperioso deseo de encontrarse con Svidrigailov. Ignoraba lo que podía esperar de aquel hombre que ejercía una misteriosa influencia sobre él. Desde el momento en que se cercioró de este hecho, Raskolnikov no conoció reposo; había llegado el momento de aclarar las cosas.

Durante el trayecto le asaltó una inquietud: ¿habría ido Svidrigailov a ver a Porfirio? Por lo que podía juzgar, no. Se hubiera atrevido casi a jurar que tal cosa no había ocurrido. Reflexionó, evocando de nuevo en su memoria la visita de Porfirio Petrovich, y llegó a idéntica conclusión negativa. Pero, ¿quién le aseguraba que Svidrigailov no iría más tarde a ver al juez de instrucción? Por el momento, por lo menos, le parecía que esa posibilidad podía ser descartada. No sabía en virtud de qué razones ni se preocupaba demasiado en explicárselo. Todo esto lo torturaba, mas al mismo tiempo era en cierto modo un problema al que no concedía importancia. Su suerte actual, inmediata, no le afectaba mayormente: pensaba en ella como en algo secundario. Atormentábale otra cosa mucho más grave, excepcional, interesante sólo para él, pero muy distinta y de importancia capital. Experimentaba además un inmenso cansancio moral, aun cuando esa mañana estuviese en mejores condiciones para razonar que en los días precedentes.

Después de todo lo que acababa de acontecer, ¿qué necesidad tenía de tratar de vencer todas esas miserables dificultades que surgían de nuevo en su camino? ¿Valía la pena, por ejemplo, realizar gestiones ante Svidrigailov para que no fuera a ver al juez de instrucción? ¿Era razonable perder el tiempo en inútiles sondeos?

¡Qué cansado estaba de todo aquello!

No obstante, se apresuraba a ir en busca de él. Acaso esperaba que le proporcionase algo *nuevo*, alguna indicación, un medio cualquiera de terminar. Los seres humanos suelen asirse a una brizna de paja cuando se ven en una situación angustiosa. ¿Era el destino o el instinto lo que los impulsaba el uno hacia el otro? En Raskolnikov era quizá sólo el cansancio, la desesperación; tal vez necesitaba de alguien en quien fiarse, y recurría a él a falta de otro mejor. ¿Sonia? ¿Para qué iría en ese momento a su casa? ¿Para mendigar sus lágrimas? Además, la joven lo espantaba. Sonia representaba la sentencia irrevocable, una decisión inapelable. Ir hacia ella significaba abdicar. En esos instantes, sobre todo, no se sentía en condiciones de afrontar su mirada. ¿No era preferible realizar una tentativa con Svidrigailov? ¿Por qué no, después de todo? En el fondo de sí mismo no podía dejar de reconocer que, desde cierto tiempo atrás, aquel hombre le era casi necesario.

Sin embargo, ¿qué podía haber de común entre ellos? Hasta sus extravíos revestían diferentes peculiaridades y eran de distinto carácter. Arcadio Ivanovich tenía en sí mismo algo en extremo desagradable; según todas las evidencias, era un ser disoluto y corrompido, cauteloso y astuto sin discusión, tal vez un malvado sin escrúpulos de ninguna especie. Los rumores que circulaban a su respecto parecían confirmar plenamente estas presunciones. Cierto era que había tomado a su cargo a los huérfanos de Catalina Ivanovna, mas, ¿quién podía saber con qué propósitos ocultos? Un hombre de esa naturaleza no podía abstenerse de tramar ciertos proyectos.

En los últimos días mortificaba de continuo a Raskolnikov otro pensamiento, a pesar de sus esfuerzos para rechazarlo, hasta tal punto le era penoso:

"Svidrigailov ha descubierto mi secreto; en cierto modo me tiene en su poder. ¿Quién me asegura que no se servirá de ese secreto como de un arma contra Dunia? ¿Cuáles serán sus intenciones actuales para con mi hermana?"

Estas reflexiones, que perturbaban su mente durante el sueño, se reproducían con mayor claridad que nunca mientras se trasladaba al domicilio de Svidrigailov, y eso bastó para despertar en él un sordo acceso de rabia.

En primer lugar, así la situación cambiaba por completo, aun en lo que le concernía personalmente: era menester revelar su secreto a Dunia sin retardo. ¿O sería mejor denunciarse, para apartar a la joven de cualquier gestión imprudente? Esa misma mañana Dunia había recibido una carta. ¿Quién podía habérsela enviado? ¿Sería de Lujin? En verdad Razumikhin era un buen guardián que no podía saberlo todo. Acaso fuera mejor confiarle todos sus secretos... Esta idea causó una impresión de horror en Raskolnikov, y se apresuró a desecharla.

"De todos modos, necesito ver lo antes posible a Svidrigailov —decidió por fin—. Gracias a Dios, los detalles importan menos que el fondo de la cuestión; pero si es capaz de eso... Si trata de hacer cualquier cosa contra mi hermana, entonces..."

Se hallaba tan fatigado por aquel largo mes de luchas y emociones que no se sentía en condiciones de resolver sus asuntos de otra manera que con aquellas palabras fríamente desesperadas: "Entonces..., lo mataré".

Un sentimiento penoso oprimía su corazón; se detuvo en el medio de la calle y miró a su alrededor. ¿Qué camino había tomado? ¿Dónde se encontraba? Estaba en la avenida X..., a treinta o cuarenta pasos del Mercado del Heno, que acababa de atravesar. El primer piso de la casa de la izquierda estaba ocupado por un cabaret, cuyas ventanas abiertas permitían advertir que la concurrencia era muy grande. De la sala principal llegaban los rumores de canciones y los acordes de una orquesta, interrumpidos por fuertes carcajadas y agudos gritos de mujeres. Preguntándose cómo había llegado hasta allí, Raskolnikov se disponía a volver sobre sus pasos, cuando en una de las ventanas del establecimiento divisó a Svidrigailov, con su pipa entre los dientes, sentado ante una mesita. El asombro que experimentó al verlo no estaba exento de una especie de terror. Svidrigailov lo obsevaba, en silencio, y hasta hizo un movimiento como para levantarse y alejarse antes de que el joven lo descubriera. Raskolnikov optó por aparentar que no lo había visto y volvió a mirar en torno suyo con aire perplejo, sin dejar de observarlo de reojo. La angustia hacía latir con violencia su corazón. Como imaginó, Svidrigailov trataba de no ser visto. Sacose la pipa de la boca y pretendió ocultarse, mas al levantarse y apartar la silla notó probablemente que el joven habíale visto y continuaba mirándole. Ocurría entre ellos algo análogo a la escena de su primera entrevista en el cuarto de Raskolnikov, cuando éste fingía estar dormido. Ambos se sabían observados uno por el otro. En el rostro de Svidrigailov apareció una maliciosa sonrisa que cada vez se hizo más amplia, hasta que por último prorrumpió en una ruidosa carcajada.

—¡Vamos, Rodion Romanovich! Entre si le place..., estoy aquí —gritó desde la ventana.

Raskolnikov penetró en el establecimiento.

Halló a Svidrigailov en un reservado que daba a una gran sala en la cual, alrededor de una veintena de mesitas, una cantidad de comerciantes, funcionarios y gente de toda clase bebían té y aguardiente, y oían los berridos de un coro de voces roncas y desafinadas. De alguna parte llegaba el ruido que hacen al entrechocarse las bolas de billar. Svidrigailov tenía frente a sí, sobre la mesa, una botella de champaña y una copa medio llena. Lo acompañaban en el reservado un mozalbete, portador de un organillo, y una cantante, joven de unos dieciocho años, sonrosada y mofletuda, ataviada con una blusa de seda blanca y una falda a rayas que levantaba con un gesto descocado. En la cabeza llevaba un sombrero tirolés adornado con cintas multicolores. A pesar del estrépito de la sala contigua, cantaba acompañada por el organillo una romanza vulgar, con desafinada voz de contralto.

—¡Bien, basta ya! —exclamó Svidrigailov al entrar Raskolnikov.

La joven interrumpió la canción y aguardó en actitud de respetuosa espera. Mientras cantaba sus tonterías armonizadas conservaba en su rostro aquella misma expresión de respeto y gravedad.

—¡Eh, Felipe, otra copa! —gritó Svidrigailov.

—Gracias, no bebo —dijo Raskolnikov.

—Como guste; no llamaba para usted. Bebe, Katia. Ya no te necesito por hoy, puedes retirarte.

Le sirvió una copa de champaña y le deslizó en la mano un billete de banco. Katia ingirió el vino sin separar los labios de la copa, a pequeños sorbos, como suelen hacer las mujeres; luego besó la mano de Svidrigailov, que la dejó hacer con la mayor seriedad, y por fin abandonó la habitación seguida por el organillero. Ambos habían llegado de la calle.

No hacía más de ocho días que Svidrigailov encontrábase en San Petersburgo, y ya se comportaba a sus anchas, como si estuviese en un ambiente por completo familiar.

El mozo, Felipe, era uno de sus antiguos "conocidos", y se arrastraba ante él de manera servil. Una vuelta de llave, y Svidrigailov se encontraba allí aislado de los demás; tal vez pasaba días enteros en aquel reservado. Aquel cabaret inmundo y sucio no podía calificarse ni siquiera como de segundo orden.

—Iba a verlo; lo estaba buscando —comenzó Raskolnikov cuando estuvieron solos—, pero me pregunto cómo hice para tomar por la avenida ..., al salir del Mercado del Heno. Jamás vengo ni he pasado por aquí. Siempre voy hacia la derecha..., además, éste no es el camino para ir a su casa. Apenas miré a mi alrededor, lo vi a usted. Es extraño.

—¿Por qué no dice usted de una vez que se trata de un milagro?

—Porque tal vez sea sólo una casualidad.

—¡Qué gente más rara ésta! —repuso riendo Svidrigailov—. ¡Aun cuando estén íntimamente persuadidos de la existencia de los milagros no quieren reconocerlos! Usted mismo dice que "tal vez sea una casualidad". ¡No puede hacerse una idea de lo cobarde que son las personas con respecto a sus propias opiniones, Rodion Romanovich! No lo digo por usted, que, si tiene una opinión personal, no teme exponerla. Eso mismo es lo que ha atraído mi curiosidad.

—¿Eso sólo?

—Creo que es bastante.

Svidrigailov se hallaba en un estado de visible excitación, aun cuando había bebido sólo medio vaso de champaña.

—Me parece que usted vino a verme antes de saber si yo era capaz de tener una opinión personal —insinuó Raskolnikov.

—Entonces era otra cosa: cada uno tiene su manera de proceder. En lo que concierne al milagro, tengo la impresión de que usted ha estado durmiendo durante los últimos dos o tres días. Yo mismo le di la dirección de este cabaret; nada tiene, pues, de particular que haya venido usted aquí. Hasta le indiqué el camino que tenía que hacer, el sitio preciso y las horas en que podía encontrarme. ¿No lo recuerda?

—Debo haberlo olvidado —repuso sorprendido Raskolnikov.

—Eso es lo que creo. Se lo dije en dos oportunidades. Acaso la dirección se haya grabado en su memoria sin que usted lo advirtiera, y ha venido en forma maquinal, sin recordarla a punto fijo. Por otra parte, le haré notar que, cuando le di estas señas, se me ocurrió que no las retendría. Usted se abandona demasiado, Rodion Romanovich. Soy un convencido de que en este San Petersburgo abundan las personas que hablan a solas cuando caminan por la calle. Es una ciudad de semidementes. Los médicos, juristas y filósofos podrían obtener preciosas indicaciones, cada uno en su especialidad, si se dedicaran a estudiar los casos que se presentan. Sería difícil hallar otra ciudad en que se ejerzan sobre el alma humana influencias tan tenebrosas, agudas y extrañas como en ésta. ¿Será la acción del clima? Sin embargo, como es el centro administrativo del país, su carácter debe reflejarse sobre toda Rusia. Mas no se trata de esto ahora: quería decirle que más de una vez lo he observado a usted sin ser visto. Cuando sale de su casa, mantiene la cabeza erguida; apenas ha dado veinte pasos, la baja y cruza las manos por detrás de la espalda. Mira hacia adelante y hacia los costados, pero es evidente que no ve nada de lo que le rodea. Por último, comienza a mover los labios y a monologar; a veces se detiene y gesticula, como si declamara, permaneciendo largo rato en el mismo sitio. Que lo vea yo no es nada, pero pueden verlo otros, lo que no deja de ser un peligro. En realidad, tanto me da una cosa como la otra; no soy yo el que tiene que curarlo. Pero no dudo de que comprenderá el alcance de mis palabras.

—¿Cree que me siguen y me vigilan? —preguntó Raskolnikov mirándolo con curiosidad.

—No sé..., ése no es asunto mío —repuso Svidrigailov con aire asombrado.

—Entonces no hablemos más de esto —gruñó Raskolnikov frunciendo el entrecejo.

—Bueno, pasemos a otra cosa.

—Dígame más bien entonces, ya que viene aquí para beber, y en dos oportunidades me indicó que lo visitara en este lugar, ¿cómo se explica que hace un instante, cuando lo vi desde la calle, haya tratado de ocultarse? Lo noté muy bien.

—¡Je, je! ¿Y por qué el otro día, cuando entré en su cuarto, permaneció con los ojos cerrados sobre el diván, aparentando dormir, aunque estaba bien despierto? También lo noté...

—Podía tener... mis razones..., usted lo sabe.

—Admita entonces que también yo puedo tenerlas, aun cuando no las conozca.

Raskolnikov acodó el brazo derecho sobre la mesa y, apoyando el mentón en la mano, miró con fijeza a su interlocutor, cuya cara habíale llamado siempre la atención. En cierto modo se parecía a una máscara: blanca, rosada, de labios bermejos, la barba y los cabellos de un rubio casi blanco, con ojos demasiado azules y mirada demasiado fija e inquisitiva. En aquel rostro hermoso y de apariencia juvenil a pesar de los años había algo que impresionaba en forma asaz desagradable.

Svidrigailov vestía un elegante traje estival, de tela liviana, y su ropa blanca era impecable. En uno de sus dedos brillaba una gruesa sortija adornada con una piedra preciosa de gran tamaño.

—¡Terminemos de una vez! —exclamó de pronto Raskolnikov con febril impaciencia—. Aun cuando usted sea el más peligroso de los hombres cuando se propone hacer daño, no trataré de disimular más, y voy a demostrarle en el acto que estoy decidido a afrontar cualquier situación. Vine para decirle que si persiste en sus anteriores designios acerca de mi hermana, si piensa aprovechar para ello el secreto que ha descubierto recientemente, lo mataré antes de que me detengan. Crea en lo que le digo; le consta que soy capaz de cumplir esta amenaza. En segundo lugar, si tiene algo que decirme, como he creído advertir desde hace algún tiempo, hágalo ahora, pues el tiempo urge y acaso pronto será ya demasiado tarde.

—¿Por qué tanta prisa? —preguntó Svidrigailov mirándolo con curiosidad.

—Cada cual tiene sus asuntos —respondió Raskolnikov con aire sombrío y visible impaciencia.

—Acababa de invitarme a ser franco, y a la primera pregunta que le formulo elude responder —le observó Svidrigailov con una sonrisa—. Siempre se imagina que estoy tramando no sé qué cosas, y sospecha de mis intenciones. No se lo recrimino. En su situación, es perfectamente comprensible, pero, por grandes que sean mis deseos de vivir en buena armonía con usted, no me tomaré la molestia de tratar de disipar esas suspicacias. En verdad, no vale la pena y en ningún momento me he sentido dispuesto a hacerlo.

—¿Acaso le soy indispensable? Se lo pregunto

porque he observado que no cesa de dar vueltas en torno mío.

—Eso se debe simplemente a que usted constituye un curioso motivo de observación. Lo fantasmagórico de su caso atrajo mi atención, y me complazco en seguirlo de cerca. Eso es todo. Además, es el hermano de una persona que me interesó muchísimo en su oportunidad, y que me dio amplios detalles de usted, lo que induce a suponer que tiene gran influencia sobre ella. ¿Le parecen suficientes motivos? ¡Je, je, je! Por otra parte, su pregunta es compleja y resulta difícil contestarla. Veamos, por ejemplo: ¿no ha venido aquí menos para hablarme de su situación que para comunicarme algo nuevo? Estoy seguro de que es así. Ahora bien, figúrese que yo mismo, en el tren que me traía a esta ciudad, contaba también con usted, esperando que me diría algo *nuevo* y que lograría que me facilitara alguna cosa. Los ricos somos así.

—¿Que le facilitara qué?

—¿Cómo explicárselo? Yo mismo no lo sé. Vea en qué sitio infame paso el tiempo; pues bien, estoy a gusto, no tanto por el lugar, sino porque es necesario permanecer en alguna parte. Me divierto con esa pobre Katia..., ¿la vio? Si por lo menos fuese un glotón, un gastrónomo de club... Pero vea lo que puedo comer —dijo señalando con el índice un plato de hojalata que contenía los restos de un bistec con papas—. A propósito, ¿ha comido usted? Apenas si probé mi comida y no quiero más. En cuanto a vinos, sólo bebo champaña, y una copa me basta para toda la noche, sin contar que me hace doler la cabeza. Pedí una botella porque tengo que ir a cierta parte y quería estar un poco animado. Traté de ocultarme como un colegial para que no me viera porque me dije que su visita estorbaría mis planes; pero todavía puedo pasar una hora con usted —agregó después de consultar su reloj—. Son las cuatro y media. A veces lamento no tener ninguna especialidad; si por lo menos fuera propietario, padre de familia, fotógrafo, periodista o cualquier cosa que me permitiera matar el tiempo... Volviendo a lo que decía, creí que usted me impondría algo nuevo.

—Pero, ¿quién es usted y por qué ha venido a San Petersburgo?

—¿Quién soy? Usted lo sabe: un gentilhombre. Serví dos años en la caballería, luego viví en esta ciudad y por último me casé con Marta Petrovna, y me fuí a radicar al campo. Ésa es toda mi historia.

—Usted es jugador, ¿no es cierto?

—Soy jugador con ventaja, vale decir, tramposo.

—¿Hace trampas en el juego?

—Sí; por lo menos las hacía, asociado a otros fulleros.

—En alguna ocasión su proceder debe haberle proporcionado disgustos..., hasta quizá reyertas terminadas a golpes.

—En efecto, algo de eso ha ocurrido. ¿Y bien?

—Pues muy sencillo: podría batirse en duelo, por lo menos eso produce cierta emoción.

—No le diré que no, tanto más cuanto que no soy muy versado en filosofía; confieso que vine a esta ciudad pensando antes que nada en las mujeres.

—¿Cuando apenas hace unos días que dio sepultura a Marta Petrovna?

—Así es —respondió Svidrigailov con una sonrisa de franqueza desconcertante—. ¿Por qué no? ¿Le parece que mi conducta es escandalosa?

—¿Me pregunta si me parece mal que se viva en el desenfreno y la depravación?

—¿En el desenfreno y la depravación? ¡Caramba, usted va un poco lejos!... Con el fin de proceder en forma metódica, me referiré en primer término a las mujeres. Oiga: ¿por qué razón debo abstenerme de ellas, si constituyen para mí uno de los mayores atractivos de la vida? Por lo menos, eso es una ocupación.

—¿De manera que todas sus esperanzas se cifran únicamente en el libertinaje?

—Bien, aceptemos esa expresión, ya que tanto se empeña. Soy mujeriego: el sexo opuesto es para mí de primordial importancia. El libertinaje tiene algo de permanente que se funda en la naturaleza y que no sufre a consecuencia de los caprichos de nuestra imaginación, algo que persiste como una brasa ardiente en nuestra sangre, siempre lista para dejar surgir una llama, que no se extingue de un momento a otro con el correr de los años. Confiese que en el fondo no deja de ser una ocupación.

—No hay de qué felicitarse. Es una enfermedad y de las más peligrosas.

—Admito que sea una enfermedad, como todo lo que pasa de los justos límites, que en este caso no pueden dejar de rebasarse; pero la gravedad varía según los casos. Es menester cierta moderación para no tener que terminar levantándose la tapa de los sesos de un tiro. Opino que un hombre honrado tiene que aburrirse en cierta medida...

—¿Sería capaz de levantarse la tapa de los sesos?

—¡Vaya una pregunta! —replicó disgustado Svidrigailov—. Tenga la bondad de no hablar de suicidio —agregó sin la displicencia y la fanfarronería que había afectado hasta ese instante. Su expresión se alteró un tanto—. Confieso que el pensamiento de la muerte no me hace ninguna gracia; es una imperdonable debilidad, pero la temo y evito referirme a ella. ¿Ignoraba usted que soy más o menos místico?

—¡Ah! ¡Siempre el espectro de Marta Petrovna! ¿Continúan sus visiones?

—Dejemos este asunto; usted no entiende o no quiere entender. Hasta ahora no se me ha vuelto a aparecer... ¡Oh, que el diablo se la lleve!... —exclamó irritado—. Hablemos más bien de...,

¡hum!..., el tiempo vuela..., es lástima..., me proponía contarle algo...

—¿Acerca de alguna mujer?

—Sí, de una mujer; un caso curioso...

—¿No se siente mal en este ambiente? ¿Carece acaso de la fuerza necesaria para dominar sus inclinaciones?

—¿Y usted me habla de esta manera? Me sume en el más profundo estupor, Rodion Romanovich, a pesar de que esperaba algo por el estilo de usted. Me habla de libertinaje, de depravación, de estética. ¡Un Schiller, un idealista! Es natural que sea así, y hasta sería de extrañar que fuese de otro modo... ¡Qué lástima que el tiempo corra tan de prisa! Usted es un individuo muy curioso. A propósito, ¿le gusta Schiller? A mí me encanta.

—¡Qué extraordinario saltimbanqui es usted! —exclamó Raskolnikov con cierta repugnancia.

—¡A fe mía que no! —replicó Svidrigailov echándose a reír—. Bueno, aceptemos también esa denominación. En resumidas cuentas, ¿por qué no desempeñar el papel de saltimbanqui si con eso no se hace mal a nadie? He vivido siete años en el campo junto a Marta Petrovna; por eso, al encontrarme con un hombre de ingenio como usted, no me canso de charlar, sin contar que esa copa de champaña se me ha subido un poco a la cabeza. Hay una circunstancia especial que lo ha impulsado a venir a verme..., sobre la cual prefiero guardar silencio. Pero, ¿a dónde va? —preguntó de súbito con evidente sorpresa.

Raskolnikov se había levantado, sintiéndose asqueado de sí mismo. Abrigaba la más absoluta convicción de hallarse frente al hombre más mezquino y vil que pudiera encontrarse sobre la tierra.

—Quédese unos instantes más —suplicó casi Svidrigailov—. Pida una taza de té. Vamos, siéntese..., no diré tonterías, cesaré de hablar de mí. Voy a contarle algo. ¿Quiere que le refiera cómo me salvó una mujer, para emplear su estilo? Hasta será una respuesta a su primera pregunta, pues se trata de su hermana. ¿Me permite que le cuente?

—Hable, pero le prevengo que...

—¡Oh, no tenga cuidado! Abdocia Romanovna sólo puede inspirar el más profundo respeto, aun tratándose de un hombre tan corrompido como yo.

Y Svidrigailov dio comienzo a su relato.

4

—Como le dije en ocasión de nuestra primera entrevista, según recordará, en una época de mi vida las deudas considerables que había contraído me llevaron a la prisión. No considero necesario darle mayores detalles acerca de lo que hizo

Marta Petrovna en esa oportunidad; bástele saber que obtuvo mi libertad a peso de oro. Parece mentira que una mujer pueda perder la cabeza hasta ese punto cuando está enamorada de un hombre. A pesar de su falta de instrucción, mi difunta esposa era inteligente y honesta a carta cabal, aunque en extremo celosa. Antes de nuestro enlace se avino a convenir conmigo una especie de pacto, no sin que se produjeran varias escenas borrascosas, y lo cumplió con la mayor fidelidad durante el tiempo que duró nuestra unión. Fui lo bastante desvergonzado, más que franco, para hacerle presente que no le podría ser fiel en absoluto. Esta confesión desencadenó en ella las furias del averno, pero creo que mi cinismo le agradó en cierto modo: "Puesto que me previene de antemano, es que no quiere engañarme", se habrá dicho. Y para una mujer celosa, esto es lo esencial. Después de torrentes de lágrimas y de inacabables reproches, aceptó un contrato puramente verbal: yo no la abandonaría jamás y sería siempre su esposo; no la dejaría sin su permiso y no tendría una amante fija; en compensación, me autorizaba a tener relaciones con alguna que otra sirvienta de la casa, mas debía ponerlo en su conocimiento en secreto; tenía que abstenerme de enamorarme de cualquier mujer de nuestra condición, y, por último, en el caso de que —Dios no lo permita— se apoderara de mí una pasión más seria, debía confesárselo a ella. En lo que concierne a este último punto, Marta Petrovna no experimentó jamás la menor inquietud; era una mujer inteligente, y, por lo tanto, sólo podía considerarme un *libertino,* capaz de mariposear alrededor de las mujeres, pero no de concebir una pasión profunda y verdadera. Pero una mujer inteligente es una cosa; una mujer celosa, otra. Ésa era la desgracia. Además, para juzgar a alguien con imparcialidad, conviene librarse de antemano de ciertos puntos de vista y de ciertos hábitos cotidianos con respecto a la gente y a los objetos que nos rodean. Recurro a su buen sentido más que a cualquier otra cosa. Es posible que haya oído decir un sinnúmero de sandeces acerca de mi difunta esposa. En realidad, no carecía de defectos y manías ridículas; sin embargo, lamento sinceramente, no temo decirlo, los innumerables disgustos que le he ocasionado. Esto basta, según creo, como *oraison funèbre,* pronunciada por el más tierno de los esposos a la memoria de la más tierna de las esposas. Cuando se producía alguna escena, me limitaba a guardar silencio la mayor parte del tiempo, y no daba asidero a las explosiones de cólera. Mi actitud caballeresca daba casi siempre buen resultado, y al mismo tiempo complacía a mi mujer; en ciertos casos hasta llegó a sentirse orgullosa de mí. A pesar de lo expuesto, no logró digerir esa historia con su hermana. ¿Cómo se atrevió a emplear como institutriz en su casa a una joven tan hermosa? Me lo explico solamente por el hecho de que Marta Petrovna era impresionable y fácil de conmover; se habrá prendado de Abdocia Romanovna. Prontamente comprendí que las cosas iban por mal camino, y piense usted lo que quiera, me propuse no mirar siquiera a su hermana y cambiar con ella sólo las palabras indispensables. Pero su misma hermana dio el primer paso, aunque esto le parezca imposible, y hasta Marta Petrovna se enfadó conmigo porque me mostraba indiferente cuando se deshacía en elogios de ella en mi presencia. No comprendo cómo pudo proceder de ese modo. Bien entendido, mi mujer contó a su hermana todo lo que sabía de mí; tenía la pésima costumbre de divulgar los secretos de familia y de quejarse de mi comportamiento con todo el mundo. ¿Cómo iba a desperdiciar la ocasión de atraerse una aliada tan encantadora? Presumo que en sus conversaciones no hacían más que hablar de mí, y sin duda Abdocia Romanovna llegó a conocer todos esos chismes y esas historias más o menos secretos que corren a mi respecto. Hasta apostaría a que usted está al tanto de ellos.

—En efecto, Lujin lo acusaba de haber causado la muerte de una menor. ¿Es cierto eso?

—Le ruego que no remueva esas pestilencias —replicó Svidrigailov con brusquedad y desagrado—. Si tiene real interés en saber de dónde proceden todas esas estupideces, se lo diré cuando llegue el momento. Por ahora...

—Habló asimismo de un sirviente que tenía

usted en el campo, pretendiendo que causó su muerte…

—¡Terminemos con este asunto, le ruego! —interrumpió Svidrigailov, perdiendo la paciencia.

—¿No se trata del mismo sirviente que después de su muerte se le apareció para alcanzarle y llenarle la pipa? Usted me lo contó —prosiguió Raskolnikov con creciente irritación.

Svidrigailov lo miró, y el joven creyó ver pasar por sus ojos, como un relámpago, una expresión de burla demoníaca. Pero el otro se contuvo y respondió con bastante cortesía.

—En efecto, se trataba del mismo. Ya veo que todo esto le interesa mucho, por lo que, apenas se presente una ocasión propicia, trataré de satisfacer su curiosidad en forma amplia y detallada. ¡Que el diablo cargue conmigo! Si sigo así, pronto me convertiré en un personaje romántico a los ojos de algunas personas. Juzgue si no le debo un cirio de gran tamaño a Marta Petrovna por haber propalado todas estas historias. No me atrevería a opinar acerca de la impresión que causé a su hermana, pero el procedimiento que ella siguió conmigo fue por completo ventajoso para mí. A pesar de su comprensible repugnancia y de mis maneras ásperas, terminé por inspirarle compasión, la compasión que se siente por un hombre perdido. Ahora bien, cuando una joven abriga piedad en su corazón, está en peligro. No dejará de empeñarse en "salvar", en inculcar buenos principios, intentar la conversión de un alma descarriada, exhortando al interesado a que lleve una vida más digna y noble. No se le escapará a usted todo cuanto puede imaginarse en este orden de ideas. Desde el primer momento comprendí que el pájaro concluiría por meterse solito en la jaula, y, a mi vez, dispuse mis baterías. No frunza el entrecejo, Rodion Romanovich. Le consta que todo quedó en agua de borrajas. He de decirle que siempre lamenté que su hermana no hubiese nacido en el segundo o tercer siglo de nuestra era, hija de algún príncipe reinante o de algún procónsul o gobernador del Asia Menor. Sin duda habría sido una de esas mujeres que sufrieron el martirio, y casi me atrevo a afirmar que habría sonreído cuando las tenazas enrojecidas al fuego le hubiesen despedazado las carnes. Ella misma se habría buscado la oportunidad de ser sometida a la tortura. En el cuarto o quinto siglo, se habría hundido en las soledades de Egipto para vivir treinta años alimentándose de raíces, exaltación y visiones. Espera que llegue el momento de sacrificarse por alguno, y aspira a convertirse en víctima redentora de las culpas ajenas. Sería muy capaz de arrojarse por una ventana si se le privara de todas las oportunidades de hacerlo. He oído hablar de un cierto señor Razumikhin. Según me han dicho, se trata de un joven razonable, como su nombre lo indica, y que probablemente ha egresado de algún seminario; bien, que vele por su hermana. Creo haber comprendido el carácter de Abdocia Romanovna, y me envanezco de ello. Mas, cuando aún no se conoce muy bien a las personas con las que se está en relación, es fácil incurrir en error o cometer alguna imprudencia. ¡Qué diablos! ¿Por qué será tan hermosa? No fue culpa mía. Me sentí arrastrado por un irresistible transporte de pasión. Abdocia Romanovna es de un pudor inaudito, inverosímil, a pesar de su espíritu tan amplio y tan comprensivo. En ese entonces había en nuestra casa una sirvienta, una joven aldeana de otro pueblo, llamada Paracha, muy bella, pero estúpida como ella sola. Un día que me permití algunas libertades con ella, provocó un escándalo horrible en la casa con sus gritos y sus lágrimas. Abdocia Romanovna se las compuso para encontrarme a solas en el jardín, y con los ojos llameantes me *exigió* que dejara en paz a la pobre Paracha. Era la primera vez que hablábamos sin testigos. Como es natural, le prometí todo lo que quiso, tratando de aparentar la mayor confusión y arrepentimiento por mi villana conducta; le aseguro que desempeñé mi papel a la perfección. A partir de ese momento comenzaron las citas y los conciliábulos, las lecciones de moral y las recomendaciones, las súplicas y hasta las lágrimas. ¡Sí, hasta lágrimas! ¡Obsérvese hasta qué punto llegan las jóvenes cuando se proponen catequizar a un hombre! Como es lógico, achaqué todos mis errores al destino, me hice pasar por un hombre sediento de verdadera claridad, y puse en juego un medio supremo e infalible para llegar al corazón de las mujeres, un medio que no engaña a ninguna, y que, sin embargo, da óptimos resultados con todas. Se trata de la adulación. Nada es más difícil de practicar que la sinceridad, y nada más fácil que la adulación. Si por desgracia se desliza en la sinceridad la más leve nota falsa, se produce enseguida una disonancia, con el escándalo consiguiente. Que en la adulación todo sea falso, de la primera nota a la última, poco importa: siempre resulta agradable, se la escucha con placer, un placer poco elevado, sin duda, pero placer al fin. Y por grosera que sea la adulación, la mitad por lo menos de lo que encierra parece cierta al interesado. Esto ocurre en todas las clases sociales. Sería posible seducir a una vestal recurriendo a ella. ¿Qué decir entonces del común de los mortales? No puedo recordar sin reírme cómo seduje cierto día a una mujer que amaba a su esposo, a sus hijos, y parecía la personificación de la fidelidad conyugal. No obstante, fue tan fácil que resultó hasta ridículo. Toda mi táctica consistió en mostrarme en todo momento como agobiado por sus virtudes y en adoración ante su castidad. La adulaba de manera desvergonzada. Apenas lograba obtener de ella una mirada, un apretón de manos, me reprochaba haberle arrancado a la fuerza esa leve demostración, venciendo su resistencia, y le repetía que en su inocencia no había podido percatarse de mi perfidia, que era un infame y un desalmado. Bien, logré mis fines, y la dama en cuestión quedó por completo persuadida de que era casta y pura, que continuaba cumpliendo sus deberes y obligaciones, y que, si había alguna falta, era imputable únicamente al azar. No puede imaginarse qué disgusto le di cuando le declaré mi absoluta convicción de que había buscado el placer tanto como yo mismo. La pobre Marta Petrovna era asimismo muy sensible a la adulación, y puedo afirmar que no habría dependido más que de mí el que me legara todos sus bienes y hasta que los traspasara a mi nombre, aun en vida.

Svidrigailov bebió una copa de champaña y prosiguió:

—No se moleste si pretendo que los mismos efectos comenzaron a hacerse sentir sobre Abdocia Romanovna. Pero eché a perder todo el asunto con mi estupidez y mi impaciencia. El ardor con que la miraba le causaba desagrado; debía verse en mis ojos, cada vez con mayor claridad, una llama de pasión que terminó por serle odiosa. Sin entrar en otros detalles que carecen de importancia, le diré que tuvimos un cambio de palabras, y desde entonces cometí error tras error. Comencé a mofarme en forma grosera de su procedimiento y de sus pretensiones de querer catequizarme. Paracha volvió a entrar en escena, acompañada de otras mujeres...; en una palabra, la casa se transformó en una verdadera Sodoma. ¡Si hubiera visto los ojos de su hermana, Rodion Romanovich, sabría de qué manera son capaces de relampaguear! Poco importa que en este momento esté ebrio y que acabe de ingerir otra copa de champaña. Le digo la verdad: le aseguro que sus miradas me perseguían hasta en sueños; llegué al extremo de no poder soportar su presencia y hasta creí que iba a sufrir un ataque de epilepsia; nunca hubiera imaginado que pudiese llegarse a tal estado de exaltación. Se hacía indispensable en absoluto para mí una reconciliación con Abdocia Romanovna. ¡A qué absurdos pueden conducir la rabia y el despecho a un hombre, Rodion Romanovich! No emprenda jamás nada en ese estado. Considerando que en resumidas cuentas Abdocia Romanovna era una pobretona..., dispénseme usted..., no tenía el propósito..., la expresión no tiene importancia..., dicho de otro modo, que estaba reducida a vivir de su trabajo, que tenía a su cargo a su madre y a usted..., no se enfade..., resolví ofrecerle todo el dinero que poseía, unos treinta mil rublos, para decidirla a huir conmigo a esta ciudad o a cualquier otra parte. Como es natural, le juré eterno amor, felicidad, le hice mil promesas, ¿qué sé yo? Créame si quiere, pero le aseguro que si en esa época me hubiera dicho: "Degüella o envenena a Marta Petrovna y cásate conmigo", lo habría hecho enseguida sin la menor vacilación. Pero todo concluyó con la catástrofe que usted conoce; puede usted juzgar el grado de mi exasperación al saber que Marta Petrovna había descubierto a ese innoble y rastrero Lujin, y que planeaba hacerlo casar con su hermana, lo que en suma no hubiese diferido mucho de mis proposiciones. ¿No le parece? ¿No es exacto? Noto que me escucha con suma atención... ¡Qué joven interesante!

Svidrigailov asestó un puñetazo a la mesa. Estaba un poco congestionado, y Raskolnikov advirtió que el champaña, aun tomado en poca cantidad, comenzaba a producir en él un efecto desastroso; resolvió aprovechar esa circunstancia. Estaba tratando con un individuo peligroso, del que tenía que desconfiar.

—Después de todo cuanto me acaba de referir, estoy plenamente persuadido de que ha venido a San Petersburgo con ciertas intenciones acerca de mi hermana —dijo sin circunloquios, para tratar de que su interlocutor hablara en forma concreta.

—¡Bah, no piense en eso! —respondió Svidrigailov tratando de borrar el efecto producido por sus palabras—. ¿No le he dicho ya que ahora no...? Además, su hermana me odia.

—Estoy persuadido de que es así, pero no se trata de eso.

—¡Vaya! ¿Está persuadido de que me odia? —repitió Svidrigailov con una irónica sonrisa—. Tiene razón; no me ama, pero no esté nunca seguro de lo que pasa entre marido y mujer o entre dos amantes. Siempre hay algún rinconcito que escapa a la observación de todo el mundo y que sólo ellos dos conocen. ¿Se atreve usted a sostener con toda seguridad que Abdocia Romanovna me miraba con repugnancia?

—Algunas expresiones y palabras de doble sentido de su relato prueban, a mi entender, que abriga aún ciertos proyectos acerca de Dunia, a los que se resiste a renunciar, y que, bien entendido, son infames.

—¡Cómo! No me explico cómo he podido dejar escapar esas expresiones y palabras a que usted se refiere —observó Svidrigailov con cierta alarma, sin parar mientes en el epíteto que calificaba sus designios.

—Acaba de desenmascararse. ¿Por qué finge ese temor? ¿A qué responde su confusión?

—¿Yo temor? ¿Confusión? ¿Cree que puedo tener miedo a usted? Sería más bien usted quien debería tenerlo de mí, *cher ami*? ¡Vaya unas cosas que se le ocurren! Por otra parte, veo que estoy un poco mareado; un poco más y cometía otra tontería... ¡Al diablo el vino! ¡Eh, Felipe, trae agua!

Tomó la botella de champaña y, sin adoptar mayores precauciones, la arrojó a la calle por la ventana. El mozo trajo agua.

—Todo esto es estúpido —prosiguió Svidrigailov, humedeciendo una servilleta y colocándosela sobre la cabeza—. Con una sola palabra puedo ponerlo contra la pared y disipar todas sus sospechas. ¿Sabe usted, por ejemplo, que estoy por casarme?

—Ya me lo dijo en otra ocasión.

—¿Se lo dije? No lo recordaba. Pero no pude haberlo afirmado de manera categórica, porque entonces aún no había visto a la novia; era sólo un proyecto. Ahora ya la conozco y es cosa resuelta; si en este momento no reclamaran mi atención asuntos urgentes, lo invitaría a venir conmigo a su casa. Me gustaría conocer su opinión acerca de mi prometida. ¡Ah, diablos! Sólo me quedan diez minutos; vea mi reloj... Mi matrimonio no deja de ser una cosa curiosa en su género. Pero, ¿adónde va? ¿Quiere irse otra vez?

—No, ahora estoy resuelto a quedarme.

—¿Quiere decir que no se irá? ¡Ya veremos! Lo llevaré a casa de mi novia para que la vea, pero no ahora. Debemos separarnos. Usted se irá por la derecha y yo por la izquierda. ¿Conoce a la señora Resslich, en cuya casa vivo en la actualidad? Ha oído hablar de ella, ¿no es cierto? Esa mujer, de la que se dice que fue la causante de que una muchacha de quince años se arrojara al agua en pleno invierno, es la que ha preparado todo: "Debes aburrirte solo, te conviene casarte —me dijo—; una mujer joven y bonita te haría pasar el tiempo en forma más agradable". En efecto, soy un hombre taciturno y sombrío. ¿Me creía alegre? No, soy triste; no hago mal a nadie, pero me encierro, me aíslo de los demás y paso días enteros sin despegar los labios. Sé de antemano cuáles son las intenciones de esa bribona de Resslich, y prefiero decírselo desde ahora: tiene la idea de que pronto me cansaré de mi esposa y la abandonaré, dejándola en sus manos; entonces podrá lanzarla a la circulación, para gente de nuestra condición social, o tal vez de círculos más elevados. Me dijo que el padre de la joven es un ex funcionario, un pobre anciano medio paralítico que desde hace tres años no abandona su sillón. La madre es una mujer inteligente, y un hermano empleado en alguna parte, en provincias, no ayuda a sus progenitores. Hay también una hija casada, de la que carecen de noticias, y, como si no fueran bastantes bocas que mantener, han tomado a su cargo a dos sobrinitos huérfanos. La hija menor salió del colegio antes de haber finalizado sus estudios; el mes que viene cumplirá dieciséis años, y entonces podrán casarla, para lo que cuentan conmigo. Fuimos a ver a esa gente; me presenté como propietario, viudo, de buena familia, provisto de buenas relaciones y de fortuna. ¿Qué significa que yo tenga cincuenta años y ella apenas dieciséis? ¿Quién se fijaría en eso? ¿Acaso no soy un buen partido? Hasta un partido excelente... ¡Ja, ja! ¡Si me hubiera visto hablando con los padres! Podía pagarse algo por verme. Llegó la chica, hizo una reverencia...; figúrese que todavía lleva la pollera corta: un verdadero botón de rosa, apenas abierto. No sé lo que piensa usted de los rostros de las mujeres, pero, para mí, aquellos dieciséis años, aquellos ojazos aún infantiles, aquella timidez y aquel pudor tienen más encanto que la belleza; sin embargo, la chica es más bonita que una imagen, con sus cabellos rubios, sedosos y rizados, sus labios frescos y rojos como la grana, sus senos que comienzan a insinuarse..., ¡algo que escapa a toda ponderación! Después de haber conversado con los padres, declaré que asuntos de familia me obligaban a realizar las cosas con la mayor premura, y al día siguiente, es decir, anteayer, éramos ya novios. Desde entonces, apenas llego la siento en mis rodillas y no la suelto..., a pesar de su tímida resistencia, cubro su rostro de besos...; como es natural, la madre le habrá hecho comprender que un futuro esposo puede permitirse ciertas libertades... En resumen, ¡una verdadera perla! Este estado de novio es tal vez más agradable todavía que el de marido. Hay en él lo que se llama *la nature et la verité*, ¡ja, ja, ja! A pesar de que hemos hablado muy poco, he notado que esa niña está lejos de ser una boba. A veces me mira a hurtadillas con cierta complacencia... Su rostro tiene algo de la *Madonna* de Rafael, ese algo que salta a la vista en la cara de la Virgen de la Capilla Sixtina, fantástico, una expresión de tristeza sobrenatural. Una vez concertado el noviazgo, le llevé regalos por valor de mil quinientos rublos: un broche de diamantes, una diadema de perlas, un juego de *toilette* de plata...; la carita de la Madonna resplandecía. Ayer la senté como de costumbre en mis rodillas, pero debí hacerlo con excesivo entusiasmo, porque se puso roja como una amapola, y las lágrimas asomaron a sus ojos. No quiso traicionarse y se contuvo, pero cuando los demás salieron por un instante y nos dejaron solos, me echó los brazos al cuello por primera vez, y me besó, jurándome que sería una excelente esposa para mí, obediente y fiel, que me haría feliz, que me consagraría su vida, cada instante de su existencia, y que a cambio sólo pedía *mi estima y mi cariño*. "No necesito regalos", me dijo. Confieso que estas declaraciones en los labios de una joven angelical, vestida con un vaporoso traje de tul, con la frente adornada de pequeños bucles sedosos y las mejillas coloreadas por un pudor virginal, mientras en sus ojos brillan lágrimas de entusiasmo, son en verdad deliciosas. ¿No es la palabra que conviene, deliciosas? Eso vale algo, ¿no le parece? ¿Tengo o no razón? Bueno..., lo llevaré a casa de mi prometida, pero no ahora.

—En suma, esa monstruosa diferencia de edad y de educación constituye un incentivo más para su desorbitada sensualidad. ¿Es posible que piense realmente en casarse en semejantes condiciones?

—¿Por qué no? Seguramente. Cada cual es dueño de encauzar su vida como mejor le place, y el que mejor sabe engañarse a sí mismo es el que más partido saca de ella. ¡Ja, ja! De pronto se ha convertido usted en un hombre virtuoso. ¡Apiádese de mí, estimado amigo, puesto que soy un pecador! ¡Ja, ja, ja!

—No obstante, se hizo cargo de los huérfanos de Catalina Ivnovna... Va sin decir que no ha obrado sin motivos..., ahora lo comprendo todo.

—En general, amo mucho a los niños —respondió Svidrigailov, lanzando una sonora carcajada—. A este respecto puedo narrarle una historia singular que aún no ha concluido... Desde el día de mi llegada me apresuré a frecuentar toda clase de cloacas...; hacía siete años que no las pisaba, ¿comprende? Sin duda habrá notado mi animadversión a reanudar trato con mis antiguos amigos o conocidos, de los que huyo como de la peste, pero esto es otra cosa. Cuando residía en el campo, solía apoderarse de mí una nostalgia mortal al recordar todos los lugares clandestinos a los que concurría mientras estuve aquí, donde un espíritu avisado halla tantas oportunidades de instruirse a costa de los demás. El pueblo se entrega a la ebriedad; la juventud educada se consume por su inacción en sueños y fantasías quiméricas, embrutecida por las teorías ajenas; los judíos acuden de todas partes, olfateando el dinero, y el resto se entrega a los placeres y a la molicie. Una noche fui a dar a un baile de los llamados familiares, un lupanar inmundo; cuanto más bajas y más hediondas, más me gustan esas salas. Se bailaba de una manera que yo jamás había visto; es innegable que se han realizado progresos en este terreno. De pronto vi a una niña de unos trece años, decentemente vestida, entregada a la danza en brazos de un mozalbete. Puede imaginarse qué clase de baile era ése. La jovencita parecía hallarse poco cómoda; estaba roja como un tomate, y llegó un momento en que, creyéndose ofendida por el poco comedimiento de su acompañante, se echó a llorar. El mozalbete no se amilanó por su actitud, y comenzó a dar vueltas y más vueltas con ella en brazos, permitiéndose toda clase de libertades. Los demás tomaron la cosa a risa; ésos son los espectáculos que agradan a nuestro público, aun en esas infectas salas de baile. Algunos empezaron a gritar: "¡Bien hecho!" "¿Para qué viene si no le gusta?" "¡Éste no es lugar para criaturas!" Como comprenderá, a mí me importa un rábano que se diviertan o no según las leyes de la lógica, pero vi enseguida lo que me convenía hacer, y me senté al lado de la mamá, que presenciaba la escena entre confusa y temerosa. Comencé por decirle que toda esa gente eran unos groseros que no sabían distinguir a las personas que merecían ciertas consideraciones; le dije que no era de San Petersburgo, y le di a entender que poseía mucho dinero, y por último me ofrecí para acompañarla. Aceptó, y acompañé a la madre y a la hija a su domicilio, una pensión infame. Por el camino me enteré de que no tenían un kopek y que habían venido a esta ciudad no sé por qué asunto. Rápidamente les ofrecí mi ayuda moral y material. La buena mujer agradeció y aceptó mis ofrecimientos, manifestando que consideraba una suerte y un honor haberme conocido. Supe que habían concurrido a ese baile por equivocación, creyendo que allí se enseñaba en realidad a bailar; propuse mis buenos oficios para completar la educación de la niña, enseñándole bailes modernos e idioma francés, y aceptaron con verdadero entusiasmo. Desde entonces estoy en relaciones con ellas. También iremos a verlas si quiere, pero no ahora.

—¡Basta! Termine de una vez con sus repugnantes historias, ¡canalla! ¡Usted es el colmo de la ruindad y la degeneración!

—¡Vaya! Otra vez apareció Schiller, ¡nuestro Schiller! *Où la vertu va-t-elle se nicher?* ¿Sabe que me siento tentado de referirle cosas de éstas por el gusto de oír sus exclamaciones? Le aseguro que es para mí un verdadero placer.

—No lo dudo. ¿Acaso en este momento no me considero yo mismo ridículo? —refunfuñó Raskolnikov.

Svidrigailov se echó a reír a mandíbula batiente. Por fin llamó a Felipe, pagó la adición y se levantó para salir.

—Estoy un poco alegre...; ese champaña... —dijo Svidrigailov—. Pero le aseguro que sus reacciones me producen verdadero placer...

—Lo comprendo perfectamente —declaró Raskolnikov, levantándose a su vez—. Para un innoble libertino como usted, tiene que ser una satisfacción contar aventuras de esa clase, en especial cuando tiene en vista ciertos proyectos de la misma índole y en presencia de un hombre como yo... Debe ser una sensación muy agradable.

—No tome las cosas de ese modo —replicó Svidrigailov un tanto sorprendido—. Usted es cínico a su manera, pero no dejo de reconocer que tiene pasta para concebir ciertas cosas y hasta para ejecutarlas. Bien, despidámonos ya. Lamento que nuestra entrevista haya sido tan corta, pero no..., aguarde un poco. Yo saldré primero.

Svidrigailov abandonó el cabaret, y a los pocos segundos Raskolnikov hizo lo propio. Ya en la calle, Svidrigailov pareció volver a su estado normal, disipándose la leve embriaguez de que diera muestras. Parecía preocupado y fruncía el ceño, como si lo asaltara alguna inquietud.

Raskolnikov había observado que en los últimos instantes Svidrigailov adoptaba hacia él una actitud cada vez más grosera y sarcástica.

—Ahora, usted tomará por la derecha y yo por la izquierda, a menos que prefiera lo contrario. Adiós, mi estimado amigo. Hasta que tengamos el placer de volver a encontrarnos —dijo Svidrigailov y se dirigió hacia la derecha, en dirección al Mercado del Heno.

5

Raskolnikov echó a andar detrás de él.

—¿Qué significa esto? —exclamó Svidrigailov, dándose vuelta—. Creo haberle dicho que...

—Significa que estoy resuelto a no abandonarle.

—¿Cómo? ¿Qué se propone?

Ambos se detuvieron y por un momento se contemplaron como midiéndose.

—Después de todas las cosas que me ha dicho estando medio borracho —expresó Raskolnikov con firmeza—, tengo sobrados motivos para suponer que no sólo no ha abandonado sus infames proyectos contra mi hermana, sino que ahora más que nunca está empeñado en llevarlos a cabo. Supe que esta mañana Dunia recibió una carta... Usted da muestras de suma nerviosidad... Es muy posible que en sus correrías haya dado con otra mujer, pero deseo asegurarme en persona de...

Raskolnikov se hubiera visto en un serio aprieto si hubiese tenido que explicar de qué deseaba asegurarse.

—¿Conque ésas tenemos? ¿Quiere que llame a la policía?

—¡Hágalo!

Por un instante el rostro de Svidrigailov cambió de expresión. Al ver que su amenaza no surtía el menor efecto, adoptó un aire afable y amistoso.

—¡Vea cómo es usted! A pesar de la curiosidad que me devora, no he querido hablarle de su asunto, que en realidad constituye un caso fantástico. Quería dejarlo para mejor oportunidad, pero usted es capaz de impacientar a un muerto... ¡Bueno, vamos! Aunque le prevengo que lo único que haré será ir a casa, tomar un poco de dinero y salir en coche para dar una vuelta por las islas. ¿Qué ganará con acompañarme?

—Tengo algo que hacer en su casa, no con usted, sino con Sonia Semionovna; debo excusarme de no haber podido asistir al sepelio.

—Como le plazca, pero Sonia Semionovna no está allí. Ha salido para llevar a las tres criaturas a la casa de una dama anciana a la que conozco desde hace mucho tiempo y que está al frente de un orfanato. Esa buena señora se mostró encantada cuando le entregué el dinero para los huérfanos de Catalina Ivanovna, además de una suma determinada para el establecimiento que dirige; le referí la historia de Sonia Semionovna sin ocultarle detalle alguno, y mi relato le produjo un efecto indescriptible. Ésa es la razón por la cual Sonia Semionovna fue invitada a presentarse hoy mismo al hotel en que reside la dama en cuestión, de retorno de su veraneo.

—Poco importa; iré lo mismo.

—Como guste, pero no le acompañaré; nada tengo que hacer allí. Bien, ya hemos llegado. Estoy seguro de que, si sospecha de mí, es porque he tenido la delicadeza de no molestarle, asediándole con preguntas..., usted me comprende. Esto le habrá parecido extraordinario. ¡Apuesto a que estoy en lo cierto! En verdad, no vale la pena mostrarse delicado...

—¿Usted, que escucha detrás de las puertas?

—¡Ah, caramba! —exclamó Svidrigailov, soltando una carcajada—. Me hubiera sorprendido mucho que no hiciese esa observación. ¡Ja, ja! Confieso que pude pescar algunas frases de sus...

conmovedoras confesiones a Sonia Semionovna, aun cuando se me escaparon algunas cosas que no dudo son interesantes, y no entendí del todo sus explicaciones... Soy un individuo atrasado, incapaz de comprender ciertos argumentos... Por lo tanto, le ruego tenga la bondad de explicarme, de aclarar.

—¡Miente! No ha oído nada.

—Vamos, no hablo de eso, aunque le aseguro que algo oí. Me refiero a sus perpetuos gemidos, a sus jeremiadas... El Schiller que existe en usted lo perturba a cada momento. Ahora me dice que es incorrecto escuchar detrás de las puertas. Si está convencido de que no hay derecho para hacerlo, pero que en cambio se puede asesinar a pobres mujeres que están al alcance de la mano, vaya a la comisaría y declare que le ha ocurrido tal y tal cosa. Pero, si reconoce que su teoría es errónea, huya lo más pronto posible a América, o a cualquier parte que se le antoje. ¡Y apresúrese, joven! Tal vez está a tiempo todavía. Le hablo con entera sinceridad. Si carece de dinero para el viaje, estoy dispuesto a proporcionárselo.

—No pienso hacer tal cosa —interrumpió Raskolnikov con aspereza.

—Es muy dueño de obrar como le plazca. Comprendo que esté preocupado por ciertas ideas. Son cuestiones morales, ¿no es así? Esas cuestiones que afectan al hombre, al ciudadano. ¡Déjelas de lado! ¿Cómo puede pensar ahora en esas cosas? ¡Ja, ja! Lo hubiera hecho antes de meterse en un asunto tan engorroso. Le queda otra solución: el suicidio. ¿No siente deseos de levantarse la tapa de los sesos?

—Al parecer, trata usted de exasperarme por todos los medios para que desista de acompañarle.

—¡Qué individuo más original! Ya estamos aquí; subamos la escalera. Vea, ésta es la puerta del departamento de Sonia Semionovna. Pregunte a los Kapernaumov y se convencerá de que no está; al salir les deja la llave. Ahí tiene a esta buena señora Kapernaumov. ¿Eh? ¿Qué? (Es un poco sorda). ¿Que Sonia Semionovna ha salido? ¿A dónde ha ido? ¿No sabe? ¡Bien! ¿Se ha convencido ahora? No está, y es probable que regrese tarde. Venga ahora a mi habitación. ¿No quería hacerme una visita? Ya estamos en mi cuarto. La señora Resslich no está en casa. Esa mujer no para un minuto; es una persona excelente, se lo aseguro..., y que podría serle útil si usted se mostrara más razonable. Vea: saco de mi escritorio un título de renta del cinco por ciento —mire todos los que me quedan aún—, para cambiarlo esta misma noche por dinero contante y sonante. ¡Vamos! No tengo tiempo que perder. Cierro el escritorio, la puerta, y salimos de nuevo. ¿Quiere que tomemos un coche? Voy a las islas. Hago señas a este simón y subo..., le digo al cochero que me lleve a la punta Ielaguin... ¿No me acompaña? ¿Está aburrido ya? Vamos, venga a dar un paseo conmigo. Amenaza lluvia, pero no importa; levantaremos la capota.

Svidrigailov estaba ya en el coche. Raskolnikov consideró que, por lo menos en ese momento, sus sospechas eran infundadas. Sin decir palabra dio media vuelta y se alejó en dirección al Mercado del Heno. Si hubiese mirado hacia atrás, habría podido ver que Svidrigailov, después de recorrer breve trecho, ordenaba al auriga que detuviese el coche, le pagaba y seguía a pie por la acera.

Al llegar a la primera esquina Raskolnikov dobló, sumido en profunda meditación. "¡Pensar que por un momento siquiera he podido esperar algo de ese innoble individuo! ¡Qué relajado y qué infame!", se dijo *in mente*. En verdad, su juicio era un tanto apresurado y pronunciado un poco a la ligera. En la manera de obrar de Svidrigailov había algo que le confería cierta originalidad, para no decir una especie de misterio. En lo que concernía a su hermana, sin embargo, Raskolnikov estaba plenamente persuadido de que Svidrigailov no la dejaría en paz, y este pensamiento le torturaba.

Como era habitual en él, al poco rato de quedar solo cayó en profunda abstracción. Al llegar al puente se detuvo, se apoyó en la balaustrada y contempló las aguas con extraña fijeza. A pocos pasos de distancia, Abdocia Romanovna lo observaba, sin saber si llamarlo o no. Había pasado junto a ella sin mirarla. Era la primera vez que

Dunia le encontraba en la calle, y su corazón se heló de espanto. De pronto la joven vio a Svidrigailov que se acercaba rápidamente del lado del Mercado del Heno, adoptando precauciones cual si deseara pasar inadvertido. No subió al puente; se detuvo en la acera, a cierta distancia, esforzándose en no ser visto por Raskolnikov, y de allí hizo señas a Dunia. La joven creyó comprender que le indicaba que dejara en paz a su hermano y se reuniera con él, y así lo hizo.

—Vamos rápido —murmuró Svidrigailov—. No quiero que Rodion Romanovich tenga conocimiento de esta entrevista. Vino a buscarme a un café, cerca de aquí, y me ha costado mucho trabajo desembarazarme de él. Sabe que le escribí una carta y sospecha algo. Me imagino que usted no se lo habrá dicho, pero, de no haber sido usted, ¿quién puede haber sido?

—Ya hemos doblado la esquina —interrumpió Dunia—. Mi hermano no puede vernos ya; le prevengo que no iré más lejos en su compañía. Dígame cuanto tenga que decirme; podemos hablar en la calle.

—Éste no es lugar adecuado para conversar; además, quiero que oiga también a Sonia Semionovna, y, por último, tengo que enseñarle ciertos documentos. Si no accede a venir a mi casa, renuncio a darle explicaciones y me voy ahora mismo. Por otra parte, no olvide que estoy en posesión de un secreto muy curioso, relativo a su bien amado hermano.

Dunia se detuvo indecisa, clavando en Svidrigailov una escudriñadora mirada.

—¿Qué teme? —observó éste con tranquilidad—. La ciudad no es el campo. Aun allí, me hizo usted más daño que el que yo pude hacerle, y...

—¿Sonia Semionovna está prevenida?

—No, no le dije una palabra, y ni siquiera sé con seguridad si está en su casa, aunque creo que sí. Hoy se realizó el sepelio de su madrastra, por lo que supongo que no habrá salido. No hablaré a nadie de estas cosas antes de que llegue el momento, y hasta lamento, en cierto modo, haberme franqueado con usted. La más pequeña imprudencia equivale en este caso a una denuncia. Ésta es mi casa; el portero me conoce, vea cómo me saluda. Como es natural, la ve en mi compañía y de seguro retendrá su fisonomía. Esto debe tranquilizarla si tiene miedo o desconfía de mí. Perdone que le hable en forma tan grosera. Tengo una habitación en el departamento de una señora. Sonia Semionovna y yo estamos separados por un tabique; ella también subalquila una habitación en el departamento contiguo. Todo el piso está ocupado por diferentes inquilinos. ¿Por qué se muestra tan temerosa como una niña? ¿Acaso soy tan espantoso?

En el rostro de Svidrigailov apareció una sonrisa que pretendía ser indulgente y bondadosa; su corazón latía con suma violencia, sentía el pecho oprimido. Trataba de hablar con entonación natural y de disimular su agitación, que iba en aumento, pero Dunia, herida en su amor propio por sus últimas palabras, no lo notaba.

—Aunque lo tengo por un hombre... sin honor, no le temo. Vaya adelante —respondió con aparente tranquilidad, pero con el rostro muy pálido.

Svidrigailov se detuvo frente a la puerta de Sonia.

—Permítame que pregunte si está en casa. No... ¡qué mala suerte! No importa, estoy seguro de que volverá de un momento a otro. Si se ha ausentado, habrá sido para ir a ver a una dama que hará ingresar a los huérfanos en un asilo. También me ocupé de este asunto. En el caso de que Sonia Semionovna no regrese dentro de diez minutos, enviaré a buscarla a alguien. Éste es mi departamento...; ocupo dos piezas. Del otro lado de esa puerta vive la señora Resslich. Observe: esta puerta comunica mi alcoba con dos habitaciones vacías...

Svidrigailov ocupaba dos habitaciones amuebladas, bastante espaciosas. Dunia miró con desconfianza a su alrededor, pero nada de particular notó en el moblaje ni en la disposición de las piezas. Sin embargo, hubiera podido ver que el departamento de Svidrigailov se hallaba prácticamente aislado del resto del piso. La entrada no daba al corredor: para llegar a ella era preciso franquear dos aposentos casi vacíos, que formaban parte del departamento de la patrona. Después de abrir una puerta cerrada con llave en el otro extremo de su alcoba, Svidrigailov mostró a Dunia el departamento que se alquilaba. Dunia se detuvo en el umbral, sin comprender por qué la invitaba a inspeccionar esos cuartos vacíos, pero Svidrigailov se apresuró a explicarle:

—Vea la segunda habitación... En esa pared hay una puerta, que está cerrada con llave, y junto a ella una silla. La traje yo de mi departamento para escuchar con mayor comodidad. Detrás de esa puerta está la mesa de Sonia Semionovna. Estaba sentada ahí y hablaba con Rodion Romanovich. Estuve escuchando dos noches, dos horas cada vez, y, como es natural, he podido enterarme de algo. ¿No le parece?

—¿Usted estuvo escuchando?

—Sí: la primera vez de pie; la segunda, sentado en esa silla. Volvamos a mi departamento. Allí podremos sentarnos.

Acompañó a Abdocia Romanovna a la primera habitación, que hacía las veces de sala, y le ofreció una silla, luego se sentó a cierta distancia de ella. En sus ojos debía notarse la expresión que alarmara y disgustara otrora a Dunia, pues la joven se estremeció y volvió a mirar con desconfianza en torno suyo. Fue un gesto involuntario, ya que no quería dar a entender que abrigaba temor alguno. No obstante, el aislamiento de aquellas habitaciones no dejaba de comenzar a preocuparla. Quiso preguntar si por lo menos la dueña estaba en casa, pero su orgullo le impidió hacerlo. Además, su corazón experimentaba un sufrimiento más horrible, que relegaba sus temores a segundo término. Su angustia hacíase intolerable.

—Ésta es la carta que me dirigió —dijo, dejándola sobre la mesa—. Es posible que sea cierto lo que en ella afirma. Hace alusión a un crimen cometido por mi hermano, y sus insinuaciones son demasiado claras. No trate por lo tanto de retractarse. Antes de recibir esta carta, había oído hablar ya de esa estúpida historia, de la que no creo una sola palabra. Una suposición de esa clase es tan infame como ridícula. Conozco el asunto y la manera en que fue forjado. Usted no puede tener pruebas, y sin embargo ha prometido suministrarlas: ¡hable entonces! Pero sepa de antemano que no le creo. No, no le creo.

Dunia pronunció estas palabras con gran volubilidad; por un instante sus mejillas se colorearon.

—Debo reconocer que no carece usted de valor. A decir verdad, creí que habría rogado al señor Razumikhin que la acompañara. Pero no lo he visto por ninguna parte. Como es natural, no quiero que los otros se enteren de los asuntos de su hermano. Por lo demás, todo en usted es divino... En lo que respecta a su hermano, ¿qué podría decirle? Es un muchacho muy simpático, ¿no es cierto? Solamente que parece hallarse abatido y triste...

—¿Sólo en eso se basan sus acusaciones?

—No, de ningún modo. Como le dije, pude oír en dos oportunidades sus conversaciones con Sonia Semionovna, a la que hizo una confesión completa. Es un asesino, mató a una vieja usurera en cuya casa había empeñado varios objetos, y mató asimismo a la hermana de la vieja, una desdichada llamada Isabel, que le sorprendió en el departamento poco después de haber asesinado a la primera. Las mató para robar y robó; apoderose de un monedero que contenía dinero y de algunas alhajas. Él mismo lo contó, palabra por palabra, a Sonia Semionovna. Esa joven es la única que conoce su secreto, pero nada tiene que ver con el asesinato; es ajena por completo a ese asunto, y, al oír el relato de su hermano, quedó tan horrorizada como usted en este momento. Pero no tenga cuidado: no lo denunciará.

—¡No puede ser! —balbuceó Dunia con los labios blancos y estremeciéndose convulsivamente—. Es imposible que haya hecho eso... No tenía la menor razón, el más leve motivo... ¡Es falso! ¡Es falso!

—El móvil del asesinato fue el robo. Se apoderó de dinero y alhajas. Según su propia confesión, no aprovechó ni uno ni otras, sino que ocultó el botín debajo de una piedra de gran tamaño, donde todavía debe estar. Procedió de esta manera porque no se atrevió a utilizar en su beneficio el producto de su vil hazaña.

—¿Es posible que haya robado y asesinado? ¿Es concebible siquiera que haya podido abrigar esos pensamientos? —exclamó Dunia levantándose de un salto—. Usted lo conoce, ha hablado con él... ¿Le parece posible que sea un ladrón y un asesino?

Con su tono de voz parecía implorar; el temor y la desconfianza habían cedido lugar a la angustia y la desesperación.

—Hay millones y millones de casos y de categorías, Abdocia Romanovna. Unos se dedican al robo por el robo mismo, y reconocen que son malhechores; otros lo hacen por deporte, como distracción. En cierta ocasión oí hablar de un hombre de buena posición, perteneciente a una familia distinguida, que asaltó y desvalijó a un correo. ¿Quién sabe si su hermano ha creído hacer una buena obra al eliminar a esa vieja? No necesito decirle que, como usted, tampoco yo lo hubiera creído si me lo hubiese contado otro, pero me veo obligado a dar crédito a mis propios oídos. Hizo a Sonia Semionovna una exposición amplia y completa de motivos; ella también resistíase a creerlo...

—¿Cuáles son... esos motivos?

—Sería muy largo referírselo todo en detalle, Abdocia Romanovna. ¿Cómo podría explicarle? Invocó esa famosa teoría que autoriza a cometer cualquier desatino si el fin perseguido es noble y justo, borrando esa injusticia con cien acciones buenas. Pensaba que era humillante que un joven dotado de talento tuviese que soportar estrecheces, y que, si hubiera poseído aunque más no fuese tres mil rublos, su carrera y todo su porvenir se presentarían de manera muy distinta. Agregue a esto el enervamiento causado por el hambre, lo reducido de la buhardilla que ocupaba, los harapos y el pensamiento de la situación en que se encontraban su madre y su hermana. Pero por sobre todas las cosas la vanidad, el orgullo y la vanidad, unidos acaso a otros buenos sentimientos... No quiero acusarlo, le ruego que no lo crea, ni me corresponde hacerlo. Tenía asimismo su pequeña teoría, para él tan buena como otra cualquiera, según la cual la humanidad se divide en individuos materiales y en hombres de excepción, es decir, individuos para los cuales, dado su nivel intelectual, no existe ley alguna, y que, por lo contrario, son los que dictan las leyes a los otros hombres, a los que componen los materiales, el polvo humano. Sí, es una teoría como otra cualquiera. Napoleón influyó mucho en él; llegó a la conclusión de que los hombres de genio no prestan jamás atención a los casos personales de injusticia, sino que los dejan de lado. De acuerdo con lo que creo, se imaginó que era un hombre de genio, o por lo menos estuvo convencido de ello durante algún tiempo. Ha sufrido mucho, y sufre todavía al pensar que supo concebir una teoría, y que no pudo llegar más lejos del caso particular, percatándose por consiguiente de que no era un genio. Esto es humillante para un joven lleno de amor propio, sobre todo en nuestra época...

—¿Peró los remordimientos? ¿Lo considera

entonces desprovisto de todo sentimiento moral? ¿Puede ser verdad lo que dice?

—¡Ah! Los sentimientos y la moral están subvertidos, Abdocia Romanovna, sin contar que jamás ha reinado un orden de los más perfectos. Los rusos en general poseen un espíritu amplio, vasto como sus tierras, y son extremadamente propensos a la fantasía, al desorden; pero es peligroso tener un espíritu muy amplio sin contar con un poco de genio. Recuerde nuestras antiguas conversaciones al respecto allá, después de cenar, sentados en la terraza. Entonces ya me reprochaba usted mi amplitud de espíritu... Quién sabe si, mientras nosotros hablábamos, él estaba tramando y meditando el golpe. Entre nosotros, en la sociedad culta, no son las tradiciones venerables las que brillan. Por otra parte, usted conoce mis opiniones en general: nunca acuso a nadie. Mis consideraciones llegaron hasta a interesarla... ¡Pero qué pálida está, Abdocia Romanovna!

—Conozco las teorías que profesa. Leí en una revista su artículo acerca de las personas a las que todo está permitido... Me la proporcionó Razumikhin.

—¿Razumikhin le llevó un artículo escrito por su hermano? ¿Así que ha escrito un artículo? Lo ignoraba. Pero, ¿a dónde va usted, Abdocia Romanovna?

—Quiero ver a Sonia Semionovna —pronunció Dunia con voz apagada—. ¿Por dónde tengo que ir para llegar a su cuarto? Tal vez haya regresado ya...; necesito hablar con ella enseguida. Es preciso que...

La angustia y la opresión que sentía en el pecho no le permitieron concluir la frase.

—Sonia Semionovna no volverá antes de que anochezca, por lo menos así lo supongo.

—¡Ah! ¿Está usted mintiendo? Ahora veo que me ha mentido... No hace más que mentir. ¡No creo una palabra de cuanto me ha dicho! ¡No, no lo creo! —gritó Dunia, presa de un verdadero frenesí y perdiendo por completo la cabeza.

Casi desvanecida, desplomose en una silla que Svidrigailov se apresuró a acercarle.

—¡Abdocia Romanovna! ¿Qué le sucede? ¡Cálmese, por Dios! Tome, beba un poco de agua, un sorbo siquiera...

Con la punta de los dedos le arrojó unas gotas de agua en la cara. La joven se estremeció y volvió en sí.

—¡Qué efecto más desastroso! —murmuró Svidrigailov con el ceño fruncido—. Abdocia Romanovna, se lo ruego, cálmese. Todavía le quedan amigos a su hermano. Le salvaremos, le sacaremos del enredo. ¿Quiere que lo haga cruzar la frontera? Tengo dinero, y dentro de dos o tres días le habré procurado un pasaporte. En cuanto al hecho de haber cometido un asesinato, podrá borrarlo haciendo buenas acciones, tranquilícese. Aún puede llegar a ser un gran hombre. ¿Cómo se siente?

—¡Malvado! ¡Todavía encuentra la forma de burlarse! ¡Déjeme!

—Pero, ¿a dónde va?

—A su casa. ¿Dónde está? Usted lo sabe. ¿Por qué está cerrada esta puerta? Hemos entrado por aquí, y ahora está cerrada con llave. ¿Cuándo la cerró?

—No era necesario que todo el mundo se enterara de lo que hablábamos. No me burlo; ya estoy cansado de hablar de todo esto. Veamos, ¿adónde se propone ir ahora? ¿Quiere que lo detengan? Lo único que logrará será exasperarlo, y es capaz de ir a denunciarse a sí mismo. Sepa también que le vigilan, que están sobre su pista. No apresure su pérdida. Espere: acabo de verle y de hablar con él. Tenga paciencia, siéntese y pensaremos en lo que se puede hacer. La invité a verme con ese propósito, para hablar y poder examinar el asunto con el mayor detenimiento.

—¿De qué manera puede salvarlo? ¿Acaso es posible?

Dunia volvió a sentarse, y Svidrigailov se aproximó a ella.

—Todo depende de usted, de usted sola —musitó con los ojos brillantes, presa de una agitación que le impedía casi pronunciar palabra.

La joven, aterrorizada, se apartó un tanto de él. Svidrigailov temblaba de pies a cabeza.

—¡Una sola palabra suya, y está a salvo! Yo... ¡yo le salvaré! Tengo dinero y amigos influyentes. Le haré partir enseguida, y conseguiré dos pasaportes, uno para mí y otro para él... Puedo hacerlo..., cuento con personas que me son adictas... ¿Quiere que le consiga otro pasaporte para usted? Su madre también... ¿Qué le importa Razumikhin? Mi amor no es inferior, al suyo...; la amo apasionadamente, con fervor... Permítame que bese el ruedo de su falda..., el frufrú de sus ropas me saca de quicio... Ordéneme lo que sea y lo haré sin vacilar; haré hasta lo imposible... Creeré en todo lo que usted cree... ¡Haré todo, todo! ¡No me mire de ese modo, por favor! Sabe que me mata...

Comenzaba a delirar. Su cerebro se oscurecía como en un acceso de locura. Dunia se lanzó hacia la puerta.

—¡Abran! ¡Abran! —gritó como si esperara que alguien la oyera, sacudiendo el picaporte con ambas manos—. ¡Abran! ¿No hay nadie en esta casa?

Svidrigailov, recuperando en parte el dominio sobre sí mismo, se levantó; una sonrisa perversa y burlona apareció en sus labios trémulos.

—No, no hay nadie —articuló con lentitud—. La patrona ha salido y pierde tiempo gritando de esa manera; se agita inútilmente.

—¿Dónde está la llave? ¡Abra esta puerta, miserable! ¡Ábrala enseguida, cobarde, canalla!

—La he perdido y no la puedo encontrar.

—¡Ah! Se trataba de una celada, ¡bandido! —exclamó Dunia pálida como un cadáver, y, lanzándose hacia un rincón, se parapetó detrás de una mesita. No gritaba ya, pero su mirada no se apartaba de su verdugo, siguiendo con atención sus menores movimientos. Svidrigailov no se movió de su sitio en el otro extremo de la habitación. Había logrado dominarse, por lo menos en apariencia, pero su rostro estaba muy pálido y su sonrisa burlona daba a entender que se creía dueño de la situación.

—Ha dicho celada, Abdocia Romanovna; está en lo cierto, pero le advierto que he preparado bien las cosas: Sonia Semionovna no está en su casa, y de aquí al departamento de los Kapernaumov hay cinco habitaciones, todas cerradas con llave. Soy por lo menos dos veces más fuerte que usted, y, aparte de esto, nada tengo que temer, porque estoy seguro de que no me denunciará..., no querrá traicionar a su hermano, ¿no es así? Además, ¿cómo explicará su actitud al venir sola al domicilio de un hombre? Aun cuando sacrificara a su hermano, no podría perjudicarme. Es muy difícil probar que ha habido violación, Abdocia Romanovna.

—¡Miserable! —murmuró Dunia, trémula de indignación.

—Califíqueme como le plazca, pero observe que he hablado a título de suposición. Opino lo mismo que usted. La violación es un delito ignominioso. Hice el razonamiento anterior para hacerle comprender que su conciencia no tendría que reprocharse si... si consintiera en salvar a su hermano de buen grado, como le propongo. No haría sino ceder a las circunstancias, a la fuerza, si es que prefiere emplear esta palabra. Reflexione: la suerte de su hermano y de su madre está en sus manos. Si acepta, seré su esclavo toda la vida... Aguardaré aquí.

Se sentó en un sofá, a unos ocho pasos de la joven. Dunia lo conocía muy bien, y comprendió que su resolución era inconmovible. Decidida a jugarse el todo por el todo, sacó un revólver del bolsillo, lo amartilló y colocó la mano sobre la mesa, sin abandonar el arma. Svidrigailov se levantó de un brinco.

—¡Ah! ¿Conque ésa es su respuesta? —exclamó sorprendido y colérico—. Esto hace variar la situación y disipa mis escrúpulos. ¿Cómo se procuró ese revólver? Se lo facilitó Razumikhin. ¡Cómo! Si es el mío... ¡Pensar que lo busqué tanto! ¿Piensa aprovechar las lecciones de tiro que tuve el honor de darle en el campo?

—Este revólver no era suyo, sino de Marta Petrovna, a la que usted asesinó, ¡infame! ¡Nada de lo que había en su casa le pertenecía! Lo tomé cuando empecé a sospechar de lo que era capaz. ¡Si se atreve a dar un solo paso, le juro que hago fuego!

Dunia se encontraba en un estado de furor cercano al paroxismo, y todo daba a entender que estaba dispuesta a dar cumplimiento a su amenaza.

—Bien..., ¿y su hermano? Le formulo esta

pregunta por simple curiosidad —dijo Svidrigailov, siempre inmóvil en el mismo lugar.

—¡Denúncielo si quiere! ¡No se mueva! ¡Ni un gesto, o disparo! Envenenó a su esposa, me consta; es un asesino.

—¿Está segura de que envenené a Marta Petrovna?

—¡Sí, segura por completo! Usted mismo hizo alusión a ese siniestro propósito una de las veces que trataba de inducirme a seguirlo... Habló de veneno, y supe que fue a procurárselo...; todo estaba dispuesto... Ha sido usted...; únicamente usted puede hacer una cosa semejante, ¡miserable!

—Suponiendo que lo que asegura fuese cierto, lo habría hecho por usted..., por ti... Tú serías la causa.

—¡Miente! ¡Siempre le aborrecí!

—¡Eh, eh! Parece haber olvidado, Abdocia Romanovna, cómo se inclinaba hacia mí en su afán de catequizarme, mirándome con ojos lánguidos... Leía en sus ojos otra cosa que odio y aborrecimiento... Cierta noche, a la luz de la luna, mientras cantaba un ruiseñor...

—¡Miente! ¡Miente, calumniador!

La ira hacía relampaguear las pupilas de Dunia.

—¿Miento? Está bien, miento, he mentido. No conviene recordar asuntos de cierta índole a las mujeres. Sé que tirarás, hermosa fierecilla. Pues bien, ¡tira!

La joven, palidísima y con los labios descoloridos, levantó el arma y lo encañonó, decidida a disparar apenas diera un paso hacia ella. Sus grandes ojos negros lanzaban llamas. Svidrigailov no la había visto jamás tan bella, y su corazón se crispó de dolor. Avanzó un paso y se oyó una detonación. El proyectil rozó sus cabellos y se incrustó en la pared, a sus espaldas.

—Ya me picó la avispa —dijo tranquilamente Svidrigailov—. Y apunta a la cabeza... ¿Qué es esto? ¿Sangre?

Sacó un pañuelo del bolsillo y enjugó un hilillo de sangre que corría por su sien derecha. La bala le había rozado la piel del cráneo.

Dunia bajó el revólver y le contempló, menos con terror que con estupor. Parecía no comprender lo que acababa de hacer ni lo que había sucedido.

—Bien. No dio en el blanco. Ensaye otra vez; tire..., la espero —añadió Svidrigailov, sonriendo con una expresión lúgubre—; si se demora en hacer fuego tendré tiempo de sujetarla, y entonces toda resistencia será inútil.

Dunia se estremeció, amartilló de nuevo el arma y volvió a apuntar hacia él.

—¡Déjeme! —exclamó desesperada—. Le juro que tiraré de nuevo... ¡Lo mataré!

—Bueno. ¿Y después? Es casi imposible que no dé en el blanco a tres pasos de distancia, pero si no me mata..., entonces...

Sus ojos despedían chispas; dio dos pasos. Dunia apretó el gatillo, pero el tiro no salió.

—Ese revólver está mal cargado. No importa. Todavía le queda un cartucho. Trate de aprovecharlo.

De pie a dos pasos de ella, esperaba y la miraba con ojos en los que se veía una resolución salvaje, ardorosa. La joven comprendió que moriría antes de renunciar a ella..., estaba segura de matarlo...

Con un gesto brusco, arrojó el revólver lejos de sí.

—¡Lo ha tirado! —exclamó asombrado Svidrigailov, exhalando un profundo suspiro. Su corazón se sintió como desembarazado de un peso, no tal vez de angustia mortal, que es de dudarse experimentara, sino de otro sentimiento más melancólico y sombrío, que él mismo no acertaba a explicarse.

Se aproximó a Dunia y la tomó con suavidad entre sus brazos. Ella no se resistió, pero, temblando como una hoja, clavó en él sus ojos suplicantes. Svidrigailov hubiera querido decir algo, pero sus labios se contrajeron y no pudo proferir una palabra.

—¡Déjame! —imploró Dunia.

Svidrigailov se sintió sacudido por un estremecimiento; la joven lo tuteaba con un entonación muy distinta a la de hacía poco.

—Así, pues, ¿no me amas? —preguntó con dulzura.

Dunia hizo un gesto negativo con la cabeza.

—Y... ¿no podrás amarme? ¿Nunca? —inquirió Svidrigailov en voz baja, con acento desesperado.

—¡Jamás! —murmuró Dunia.

Durante breves segundos se libró una lucha horrible y cruenta en el alma de Svidrigailov. Contempló a la joven con una mirada imposible de describir. De pronto sus brazos se aflojaron y la dejaron en libertad; se dio vuelta y, dirigiéndose a la ventana, quedó inmóvil, mirando hacia el exterior.

Pasaron algunos instantes.

—Aquí está la llave —dijo sacándola del bolsillo izquierdo de su gabán, y la dejó sobre la mesa sin mirar a Dunia—. Tómela y váyase pronto.

Dunia se aproximó a la mesa.

Svidrigailov miraba obstinadamente por la ventana, sin hacer el menor movimiento ni darse vuelta.

—¡Pronto, pronto! —repitió con extraña entonación.

Dunia comprendió; se apoderó de la llave, abrió la puerta y se precipitó fuera de la habitación. Un minuto más tarde corría como una loca a lo largo del canal, en dirección al puente de X...

Svidrigailov permaneció unos tres minutos cerca de la ventana; por último se volvió, miró en torno suyo y con un gesto lento se pasó la mano por la frente. Una sonrisa singular distendió sus facciones, una sonrisa tétrica, de desesperación. Miró con rabia su mano tinta en sangre, y, tomando un trozo de trapo, lo humedeció y se lavó la frente. El revólver arrojado por Dunia, que había rodado hasta junto a la puerta, atrajo luego su atención. Era un arma de antiguo modelo, de tres tiros. En el cargador quedaban dos balas y una cápsula vacía. Después de un instante de reflexión, guardó el arma en el bolsillo, tomó su sombrero y salió.

6

Hasta las diez de la noche estuvo recorriendo zahurdas y bodegones, pasando de uno a otro. Encontró a Katia en uno de ellos, y la joven cantó una de sus tontas y vulgares composiciones en la que hacía alusión a un "infame y tiránico individuo que había pretendido abrazarla y besarla".

Svidrigailov le servía de beber, lo mismo que al organillero, a los cantores, a los mozos y a dos individuos que habían llamado su atención porque uno tenía la nariz dirigida hacia la derecha, y el otro hacia la izquierda.

Finalmente estos últimos lo llevaron a un "jardín de esparcimiento", cuya entrada les pagó. El jardín comprendía en todo y por todo un pino de reducido tamaño y dos o tres grupos de arbustos raquíticos; en el edificio, pomposamente designado con el nombre de hotel, aunque en realidad se trataba de un simple café, un coro de cantores menos que mediocres y un alemán medio ebrio, con la nariz roja como un pimiento, que desempeñaba el papel de animador consumido por la melancolía, trataban de distraer al público.

Los dos individuos se encontraron allí con otros compinches, y al poco rato habían entablado una acalorada discusión; durante un cuarto de hora gritaron tanto y tan fuerte que Svidrigailov no pudo entender de qué se trataba, hasta que por último lo eligieron como árbitro de la disputa. El asunto era así: uno de ellos había robado algo, vendió luego a un judío, pero se negaba a dividir el beneficio con su camarada. Al final se supo que el objeto robado era una cucharilla de plata de ese mismo establecimiento; los mozos se enteraron, y el asunto comenzó a tomar mal cariz. Svidrigailov puso término al enojoso incidente abonando el importe de la cuchara, y abandonó a sus aprovechados compañeros.

Eran cerca de las diez de la noche. No había probado ni una gota de vino; se había limitado a pedir un vaso de té para cubrir las apariencias en todos los lugares que había visitado.

La temperatura era elevada y el cielo estaba cubierto de negros nubarrones. Pocos minutos más tarde estalló una violenta tormenta, la lluvia comenzó a caer a torrentes. Los relámpagos y los truenos se sucedían sin interrupción.

Svidrigailov llegó a su domicilio calado hasta los huesos; se encerró en su habitación, abrió el escritorio y, después de romper dos o tres papeles, tomó todo el dinero y los valores que tenía guardados y se los metió en el bolsillo. Por un momento tuvo la idea de cambiarse de ropa, pero miró por la ventana y, haciendo un gesto de indiferencia, tomó el sombrero y sin cerrar la puerta del departamento fue a la habitación de Sonia.

La joven estaba ya en su casa, rodeada por cuatro de los hijos de los Kapernaumov, a los que ofrecía té. Miró con sorpresa el traje empapado de su visitante, pero no dijo una sola palabra al respecto, saludándolo con la mayor deferencia. Los chicos habían huido, atemorizados como siempre que veían a alguna persona extraña.

—Sonia Semionovna —dijo Svidrigailov—, es probable que me vaya a América, y como, según creo, ésta será la última vez que nos vemos, quiero arreglar ciertos asuntos. ¿Fue a ver a esa señora hoy? Sé lo que le ha dicho, es inútil que me lo refiera —Sonia esbozó un movimiento y se ruborizó—. Esa clase de gente tiene una especie de orgullo profesional y se cree obligada a sermonear a los demás. En lo tocante a sus hermanitas y a su hermanito, su suerte queda asegurada; he depositado el dinero que les está destinado con todas las formalidades del caso. Aquí tiene los recibos; consérvelos en su poder. Permítame ofrecerle además estos tres títulos de cinco por ciento; son para usted, pero que esto quede sólo entre nosotros. Deseo que nadie lo sepa. Tal vez más tarde le sean útiles, puesto que no puede seguir viviendo como hasta ahora. De este modo, queda al abrigo de la necesidad.

—He recibido de usted tantas pruebas de bondad..., también los huérfanos... y la difunta... —balbuceó Sonia—; apenas sé cómo darle las gracias... No crea que...

—Bueno, está bien, está bien...

—En cuanto a este dinero, Arcadio Ivanovich, le quedo infinitamente reconocida, pero no lo necesito en este momento... Sabré ganarme la vida... No lo considere una ingratitud... Ya que es tan caritativo, este dinero...

—Es para usted, Sonia Semionovna, para usted, y, se lo ruego, no formule objeciones porque no tengo tiempo para escucharlas. Este dinero le será muy útil. Rodion Romanovich se halla colocado en una situación tal que sólo le quedan dos caminos: levantarse la tapa de los sesos o ir a Siberia.

Sonia lo miró aterrorizada y comenzó a temblar como una azogada.

—No se asuste, lo sé todo —prosiguió Svidrigailov—; él mismo me lo ha contado. Puede estar segura de que nadie lo sabrá por mi boca. Usted le dio un buen consejo al indicarle que fuera a denunciarse. Eso será mucho más conveniente para él. Y cuando llegue el momento de ir a Siberia, usted lo acompañará, ¿no es cierto? Entonces tendrá necesidad de dinero. Lo necesitará para usted y también para él, ¿comprende? Al entregarle esta suma, hago de cuenta que se la doy a él. Además, prometió a Catalina Ivanovna pagar todas las deudas pendientes; oí cuando lo hacía. En realidad, usted nada debe a esa alemana Lippewechsel, y no comprendo cómo se comprometió a pagarle; hubiera debido mandarla al demonio. En la vida hay que proceder... Bien, si alguien viene a interrogarla acerca de mí, no mencione esta visita, y, sobre todo, le encarezco que jamás dé a entender a nadie que le he dado ese dinero. Ahora, hasta la vista. Presente mis saludos a Rodion Romanovich. A propósito: le aconsejo que, mientras no lo necesite, confíe el dinero al señor Razumikhin. Lo conoce, ¿no es así? Es un hombre excelente. Lléveselo mañana o... cuando tenga tiempo. Pero, hasta entonces, guárdelo bien.

Sonia se levantó, mirándolo con evidente inquietud. Sentía deseos de decir algo, de formular una pregunta, pero no se atrevía y ni siquiera sabía cómo empezar.

—Así que... ¿se va a ir con esta lluvia?

—¡Bah! Cuando uno se dispone a partir para América, la lluvia no cuenta. Hasta más ver, Sonia Semionovna. Le deseo larga vida... para que pueda ser útil a sus semejantes. Voy a pedirle otro favor: felicite en mi nombre al señor Razumikhin. Dígale así: "Arcadio Ivanovich Svidrigailov me encargó que lo felicitara". No lo olvide.

Con un movimiento brusco, giró sobre sus talones y abandonó la habitación, dejando a la joven estupefacta y atemorizada, asediada por un vago presentimiento.

Más tarde se supo que esa misma noche había

efectuado otra visita tan excéntrica como inesperada. A las once y veinte, desafiando la lluvia torrencial, se presentó en el domicilio de los padres de su novia, en Vassili Ostrov, con las ropas chorreando agua. Llamó con tanta insistencia a la puerta que terminaron por abrirle, y su llegada a hora tan intempestiva produjo verdadero revuelo en la casa. Cuando se lo proponía, Arcadio Ivanovich era un hombre dotado de modales seductores, y no tardó en disipar la primera suposición que se habían hecho los padres de la joven, a saber, que se había embriagado en alguna parte y que no sabía lo que hacía. La comprensiva y razonable mamá lo hizo pasar, le ofreció un asiento y aproximó el sillón del esposo enfermo e inválido, y luego, de acuerdo con su costumbre, inició la conversación con temas indiferentes. Jamás formulaba preguntas directas: comenzaba por restregarse las manos con una sonrisa, y luego, si deseaba, por ejemplo, saber cuánto le convendría a Arcadio Ivanovich celebrar el enlace, lo interrogaba con curiosidad, casi con avidez, acerca de París y el gran mundo de esa ciudad, para llegar poco a poco y progresivamente, hasta la tercera avenida de Vassili Ostrov. En otras ocasiones todo aquello había sido escuchado con deferencia por Svidrigailov, pero esa vez se mostró menos paciente y, para interrumpir la facundia de su futura suegra, solicitó ver enseguida a su prometida, aun cuando desde las primeras palabras le hubieran hecho presente que ya estaba acostada.

Como es natural, la joven no tardó en aparecer.

Arcadio Ivanovich le expresó, sin ambages ni rodeos, que, en razón de circunstancias excepcionales, se veía en la necesidad de ausentarse de San Petersburgo por algún tiempo, y que le llevaba quince mil rublos en billetes, que le rogaba aceptara como regalo, pues desde tiempo atrás abrigaba la intención de ofrecerle esa bagatela antes de su matrimonio. Sus explicaciones no permitían establecer una relación lógica entre aquel regalo y su precipitado viaje; en especial, no se justificaba una visita a media noche bajo tan copioso aguacero, pero su actitud no dio lugar a observación alguna, y hasta las preguntas y las indispensables exclamaciones de estupor tuvieron un carácter de moderación y reserva poco habituales. La madre se deshizo en calurosas muestras de gratitud, corroboradas por lágrimas de enternecimiento.

Arcadio Ivanovich se levantó sonriente, besó a su novia, le dio unos golpecitos en la mejilla, asegurándole que regresaría pronto, y al ver en sus ojazos cándidos una curiosidad a la vez pueril y seria, una especie de pregunta muda, reflexionó y la besó otra vez, experimentando en el mismo instante hondo despecho al pensar que su regalo sería guardado prestamente bajo cuatro llaves por la más razonable de las madres.

Partió de la casa dejando a todos en un estado de extraordinaria sobreexcitación.

La madre resolvió enseguida, con gran volubilidad, cierto número de cuestiones importantes: Svidrigailov era un hombre muy rico, de elevada posición, que tenía a su cargo asuntos de suma importancia y que contaba con vastas relaciones; Dios sabe lo que se le habría ocurrido: obligado a efectuar un viaje, habría creído oportuno hacer entrega de esa cantidad a su novia. No había de qué extrañarse. Era raro que hubiese ido a semejante hora y bajo la lluvia, pero lo había hecho por excentricidad, como los ingleses. Por otra parte, las personas de su condición no se preocupaban del qué dirán, y hacían siempre lo que veníales en gana. Tal vez desafiara aquel temporal para demostrar que no temía a nada ni a nadie. Pero, sobre todo, había que guardarse de decir una sola palabra de aquello a nadie, porque Dios sabía a qué podía conducirlos una indiscreción. Guardarían el dinero. Suerte grande que la sirvienta, Fedossia, no se movió de la cocina. Estaba decidido, pues: ni una palabra a nadie, ni a la Resslich ni a ninguna otra persona. Así estuvieron conferenciando hasta las dos de la madrugada. La novia habíase retirado mucho antes, asombrada y conmovida.

Justo al dar las campanadas de medianoche, Svidrigailov atravesaba el puente de X..., volviendo a la parte antigua de San Petersburgo. La lluvia había cesado, pero soplaba un viento frío y fuerte que lo hacía tiritar. Dirigió una mirada a las aguas del Pequeño Neva, con cierta curiosidad, pero el frío le sacó de su abstracción; dio media vuelta y se encaminó hacia la avenida X... Durante cerca de media hora caminó por esa arteria interminable, no sin tropezar varias veces en la oscuridad con las desigualdades del pavimento de la acera, obstinándose en buscar algo que debía encontrarse a la derecha. Al pasar por allí, en días anteriores, había visto un hotel que creía recordar llamábase Hotel de Andrinópolis. En efecto, no estaba equivocado; el edificio, todo de madera, formaba en aquel barrio perdido un punto de referencia tan visible que era fácil hallarlo a pesar de la oscuridad. No obstante lo avanzado de la hora, las luces estaban encendidas y se notaba cierta animación.

Svidrigailov penetró en el *hall* y pidió una habitación al encargado, un individuo mal entrazado y sucio que, después de echarle una oleada, lo condujo en persona a un pequeño cuarto situado en el extremo de un largo corredor, debajo de una escalera, mientras murmuraba a manera de excusa que era la única habitación disponible. Una vez allí, el sórdido personaje miró al nuevo huésped como para preguntarle si deseaba algo más.

—¿Hay té? —inquirió Svidrigailov.

—Podemos hacerlo, si quiere.

—¿Le queda alguna otra cosa?

—Sí, asado de ternera, aguardiente y fiambres.

—Tráeme asado, pan y té.

—¿No desea nada más? —preguntó el individuo como indeciso.

—No, nada más.

El otro se alejó, al parecer un tanto desilusionado.

"¿Qué clase de lugar será éste? —se preguntó Svidrigailov—. Con toda seguridad, nada bueno. ¿Cómo no me di cuenta antes? Mas yo también tengo aspecto de volver de un café cantante, y de haber tenido alguna aventura por el camino. Sin embargo, siento curiosidad por saber qué clase de gente se detiene aquí para pasar la noche."

Encendió la vela y púsose a inspeccionar la habitación con mayor detenimiento. Era tan estrecha y pequeña que un hombre de su talla apenas podía mantenerse erguido; tenía una sola ventana. Un lecho muy sucio, una mesa de pino color castaño y una silla ocupaban casi todo el espacio. Las paredes parecían formadas por planchas de madera, cubiertas por un papel tan sucio y lleno de polvo que sólo se podía advertir que el fondo era amarillo. Una parte del tabique y del techo estaba cortada en diagonal, como suele verse en las buhardillas. Svidrigailov dejó la vela sobre la mesa, se sentó en la cama y quedó pensativo. Un extraño e incesante rumor de voces que a veces llegaban a ser verdaderos gritos, llamó su atención. Prestó oído y pudo percibir que alguien injuriaba a otra persona, dirigiéndole reproches. Se levantó, tapó con la mano por un momento la llama de la vela, y vio una hendidura luminosa en el muro posterior.

Se aproximó para mirar, y en la habitación continua, un poco más espaciosa que la suya, pudo ver a dos individuos; uno de ellos, en mangas de camisa, con una pelambre hirsuta y una nariz en forma de gancho, reprendía a su compañero, separando las piernas para mantenerse en equilibrio y golpeándose el pecho con los puños. En tono patético le reprochaba ser un inútil, privado de toda jerarquía y dignidad social, y de haberlo arrancado del fango en que vivía.

El individuo víctima de la filípica permanecía sentado con el aire de un hombre que quiere estornudar y no puede. De tanto en tanto miraba al orador con expresión estúpida; era evidente que no comprendía una sola palabra de la violenta requisitoria. Sobre la mesa acababa de consumirse un cabo de vela, y había una botella de aguardiente casi vacía, varios vasos, pan, un plato con rodajas de pepinos y un servicio de té. Después de contemplar con atención aquel cuadro, Svidrigailov hizo un gesto de indiferencia y, abandonando su observatorio, volvió a sentarse en la cama.

El camarero, al volver con el asado y el té, no pudo dejar de preguntarle de nuevo si deseaba alguna otra cosa, y, ante su respuesta negativa, se alejó definitivamente.

Svidrigailov se sirvió una taza de té y la sorbió, pero no pudo probar la carne; había perdido el apetito. Al parecer, la fiebre comenzaba a adueñarse de él. Se sacó el gabán y la chaqueta, envolviose en la frazada y se tendió sobre la cama. Se sentía mortificado. "Por lo menos ahora sería mejor encontrarme en buen estado de salud", se dijo con una sonrisa burlona.

La atmósfera del cuartucho era sofocante. La vela ardía con una llama mortecina. El viento silbaba con furia en el exterior, y en algún rincón se oían chillidos de ratas.

Svidrigailov yacía con la mente ocupada por las ideas más diversas. Hubiera querido fijar su pensamiento en algo, pero le resultaba imposible. "Debajo de la ventana debe de haber un jardín —pensó—; las ramas de los árboles se agitan y entrechocan a causa del viento. ¡Cómo detesto estos rumores, por las noches, durante la tempestad y las tinieblas!" Recordó el puente X... y el Pequeño Neva, y experimentó idéntica sensación de frío que cuando se detuvo para contemplar las aguas. "Nunca me ha gustado el agua, ni siquiera en los paisajes", pensó, y una extraña idea le hizo sonreír otra vez. "Sin embargo, la cuestión de la estética y la comodidad debería serme indiferente en absoluto en los momentos actuales. Estoy haciendo lo mismo que los animales que, en casos parecidos, se ocupan de buscar el sitio adecuado... Tal vez hubiera sido mejor que me hubiese dirigido en derechura hacia la isla Petrovski. La noche me ha parecido demasiado tenebrosa, demasiado fría... ¡Je, je! Por poco me harían falta sensaciones agradables... A propósito..., ¿por qué no apagar la vela? Mis vecinos deben haberse acostado ya", se dijo al no ver luz en la hendidura.

Apagó la vela de un soplo.

"Bien, Marta Petrovna; ahora deberías aparecer para recriminarme. El lugar es propicio, está sumido en tinieblas, y la situación no carece de originalidad. Pero estoy seguro de que no vendrás."

Recordó de pronto, sin saber por qué, que una hora antes de poner en ejecución su maquiavélico plan contra Dunia había recomendado a Raskolnikov que la confiara a la vigilancia de Razumikhin: "Lo dije por fanfarronería, y Raskolnikov lo adivinó. ¡Qué bribón es ese joven! Acometió una empresa superior a sus fuerzas; para llegar a ser un gran criminal se requiere tiempo y una preparación gradual en el delito. Es menester despreciar la vida, y él le tiene demasiado apego. ¡Qué cobardes son todos! Pero, en resumidas cuentas, ése no es asunto mío. ¡Que el diablo cargue con ellos!"

No lograba conciliar el sueño. Poco a poco surgió ante él la imagen de Dunia, y un estremecimiento convulsivo sacudió todo su cuerpo. "No; tengo que librarme de esto —pensó abriendo los ojos—. Debo pensar en otras cosas; jamás he odiado a nadie, aunque esto pueda parecer extraño y hasta ridículo; nunca sentí deseos de vengarme..., es una mala señal. Tampoco he sido afecto a rencillas ni me he encolerizado demasiado...; también esto es un mal síntoma. ¡Cuántas promesas le hice a esa mujer! ¡Puah! ¡Qué diantre! ¡Después de todo, tal vez habría hecho de mí otro hombre si hubiera querido!"

Apretó los dientes con fuerza.

La imagen de Dunia se ofreció de nuevo a su recuerdo, tal como la viera cuando, después de haber hecho fuego la primera vez, le miró con ojos horrorizados, incapaz del menor gesto de resistencia, tanto que habría podido apoderarse de ella si él mismo no se hubiese encargado de volverla a la realidad. Recordó que, en efecto, sintió piedad por la joven y que su corazón se contrajo dolorosamente... ¡Al diablo! ¡Otra vez estos pensamientos! ¡Necesito en absoluto librarme de ellos!"

Se estaba quedando dormido; su temblor febril había desaparecido, cuando de pronto le pareció que algo corría a lo largo de su pierna y de su brazo debajo de la frazada. "¡Puah! Parece un ratón..., dejé la carne sobre la mesa." Le desagradaba infinito tener que destaparse, levantarse y tomar frío, mas de repente una desagradable sensación le cosquilleó en un pie. Arrojó la manta y encendió la vela. Temblando de fiebre se inclinó para examinar el lecho; no vio nada. Sacudió las frazadas y apareció un ratón que comenzó a correr por sobre la cama. Trató de atraparlo, pero el inmundo roedor iba de un lado a otro y, describiendo zigzags en todos sentidos, escapábasele de entre los dedos y corría sobre su mano, hasta que por último buscó refugio debajo de la almohada. La arrojó al suelo, pero en el mismo instante sintió que algo saltaba sobre su vientre y corría bajo la camisa por todo su cuerpo, en la espalda... Un temblor convulsivo sacudió todo su ser y se despertó. El cuarto seguía sumido en la oscuridad; estaba acostado, hecho un ovillo, cubierto por la frazada. El viento seguía soplando con fuerza. "¡Qué sueño espantoso!", pensó con rabia y despecho.

Se incorporó y se sentó en el borde de la cama, dando la espalda a la ventana. "Será mejor que no duerma", decidió. Por las rendijas de la ventana entraba un aire húmedo y frío; sin levantarse, tomó la frazada y se envolvió con ella. No encendió la vela. Quería, como si eso fuese posible, no pensar en nada, pero los recuerdos y las ideas sin ilación ni coherencia sucedíanse en su mente. Estaba como sumido en una especie de sopor. Fuese a causa del frío, las tinieblas, la humedad o el viento que rugía tras la ventana, sacudiendo los árboles, lo cierto es que sus ensueños adquirían contornos cada vez más fantásticos, y no cesaba de evocar visiones floridas. Creía contemplar un espléndido paisaje: era un día claro, estival, la fiesta de Pentecostés. En medio de preciosos jardines elevábase una elegante y lujosa casa quinta de estilo inglés, con el frente adornado por plantas trepadoras y rosales. A lo largo de la gran escalera, cubierta por una magnífica alfombra, se escalonaban jarrones chinescos que contenían flores exóticas. En las ventanas se veían vasos de cristal medio llenos de agua con ramilletes de narcisos blancos que se inclinaban sobre sus largos tallos color verde oscuro exhalando un perfume embriagador. Hubiera querido no moverse de allí, pero subió la escalera, penetrando en una gran sala de techo muy alto; también en el interior había flores por todas partes, en los rincones, junto a la puerta que daba a la terraza, en la terraza misma. Los pisos estaban alfombrados de olorosas hierbas recién segadas, las ventanas se hallaban abiertas y una fresca y perfumada brisa penetraba en la habitación, mientras se oían los alegres trinos de los pájaros en el exterior.

En el medio de la sala, sobre un catafalco recubierto por un gran mantel de raso blanco, estaba colocado un ataúd, con el interior forrado de seda y encajes blancos y rodeado de guirnaldas de flores. Yacía en él una jovencita, ataviada con un vaporoso vestido de tul, con los brazos estrechamente cruzados sobre el pecho. Sus manos parecían esculpidas en mármol. Pero sus cabellos rubios estaban en desorden y húmedos; una corona de rosas ceñía su cabeza. El perfil severo y ya rígido de su rostro parecía también tallado en mármol, mas la sonrisa de sus pálidos labios tenía impresa una tristeza infinita, impropia de la infancia, y una inmensa desolación. Svidrigailov conocía a esa muchacha. Junto al féretro no se veían santos ni cirios encendidos, ni sentíase rumor alguno de plegarias. Aquella jovencita era una suicida: había puesto fin a sus días arrojándose al agua. Sólo contaba catorce años de edad, pero su corazón había sido destrozado por un ultraje que aterrorizó para siempre a su conciencia infantil, llenando de inmerecida vergüenza su alma angelical y arrancándole un grito supremo de desesperación, un grito siniestramente ahogado en la noche sombría, en las tinieblas y en el frío, en el húmedo deshielo, por los aullidos del viento.

Svidrigailov se despertó sobresaltado, se levantó y, aproximándose a tientas a la ventana, buscó la falleba y abrió. Una ráfaga de viento se engolfó en la reducida habitación, azotándole el rostro y el pecho, apenas protegido por la camisa, con un soplo glacial. Debajo de la ventana debía de haber, en efecto, un jardín de recreo; sin duda durante el día se cantaban canciones y se servía té en mesitas adecuadas. En ese momento todo estaba oscuro como una caverna, y apenas se distinguían algunas manchas negras de contornos vagos. Con el cuerpo inclinado hacia adelante y los codos apoyados en el alféizar, Svidrigailov permaneció unos cinco minutos sin poder apartar su mirada de la impenetrable oscuridad. En medio de las tinieblas y de la noche, retumbó de pronto un cañonazo, seguido a los pocos segundos por otro.

"¡Ah! Es la señal. Las aguas suben —se dijo—; por la mañana inundarán las calles de los barrios bajos, los subsuelos y los sótanos; las ratas sobrenadarán, y bajo la lluvia y el viento, la gente que vive en esos barrios, empapada, renegando y blasfemando, tendrá que llevar sus efectos a los pisos superiores. Pero, ¿qué hora es?"

Como si respondiera a su pregunta, un reloj lejano dejó oír tranquila, profundamente, tres graves campanadas.

"Dentro de una hora será de día..., ¿para qué esperar más? Saldré enseguida y me dirigiré a la isla Petrovski; elegiré un lugar rodeado de árboles frondosos, para que las gotas de lluvia desprendidas de las ramas por el viento caigan a millones sobre mi cabeza."

Después de retirarse de la ventana, la cerró y encendió la vela; vistiose apresuradamente, se puso el sombrero y, llevando el candelero en la mano, salió al corredor para buscar al camarero, pagarle y abandonar el hotel.

"Éste es el momento más oportuno; no podría encontrar otro mejor", pensaba.

Por algún tiempo recorrió el pasillo largo y estrecho sin hallar a nadie. Iba a llamar en voz alta, cuando de improviso, en un rincón sombrío, entre un viejo armario y una puerta, divisó un objeto extraño, algo que parecía dotado de vida. Inclinose, adelantando la luz, y vio a una criatura, una niñita de no más de cinco años, con el vestido empapado y pegado al cuerpecillo, que tiritaba de frío y lloraba. No pareció asustarse de Svidrigailov, pero clavó en él sus grandes ojos negros con una expresión de indecible sorpresa. De tanto en tanto sollozaba, como hacen los niños que han llorado mucho y ya están cansados, pero no quieren demostrarlo y vuelven a sollozar cuando alguien los contempla. Su carita estaba muy pálida. ¿Cómo se encontraba en aquel rincón, transida de frío? Sin duda había buscado refugio allí, y no había dormido en toda la noche.

Svidrigailov la interrogó con voz suave, y la criatura, animándose de golpe, manifestó con su vocecita débil y temblorosa que trataba de que su madre no la encontrara porque había roto una taza y temía que le pegara. Hablaba sin detenerse, y a través de su interminable relato se podía adivinar que no la querían mucho; la madre debía de ser alguna cocinera del establecimiento que le pegaba por las causas más insignificantes y que la tenía aterrorizada. La criatura, al romper la taza, tuvo miedo; apenas lo hizo, huyó al exterior y permaneció largo rato bajo la lluvia. Luego volvió furtivamente, se escondió en el rincón, detrás del armario, y allí pasó las horas acurrucada, llorando y temblando de frío y de miedo.

Svidrigailov la tomó en sus brazos, volvió a su cuarto, dejola sobre la cama y empezó a desvestirla. Sus zapatos estaban tan mojados como si hubiesen permanecido toda la noche dentro de un charco, y no llevaba medias.

Una vez desvestida; la acostó, envolviéndola hasta el cuello con la frazada. La criatura no tardó en quedar profundamente dormida.

Svidrigailov volvió a sumirse en sus sombrías reflexiones.

"De nuevo me embarco en una nueva historia —pensó con irritación—. ¡Qué estupidez la mía!"

Tomó el candelero, decidido a salir en busca del camarero y partir lo más pronto posible.

"¡Bah! ¿Qué me importa esta criatura?"

Lanzó un juramento, pero cuando iba a abrir la puerta volvió junto a la cama para ver si la niña dormía. Apartó la frazada con precaución. La chiquilla reposaba con un sueño profundo y tranquilo; había entrado en calor, y sus pálidas mejillas habían recuperado los colores. Una cosa le llamó la atención: esos colores eran mucho más vivos que los que se notan en los niños en estado normal.

"Es el rojo de la fiebre", pensó Svidrigailov.

Se hubiera dicho que aquella criatura había bebido, que le habían hecho tomar un gran vaso de vino. Sus labios escarlatas parecían arder.

De pronto le pareció advertir que las largas pestañas de la niña se movían, y que, detrás de los párpados semicerrados, sus pupilas le dirigían una mirada maliciosa, burlona, que nada tenía de infantil, como si tratara de aparentar que estaba dormida para divertirse observándole.

En efecto, era eso: sus labios esbozaban una sonrisa, sus extremidades se agitaban como si tratara de contener la risa... De repente no pudo fingir más, y prorrumpió en una carcajada..., apareció en su rostro una expresión desvergonzada, impúdica, provocativa..., el reflejo de la depravación, los rasgos de una dama de las camelias, de una mujer de vida airada... Sus ojos se abrieron del todo, envolviéndolo en una mirada ardiente y acariciadora, llamándolo y riendo... Algo espantosamente abyecto y repugnante... Aquella risa, aquellos ojos y aquel rostro pueril reflejaban a las claras la ignominia...

—¡Cómo! ¿A los cinco años? —murmuró Svidrigailov, presa de verdadero horror—. ¿Qué quiere decir esto?

La criatura volvió hacia él su rostro ardoroso, ofreciéndole los labios y tendiéndole los brazos.

—¡Ah! ¡Maldita! —exclamó asqueado y horrorizado, levantando la mano sobre ella.

Se despertó en ese instante.

Permanecía acostado, envuelto en la frazada; la vela estaba apagada, y ya despuntaba el día.

"¡Qué pesadillas más espantosas!", refunfuñó. Se sentó en el borde de la cama, comprobando que estaba más cansado y dolorido que la víspera. Por la ventana se veía que todo estaba invadido por una densa niebla. Eran cerca de las cinco de la mañana; había dormido mucho.

Se levantó y se puso la chaqueta y el gabán, todavía húmedo. Extrajo el revólver del bolsillo, verificó la carga y colocó la bala intacta frente al caño. Luego sacó un libreta y garrapateó algunas líneas en la primera hoja, las releyó y quedó sumido en profunda meditación, acodado sobre la mesa.

Numerosas moscas se daban un banquete con el trozo de carne de ternera, que había quedado intacto Las observó un buen rato, y por último trató de cazar alguna con la mano, sin lograrlo a pesar de esforzarse en ello. En un momento dado experimentó verdadero asombro al verse entregado a tan interesante ocupación, y, recobrando plena conciencia de sus actos, se levantó, abandonando el cuarto con paso resuelto. Poco después estaba en la calle. Una bruma densa y lechosa extendíase sobre la ciudad. Resbalando a cada paso en el pavimento de madera, se encaminó hacia el puente del Pequeño Neva. Veía con la imaginación las aguas del río, aumentadas durante la noche; la isla Petrovski, los senderos anegados, la hierba inundada, los árboles y los matorrales empapados...

Presa de vivo despecho, encolerizado casi, se puso a mirar los edificios con el propósito de pensar en otra cosa. En la avenida no se veía un solo transeúnte ni un carruaje. Las casitas de madera, pintadas casi todas de amarillo, daban una impresión de tristeza y suciedad. El frío y la humedad hacíanle tiritar. Leía con la mayor atención los letreros de las tiendas.

Por fin llegó al extremo de la avenida, donde concluía el pavimento de madera. Se erguía allí un gran edificio de piedra. Un perro de gran tamaño, sucio y chorreando agua, pasó a su lado con la cola entre las patas. En el medio de la calzada yacía un hombre, borracho perdido, envuelto en un capote y boca abajo. Apenas le dedicó una mirada y prosiguió su camino. A su izquierda había una elevada torre redonda.

"¡Bah! —pensó—. ¿Para qué ir hasta la isla Petrovski? Este sitio es tan bueno como aquél... Además, aquí habrá un testigo."

Este pensamiento le hizo sonreír. Dobló por la calle X..., en la que se encontraba el edificio coronado por la torre. Apoyado en la puerta cochera, estaba un hombrecillo enfundado en un grueso capote militar y cubierto con un casco de cobre, que lo miró con aire soñoliento al verlo avanzar.

Su rostro tenía impresa la marca de esa melancolía huraña y secular que caracteriza a los representantes de la raza judía, casi sin excepción. Ambos se examinaron en silencio. Por fin, el soldado salió de su mutismo, extrañado de que un individuo en su sano juicio y que no parecía borracho permaneciera a tres pasos de él sin decir palabra.

—¿Qué buscas aquí? —preguntó sin cambiar de posición.

—Nada, compañero, buenos días respondió Svidrigailov.

—Aquí no tienes nada que hacer.

—Ya lo sé..., estoy por emprender un largo viaje al extranjero.

—¿Al extranjero?

—Sí, a América.

—¿A América?

Svidrigailov tomó el revólver y lo amartilló.

El soldado abrió los ojos del todo, frunciendo las cejas.

—¿Qué significan estas bromas? Éste no es el lugar más a propósito.

—¿Por qué no es el lugar?

—Porque no lo es.

—Vamos, amigo, no importa. Este sitio es tan bueno como otro cualquiera... Cuando te interroguen, contesta que partí para América.

Se abocó el revólver en la sien derecha.

—¿Qué hace? ¡Un momento! ¡No tire! —gritó el soldado, precipitándose hacia él con el propósito de desarmarlo.

Svidrigailov apretó el gatillo...

7

Aquel mismo día, entre las seis y las siete de la tarde, Raskolnikov se trasladó a la casa de su madre y su hermana, al departamento que les había indicado Razumikhin en el edificio Bakaleiev. La entrada de la escalera daba a la calle. Raskolnikov subió, no sin detenerse a cada paso para preguntarse si entraría o no. Mas por nada del mundo hubiera retrocedido: su decisión estaba tomada. "Todavía no saben nada —pensó—, y están habituadas a considerarme un ser extravagante y original." Sus ropas estaban empapadas aún por haber pasado toda la noche bajo la lluvia, manchadas y sucias de barro. La fatiga, el mal tiempo, el desgaste de energías y la lucha que se libraba en su interior desde hacía cerca de veinticuatro horas habían transformado su rostro hasta hacerlo casi irreconocible. Había pasado toda la noche solo, Dios sabe dónde, pero por lo menos adoptó una firme resolución.

Llamó a la puerta y le abrió la madre. Dunia había salido, y la sirvienta no se encontraba en la casa a aquella hora. Pulkeria Alejandrovna quedó como petrificada de sorpresa y alegría; luego lo tomó de la mano y lo llevó a la sala.

—¡Ah! ¡Por fin te has decidido a venir! —comenzó con voz que la emocionó, y el contento la hacía temblar—. No te enfades si te recibo llorando como una tonta... Ya no lloro..., ¿ves? Me río... ¿Crees que lloro? No, me siento feliz, pero tengo esta estúpida costumbre de llorar... Desde la muerte de tu padre cualquier cosa me hace derramar lágrimas. Siéntate, querido, estás cansado, ya lo veo. ¡Ah! ¡Qué sucio estás!

—Salí ayer con la lluvia, mamá...

—Bueno, bueno, no importa —interrumpió con viveza Pulkeria Alejandrovna—. ¿Crees que voy a comenzar a interrogarte como hago siempre impulsada por mi curiosidad de vieja? Puedes estar tranquilo. Ahora lo comprendo todo; he comprendido la forma en que se procede en San Petersburgo, y reconozco que la gente de aquí es más inteligente que la de nuestro pueblo. Me he dicho de una vez por todas que no me corresponde tratar de conocer tus ideas ni pedirte cuenta de lo que haces o te propones hacer. Sabe Dios cuáles son los planes y las ideas que tienes en la cabeza, o los pensamientos que ocupan tu mente. ¿Por qué tengo que molestarte con necias preguntas? ¡Ah, Señor! ¿Qué necesidad tengo de hablar así a tontas y a locas? ¿Ves, Rodia? Estaba leyendo por tercera vez el artículo que te publicaron en una revista. Lo trajo Dimitri Prokofich. Cuando lo vi, comprendí todo: "¡Qué tonta he sido! —dije—. Ésta es la explicación de todas las cosas. Todos los sabios son así. Tiene el pensamiento ocupado de continuo con ideas nuevas, medita acerca de ellas y las examina a fondo y yo le atormento y le distraigo" Te confieso que en este artículo hay muchas cosas que no entiendo, pero no puede ser de otro modo: no estoy a tu altura…

—Muéstramelo, mamá.

Tomó la revista y echó una ojeada a su artículo. No obstante la contradicción entre las ideas expuestas en el mismo, y su situación y estado de espíritu de entonces, experimentó ese raro sentimiento de acre dulzura que siente un autor al ver impreso su primer trabajo; además, ese autor tenía veintitrés años.

Después de haber leído algunas líneas, su rostro se ensombreció y una tristeza infinita oprimiole el corazón. Todas las luchas morales de los últimos meses acudieron de golpe a su memoria. Con un gesto de rabia y despecho tiró la revista sobre la mesa.

—Por ignorante que sea, Rodia, puedo darme cuenta, sin embargo, de que pronto ocuparás un lugar destacado en el mundo científico. ¡Decir que se han atrevido a suponer que estabas loco! ¡Ja, ja, ja! Tú no lo sabes, pero lo pensaron. ¡Ah! ¡Pobre gente! ¿Cómo podrían comprender lo que es inteligencia? Hasta Dunia, sí..., hasta ella estuvo a punto de creerlo. Tu pobre padre envió en dos ocasiones sus trabajos a una revista..., la primera vez fueron unos versos, y después un cuento. Algún día te los mostraré; los conservo copiados en un cuaderno. Pero no se los publicaron. Hace seis o siete días, Rodia, me martirizaba al pensar en qué forma vivías, cómo ibas vestido y lo que comías. Mas ahora veo que he sido la misma tonta de siempre, pues con sólo desearlo habrías tenido todo lo que se te antojara, merced a tu inteligencia y a tu talento. Es indudable que por ahora no quieres hacerlo, y que te ocupas en cosas mucho más importantes.

—¿Dunia no está en casa, mamá?

—No, Rodia. Sale a menudo y me deja sola. Dimitri Prokofich tiene la gentileza de venir a verme y de hacerme compañía. Siempre me habla de ti; te aprecia y te estima. No quiero decir que tu hermana se muestre poco considerada conmigo; no le hago reproches. Ella tiene su carácter, y yo el mío; es reservada y no me comunica sus secretos; yo, en cambio, no puedo proceder de esa manera. Estoy convencida de que Dunia es muy inteligente y que nos quiere mucho, tanto a ti como a mí, pero no sé adónde irá a parar todo esto. Ya ves, me das la alegría de venir a verme, y tengo que lamentar que ella no esté aquí. Cuando vuelva le diré: "Tu hermano vino durante tu ausencia; ¿dónde estabas tú mientras tanto?" Pero no me mimes demasiado, Rodia; vuelve cuando nada tengas que hacer. Te esperaré. Sabré siempre que me quieres mucho, y eso me bastará. Leeré tus trabajos, oiré hablar de ti a todo el mundo, y de tiempo en tiempo vendrás a verme. ¿Qué más puedo pedir? Hoy has venido para consolar a tu madre, ya lo veo.

La pobre Pulkeria Alejandrovna se echó a llorar.

—¡Otra vez! No hagas caso, soy una tonta. ¡Ah, Señor! Estoy aquí sentada, y ni siquiera te ofrezco una taza de café —exclamó de pronto levantándose bruscamente—. ¡Qué egoístas somos los viejos! Espera un momento...

—No te molestes, mamá, tengo que irme enseguida... No vine para eso, escúchame, te lo ruego.

Pulkeria Alejandrovna se aproximó con timidez.

—Mamá; pase lo que pase, oigas lo que oigas de mí, ¿me querrás siempre como ahora? —preguntó de improviso desde el fondo de su corazón, sin reflexionar ni pensar sus palabras.

—¡Rodia, Rodia! ¿Qué tienes? ¿Cómo puedes hacer esta pregunta? ¿Quién podrá hablar mal de ti? Y si alguien lo hiciera, no le creería una sola palabra y lo expulsaría de mi presencia.

—Vine para asegurarte que te he amado siempre; me alegro mucho de que estemos solos, de que Dunia esté ausente —continuó Raskolnikov con el mismo impulso—. Vine para decirte que, en tu desgracia, tu hijo te ama más que a sí mismo, y qué todo lo que hayas podido pensar de mi crueldad, de mi falta de cariño, era falso, falso... Nunca dejaré de amarte... ¡Bueno! ¡Ya es bastante! He creído que debía comenzar por esto.

Pulkeria Alejandrovna lo abrazó en silencio, lo estrechó contra su pecho y comenzó a llorar.

—No sé lo que te sucede, Rodia —dijo por fin—. Hasta ahora había creído que éramos nosotras las que te molestábamos, pero en este momento comprendo que te aguardan grandes dolores y que ésa es la causa de tu tristeza. Me lo imaginaba desde hace tiempo, Rodia. Perdóname que te hable de este modo, pero no hago más que pensar y no puedo dormir. Anoche tu hermana hablaba en sueños; casi todas sus palabras se referían a ti; no pude entender de qué se trataba, pero esta mañana me sentía como el condenado que marcha hacia el suplicio; esperaba una desgracia, la presentía, y ahora veo que no me equivocaba... ¡Rodia! ¡Rodia! ¿A dónde vas? ¿Estás por ausentarte, no es cierto? ¿Vas a partir?

—Voy a emprender un viaje...

—¡Lo adivinaba! Pero, si tienes que partir, yo puedo ir contigo. Y Dunia..., tu hermana te quiere mucho, y Sonia Semionovna también te ama; que venga con nosotros si quieres. Ya lo ves, estoy dispuesta a aceptarla como hija mía. Dimitri Prokofich nos ayudará en los preparativos... Pero..., ¿adónde vas?

—Adiós, mamá.

—¡Cómo! ¿Hoy mismo? —exclamó Pulkeria Alejandrovna como si le perdiera para siempre.

—No puedo quedarme más tiempo; es indispensable que me vaya...

—¿Y yo no puedo ir contigo?

—No, pero arrodíllate y ruega a Dios por mí... Acaso tu plegaria llegue hasta Él.

—Permíteme que haga la señal de la cruz sobre ti..., que te bendiga..., así..., así... ¡Oh, Dios mío!

Sí, se alegraba infinitamente de que no hubiera nadie más en la casa, de estar a solas con su madre. Después de los horribles tormentos que había sufrido, su corazón enternecíase de golpe. Cayó a los pies de su madre y los besó, y ambos confundieron sus besos y sus lágrimas. Pulkeria Alejandrovna no demostraba sorpresa alguna. Desde tiempo atrás había comprendido que su hijo atravesaba una crisis espantosa, que se hallaba en una hora terrible de su destino.

—¡Rodia, mi niño querido, mi primogénito! —murmuró entre sollozos—. Te veo ahora como en tu infancia; así venías para besarme y acariciarme. Mientras vivió tu padre, nos consolaste a los dos con tu sola presencia, y después de su muerte, ¡cuántas veces lloramos así abrazados sobre su tumba tú y yo! Si no hago más que llorar desde hace tiempo, es porque mi corazón de madre presentía una desgracia. La primera vez que te vi, la noche de nuestra llegada, ¿recuerdas?, adiviné todo, y mi corazón se estremeció. Hoy, cuando te abrí la puerta, pensé al verte que había llegado la hora fatal. Rodia, Rodia, ¿no partirás enseguida?

—No.

—¿Volverás?

—Sí..., volveré.

—Rodia, no te enfades..., no me atrevo a interrogarte. Sé que no me atreveré jamás a hacerlo, pero dime solamente dos palabras: ¿es muy lejos donde vas?

—Muy lejos.

—Sin duda tendrás allí un empleo, una posición...

—Lo que Dios quiera, y lo que la suerte me depare... Ruega por mí, mamá.

Raskolnikov fue hacia la puerta, pero su madre le estrechó entre sus brazos, mirándolo con desesperada expresión. Su rostro estaba desfigurado por espantoso dolor.

—Basta, mamá —dijo Raskolnikov, arrepintiéndose de haber ido allí.

—¿No es para siempre? Dime que no... ¿Me aseguras que volverás? ¿Vendrás mañana, no es cierto?

—Sí, vendré... Adiós.

Logró desprenderse de los brazos de la madre y salió casi a la carrera.

La noche era fresca y clara. El tiempo habíase despejado desde la mañana. El joven volvió a su domicilio, pensando que le hubiera sido muy desagradable encontrarse con algún conocido. Al subir la escalera, notó que Anastasia abandonaba el samovar en el que preparaba el té para contemplarle con curiosidad y seguirle con la vista.

"¿Habrá alguien arriba?", pensó, y con repugnancia recordó a Porfirio Petrovich. Mas, al llegar a su cuarto y abrir la puerta, vio a Dunia. Estaba sentada en el diván, sumida en profundas reflexiones; sin duda hacía tiempo que aguardaba. Raskolnikov se detuvo en el umbral. Su hermana se levantó y lo miró con extraña fijeza. En sus ojos se leía profundo horror e indecible abatimiento. Era evidente que lo sabía todo...

—¿Puedo acercarme a ti, o debo retirarme? —preguntó con hosca expresión.

—Pasé todo el día en casa de Sonia Semionovna, te estuvimos esperando las dos...; pensábamos que no dejarías de ir.

Raskolnikov penetró en el cuarto y se dejó caer sobre una silla.

—Me siento débil, Dunia, estoy fatigadísimo, y en este momento, por lo menos, quisiera ser dueño de mí en absoluto.

Fijó una mirada de desconfianza en su hermana.

—¿Dónde has estado anoche, Rodia?

—No recuerdo bien, Dunia... Quería adoptar una decisión definitiva, y varias veces llegué hasta el Neva —murmuró mirando de nuevo a Dunia con desconfianza.

—¡Dios nos asista! Eso era lo que temíamos Sonia Semionovna y yo. ¿De modo que ahora crees en la vida? ¡Alabado sea el Señor!

En los labios del joven apareció una amarga sonrisa.

—No creía, Dunia, pero hace un momento estuve con mamá, y nos hemos besado y hemos llorado juntos: soy un ateo, pero no obstante le pedí que rogara por mí. Dios sabe cómo ocurren estas cosas; yo confieso que no lo comprendo.

—¿Has ido a ver a mamá? ¿Le has hablado? —exclamó Dunia espantada—. ¿Es posible que hayas tenido valor para decírselo?

—No, no se lo he dicho. Sin embargo, ha comprendido muchas cosas... Te oyó soñar en voz alta anoche, y estoy seguro de que conoce ya la mitad de la verdad. Quizás hice mal en ir a verla; ni siquiera sé por qué lo hice. Soy un canalla, Dunia...

—Pero estás dispuesto a aceptar la expiación... ¿La aceptarás, no es cierto?

—Sí, estoy resuelto. Quise arrojarme al agua para librarme de esa vergüenza; pero, cuando ya iba a hacerlo, pensé que, si hasta ese momento me había considerado un hombre fuerte, no debía tener miedo del oprobio. Esto es orgullo, ¿no es verdad, Dunia?

—Sí, Rodia.

Sus ojos apagados brillaron por un instante. Le era agradable comprobar que todavía conservaba su orgullo.

—¿No pensarás que simplemente tuve miedo al ver el agua? —inquirió con amargura, mirándola en los ojos.

—¡Oh, Rodia! ¡Basta, te lo ruego! —exclamó la joven con infinita angustia.

Hubo un momento de silencio. Raskolnikov permanecía sentado con la vista obstinadamente fija en el piso. Dunia, de pie, del otro lado de la mesa, lo contemplaba con expresión de sufrimiento. De pronto el joven se levantó:

—El tiempo vuela, ya es hora... Voy a entregarme, aun cuando no sé por qué lo hago.

Por las mejillas de Dunia rodaron gruesas lágrimas.

—Lloras, hermana mía...; pero, ¿puedes tenderme la mano?

—¿Lo dudas, acaso?

Le estrechó entre sus brazos.

—¡Al aceptar la expiación, borras la mitad de tu crimen! —exclamó, mientras lo apretaba contra su pecho y lo besaba.

—¿Mi crimen? ¿Qué crimen? —rugió con repentina cólera Raskolnikov—. El hecho de haber matado a una vieja inmunda y maligna, a una usurera miserable y vil, cuya muerte merecería indulgencia para cuarenta pecados, un vampiro que chupaba la sangre de los pobres, ¿constituye acaso un crimen? No lo creo, y no pienso expiar esa culpa. ¿Por qué me gritan todos "un crimen, un crimen"? Ahora que estoy decidido a echarme encima un deshonor gratuito, veo con claridad cuán absurda es mi pusilanimidad. ¡Me he resuelto a hacerlo simplemente por bajeza y por cobarde impotencia! ¡Tal vez por interés, como me lo propuso Porfirio!

—¡Hermano, hermano! ¿Qué dices? ¡Has derramado sangre! —gritó Dunia angustiada.

—¿Sangre? Todo el mundo la derrama —prosiguió Raskolnikov con violencia—: la sangre corre y ha corrido siempre a torrentes sobre la tierra, la vierten como si fuera champaña, y los que lo hacen son coronados en el Capitolio y promovidos a la categoría de bienhechores de la humanidad. ¡Examina las cosas con un poco más de atención y juzga! Yo mismo quería bien a los hombres, y habría realizado centenares de miles de buenas acciones para compensar esa simple tontería, que no fue una tontería, sino un yerro, puesto que la idea en sí no era tan tonta como lo parece ahora, después del fracaso... Todo lo que fracasa parece estúpido... Con esa futesa quería formarme una situación independiente, dar el primer paso, procurarme recursos, y entonces todo se habría arreglado para bien del interés general. ¡Pero al primer paso trastabillé y caí, porque soy un cobarde! ¡Eso es todo! Sin embargo, no comparto la opinión vuestra: si hubiera logrado éxito me habrían tejido coronas; ¡en cambio, ahora me arrojan a las gemonías!

—¡No se trata de eso, hermano mío! ¿Qué dices?

—¡Sí! Reconozco que me aparté de las formas, de esas bellas formas requeridas por la estética. En verdad no comprendo nada... ¿Es acaso una forma más bella y más elevada arrojar bombas contra una población sitiada? El temor de la estética es la primera señal de la impotencia. ¡Jamás lo he sentido mejor que ahora, y jamás he comprendido menos cuál es mi crimen! ¡Nunca, nunca estuve más convencido ni me sentí más seguro que en este momento!

Su rostro pálido y demacrado se coloreó de súbito; mas, cuando acababa de proferir esta última exclamación, su mirada se encontró por casualidad con la de Dunia, y leyó tanto sufrimiento en ella que su exaltación se desvaneció como por encanto. Comprendió que había labrado la desgracia de las dos infelices mujeres, y que era el único culpable de aquello.

—¡Dunia querida! Si soy culpable, perdóname, aunque no merezca perdón si lo soy. Adiós, no discutamos más. Ya es hora... No me sigas, te lo suplico. Tengo que hacer una última visita... Vete enseguida y quédate con nuestra madre. Éste es el último y más grande ruego que te formulo. No la dejes un solo instante..., temo que no pueda sobreponerse a lo inevitable, y que se muera o se vuelva loca. ¡Quédate con ella! Razumikhin no las abandonará, ya le hablé... No llores por mí..., toda mi vida trataré de ser valiente y honrado, aun cuando sea un asesino... Acaso algún día oigas pronunciar mi nombre... No os deshonraré, ya verás; todavía he de demostrar... Mientras tanto, ¡hasta la vista! —se apresuró a agregar al ver una extraña expresión en los ojos de su hermana cuando pronunciaba estas últimas palabras y le hacía estas promesas—. ¿Por qué lloras así? No llores, no llores, no nos separamos definitivamente... ¡Ah, espera! Me olvidaba...

Fue hasta la mesa, tomó un grueso libro cubierto de polvo, lo abrió y retiró de entre sus páginas un pequeño retrato, una acuarela pintada sobre marfil. Era el retrato de la hija de la patrona, la joven que había sido su novia y que quería entrar en un convento. Contempló un instante aquel rostro expresivo y doliente, lo besó y entregó el retrato a Dunia.

—Muchas veces hablé de *eso* con ella sola —dijo como en un sueño, tuve su corazón por confidente de muchas cosas relativas a ese proyecto que debía terminar en forma tan lúgubre. No te alarmes —agregó dirigiéndose a Dunia—. Tampoco ella lo aprobaba, y me alegro de que no exista ahora. Lo esencial en todo esto es que haya una sucesión completa con el pasado, que todo comience de nuevo. ¿Estoy dispuesto para intentarlo? ¿Tengo plena voluntad de hacerlo? Pretenden que esta prueba me es necesaria. ¿Para qué estas pruebas absurdas? ¿Para qué habrán servido, cuando quebrantado por el sufrimiento, medio idiota, no sea más que un viejo cargado de achaques y agotado por veinte años de presidio? ¿Me hallaré entonces en estado de comprender mejor? ¿Qué interés tendré en vivir? ¿Por qué acepto desde ahora parecida existencia? ¡Oh! ¡Esta mañana al amanecer, cuando me inclinaba sobre el Neva, sabía bien que era un cobarde!

Por fin salieron juntos. Dunia experimentaba una pena inmensa, y no podía resolverse a alejarse. Después de despedirse, caminó unos veinte pasos y se volvió para mirar a Raskolnikov, que marchaba en dirección opuesta. Al llegar a la esquina, el joven se volvió también por última vez, y sus miradas se encontraron; hizo con la mano un gesto de impaciencia y de cólera, como para indicarle que siguiera su camino, y, tomando por la calle transversal, desapareció.

"Soy un malvado, ya lo veo —pensaba, lamentando su gesto de impaciencia—. ¿Por qué me amarán tanto, si no lo merezco? ¡Ah, si hubiera estado solo, si nadie me hubiera amado, *todo esto no habría sucedido*! Me gustaría saber si dentro de quince o veinte años habré podido forjarme un alma lo bastante humilde para ir a lloriquear de devoción ante la gente, y para tratarme a mí mismo de bandido a cada paso. ¡Sí, es esto! He aquí por qué me envían a presidio, quieren que sea así... Me persiguen y me hostigan, y cada uno de ellos es por sí mismo, por su naturaleza, un cobarde y un bandido; más aún..., ¡un idiota! Y si trato de evitar el presidio, se apoderará de ellos una piadosa indignación. ¡Cómo los odio a todos!"

Se sumió en estas reflexiones: "¿Por qué proceso, mediante qué arbitrios, podría reconciliarme sin segundas intenciones con todos, en forma sincera? ¿Sería posible hacerlo? ¿Por qué no? Veinte años de presidio podrán cambiarme por completo... ¿Pero para qué vivir después de ese modo?"

Tal vez por centésima vez desde la víspera se formulaba estas preguntas; pero, no obstante, seguía su camino.

8

Comenzaba a caer el crepúsculo cuando llegó a la casa de Sonia. La joven habíale esperado todo el día, presa de horrible ansiedad. Dunia había ido a verla por la mañana, recordando que Svidrigailov habíale manifestado la víspera que Sonia "estaba enterada de todo".

No reproduciremos en detalle la conversación de ambas mujeres, ni sus llantos, ni los sentimientos que experimentaron una por otra. De esa entrevista Dunia obtuvo por lo menos el consuelo de saber que su hermano no estaría solo.

Sonia era la primera que había oído su confesión; fue a buscarla cuando sintió necesidad de abrir su corazón a un ser humano, y lo seguiría a cualquier lugar que el destino lo enviase. Dunia no formuló pregunta alguna, pero estaba segura de que así sería, y consideró a Sonia con una especie de veneración que en el primer momento confundió a la pobre joven y estuvo a punto de hacerla llorar, tan indigna se consideraba de levantar los ojos hasta ella.

La bella imagen de Dunia, cuando ésta la saludó con tanta consideración y respeto en su primera entrevista en el cuarto de Raskolnikov, quedó para siempre grabada en su alma como una de las visiones más hermosas y sublimes de su vida.

Por último Dunia, sin poder tolerar la angustiosa espera, había resuelto trasladarse al domicilio de su hermano, pensando que regresaría allí antes de ir a ninguna otra parte.

Cuando se vio sola de nuevo, Sonia se vio asaltada otra vez por el terror, al pensar que, en efecto, Raskolnikov podía recurrir al suicidio para poner fin a su tormento.

Eso era asimismo lo que temía Dunia; pero, mientras estuvieron juntas, las jóvenes trataron de convencerse mutuamente con toda clase de argumentos de que tal cosa era imposible, y se sintieron más tranquilas. Mas, apenas se separaron, una y otra volvieron a pensar sólo en eso... Sonia recordó que Svidrigailov habíale manifestado la víspera "que sólo quedaban dos caminos a Raskolnikov: ir a Siberia o..."

Conocía además el orgullo del joven, su carácter, su amor propio y su carencia de fe. "¿Será posible que sólo su pusilanimidad y el temor a la muerte puedan decidirlo a seguir viviendo?", pensaba, mientras la desesperación se adueñaba de ella. El sol estaba ya en el ocaso. Sonia permanecía junto a la ventana, mirando con fijeza el muro ennegrecido de la casa vecina. Cuando ya no dudaba de la muerte del desdichado, Raskolnikov penetró en la habitación.

La joven dejó escapar un grito de alegría; mas, al observar con atención el rostro de su amado, palideció, quedando como clavada en su sitio.

—Bien —dijo Raskolnikov con una especie de mueca—; vengo a buscar tu cruz, Sonia. Tú fuiste quien me aconsejó que fuera a la primera encrucijada y proclamara mi delito a los cuatro vientos... ¿Qué te ocurre ahora? ¿También tú tienes miedo de cuándo voy a hacerlo?

Sonia lo contempló estupefacta, asombrada del extraño tono de su voz; un estremecimiento glacial recorrió su cuerpo, pero al cabo de un minuto adivinó que ese tono y esas palabras constituían una pura ficción. Mientras hablaba, Raskolnikov mantenía la mirada fija en un rincón, como si temiera encontrarse con los ojos de ella.

—Ya lo ves, Sonia; he reflexionado y creo que en el fondo esto es lo mejor. Hay una circunstancia..., pero sería muy largo de contar, y por lo demás, no importa... ¿Sabes lo que me irrita? Pensar que todos esos estúpidos, esos individuos con caras de bestias, formarán círculo alrededor mío, me mirarán como idiotas y me harán preguntas más idiotas todavía, a las que tendré que responder…; me señalarán con el dedo… ¡Puah! No iré al despacho de Porfirio; no puedo tolerar su presencia. Más bien iré a lo de mi amigo "Pólvora". Le voy a dar una sorpresa como nunca la ha experimentado; con seguridad que voy a causar sensación en mi género. Pero necesitaría tener más sangre fría; en los últimos tiempos me he mortificado demasiado. ¿Creerás que hace un momento estuve a punto de amenazar con el puño a mi hermana sólo porque se había dado vuelta para mirarme por última vez? Esta situación terminará por hacer de mí una bestia. ¡Qué bajo he caído! Bueno, terminemos…, ¿y esas cruces?

Parecía no hallarse en estado normal. No podía quedarse quieto un segundo, ni concentrar su atención en nada. Sus pensamientos se sucedían en forma atropellada y sin ilación, desvariaba, y sus manos estaban sacudidas por leve temblor.

Sonia, en silencio, extrajo dos cruces de una caja, una de ciprés y la otra de cobre, se persignó, y, luego de hacer lo propio con Raskolnikov, colgole del cuello la primera.

—¿En suma, esto quiere decir en forma simbólica que cargo con la cruz? ¡Je, je, je! ¡Como si hubiese sufrido poco hasta hoy! La cruz de ciprés es la de la gente del pueblo; la de cobre la guardas para ti…; era la que llevaba Isabel…, déjamela ver… *Allí* encontré también dos objetos piadosos parecidos a éste…: una cruz de plata y una pequeña imagen, que arrojé sobre el pecho de la vieja. Aquéllos son los que debería colgarme ahora del cuello. Pero estoy diciendo tonterías y olvido lo principal... Vine para prevenirte, para que sepas... Bien, esto es todo... No vine más que para esto... ¡Hum! Sin embargo, creía que tenía algo más que decir. Has sido tú quien me ha impulsado a dar este paso; me encerrarán en una prisión y tu deseo quedará satisfecho. ¡Vamos! ¿Por qué lloras? ¿Tú también? ¡Basta, basta! ¡Ah, qué cansado estoy de todo!

Nacía en él un nuevo sentimiento, y su corazón se oprimía al mirarla: "¿Qué soy yo para ella? ¿Por qué llora? ¿Qué se propone hacer, como si fuera mi hermana o mi madre? ¡Quiere convertirse en mi niñera!"

—Persígnate y reza un poco por lo menos —suplicó Sonia con voz tímida y trémula.

—¡Oh, si ése es tu gusto, no tengo inconveniente! Haré como quieras, Sonia, y de buena voluntad.

Hubiera querido decir algo más, pero no pudo. Se persignó repetidas veces. La joven se sacó el pañuelo y se lo colocó en la cabeza. Era un pañuelo verde, tal vez el "de la familia", del que había hablado Marmeladov. Raskolnikov lo pensó todo, pero se abstuvo de preguntárselo. Comenzó a advertir que experimentaba singulares distracciones, y que su perturbación era a todas luces anormal, lo que le produjo gran inquietud. De pronto notó con estupefacción que Sonia se preparaba a salir con él.

—¿Qué haces? ¿A dónde vas? ¡No, quédate, quédate! ¡Iré solo! —exclamó con rabia y despecho, dirigiéndose hacia la puerta—. ¡No necesito acompañantes para ir allí! —refunfuñó al salir.

La joven quedó en la habitación; ni siquiera le dijo adiós. Sólo una idea torturaba su mente:

"¿Haré en realidad lo que debo hacer? ¿No habrá medio de volver atrás y de arreglarlo todo? ¿No tendré otra alternativa que ir allá?"

A pesar de estas reflexiones proseguía su marcha, sintiendo en forma definitiva que ya no era tiempo de formularse preguntas. Cuando se encontró en la calle, recordó que no se había despedido de Sonia, que la había dejado en el medio de la habitación, con el pañuelo en la mano, sin atreverse a hacer el menor movimiento por miedo a que le gritara. En ese mismo instante asaltole un pensamiento, como si hubiera esperado ese momento para manifestarse con toda claridad:

"Veamos: ¿por qué fui a su casa? Le dije que fui para prevenirla, para anunciarle que iba allá... ¿Qué necesidad tenía de hacerlo? ¡Ninguna! ¿Acaso la amo? ¡No, de ninguna manera! ¿No la rechacé como si fuera un perro? ¿Tenía necesidad de su cruz, entonces? ¡Cuán bajo he caído! ¡No fui con el propósito de contemplar sus lágrimas, su expresión de espanto, para ver cómo se retorcía y desgarraba su corazón! ¡Fui impelido por la necesidad de asirme aún a alguna cosa, de ganar tiempo, de mirar a un ser humano! ¡Y he osado pensar que estaba llamado a grandes destinos, y forjarme sueños ambiciosos, cuando no soy sino un mendigo, un miserable, un cobarde, un cobarde!”

Caminaba por el muelle del canal y no debía ir más lejos, pero al llegar al puente se detuvo, y de pronto, obedeciendo a un extraño impulso, lo cruzó, dirigiéndose al Mercado del Heno.

Miraba con avidez a derecha e izquierda, esforzándose en examinar todos los objetos, mas no lograba concentrar su atención en nada.

“Dentro de un mes, quizá de ocho días, me transferirán a alguna parte en uno de esos coches celulares y volveré a pasar por este puente. ¿Con qué ojos contemplaré este canal? ¿Recordaré haberlo visto así? ¿Y este letrero, cómo lo leeré? En este momento veo escrito “Compañía”. ¿Recordaré entonces esa *a*? Si mis ojos se posan dentro de un mes en esa letra *a*, ¿la veré como ahora? ¿Cuáles serán entonces mis sensaciones y mis pensamientos? ¡Dios mío, qué mezquinas son estas preocupaciones! Sin duda esto es curioso en su género... ¡Ja, ja, ja!... ¿En qué voy a pensar? ¡Hago como las criaturas, trato de fanfarronear a mis propios ojos! ¡Vamos! ¿Por qué tengo que avergonzarme de mí mismo? ¡Uf! ¡Cómo lo atropellan a uno! Ha sido ese gordo, un alemán sin duda, el que acaba de empujarme; ¿se imaginará siquiera que me ha dado un codazo? Esta vieja con un niño me pide limosna: es curioso... ¿creerá que soy más feliz que ella? No dejaría de tener cierto humorismo darle una moneda... ¡Vaya! ¡Todavía me quedan cinco kopeks en él bolsillo! ¿De dónde habrán salido? Toma, toma..."

—Que Dios te lo pague y te conceda mucha suerte —murmuró la mendiga con acento plañidero.

Penetró en el Mercado del Heno, con una sensación en extremo desagradable al verse entre tanta gente, pero se dirigió hacia el lugar donde la multitud era más densa. Hubiera dado cualquier cosa por estar solo, mas adivinaba que no podría soportar la soledad ni un instante. En torno a un ebrio que hacía vanos esfuerzos por bailar, habíase formado una gran aglomeración, que celebraba con grandes risotadas las continuas caídas. Raskolnikov se abrió paso entre los espectadores, contempló algunos instantes al borracho y comenzó a reír con risa breve y nerviosa. Al cabo de un minuto ya no se acordaba del ebrio y ni siquiera lo veía, aun cuando tenía la vista fija en él. Se alejó, sin darse cuenta del lugar donde se hallaba, mas al llegar al centro de la plaza una brusca sensación le recorrió de los pies a la cabeza, apoderándose a la vez de su cuerpo y de su espíritu.

Recordó de pronto las palabras de Sonia: "Ve a la primera encrucijada, prosternate, besa la tierra que has manchado con tu delito y grita para que todos te oigan: ¡Soy un asesino!" Se estremeció violentamente. Los sufrimientos infinitos y las alarmas de los días precedentes, en especial de las últimas horas, habían agotado su energía hasta tal punto que se abandonó para gustar todavía en toda su plenitud aquella sensación tan nueva. Se apoderó de él una especie de crisis, y en su alma brotó una chispa, incendiándola de golpe; sintió un inmenso enternecimiento y brotaron lágrimas de sus ojos. Se dejó caer de rodillas en el mismo sitio en que se encontraba, se prosternó y besó el suelo fangoso con transporte, con felicidad. Se alzó y se prosternó una segunda vez.

—¿Para qué beberán si les hace este efecto? —exclamó un joven a su lado.

Se oyeron risas.

—Es un peregrino que se apresta a partir para Jerusalén, muchachos; se despide de sus hijos, de su patria, saluda a todo el mundo, y da el beso postrero a la buena ciudad de San Petersburgo y a su suelo —agregó un artesano un tanto embriagado.

—Es un hombre joven —observó un tercero.

—De buena familia —añadió otro.

—Hoy en día no se distinguen los que son de buena familia y los que no lo son.

Todas estas observaciones conturbaron a Raskolnikov, y las palabras "yo he asesinado", que acaso estaban a punto de salir de sus labios, expiraron antes de nacer. Por otra parte, soportó con la mayor calma aquellas expresiones serias o sarcásticas, sin mirar siquiera a su alrededor. Se levantó y se encaminó hacia la comisaría. Una sola visión ofreciose a sus ojos mientras caminaba, pero no se extrañó: un presentimiento le había indicado que sería de esa manera. En el momento en que se prosternaba por segunda vez en la plaza del Mercado del Heno, al volver la cabeza hacia la izquierda vio a Sonia a unos cincuenta pasos de distancia. La joven trataba de disimularse detrás de una de las barracas de madera que se encontraban allí. ¡Así, pues, lo acompañaba en todo su doloroso calvario! Desde ese momento Raskolnikov sintió y comprendió de una vez por todas que Sonia estaba con él para siempre, y que lo seguiría aunque fuese al extremo del mundo, a cualquier parte donde el destino le condujera. Su corazón dio un vuelco...; mas ya llegaba al sitio fatal.

Entró en el patio con paso bastante firme. Tenía que subir hasta el tercer piso. "Vamos arriba", se dijo. Le parecía que aún le quedaba tiempo suficiente y que se le podían ocurrir muchas reflexiones.

Halló en la escalera la misma suciedad, igual cantidad de desperdicios que en su primera visita, con las puertas de los departamentos abiertas en cada rellano, y las mismas cocinas de las que se escapaban fétidos olores. No había vuelto por allí desde aquella vez. Sus piernas temblequeaban aflojándose, pero continuó subiendo. Se detuvo un instante para reponerse, recuperar aliento y presentarse *como un hombre*. "¿Para qué? ¿Con qué objeto? —se preguntó de improviso al darse cuenta de esos preparativos casi involuntarios—. Puesto que debo apurar el cáliz, tanto da una cosa como otra. Cuanto más amargo sea, mejor."

En ese momento se ofreció a su imaginación la figura de Ilia Petrovich: "¿Es posible que en realidad vaya a verlo? ¿No podría dirigirme a otro? ¿Por qué no a Nicomedes Fomich? ¿Si fuera a buscar al comisario a su domicilio? Por lo menos todo quedaría entre los dos... ¡No, no! ¡Voy a buscar a "Pólvora"! ¡Ya que es preciso beber este cáliz, lo beberé de un solo trago!"

Sacudido por un violento escalofrío, sin tener casi conciencia de sí mismo, abrió la puerta de la oficina. Esa vez había muy poca gente; sólo un portero y un hombre del pueblo hacían antesala. El primero ni siquiera levantó la vista al entrar el joven. Pasó a la segunda habitación. "Tal vez podría callar todavía", pensó. Un escribiente, vestido de civil, estaba ocupado en copiar un documento en un expediente, y otro empleado estaba sentado en un rincón, con aire distraído. Zamiotov no se encontraba allí; tampoco Nicomedes Fomich.

—¿No está ninguno? —preguntó Raskolnikov dirigiéndose al escribiente.

—¿A quién busca?

—Vaya, vaya... sin oír y sin ver adiviné que era un ruso, como se dice en no sé qué cuento..., mis saludos... —dijo de pronto una voz conocida.

Raskolnikov se estremeció. "Pólvora" estaba

frente a él; acababa de salir de la tercera habitación. "El destino lo quiere —pensó el joven—, ¿por qué está aquí?"

—¿Usted en nuestra oficina? ¿Qué dice de bueno? —exclamó Ilia Petrovich.

Parecía de excelente humor y muy animado.

—Si ha venido por algún asunto, todavía es temprano. Yo mismo estoy aquí por una casualidad. Por lo demás..., ¿en qué puedo...? Le confieso que..., ¿cómo es su nombre? Perdóneme si no lo recuerdo...

—Raskolnikov.

—Eso es: ¡Raskolnikov! Por un instante llegué a suponer que lo había olvidado... Le ruego, no me crea tan... ¿Rodion... Ro... dionich, me parece?

—Rodion Romanovich.

—Sí, sí, sí, Rodion Romanovich, Rodion Romanovich... es el nombre que buscaba. Muchas veces pregunté por usted. Le confieso que desde aquel día lamenté sinceramente la forma en que nos comportamos con usted... Luego me explicaron, supe que era un joven literato, casi un sabio..., y que daba los primeros pasos. ¡Oh, Dios mío! ¿Cuál es el escritor, cuál es el sabio que en sus comienzos no se conduce de manera extravagante? Mi esposa y yo somos muy aficionados a la literatura, pero en ella eso es casi una pasión. ¡La literatura y el arte! Se puede nacer noble, pero el resto no se adquiere sino por el talento, por la ciencia, la razón y el genio. Un sombrero, por ejemplo, ¿qué significa? Un sombrero es un objeto cualquiera, y puedo adquirir uno excelente en la casa Zimmermann; pero lo que está encerrado por él, lo que recubre, ¡eso no se puede comprar! Le aseguro que deseaba ir a su casa para darle explicaciones, pero pensé que tal vez usted... Mientras tanto... ¡Oh! Con mi charla no le he preguntado cuál es el objeto de su visita. Según me dijeron, su familia ha venido a verlo...

—Sí, mi madre y mi hermana.

—Tuve el honor y el placer de encontrarme con su señorita hermana, una joven tan instruida como encantadora. Lamento de verdad el altercado que tuvimos aquel día... ¡Fue una malhadada casualidad! Pero, si concebí sospechas por su intempestivo desmayo, las razones del mismo se comprobaron en forma que no deja lugar a dudas. ¡Comprendo su indignación! Tal vez piense usted mudarse, dada la llegada de su familia...

—No, no, venía nada más que a preguntar..., creí encontrar aquí a Zamiotov.

—¡Ah, sí! Han llegado a ser amigos..., ¿no es cierto? Pues bien, ya no está con nosotros, se ha ido. Sí, hemos perdido a Alejandro Grigorievich. Desde ayer no pertenece a la policía, presentó su renuncia..., y al partir tuvo un cambio de palabras gruesas con todos nosotros. Llevó su descortesía hasta el punto de afirmar que... Es un muchacho grande, le falta experiencia, nada más. Nosotros abrigábamos ciertas esperanzas con respecto a él, ¡pero vaya usted a fiar en nuestra brillante juventud! Según creo, se propone seguir estudiando para obtener un título con el fin de venir después a decirnos que ha triunfado en la vida y a echárnoslo en cara. Su caso no puede compararse con el de usted ni con el del señor Razumikhin. Ustedes han emprendido una carrera científica, y ningún fracaso ni contrariedad puede desviarlos de la ruta que se han trazado. Para ustedes, todo lo que forma la belleza de la vida *nihil est*, ¿no es así? Llevan la existencia del asceta o por lo menos del ermitaño... Un libro, una lapicera colocada en la oreja, unas cuantas investigaciones científicas, y ya tienen todo cuanto necesitan para ser felices. Yo mismo hasta cierto punto... ¿Ha leído usted las *Memorias* de Livingstone?

—No.

—Yo sí. Hoy día, por otra parte, el número de nihilistas ha aumentado considerablemente, y se comprende. ¿En qué tiempo vivimos?, le pregunto. Pero... no será usted nihilista, me imagino... Responda con franqueza, sin tapujos...

—No...

—¿No? No tenga reparos en contestarme, haga de cuenta que habla consigo mismo. El servicio es una cosa, y otra cosa es... ¿Se imaginó que iba a decir la amistad? No, no adivinó. No la amistad, sino el sentimiento del hombre y el ciudadano, el sentimiento de la humanidad y del amor hacia el Todopoderoso. Bien está que yo sea un personaje oficial, un funcionario, pero no por eso tengo que dejar de sentir siempre en mí al ciudadano, al hombre… Se ha referido usted a Zamiotov; pues bien, ese muchacho es capaz de provocar escándalos en sitios de mala fama cuando tiene en la cabeza unas copas de champaña o de vino del Don. En cuanto a mí, ardo de celo en el desempeño de mis obligaciones, por decirlo así, y además tengo una jerarquía, un grado, ocupo una situación. Soy casado y padre de familia. Cumplo mis deberes de hombre y de ciudadano, mientras que él, ¿qué es? Permítame que le pregunte quién es él. Me dirijo a usted como a un hombre ennoblecido por la educación. Vea, las parteras se están multiplicando más allá de la medida…

Raskolnikov lo miró con expresión de asombro. Las palabras de Ilia Petrovich, quien según toda evidencia acaba de levantarse de la mesa, resonaban en sus oídos como rumores carentes de sentido. No obstante, comprendía mal o bien una parte de ellas. Interrogaba con la mirada a su interlocutor, sin saber cómo iba a terminar todo aquello.

—Hablo de esas jovencitas dulces, de cabellos cortos —prosiguió el inagotable Ilia Petrovich—, que cursan estudios en las universidades; las llamo parteras, y creo que este nombre les está bien aplicado. ¡Je, je! Estudian anatomía, fisiología y qué sé yo cuántas cosas más. Dígame usted: si caigo enfermo, ¿cree por ventura que voy a llamar a una de esas señoritas para que me cure? ¡Je, je!

Soltó una estruendosa carcajada, encantado de su espiritualidad.

—Admitamos que se trate de una sed inmoderada de instrucción; pero, una vez lograda la misma, basta. ¿A qué conducen los abusos? ¿Por qué razón una persona que es o que se cree instruida tiene que insultar a los demás, como lo hace ese inservible de Zamiotov? ¡Insultarme a mí! Pero el mal ejemplo cunde; lo mismo ocurre con los suicidios. No puede figurarse cómo se está propagando esa costumbre. La gente se gasta hasta el último kopek, y después, al río o un tiro en la cabeza. Jovencitas, muchachos, ancianos... Esta mañana nos informaron que un individuo que llegó hace poco a esta ciudad... ¡Nil Pavlych! ¡Eh, Nil Pavlych! ¿Cómo se llamaba ese caballero que se levantó la tapa de los sesos en el Viejo Petersburgo?

—Svidrigailov —contestó con voz ronca y en tono indiferente alguien que se hallaba en la habitación contigua.

Raskolnikov se estremeció.

—¿Svidrigailov? ¿Svidrigailov se ha suicidado? —exclamó.

—¡Cómo! ¿Lo conocía usted?

—Sí, lo conocía... Hace poco que llegó aquí.

—En efecto; hemos averiguado que vino a San Petersburgo poco después de perder a su esposa. Era un hombre de costumbres licenciosas...; ha puesto fin a su existencia descerrajándose un balazo en la cabeza. En una libreta que se halló sobre él escribió una palabras diciendo que moría en plena posesión de sus facultades mentales, y que no se culpara a nadie de su trágica determinación. Según parece, era un hombre de fortuna. ¿Cómo lo conoció usted?

—Tuve... oportunidad de tratarlo... Mi hermana había sido institutriz en su casa...

—¡Vaya, vaya! Entonces, estará usted en condiciones de suministrarnos algunos informes... ¿No sospechaba que abrigase el propósito de eliminarse?...

—Ayer lo vi..., bebía champaña...; no, no me imaginaba...

Raskolnikov experimentó la sensación de que un peso enorme se abatía sobre él y lo aplastaba.

—Observo que se está poniendo muy pálido...; la atmósfera de esta oficina es sofocante.

—Sí, ya es tiempo de que me vaya —balbuceó Raskolnikov—; discúlpeme la molestia que le he ocasionado.

—No tiene por qué pedir disculpas; al contrario..., estamos siempre a sus órdenes. Su visita ha sido un placer para mí, y me complazco en decírselo.

Ilia Petrovich le tendió la mano con aire cordial.

—Quise solamente..., venía a ver a Zamiotov.

—Comprendo, comprendo. He tenido mucho gusto...

—Del mismo modo... Bien, ¡hasta la vista! —respondió sonriendo Raskolnikov.

Abandonó la habitación con paso vacilante. Sentía que la cabeza le daba vueltas y que las piernas se negaban a sostenerlo. Comenzó a descender la escalera apoyándose con la mano en la pared. Le pareció que un portero, que llevaba un expediente en la mano, le daba un empellón al pasar, que un perro ladraba en el primer piso y que una mujer le arrojaba algún objeto, gritando para hacerlo callar. Llegó al extremo inferior de la escalera y salió al patio. Afuera, cerca de la puerta, Sonia, pálida como un cadáver, lo miró con expresión desesperada. Se detuvo ante ella. Una expresión de indescriptible dolor transfiguró los rasgos de la joven. Abrió los brazos con un gesto de infinita congoja, y sus labios convulsos no pudieron articular una sola palabra.

Raskolnikov retrocedió tambaleándose como si hubiera recibido un mazazo en el cráneo, luego giró sobre sus talones, volvió a subir y penetró de nuevo en la comisaría.

Ilia Petrovich estaba ocupado en la revisión de unos papeles. Frente a él estaba el portero que había tropezado con Raskolnikov en la escalera.

—¡Ah! ¿Usted por aquí otra vez? ¿Olvidó alguna cosa? Pero, ¿qué le sucede?

Con los labios blancos como la cera y la mirada fija y vidriosa, Raskolnikov se adelantó lentamente y se apoyó con una mano en el escritorio. Quiso decir algo, mas sólo pudo emitir sonidos ininteligibles.

—¿Se siente mal? ¡A ver, pronto, una silla! Siéntese, siéntese... ¡Traigan un poco de agua!

Raskolnikov se desplomó en la silla, pero sus ojos no se apartaron del rostro de Ilia Petrovich, que parecía muy alarmado y sorprendido. Por espacio de un minuto se contemplaron en silencio. Trajeron el agua.

—Yo fui... —comenzó Raskolnikov.

—Beba unos sorbos.

El joven rechazó con un ademán el vaso, y en voz baja pero clara y distinta pronunció, haciendo varias pausas:

—*Yo fui quien asesinó a hachazos a la vieja prestamista y a su hermana Isabel, con el propósito de robarlas*.

Ilia Petrovich quedó con la boca abierta. Acudió gente de todas partes. Raskolnikov renovó su declaración...

Epílogo

1

Siberia. En la margen de un anchuroso río se levanta una ciudad, uno de los centros administrativos de Rusia; en esa ciudad hay una fortaleza, y en la fortaleza una prisión, en la que desde hace dos meses se encuentra Rodion Romanovich Raskolnikov, condenado a trabajos forzados de segunda categoría. Han transcurrido cerca de dieciocho meses desde el día de su crimen.

La instrucción de su proceso no tropezó con mayores dificultades. El culpable repitió sus declaraciones con tanta firmeza como precisión y claridad, sin alterar las circunstancias, sin atenuar los hechos en su beneficio ni desnaturalizarlos y sin olvidar el más mínimo detalle. Hizo un relato minucioso de toda la génesis y del desarrollo de su delito, dilucidó el misterio del *objeto* (el trozo de madera unido a una planchita de metal) que fue hallado entre las manos de la vieja; refirió cómo habíase apoderado de las llaves de la víctima, describió el cofre, enumerando algunos de los objetos que contenía; explicó el enigmático asesinato de Isabel, relató la llegada de Koch y cómo, después de él, llegó el estudiante, repitiendo las palabras cambiadas entre ellos, y la huida por la escalera, oyendo los gritos de Nicolás y de Dimitri, para ocultarse en el departamento vacío, y el regreso a su domicilio. Para concluir, indicó el lugar en donde había escondido los objetos robados, en un terreno baldío de la avenida de la Ascensión, cerca de la entrada, debajo de una piedra de gran tamaño adosada a la pared. En efecto, allí se encontraron el portamonedas y los objetos robados. Nada quedó en la sombra.

Los investigadores y los jueces se extrañaron sobre todo de que el culpable hubiera ocultado el botín sin tratar de utilizarlo en su provecho: no sólo no recordaba con exactitud todos los objetos robados, sino que se equivocaba en cuanto a su número. Parecía asimismo inverosímil que no hubiese abierto ni siquiera una vez el portamonedas, y que ignorase lo que contenía. Había en él trescientos diecisiete rublos y tres monedas de veinte kopeks; los billetes de más valor, en los que estaban envueltos los restantes, se hallaban un tanto deteriorados a causa del largo tiempo que habían permanecido debajo de la piedra. Creyose que el acusado mentía en este punto, aun cuando resultaba inexplicable que dijese la verdad en todo lo demás. Por último, algunos, en especial los psicólogos, llegaron a la conclusión de que era posible que no hubiese verificado el contenido del portamonedas, y que, sin saber lo que encerraba, lo hubiera ocultado debajo de la piedra. Esto sentado, no dudaron en dictaminar que el crimen había sido cometido bajo el imperio de una demencia momentánea, de una monomanía de asesinato y robo, sin miras ulteriores y sin cálculos interesados. Se hizo intervenir la moderna teoría de la enajenación mental temporal, que se trata de aplicar en ciertos casos. Además, el estado de hipocondría crónica en que se hallaba Raskolnikov fue formalmente comprobado con diversos testimonios, en particular el del doctor Zossimov, los de sus ex condiscípulos, el de la patrona y el de Anastasia.

Todo contribuyó a fundamentar la conclusión de que el acusado no se parecía en modo alguno a un asesino vulgar, a un bandido y a un ladrón, sino que había obrado impelido por quién sabe qué extrañas influencias. Con gran despecho de los que sostenían esta tesis, el asesino no trató de defenderse.

Cuando se llegó al momento de las preguntas definitivas acerca del motivo preciso que había podido inducirlo a cometer su delito, declaró con franqueza brutal que ese motivo era la miseria, el desamparo en que se hallaba y el deseo de asegurar sus primeros pasos en la vida con los tres mil rublos que esperaba encontrar en casa de su víctima. Manifestó que se había decidido a matar por maldad, por bajeza de carácter, irritado por las privaciones y los continuos reveses que experimentaba. Al interrogársele acerca de la causa que lo impulsara a confesar su delito, respondió que había sido su sincero arrepentimiento.

Todo aquello era casi cínico...

El veredicto fue más indulgente de lo que habría podido esperarse, dadas las características del crimen, tal vez precisamente por el hecho de que el culpable, en lugar de tratar de justificarse, manifestaba más bien el deseo de agravar los cargos que se le formulaban. Se tomaron en consideración todas las circunstancias extrañas y particulares de la causa. No se ponía en duda el estado enfermizo y la estrechez en que se había hallado el acusado antes de llegar a la ejecución del crimen. Se atribuyó el hecho de no haberse beneficiado con el producto de su macabra hazaña a un comienzo de remordimiento y al estado de sus facultades mentales, un tanto alteradas. El asesinato no premeditado de Isabel suministró un argumento en apoyo de esta teoría, y se tuvo en cuenta que había cometido ambos asesinatos olvidando que la puerta permanecía abierta. Por último, habíase confesado culpable cuando la instrucción del sumario se embrollaba y confundía con las falsas declaraciones de un fanático desequilibrado (Nicolás), y cuando no se tenía indicio alguno acerca del verdadero asesino, sino que ni siquiera se sospechaba de él. (Porfirio Petrovich cumplió su palabra hasta el fin). Todo esto contribuyó para que se concediera al culpable el beneficio de circunstancias atenuantes.

Además, se revelaron otros hechos que favorecieron su situación. El ex estudiante Razumikhin suministró pruebas fehacientes de que Raskolnikov, en la época en que iba a la universidad, se desprendió de sus últimos recursos para ayudar a un compañero pobre y enfermo del pecho, y que lo mantuvo casi solo durante seis meses, hasta su fallecimiento. Posteriormente cuidó del padre de su camarada, un anciano que había quedado solo en el mundo, enfermo y en la miseria, pues su hijo había sido su único sostén desde la edad de trece años. Raskolnikov lo hizo ingresar en un hospicio, y más tarde sufragó los gastos de su sepelio. La viuda Zarnitsin, madre de su extinta novia, declaró que, en la época en que habitaban en el barrio de Cinco Esquinas, el joven salvó con peligro de su vida a dos criaturas que habían quedado en el interior de una casa que se incendió, y que sufrió quemaduras de cierta gravedad a consecuencia de su heroico comportamiento. Numerosos testigos certificaron la veracidad del episodio. En definitiva, todo terminó con la condena del culpable a ocho años de trabajos forzados de segunda categoría, atendido a que su confesión había sido espontánea y que existían circunstancias atenuantes.

Desde la iniciación del proceso, la madre de Raskolnikov cayó enferma. Dunia y Razumikhin hallaron la forma de alejarla de San Petersburgo durante la substanciación del mismo. Razumikhin eligió una ciudad situada a poca distancia y unida por ferrocarril a San Petersburgo, para que le fuera posible asistir asiduamente a todas las audiencias y visitar a menudo a Abdocia Romanovna. La enfermedad de Pulkeria Alejandrovna era una afección nerviosa bastante extraña, acompañada por una especie de trastorno cerebral, si no del todo caracterizado, por lo menos parcial. Al regresar a su casa después de la última entrevista con su hermano, Dunia había hallado a su madre con fiebre y presa del delirio. Esa misma noche convino con Razumikhin cuáles habían de ser sus respuestas cuando Pulkeria Alejandrovna los interrogara acerca de su hijo, y hasta hilvanaron toda una historia, según la cual Raskolnikov habría sido enviado muy lejos, a la frontera del país, con una misión especial que le reportaría mucho dinero y celebridad. Pero, con gran sorpresa de ambos, ni entonces ni después la madre formuló pregunta alguna. Ella misma había forjado en su imaginación toda una novela para explicar la brusca partida de su hijo; refería llorando la visita de despedida que le hizo, y daba a entender por ciertas alusiones que era la única que conocía varias circunstancias graves y misteriosas y que Rodia se había visto obligado a ocultarse porque tenía una cantidad de enemigos muy poderosos. En lo tocante al porvenir de su hijo, no dudaba de que sería brillantísimo apenas fueran eliminadas ciertas condiciones hostiles; aseguraba a Razumikhin que su hijo llegaría a ser con el tiempo un hombre de Estado, puesto que su artículo denotaba un innegable talento literario. Leía y releía sin cesar ese artículo, a veces en voz alta, y casi llegaba al extremo de dormir con él, pero jamás preguntaba dónde podía estar Rodia ni por qué se evitaba ese tema de conversación, lo que hubiera podido parecerle sospechoso. El extraño silencio de Pulkeria Alejandrovna acerca de ciertos puntos concluyó por preocupar a uno y otro. Ni siquiera se quejaba de no recibir carta de su hijo, mientras que antaño, en su pueblo, vivía sólo con la esperanza y en espera de noticias de su bien amado Rodia. Esta última circunstancia era demasiado inexplicable, y Dunia llegó a alarmarse: se le ocurrió que su madre tenía el presentimiento de la espantosa tragedia que pesaba sobre su hijo y que temía interrogarlos por miedo de saber algo más terrible todavía. De todos modos, Dunia veía muy bien que Pulkeria Alejandrovna no estaba en su sano juicio.

En dos ocasiones, sin embargo, ésta llevó la conversación de tal manera que resultó imposible responderle sin indicar dónde se hallaba Rodia a la sazón. Como las contestaciones fueron necesariamente equívocas y reticentes, se apoderó de ella una gran tristeza. Dunia se dio cuenta por último de que era difícil mentir e inventar, y llegó a la conclusión de que valía más encerrarse en un silencio absoluto acerca de ciertas cuestiones. Pero cada vez se hizo más evidente que la pobre madre sospechaba algo espantoso. Dunia recordó ciertas palabras de su hermano en el sentido de que su madre la había oído hablar en sueños durante la noche que precedió al día fatal de su postrera entrevista, después del borrascoso encuentro con Svidrigailov. Acaso sus palabras habíanle revelado parte del espantoso misterio...

Sucedía con frecuencia que, después de varios días y aun de semanas de un silencio obstinado y penoso y de lágrimas mudas, la enferma entraba en una especie de animación nerviosa y comenzaba de pronto a hablar en voz alta, casi sin interrupción, de su hijo, de sus supremas esperanzas, del porvenir. Su imaginación le hacía forjarse extrañas alucinaciones. Entonces la consolaban, aparentaban creer cuanto decía, mostrándose tan alegres y optimistas como ella. La pobre mujer tal vez se daba cuenta de que le hacían coro para mitigar su enorme pena, mas ello no obstaba para que continuase hablando...

Cinco meses después de la confesión de Raskolnikov se dictó la sentencia. Razumikhin lo visitó en la prisión apenas le fue posible hacerlo, al igual que Sonia. Llegado el momento de la separación, Dunia juró a su hermano que ésta no sería eterna, lo mismo que Razumikhin. En el joven y exaltado cerebro de este último había arraigado el proyecto de realizar en dos o tres años el comienzo de su fortuna, o de economizar por lo menos todo el dinero posible para emigrar a Siberia, donde el suelo es rico desde todo punto de vista, pero donde se hace sentir la escasez de brazos y de capitales. Se instalarían en la misma ciudad en que estuviese Rodia..., y comenzarían juntos una nueva existencia. Todos lloraron en el momento de la despedida.

Raskolnikov se mostraba muy preocupado, habló mucho de su madre y se mostró lleno de inquietudes a su respecto. Este pensamiento lo afectaba tanto que Dunia se sintió atemorizada. Cuando se enteró con mayores detalles de la enfermedad de su madre, pareció reconcentrarse en sí mismo y se mostró hosco y taciturno, en especial con Sonia, que gracias al dinero que recibiera de Svidrigailov había tomado las disposiciones necesarias para seguir a la cadena de penados en que iría Raskolnikov. Jamás había hecho alusión a eso, pero uno y otro sabían bien que sería así. Al darse los últimos adioses, Raskolnikov sonrió en forma extraña al escuchar las vehementes afirmaciones de su hermana y Razumikhin concernientes al espléndido porvenir que se abriría ante ellos cuando hubiese abandonado la prisión, y tuvo el presentimiento de la próxima muerte de su madre.

Por último, Sonia y él emprendieron la marcha hacia el exilio.

Dos meses más tarde Razumikhin contraía enlace con Dunia. La ceremonia fue discreta y triste. Entre los escasos invitados se contaban Porfirio Petrovich y el doctor Zossimov. Los últimos sucesos habían impreso en el rostro del joven una expresión de enérgica resolución. Dunia creía ciegamente que lograría realizar todos sus proyectos, pues en aquel hombre se manifestaba una voluntad de acero. Volvió a seguir los cursos en la universidad para terminar sus estudios. Uno y otro no cesaban de elaborar planes para el futuro, y ambos contaban partir para Siberia al cabo de unos años. Mientras tanto, confiaban en Sonia.

Pulkeria Alejandrovna bendijo con alegría el enlace de su hija con Razumikhin, pero después del matrimonio volvió a quedar sumida en profunda tristeza. Con el fin de procurarle algún alivio, Razumikhin le refirió la historia del estudiante con el que tan noblemente se había portado Raskolnikov, y la conducta de su hijo en el incendio, donde sufrió quemaduras que le obligaron a guardar cama, para salvar de una muerte segura a dos criaturas de corta edad. Estos relatos llevaron a Pulkeria Alejandrovna, cuya razón estaba ya desequilibrada, a un estado de exaltación rayano en la demencia. No hablaba de otra cosa, y hasta llegó a abordar en la calle a los transeúntes para contarles esos hechos, aun cuando Dunia no la dejaba sola jamás. En los tranvías, en las tiendas, en cualquier parte en que se hallara, dirigíase al primero que tenía cerca para hablarle de su hijo, de su comportamiento con el estudiante enfermo y de cómo había desafiado las llamas...

Dunia no sabía cómo hacer para retenerla. Aparte del peligro que representaba para la anciana un estado de exaltación tan enfermizo, temía que alguien, al oír hablar de Raskolnikov, recordara el proceso y abriera los ojos a la pobre mujer con alguna frase imprudente.

Pulkeria Alejandrovna logró averiguar el domicilio de la madre de las dos criaturas salvadas por Raskolnikov, y exigió que le dejaran ir a visitarla.

Su exaltación llegaba ya al límite extremo. A veces prorrumpía en sollozos y nada lograba calmarla; sufría continuos accesos de fiebre y delirio. Una mañana declaró con la convicción más absoluta que de acuerdo con sus cálculos Rodia no tardaría en regresar: recordaba que, al despedirse de ella, le había asegurado que volvería al cabo de nueve meses. Inmediatamente comenzó a poner todo en orden, preparó su propia habitación para alojar a su hijo, limpió los muebles, lavó los pisos, colgó cortinas nuevas... Dunia, aunque desolada, se guardó de contradecirla y hasta le ayudó en sus preparativos.

Después de una jornada plena de disparatadas visiones, alegres ensueños y lágrimas, Pulkeria Alejandrovna cayó enferma; a la mañana siguiente su temperatura era muy elevada y deliraba. Poco después dejaba de existir.

Durante su delirio dejó escapar ciertas palabras según las cuales hubo que admitir que sabía acerca de la suerte de su hijo mucho más de lo que había supuesto su hija y su yerno.

Raskolnikov se enteró del fallecimiento de su madre mucho tiempo después, aun cuando Sonia mantenía constante correspondencia con Dunia y Razumikhin desde el primer día de su instalación en Siberia. Todos los meses Sonia escribía a Razumikhin, y sus cartas eran contestadas puntualmente. Al principio las cartas de la joven parecieron secas y en extremo lacónicas, pero más tarde Dunia y Razumikhin comprendieron que no era posible hacerlas mejor, pues con ellas les resultaba fácil representarse de manera precisa las condiciones en que se encontraba su desdichado hermano. Sonia les describía en forma simple y clara el género de existencia que llevaba Raskolnikov en el presidio. Nada decía de sus propias esperanzas, de sus sueños para el porvenir o de sus sentimientos personales. En lugar de esforzarse en exponer las impresiones de Rodia u ocuparse de la vida íntima del penado, consignaba los hechos, vale decir, las propias palabras de este último, los detalles relativos a su estado de salud, lo que le había preguntado en sus entrevistas, lo que deseaba tener, lo que le había encargado decirles o que se le procurara. Todas estas noticias eran minuciosas y detalladas.

La imagen del desventurado aparecía ante los ojos de sus hermanos en forma clara y precisa; no podía haber una nota falsa, puesto que sólo se trataba de hechos auténticos.

Pero todas las misivas, en especial al comienzo, no parecían muy consoladoras a la joven y a su esposo. Sonia les comunicaba que seguía sombrío y taciturno, y que apenas si se interesaba por las noticias que no dejaba de transmitirle cuando recibía carta de ellos. En ocasiones hablaba de su madre, y cuando ella misma, al ver que presentía la verdad, le comunicó que había fallecido, vio con asombro que la triste nueva no causaba mayor impresión en él, o, por lo menos, que no lo manifestaba exteriormente.

Agregaba, por otra parte, que, aunque parecía postrado y reconcentrado en sí mismo, aceptaba leal y simplemente su nueva existencia, que comprendía bien su situación y no contaba con una próxima mejora de su parte, sin abrigar descabelladas esperanzas, como lo hacen de ordinario los condenados. No demostraba asombro por nada, ni parecía extrañar condiciones tan distintas de aquellas en que había vivido hasta su entrada en la prisión. Efectuaba los trabajos que le encomendaban sin manifestar contrariedad ni formular quejas. Se mostraba indiferente en lo relativo a la comida, pero con excepción de los domingos y días de fiesta la misma era tan mala que terminó por aceptar algún dinero para poder conseguir un poco de té todos los días. En cuanto a lo demás, le había rogado que no se inquietara, asegurándole que todos los cuidados le eran más bien desagradables.

Decía además Sonia que en la prisión, Raskolnikov compartía la vida común: ella no conocía el interior de la cárcel, pero por el aspecto exterior deducía que era un lugar estrecho, inmundo y malsano. Rodia dormía en un camastro de madera, con un trozo de fieltro a guisa de colchón, y no deseaba otra cama. Por otra parte, si llevaba una existencia tan ruda y miserable no era con la idea de seguir un plan preconcebido, sino simplemente por apatía e indiferencia por su suerte desde el punto de vista material.

Sonia declaraba sin ambages que en los primeros tiempos sobre todo, no sólo manifestaba una falta absoluta de interés por sus visitas, sino que se mostraba malhumorado y grosero, y apenas si despegaba los labios; pero luego esas visitas llegaron a convertirse para él en un hábito, casi en una necesidad, tanto que los días le parecían interminables cuando a causa de una indisposición la joven debió interrumpirlas por algún tiempo. Se veían los días de fiesta separados por la verja de la entrada o en el cuerpo de guardia, a donde le permitían estar algunos minutos, y los demás días en las canteras, en la fábrica de ladrillos o en los depósitos situados en las márgenes del río Irtich.

En lo concerniente a ella, Sonia anunciaba que había logrado hacerse de relaciones en la ciudad: se ocupaba en trabajos de costura, y, como allí no había casi modistas, su presencia se hizo casi indispensable para muchas familias. No agregaba que, merced a su intervención, Raskolnikov contaba con la benevolencia del director del presidio, y por esa circunstancia se le dispensaban ciertas consideraciones. Por último llegaron noticias (Dunia había notado una angustia mal disimulada en las cartas más recientes de Sonia) diciendo que Rodia evitaba el menor trato con los demás, que los otros penados no lo estimaban, que permanecía silencioso días enteros y que su palidez se hacía cada vez mayor.

Un día, en su última carta, Sonia anunció que se hallaba enfermo de gravedad, y que había sido internado en el hospital del presidio.

2

Estaba enfermo desde hacía largo tiempo, pero ni los horrores de la vida del presidio, ni el trabajo forzado, ni la mala alimentación, ni la cabeza rapada o el humillante traje de presidiario habían podido abatirle. ¿Qué le importaban esas miserias o esos sufrimientos? Al contrario, sentíase feliz al tener que realizar rudos trabajos; cuando se hallaba físicamente rendido, podía disfrutar de algunas horas de sueño apacible y reparador. ¿Qué le importaba la pésima comida, en la que en ocasiones se encontraban hasta cucarachas? En sus días de estudiante habíale acontecido carecer hasta de una bazofia como aquélla. Sus ropas eran abrigadas y apropiadas para el género de vida que llevaba. En cuanto a las cadenas, apenas si las sentía ya. ¿Podría acaso experimentar vergüenza de su cráneo rapado o de su uniforme de penado? ¿Ante quién? ¿Ante Sonia?

La joven le tenía miedo. ¿Cómo hubiera podido sentirse atribulado ante ella?

No obstante, sentía vergüenza, aun cuando no quisiera confesárselo, y por eso atormentábala con su actitud despreciativa y grosera. Mas aquel sentimiento no era originado por su cabeza rapada ni por sus cadenas: era su orgullo el que padecía, su orgullo ulcerado el que le hacía sufrir. ¡Oh! ¡Qué feliz hubiera sido de poder acusarse a sí mismo, reconociéndose culpable! Entonces lo habría soportado todo, aun la vergüenza y el deshonor. Pero, por más que analizaba los hechos, su conciencia endurecida no hallaba en su pasado falta alguna particularmente horrible, excepto la de haber *fracasado,* lo que puede suceder a cualquiera. Pensaba con un sentimiento de honda humillación que se había perdido ciega, absurda y estúpidamente, sin remisión, por un capricho del destino, y que tenía que someterse, inclinarse ante "lo absurdo" de su sentencia, si quería recobrar un poco de calma.

Una angustia sin objeto y sin fin en el presente, un perpetuo e infructuoso destino para el porvenir: he aquí todo lo que le quedaba en la tierra. ¿Qué ventaja o consuelo representaba para él poder decirse que después de ocho años sólo contaría treinta y dos, y que a esa edad podría aún recomenzar su vida? ¿Para qué vivir ¿Qué finalidad podía perseguir? ¿Para qué luchar? ¿Vivir por vivir? Siempre estuvo dispuesto a dar mil veces su existencia por una idea, por una esperanza, hasta por un capricho. La existencia en sí había representado siempre poca cosa para él. Tal vez sólo a causa de la fuerza de sus deseos habíase considerado un hombre con más derechos que los demás.

Si por lo menos el destino le hubiese otorgado el arrepentimiento, el arrepentimiento punzante que destroza el corazón y aleja el sueño, un arrepentimiento cuyas torturas hacen pensar en el suicidio como único medio de librarse de ellas... ¡Oh, qué alegría habría sentido entonces! Los dolores y las lágrimas constituyen parte de la vida. Pero no se arrepentía de su crimen.

Hubiera podido irritarse de su necedad como se irritara antes de las falsas y ridículas maniobras que lo habían conducido al presidio. Mas ya en la prisión, cuando podía reflexionar *con entera libertad* acerca de sus acciones pasadas, no las hallaba ni tan tontas ni tan monstruosas como se le aparecieran otrora, en el momento fatal.

"¿En qué eran más estúpidos mis pensamientos de entonces que los pensamientos y teorías que ruedan y se entrechocan por el mundo desde que el mundo existe? Basta considerar el hecho desde el punto de vista independiente y amplio, despojado de los prejuicios cotidianos, y mi idea no parecerá en forma alguna tan extraña... ¡Oh negadores y sabios fracasados! ¿Por qué os detenéis así a mitad de camino? Pero, ¿cómo se explica que mi acto les parezca tan odioso? —se preguntaba—. ¿Porque es un crimen? ¿Qué significa la palabra crimen? Mi conciencia está tranquila. Cierto es que he cometido un asesinato, que he violado la letra de la ley y derramado sangre... ¡Pues bien! Para respetar la letra de la ley, tomad mi cabeza y no hablemos más. Cierto también que, en este caso, algunos de los benefactores de la humanidad a los que el poder no correspondió por herencia, sino que se apoderaron de él a viva fuerza, hubieran debido ser condenados al suplicio desde sus primeros pasos. Pero esos hombres continuaron su camino, y esto los ha justificado, mientras que yo no pude resistir: en consecuencia, no me asistía el derecho de resolverme a esa tentativa."

Por lo tanto, lo único que reconocía como falta o yerro era el hecho de no haber podido resistir y de haber ido a entregarse.

Otro pensamiento le mortificaba también: ¿por qué no se había matado entonces? ¿Por qué, cuando se detuvo en el puente para contemplar cómo corrían las aguas del río, prefirió denunciarse? ¿Es tan difícil de vencer el deseo de vivir, el apego a la existencia? Svidrigailov, que tanto temía a la muerte, lo había vencido...

Se atormentaba con estos interrogantes, y no llegaba a comprender que cuando permanecía acodado en la balaustrada del puente, inclinado hacia el río, presentía acaso un error profundo en sí mismo y en sus convicciones. No comprendía que ese presentimiento podía ser el augurio de una futura crisis en su vida, de su resurrección futura y de una nueva manera de considerar la existencia.

Admitía más bien que había cedido a la abulia y a un torpe instinto de conservación al que no había podido sobreponerse (por debilidad y cobardía). Asombrábase al ver cómo amaban la vida sus compañeros de cautiverio y en cuánto la tenían, pareciéndole que sentía mayor apego a ella que si hubiera estado en libertad. ¡Qué espantosa tortura sufrían algunos de ellos, los vagabundos por ejemplo! ¿Era posible sentir tanta nostalgia por los rayos del sol, la apacible calma de los bosques, el fresco y cristalino arroyo que serpentea entre las hierbas? Aquellos hombres soñaban con estas cosas como si se tratara de una cita de amor. Cuanto más reflexionaba, tanto más incomprensible le parecía todo aquello.

Ciertos detalles de la vida diaria en el presidio escapaban a su observación, aunque por otra parte no deseaba ni le interesaba notarlas. Vivía, por así decirlo, con la vista fija en el suelo, sintiendo repugnancia y disgusto al mirar a su alrededor. Pero a la larga esas cosas comenzaron a chocarle; tanto que a pesar suyo empezó a advertir lo que ni siquiera sospechaba antes. En general, lo que más le extrañaba era el abismo infranqueable, espantoso, que existía entre él y aquella gente. Parecía que él y ellos hubiesen sido de distintas nacionalidades, y se miraban con desconfianza y hostilidad. Raskolnikov sabía y comprendía las causas generales de aquel desacuerdo, mas hasta entonces jamás habíalas considerado tan fuertes y profundas. Había en la prisión varios polacos condenados por crímenes políticos que consideraban a los demás penados como chusma despreciable e indigna, pero el joven no compartía esa manera de ver, juzgando que en muchos puntos aquella canalla era más inteligente que ellos mismos. Entre los rusos, un ex oficial y dos ex seminaristas despreciaban asimismo a los restantes reclusos, y Raskolnikov se daba cuenta también de su error.

En cuanto a él, nadie lo apreciaba: evitaban su trato y terminaron hasta por odiarlo sin que supiera por qué. Los criminales empedernidos se burlaban de su crimen y de su conducta; haciéndolo objeto de sangrientos sarcasmos.

—Tú eres un caballero —le decían—; ¿qué necesidad tenías de matar a hachazos? Esas cosas no son para la gente de tu categoría. ¿Por qué no las dejaste para nosotros? Los caballeros disponen de medios más finos para liquidar al prójimo...

En la segunda semana de Cuaresma tuvo que asistir a los oficios religiosos con los demás compañeros de cuadra. Hizo como los otros, y fue a la iglesia para rezar. Un día, sin que supiera por qué razón, estalló una disputa; los demás se arrojaron sobre él con encarnizamiento:

—¡Eres un impío! ¡No crees en Dios! ¡Habría que matarle! —le gritaron enfurecidos, y estuvo en una nada que no pasaran a las vías de hecho.

Jamás les había hablado de Dios ni de religión, y, sin embargo, pretendían matarlo por ateo. No respondió una sola palabra. Un penado se abalanzaba ya sobre él, presa de verdadera exasperación. Raskolnikov lo esperó calmo y silencioso, sin pestañear, sin que se contrajera un solo músculo de su rostro. Uno de los guardianes llego justo a tiempo para interponerse entre él y el asesino: un instante más, y habría corrido sangre.

Existía otra cuestión para él insoluble: ¿por qué todos amaban tanto a Sonia? La joven no trataba de captarse las simpatías de nadie, y sólo la veían en contadas ocasiones, cuando estaban en el trabajo y venía a visitar un minuto a su amigo. No obstante, todos la conocían y estaban enterados de que lo había seguido a Siberia. Sabían cómo y de qué vivía. Ella no les daba dinero ni les prestaba servicios particulares. Únicamente una vez, para Navidad, llevó un regalo para toda la cárcel, consistente en pastelillos y bizcochos. Pero poco a poco entre Sonia y ellos se establecieron relaciones más estrechas: les escribía cartas para sus familias, encargándose de remitirlas. Cuando sus parientes llegaban a la ciudad, les recomendaban que entregaran a la joven los objetos y hasta el dinero que les estaban destinados. Sus esposas y sus amantes la conocían e iban a visitarla. Cuando aparecía en las canteras para ir a ver a Raskolnikov, o cuando se cruzaba con algún grupo de forzados que se dirigían a su trabajo, todos la saludaban sacándose respetuosamente sus gorros e inclinándose. “Matuchka, Sonia Semionovna, eres nuestra madrecita tierna y afectuosa”, decían a la débil y frágil criatura aquellos brutos anatematizados por la infamia. Ella sonreíales al responder a su saludo, y a todos encantaba verla sonreír. Amaban hasta su forma de caminar y se daban vuelta para seguirla con la mirada cuando pasaba. Sólo tenían elogios para ella; hasta la alababan por ser tan pequeña, y llegaron a consultarla cuando se sentían enfermos.

Raskolnikov pasó en el hospital todo el fin de la Cuaresma y la semana de Pascua. Al recuperar la salud, recordó los sueños que tuviera mientras hallábase en el lecho, presa de la fiebre y el delirio. En las visiones forjadas por su imaginación calenturienta, el mundo entero estaba condenado a sufrir los estragos de una plaga inaudita y sin precedentes que, surgida de los confines del Asia, se abatía sobre Europa. Todos debían perecer, excepto un contado número de privilegiados. Ciertos parásitos de una especie nueva, seres microscópicos, habían hecho su aparición, eligiendo como domicilio los cuerpos humanos. Pero esos animálculos eran espíritus dotados de inteligencia y voluntad. Los individuos atacados se volvían locos furiosos al instante. Pero jamás los hombres se habían creído tan en posesión de la verdad como aquellos infelices, jamás habían creído con mayor firmeza en la infalibilidad de sus juicios, de sus conclusiones científicas, de sus principios morales y religiosos. Localidades enteras, ciudades y naciones estaban contaminadas y perdían la razón. Todos estaban locos y no se comprendían unos a otros. Cada cual creía ser el único poseedor de la verdad, y el único que podía discernir entre el bien y el mal. No se sabía a quién condenar ni a quién absolver. Las personas se mataban entre sí bajo el imperio de una cólera absurda. Se reunían con el propósito de formar grandes ejércitos, mas apenas entraban en contacto estallaba la discordia en sus filas, se dislocaban, y los soldados se arrojaban unos sobre otros, degollándose, mordiéndose y devorándose. En las ciudades oíase todo el día el toque de rebato, se convocaba al pueblo; pero, ¿con qué finalidad? Nadie lo sabía y todo el mundo estaba excitado. Se abandonaban los oficios más ordinarios porque cada cual proponía sus reformas, y no era posible llegar a un acuerdo; la agricultura contaba con escasos adeptos. Aquí y allá la gente reuníase en grupos, concertando una acción común y jurando no separarse, pero enseguida emprendían algo distinto de lo que se habían propuesto, comenzando a acusarse, a golpearse y a matarse. Estallaban grandes incendios y pronto llegó el hambre. Todo el mundo y todas las cosas perecían. La peste hacía estragos, extendiéndose cada vez más. En el mundo entero sólo podían salvarse unos pocos, los puros y los elegidos, predestinados a fundar una nueva vida y a purificar la tierra, pero nadie escuchaba a esos hombres en parte alguna, nadie prestaba oídos a sus palabras y a su voz.

Lo que atormentaba a Raskolnikov era que ese delirio absurdo había dejado en su recuerdo profundas huellas, tanto que la impresión de aquellos sueños febriles tardaban mucho en borrarse. Llegó la tercera semana posterior a la Pascua; los días se tornaron cálidos y claros, verdaderos días de primavera. Por primera vez se abrieron las ventanas del hospital, protegidas por fuertes rejas, debajo de las cuales se paseaba de continuo un centinela. Durante toda la enfermedad de Raskolnikov, sólo en dos ocasiones se permitió a Sonia que le visitara. Cada vez tuvo que solicitar una autorización especial, y el trámite era engorroso y complicado. Pero a menudo iba al anochecer al patio del hospital, con el único fin de permanecer unos instantes allí y mirar por las ventanas desde afuera. Una tarde Raskolnikov, casi del todo restablecido, estaba adormecido; al despertarse se aproximó por casualidad a la ventana y vio a Sonia cerca de la puerta del hospital, en actitud de esperar alguna cosa. Fue como si le hubiesen traspasado el corazón con un dardo; estremeciose convulsivamente, retirándose de la ventana. Al día siguiente Sonia no fue, y tampoco al otro; el joven advirtió que la esperaba con impaciencia, con verdadera ansiedad. Por fin lo dieron de alta, y al volver a la prisión se enteró por sus compañeros de que Sonia Semionovna estaba enferma y que guardaba cama.

Se sintió alarmadísimo, y por intermedio de un carcelero complaciente obtuvo noticias de su estado y supo que la enfermedad no era de peligro; Sonia, por su parte, al saber que Raskolnikov sufría al no verla y que se preocupaba por ella, le hizo llegar una carta escrita con lápiz en la que le decía que iba mucho mejor, que todo habíase reducido a un resfrío benigno y que muy pronto iría a visitarlo. Al leer esa carta, el corazón de Raskolnikov latía con dolorosa intensidad.

Al día siguiente, muy temprano, partió para dirigirse a su trabajo en un inmenso galpón construido a orillas del río, donde había un gran horno para cocer el alabastro. Sólo tres obreros habían sido enviados allí. Uno de ellos, con el guardián, volvió a la fortaleza para buscar unas herramientas; el segundo preparaba la leña para calentar el horno. Raskolnikov salió del cobertizo, aproximose a la margen del río y, sentándose sobre una viga de gran tamaño, se puso a contemplar el ancho y caudaloso curso del Irtich. Desde aquel sitio, el más elevado de los alrededores, se divisaba una vasta extensión. De la otra orilla llegaba el rumor de canciones, apenas perceptibles. A lo lejos, en lo infinito de las estepas inundadas de sol, las tiendas de los nómadas formaban como puntos negros. Allá estaba la libertad, allá vivían otras personas por completo distintas a las que lo rodeaban, allá el tiempo hallábase suspendido como si se estuviese aún en la época de Abraham y sus rebaños. Raskolnikov contemplaba la escena sin moverse, sin poder desviar la vista; su pensamiento deslizose pronto hacia el ensueño y la contemplación: en nada pensaba, pero lo invadía una tristeza profunda.

De pronto Sonia apareció ante él; habíase acercado sin hacer ruido, sentándose a su lado. En aquella hora matinal se dejaba sentir más aún el fresco de la noche, por lo que la joven llevaba un viejo y raído abrigo y el pañuelo verde. Más pálida, más delgada, su rostro demacrado conservaba aún las trazas de su reciente enfermedad. Le sonrió con aire amable y alegre, y como de costumbre le tendió la mano con suma timidez. Siempre lo hacía de aquella manera, como si temiese que la rechazara. Raskolnikov parecía aceptarla siempre con repugnancia, como si recibiese a la joven con desagrado, y en oportunidades encerrábase en un obstinado mutismo durante todo el tiempo que duraba la entrevista. Hubo veces que la joven tembló de continuo ante él y se retiró profundamente afligida. Pero ese día sus manos no trataron de separarse. Raskolnikov envolvió a Sonia en una mirada, y luego, sin decir palabra, bajó los ojos. Se hallaban solos, nadie los veía. El cómitre habíase alejado en ese momento.

De improviso, sin que Raskolnikov se diera cuenta de lo que ocurría, un impulso irresistible le obligó a prosternarse ante la joven y a llorar abrazado a sus rodillas. En el primer momento Sonia experimentó gran temor y su rostro se cubrió de palidez mortal. Lo contempló sobresaltada y temblorosa, pero en el mismo instante, en un abrir y cerrar de ojos, comprendió todo. Sus ojos brillaron con una luz de infinita felicidad; había comprendido, sin lugar a dudas, que la amaba, que la amaba con todas las fuerzas de su corazón y de su alma, que por fin había llegado aquella hora...

Ambos quisieron hablar, pero no les fue posible. Sus ojos se llenaban de lágrimas y estaban pálidos y deshechos, mas en sus rostros demacrados resplandecía el amanecer de un nuevo porvenir, de una completa resurrección a la vida. El amor los había hecho renacer, y sus corazones encerraban una fuente inagotable de vida para el otro. Resolvieron esperar y tener paciencia. Debían permanecer otros siete años en Siberia, y hasta que hubieran transcurrido, ¡cuántos sufrimientos intolerables, y qué infinita felicidad! Pero Raskolnikov había resucitado, le constaba y lo sentía con todo su ser regenerado. En cuanto a Sonia, ¿no vivía acaso de la vida de Raskolnikov?

Esa noche, cuando se cerró la puerta de la fortaleza, Raskolnikov se acostó en su camastro pensando en ella. Hasta le pareció que aquel día todos los reclusos, sus antiguos enemigos, lo habían mirado de otro modo. Les dirigió la palabra, y le contestaron con afabilidad. Recordaba eso y le parecía natural: ¿acaso no debía cambiar todo a partir de aquel día?

Pensaba en Sonia. Rememoró cómo la había hecho sufrir y en qué forma le había desgarrado el corazón; veía con los ojos del alma su carita pálida y demacrada, pero esos recuerdos ya no eran dolorosos: sabía con qué amor sin límites iba a rescatar en lo sucesivo todos sus sufrimientos.

Y además, ¿qué representaban *todos* los sufrimientos del pasado? En aquel momento, todo, sí, todo, hasta su crimen, hasta su condena y su deportación a Siberia, parecíale en su exaltación como un hecho extrínseco, extraño, que hubiera ocurrido a otro y no a él. Por otra parte, aquella noche sentíase incapaz de reflexionar largamente, y con continuidad, de concentrar su pensamiento sobre un punto cualquiera, y no habría podido resolver cuestión alguna con conocimiento de causa; sólo experimentaba sensaciones. La vida reemplazaba a la dialéctica, y algo por entero distinto se elaboraba en el fondo de su conciencia. Bajo su almohada tenía un Evangelio que habíale facilitado Sonia. Era el mismo ejemplar en que ella había leído el pasaje de la resurrección de Lázaro. En los comienzos de su cautiverio creyó que la joven lo atormentaría con su religión, que no cesaría de referirse a las citas de aquel libro, aburriéndole con sus incesantes pláticas acerca del mismo. Mas, con gran asombro, ni una sola vez habló en ese sentido ni le ofreció el volumen. Él mismo se lo pidió poco después de su enfermedad, y ella se lo trajo sin decir palabra. Hasta entonces no lo había abierto. Tampoco lo hizo en ese momento, pero un pensamiento pasó como un relámpago por su imaginación:

"¿Acaso mis propias convicciones pueden ser hoy otras que las suyas? Por lo menos sus sentimientos, sus aspiraciones..."

También ella estuvo muy agitada ese día, y por la noche sufrió una recaída en su enfermedad. Pero sentíase tan dichosa que su felicidad casi la asustaba. ¡Siete años, nada más que siete años! En ciertos momentos, dominados por la sensación de su primera felicidad, uno y otro no estuvieron lejos de considerar aquellos siete años como otros tantos días. Raskolnikov ignoraba que no obtendría sin dificultades aquella nueva vida, que debía pagarla muy cara, adquirirla al precio de largos y cruentos esfuerzos...

Pero comienza aquí una nueva historia. La historia de la lenta renovación de un hombre, de su regeneración progresiva, de su paso gradual de una vida a otra, de su ascensión a una nueva realidad desconocida para él. Esto puede ser el tema de un nuevo relato; el que hemos querido ofrecer al lector ha terminado.

Literatura y Arte a través del libro...

Transmutación
técnica carboncillo sobre papel
medida 20 x 12 cm
PILAR BAÑUELOS

Pilar Bañuelos, nace en la ciudad de México. De 1988 a 1996 estudió la licenciatura en Artes Plásticas en la Escuela Nacional de Artes Plásticas de la UNAM. En 2004 toma el Curso de Producción Cultural impartido por Carlos Blas Galindo (crítico de arte) en el Centro Nacional de las Artes.

Sus principales actividades profesionales: miembro del jurado en *Apoyo a Proyectos Artísticos y Culturales* en el Instituto Mexicano de la Juventud (2006).

Sus exposiciones individuales: *Retrato de familia*, Museo Casa León Trotsky (1997), Monotipos seriales, Bar el Cometa (1999).

Sus exposiciones colectivas: *Último encuentro Nacional R.I.P.*, Palacio de Bellas Artes (1996), *Ex libris*, Feria Internacional del libro Infantil y Juvenil, Centro Nacional de las Artes, *Ex libris*, Pan'stwowe Muzeum Namajdanku, Polonia, The 19th Internacional Independante Exhibition of Prints in Kanagawa, Japón (1997), *Morituri*, Academia de San Carlos, *Ex libris Mario de Filipis*, Centro Cultural San Ángel (1998), *Todos al arte*, IV Corredor nacional de la Gráfica en el interior de la República y en el DF (2000), 10ª Bienal de *Dibujo y grabado "Diego Rivera"*, Museo Casa Diego Rivera, Guanajuato, *Los artistas del futuro*, XVIII Festival del Centro Histórico (2002), *Homenajes a Tápies*, Orfeo Catalán, Ciudad de México, *Fragmentación Mural*, en el Museo Mural Diego Rivera, *Desmesura*, instalaciones del transbordo del metro Tacubaya, *Comportamientos-percepciones-mediaciones*, Ex Teresa Arte Actual (2003), *Primer Festival de Cine Erótico*, México-España (2004), *Visiones latinas, tour de arte erótico y sensual*, Galería Dante Puerto Vallarta, México, *Sonidoto*, Exhibición de Intercambio Artístico México-Japón, Galería Satoru, Tokio, Japón, *Ubérrima*, *ciudades* íntimas, Museo de la ciudad de México, *Alter Ego, Pieza del* Mes, Galería José María Velasco, México, DF (2005), *Lin-Ken4*, Museo de Bellas Artes, Kioto, Japón, *Sonidoto*, Exhibición de Intercambio Artístico México-Japón, ciudad de México (2006).

Ha sido entrevistada en dos ocasiones en ABC radio en el año 2000 y en 2005 en Radio Educación en el 2006.

Los reconocimientos por su obra: Mención Honorífica Concurso INDART (1994); Segundo lugar Concurso Homenaje a la muerte, Galería Pablo O'Higgins, Poza Rica, Veracruz (1999), Premio de Adquisición en la Modalidad de Escultura, 1ª Bienal Tridimensional (2002).

Beca: obtiene la Residencia Artística *Vermont Studio Center* (2006).

Selección: *10ª Bienal de Dibujo y Grabado Diego Rivera* (2002), The 12th International Biennial Print and *Drawing* Exhibition, ROC (2006).

Esta obra se terminó de imprimir y encuadernar
el 14 de enero de 2007 en los talleres
CASTELLANOS IMPRESIÓN, SA de CV,
Ganaderos 149, Granjas Esmeralda,
09810, Iztapalapa, México, DF

Esta obra se terminó de imprimir y [illegible]
[illegible] 14 de [illegible] de 2007 en los talleres
CASTELLANOS IMPRESIÓN, S.A. de C.V.
[illegible] Ganaderos 149, Granjas Esmeralda,
[illegible] 09810, Iztapalapa, México, D.F.